D1759210

Bibliothèque
des Sciences humaines

ANTOINE FAIVRE

ACCÈS DE L'ÉSOTÉRISME OCCIDENTAL

GALLIMARD

À ROBERT SALMON

AVANT-PROPOS

Le passant peu averti qui s'attarde au rayon « ésotérisme » d'une grande librairie ou explore un magasin spécialisé peut être surpris par la diversité, et s'interroger. Quel fil relie entre eux tant d'éléments hétéroclites ? Quoi de commun entre les leçons d'un swami, un livre d'alchimie, une rêverie sur de mystérieuses civilisations disparues, un compte rendu spirite, un rituel maçonnique, une fourchette tordue par télékinésie, un recueil d'éphémérides, et une soucoupe volante ? Irritante devinette, si le fil qu'il recherche est philosophique. Perplexe devant ce bazar de l'imaginaire, où le meilleur côtoie toujours le pire, il évoquera peut-être L'Inventaire *de Jacques Prévert. À moins qu'il ne préfère recourir à la sociologie, mais ce tamis ne retient pas l'eau vive.*

Enquêtant récemment sur la littérature ésotérique contemporaine de langue française, une jeune sociologue avait adressé à tous les éditeurs un questionnaire portant sur leurs éventuelles collections spécialisées en « ésotérisme ». Si les données ainsi recueillies permettent de mesurer l'intérêt pour ce qu'un vaste public appelle ainsi, elles ne renseignent guère sur ce qu'est l'ésotérisme proprement dit. En effet, les ouvrages les plus fondamentaux ne sont pas nécessairement édités dans des collections, nombre de celles-ci se maintiennent à un niveau médiocre ou trivial, enfin le titre d'un livre ne renseigne pas toujours sur son contenu. L'enquête passe sous silence quantité de publications importantes, telles que thèses universitaires, ouvrages philosophiques, éditions critiques d'œuvres anciennes ou de manuscrits.

Il y aurait donc au moins deux manières d'aborder l'ésotérisme. L'une, sociologique, consistant à recenser les aspects de ce que, globalement, le public et les éditeurs appellent ainsi. L'autre, philosophique, nécessairement plus restrictive, consistant à définir son objet, à le distinguer de ce qu'on confondrait facilement avec lui, à en faire l'histoire, à la situer dans le contexte d'autres courants de pensée — propos évoqués en quelques pages, dans les deux premiers chapitres du présent ouvrage. Double direction de recherche, que l'Université, par définition curieuse de tout, aurait pu inscrire depuis longtemps dans ses programmes ; mais deux raisons au moins ont empêché longtemps la création d'un enseignement spécifique, c'est-à-dire de chaires consacrées à notre objet.

D'abord, le caractère transdisciplinaire de l'ésotérisme, peu compatible avec l'étanchéité de disciplines qui ressemblent à des bocaux bien étiquetés rangés dans une armoire d'apothicaire. Depuis quelques années, l'apparition de vases communicants est venue modifier la situation, encore qu'on confonde souvent pluri- ou interdisciplinarité bavarde, et véritable transdisciplinarité. La seconde raison est liée à la première. De vastes champs de notre histoire culturelle, occultés par nos a priori épistémologiques, se trouvaient laissés pour compte, abandonnés à une curiosité brouillonne et une gourmandise capricieuse qui ne firent qu'accroître la méfiance des penseurs en place à l'égard de domaines en marge.

Aujourd'hui, ni les cloisons ni la méfiance n'ont point tout à fait disparu, mais elles sont compensées en partie par le désir de ne rien laisser inexploré. Les recherches historiques sur l'ésotérisme sont nombreuses, principalement en France et dans les pays anglo-saxons. Alors que l'Allemagne avait été pendant des siècles le conservatoire des sciences traditionnelles en Europe, depuis bientôt quarante ans la R.F.A. préfère tenir à distance ce qui est ressenti comme irrationnel, notion vague qui fait perdre le meilleur par crainte du pire et empêche de voir que l'enfant est jeté avec l'eau du bain.

L'année 1965 vit en France la création dans un grand établissement (l'École pratique des hautes études, Ve Section Sorbonne) d'une Direction d'Études, c'est-à-dire d'une chaire, d'Histoire de l'Ésotérisme chrétien, confiée à François Secret, spécialiste de la Kabbale chrétienne. Ainsi et pour la première fois, l'ésotérisme prenait place dans l'enseignement officiel, non plus accessoirement à propos d'un auteur toléré par exception dans un programme. Aucun autre établissement en France ou à l'étranger n'a encore suivi cet exemple, malgré la multiplication des Sections et Départe-

ments de Sciences Religieuses. Il faut rappeler cependant qu'à la Ve Section de l'É.P.H.É., qui est celle des Sciences Religieuses, une Direction d'Études est également consacrée à Gnose et Manichéisme *(occupée par Michel Tardieu, qui a succédé à Henri-Charles Puech), et que dans celle des* Religions hellénistiques et fin du paganisme, *le R.P. André-Jean Festugière a enseigné principalement, de 1942 à 1969, l'histoire de l'Hermétisme alexandrin.*

Lorsqu'en 1979 j'assumai la succession de François Secret, on modifia à cette occasion l'intitulé de la Direction d'Études, qui devint Histoire des courants ésotériques et mystiques dans l'Europe moderne et contemporaine. *Quelque temps auparavant, encouragé par Pierre Nora et Jacques Le Goff, j'avais conçu l'ambition d'écrire pour les Éditions Gallimard une* Histoire de l'Ésotérisme occidental. *Mais la réflexion m'eut bientôt persuadé qu'une telle entreprise serait encore prématurée, du moins pour mes possibilités, dès lors que je ne saurais concevoir celle-ci comme un simple catalogue. Doutant que l'ouvrage voie jamais le jour, Pierre Nora m'a suggéré, en 1984, de lui soumettre pour cette collection un ensemble de travaux qui seraient comme autant de voies d'accès de l'ésotérisme occidental. Le présent ouvrage correspond à ce plus modeste propos.*

Après une introduction, et un panorama de l'époque médiévale, six textes sont consacrés à des questions théosophiques et initiatiques. Le dernier (Les Métamorphoses d'Hermès) *ressortit à la Philosophie de la Nature ; il pourrait servir de transition à un second recueil éventuel, plus particulièrement consacré à la* Naturphilosophie *théosophique et romantique. Après avoir pris connaissance de l'ensemble, Louis Évrard m'a suggéré d'y joindre une bibliographie, ce qui répond en effet à l'esprit de cet ensemble conçu comme convergence d'éclairages, d'orientations, d'accès.*

Meudon, octobre 1985.

PROVENANCE DES ARTICLES RÉÉDITÉS DANS CET OUVRAGE

« Sources antiques et médiévales des courants ésotériques modernes », en cours d'édition sous le titre « Ancient and medieval roots of modern esoteric movements », in *Modern Esoteric Movements*, ouvrage collectif dirigé par A. FAIVRE et Jacob NEEDLEMAN, New York, Crossroad, t. XXI de la série *World Spirituality : An Encyclopedic History of the Religious Quest.*

« Foi et savoir chez Franz von Baader et dans la gnose moderne », pp. 137-156, in *Les Études Philosophiques*, Paris, P.U.F., 1977, n° 1.

« Église Intérieure et Jérusalem céleste », pp. 77-91, in *Cahiers de l'Université Saint-Jean de Jérusalem*, Paris, Berg International, 1976, n° 2.

« Le Temple de Salomon dans la théosophie maçonnique », pp. 274-289, in *Australian Journal of French Studies*, Melbourne, The Hawthorne Press, septembre 1972, vol. IX, n° 3.

« Les Noces chymiques de Christian Rosencreutz comme pèlerinage de l'Âme », pp. 139-153, in *Cahiers de l'Université Saint-Jean de Jérusalem*, Paris, Berg International, 1978, n° 4.

« Miles redivivus (Aspects de l'Imaginaire chevaleresque au XVIIIe siècle) », pp. 98-124, in *ibid.*, 1984, n° 10.

« Les Métamorphoses d'Hermès : Cosmologies néo-gnostiques et Gnose traditionnelle », pp. 95-120, in *ibid.*, 1979, n° 5.

INTRODUCTION

Définitions et positions

Le mot « ésotérisme » n'apparaît pas en Europe avant le milieu du XIXe siècle, et c'est un « occultiste », Éliphas Lévi, qui l'a inventé. Jusqu'alors, des expressions telles que « *philosophia perennis* » ou « *philosophia occulta* » pouvaient en tenir lieu, ou à peu près — d'où, plus tard, des distinctions parfois malaisées entre « occultisme » et « ésotérisme ». Mais si aucun substantif, fût-il aussi vague que celui-ci, ne désignait ce qu'on entend aujourd'hui par là, l'ésotérisme n'en existait pas moins. Le besoin ne se faisait pas sentir de conceptualiser la notion, on se contentait de baptiser certains de ses constituants (théosophie, hermétisme, Kabbale, alchimie, théurgie, astrologie...). C'était nommer chacune des branches de l'arbre, à travers chacune des traditions ou écoles. Jusqu'au XVe siècle environ, il s'intégrait assez bien au paysage environnant et tirait de certaines doctrines répandues, comme le néo-platonisme, une beauté et une majesté accrues.

La situation s'est modifiée avec ce qu'on pourrait appeler la sécularisation du cosmos, à partir du XIVe siècle, lorsque la pensée a commencé à adopter une sorte d'aristotélisme formel et à rejeter du même coup la croyance en une série de rapports vivants unissant Dieu ou le monde divin, l'homme et l'univers. Les sciences techniques ont tiré grand profit de cette rupture épistémologique, mais l'esprit s'en est trouvé appauvri, et la philosophie, au cours de ce processus, s'est coupée de sources enrichissantes. Les courants ésotériques modernes — à partir de la Renaissance — se présentent pour une part comme une réaction contre cette rupture, pour une autre part comme continuateurs d'une pensée fondée sur une saisie intuitive et spéculative — loin de tout vitalisme sentimental — des rapports qui unissent Dieu, l'Homme et la Nature. Les définitions qu'on peut donner de l'ésotérisme varient en fonction du sens, plus ou moins large ou restreint, qu'on donne à ces rapports.

Intériorisme, imagination active, gnose

Le sens restreint du mot « ésotérisme » se fonde sur l'étymologie grecque : « *eso-thodos* », méthode — ou chemin — vers l'intérieur (« *eisôtheô* » = je fais entrer). Il s'agirait d'une « entrée en soi » — c'est pourquoi on l'appelle parfois « intériorisme » — qui passe par une gnose — une connaissance — pour aboutir à une forme d'illumination et de salut individuels. Connaissance qui est celle des rapports nous unissant à Dieu ou au monde divin, ou même celle des mystères inhérents à Dieu même (dans ce cas, elle est théosophie au sens strict). Pour connaître ces rapports, l'individu entre ou descend, en lui-même : « intériorisme », donc, à condition de ne pas donner à ce mot une interprétation romantisante ou intimiste qui négligerait l'entrée en résonance avec le monde et Dieu au profit de la seule introspection. Aussi bien n'entre-t-on pas en soi n'importe comment, mais selon un processus initiatique (« *initium* », initiation, commencement, sont des notions voisines) dont il s'agit de « connaître » les jalons, car la voie est balisée par une série d'intermédiaires. Selon les formes que prend la tradition ésotérique, ce sont simplement des états de l'être (l'ésotérisme est alors l'étude et l'expérimentation des ténèbres intérieures), mais plus généralement des anges, ou des entités appelées « intellects agents », ou « *animae coelestes* », plus ou moins nombreuses, plus ou moins personnalisées, mais qui nous sont toujours d'une certaine manière connaturelles — sans quoi les rapports ne pourraient pas s'établir. Il s'agit moins de les inciter à intercéder en notre faveur, que de les connaître pour parcourir heureusement notre chemin initiatique.

On suit ce chemin en s'engageant soit seul, aidé de textes appropriés qui occultent les mystères tout en donnant leurs clefs, soit avec l'aide d'un initiateur, qui peut être un maître isolé ou un membre d'une école initiatique. L'initiation a pour fonction de régénérer notre conscience grâce à un processus au cours duquel nous nous réapproprions le savoir que nous avons perdu — thème de la Parole perdue, de l'exil dû à une chute originelle, etc. — et grâce auquel nous faisons, sur un mode nouveau, l'expérience de nos rapports avec le sacré et avec l'univers. Que le disciple ait ou non un maître, il s'agit pour lui d'accéder à un savoir — ou à une forme de non savoir — transmissible par la parole ou le verbe, et grâce à cela d'avancer dans la connaissance des liens qui l'unissent aux entités supérieures (théosophie au sens strict) et aux forces cosmiques, à la Nature vivante (théosophie au sens large).

Pour y parvenir il est nécessaire de pratiquer ce qu'on appelle traditionnellement « l'imagination active », clef essentielle de la connaissance ésotérique ; elle est ce qui permet d'échapper à la fois à la stérilité d'une logique purement discursive, et aux dérèglements de la fantaisie ou de la sentimentalité. C'est donc elle qui prévaut contre les dangers de l'imagination inférieure, essentiellement psychique, maîtresse d'erreur et de fausseté. C'est elle, véritable organe de l'âme, qui nous met en relation avec le *mundus imaginalis* ou monde « *imaginal* » (Henry Corbin a trouvé cet adjectif si approprié, qui n'existait pas avant lui), lieu des êtres intermédiaires, mésocosme possédant sa géographie propre, bien réelle, perceptible à chacun de nous en fonction de nos images culturelles respectives.

Compris ainsi, l'ésotérisme correspond à ce qu'on entend généralement par « gnose », dont le gnosticisme des premiers siècles de notre ère n'est qu'un cas assez particulier. Il convient en effet de réserver à celui-ci le nom de « gnosticisme », car son enseignement n'a guère été retenu par les courants ésotériques ultérieurs, ceux du Moyen Âge ou des Temps modernes. Le gnosticisme — du moins un certain nombre de ses représentants, tel Marcion — professe un dualisme absolu selon lequel les puissances du Mal seraient ontologiquement égales à celles du Bien, et le Dieu de l'Ancien Testament serait un mauvais démiurge. Entendons dès lors « gnose » dans un sens général. La racine grecque *(« gnôsis »)*, la même qu'en sanscrit *(« jnana »)* — ainsi pour « *Knowledge* », « *Erkenntnis* », « connaissance » — signifie, en même temps, « savoir » et « sagesse sapientielle ». La pensée grecque tardive, puis la patristique chrétienne, à force de distinguer « *gnosis* » et « *épistémè* », ont introduit un divorce entre le savoir et sa source sacrée, alors que la racine *Kn*, apparente dans *genesis*, implique à la fois le savoir et la venue à l'être. Le théosophe allemand le plus important du XIXe siècle, Franz von Baader, a pu ainsi consacrer une partie de son œuvre à l'identité ontologique de la connaissance et de l'engendrement. En nous faisant naître, ou plutôt renaître, la gnose nous unifie et nous libère. Savoir, c'est être libéré. Il ne suffit pas d'énoncer des symboles ou des dogmes, il faut encore être engendrés par eux dans le lieu même où s'accomplissent réellement les traditions spirituelles, lieu accessible à ceux-là seuls qui réussissent à pénétrer dans le temps et l'espace propres à l'Imaginal.

La gnose en effet n'est pas le savoir tout court ; entre croire et savoir il y a ce troisième terme, l'Imaginal. La gnose islamique établit clairement la répartition : connaissance intellective, connaissance des données traditionnelles qui sont objet de foi, et connaissance ou vision intérieure, révélation intuitive. C'est cette dernière, qui nous ouvre à l'Imaginal : « La gnose est vision intérieure. Son mode d'exposition est narratif ; c'est un *récital.* En tant qu'elle croit, elle *sait.* Mais en tant que ce qu'elle sait ne relève pas des évidences positives, empiriques ou historiques, elle *croit.* Elle est sagesse et elle est foi. Elle est *Pistis Sophia* » (Henry Corbin). « Gnose » doit donc bien être entendu ici dans son sens premier de connaissance supérieure qui s'ajoute aux vérités communes de la Révélation objective, ou « d'approfondissement de cette Révélation rendu possible par une grâce particulière » — selon une élégante définition de Pierre Deghaye. Science, divine s'il en est, que le théosophe Friedrich Christoph Œtinger, au XVIIIe siècle, appelle « *philosophia sacra* ». Philosophie sacrée, salvatrice, sotériologique, parce qu'elle a la vertu d'opérer les métamorphoses, la mutation intérieure de l'homme, grâce non pas à une pensée discursive mais à une révélation narrative des choses cachées, une lumière salvifique qui apporte vie et joie, qui opère et assure le salut. Savoir ce que l'on est et d'où l'on vient, c'est déjà, pour une part, être sauvé. Connaissance non pas théorique, mais opérative, et qui pour cette raison transforme le sujet connaissant — de même que l'alchimie est moins transmutation matérielle que transformation de l'Adepte lui-même.

Gnose et mystique

L'ésotérisme shî'ite et la Kabbale juive représentent une attitude d'esprit par essence comparable à celle de l'ésotérisme chrétien. L'Islam en effet se prêtait, par nature, à l'éclosion d'un ésotérisme. Selon une tradition coranique, le Quôran possède sept sens ésotériques ; à cela un *hadith* du prophète fait allusion : « J'ai plongé dans l'océan des secrets du Quôran et j'en ai extrait les perles de ses subtilités. J'ai levé les voiles des sons et des lettres devant ses vraies réalités, les significations secrètes qui y sont gardées loin du regard des hommes. » La gnostique pratique le *ta'wil*, ou interprétation spirituelle. La lettre n'est que *zâhir* (dos) d'un *bâtin* (caverne, matrice) ou réalité cachée. Plus que d'autres branches de l'Islam, comme par exemple le sunnisme, le shî'isme conçoit la révélation divine dans la ligne d'une prophétie jamais achevée dans le temps et interprète permanente de cette révélation même. Il ne s'agit pas de remplacer la loi divine déjà existante par une autre loi, mais de découvrir toujours plus et mieux son sens plénier. De telles conceptions ne sont pas du tout incompatibles avec le christianisme le plus pur, même si des théologies officielles ont eu tendance à les étouffer. La raison, ou le prétexte, de cette occultation, sont dus en partie à l'accent mis, dans les catéchèses officielles, sur la transcendance absolue de Dieu par rapport à la créature sans que soit comblé le gouffre séparant l'un et l'autre. Or, « *trans* » n'indique pas seulement une frontière ; il a deux sens, selon qu'on l'envisage comme préverbe ou comme préposition ; dans le premier cas il y a continuité, passage comme dans « *transeunt Rhenum* », dans le second il y a discontinuité *(« incolunt trans Rhenum »).* Malgré la présence d'une théologie négative propre à la plupart des ésotérismes occidentaux pour ce qui consacre la divinité elle-même, ceux-ci insistent toujours sur les processions d'étapes, et d'entités, intermédiaires entre Dieu et la créature.

L'ésotérisme permettrait donc d'accéder à un niveau supérieur de l'intelligence, là où les dualités de toutes sortes se trouvent transcendées dans une unité qui n'est point passivité ; une unité ressortissant non pas à un schéma ou à un régime identitaires, mais à une « dualitude » comprise de façon dynamique ou plutôt énergétique. Pour désigner cet état actif on a proposé divers mots : l'homme intérieur (saint Paul), le supra-mental (Shri Aurobindo), l'intuition illuminative (René Guénon), le Moi transcendantal (Husserl), l'enstase (Mircea Eliade). C'est encore l'« infusion » selon Raymond Abellio qui a aussi dressé une liste de ces termes et parlé à ce propos de la « participation concrète et permanente à l'interdépendance universelle » en vue de l'achèvement, en l'homme, du mystère de l'incarnation. L'enstase aspire à s'exprimer, à se diffuser, à communiquer, non pas sous forme d'effusions — d'où le mot « infusion » — mais de transmission, orale ou écrite, à travers le voile des symboles, et dans l'anonymat ou du moins dans le souci de recréer, de retrouver, plutôt que de chercher à tout prix l'originalité. Humilité, donc, mais intellectuelle et non pas sentimentale. Amour, également, mais qui pour trouver ou conserver sa force se retient d'être sentimental et n'est pas seulement désir ou attirance sensibles. Désir d'infini ? Bien plutôt, comme l'a souligné Frithjof Schuon, tendance logique et ontologique de cet amour vers sa propre essence transcendantale.

La gnose déclenche la mystique, de même que dans toute mystique il y a toujours un peu de gnose. La mystique, plus nocturne, cultiverait volontiers le renoncement ; la gnose, plus solaire, observerait le détachement et pratiquerait la mise en structure — bien que le mystique retrouve parfois dans son propre parcours les mêmes entités intermédiaires que celles du gnostique. Mais tandis que le gnostique recherche d'abord la connaissance illuminatrice et salvifique, le mystique en limite le nombre autant qu'il peut, et aspire avant tout à s'unir à son Dieu — une union qui, dans les trois religions abrahamiques, maintient la séparation ontologique entre l'homme et Dieu. À l'ésotérisme ainsi compris se rattachent des procédés ou des rituels visant à provoquer la manifestation concrète de certaines de ces entités ; telle est la théurgie.

L'attitude ésotérique, au sens de « gnostique », est donc une expérience mystique à laquelle viennent participer l'intelligence et la mémoire, qui toutes deux s'expriment sous une forme symbolique en reflétant divers niveaux de réalité. La gnose, selon une remarque du théosophe Valentin Tomberg, serait l'expression d'une forme d'intelligence et de mémoire ayant effectué un passage à travers une expérience mystique. Un gnostique serait donc un mystique capable de communiquer à autrui ses propres expériences d'une manière qui retient l'impression des révélations reçues en passant à travers les différents niveaux du « miroir ». Un exemple de proposition mystique est : « Dieu est amour ; celui qui demeure en l'amour demeure en Dieu, et Dieu en lui » ; ou bien : « Moi et mon Père ne faisons qu'un. » Un exemple de proposition gnostique au premier niveau serait : « Dieu est Trinité : Père, Fils et Saint-Esprit » ; ou bien : « Il y a plusieurs demeures dans la maison de mon Père. »

Le mot « théosophie »

L'ésotérisme considéré au sens large supposerait qu'à la définition précédente on ajoute une dimension théosophique. Dès lors, la gnose ne porte plus seulement sur les rapports salvifiques que l'individu entretient avec le monde divin, mais également sur la nature de Dieu lui-même, ou des personnes divines, et sur l'univers naturel, l'origine de cet univers, les structures cachées qui le constituent dans son état actuel, ses rapports avec l'homme, et ses fins dernières. C'est dans ce sens général qu'on parle traditionnellement de théosophie. La théosophie au sens entendu ici ajoute à l'ésotérisme au sens restreint cette dimension cosmique, ou plutôt cosmosophique, en y introduisant l'idée d'une intentionnalité du monde qui évite au gnostique de céder au solipsisme. La théosophie ouvre l'ésotérisme à l'univers entier, et du même coup rend possible une Philosophie de la Nature.

« *Theosophia* », c'est étymologiquement « sagesse de Dieu ». Le mot apparaît chez plusieurs Pères de l'Église, grecs et latins, comme synonyme de « théologie », et cela tout naturellement puisque « *sophia* » signifie à la fois une connaissance, une doctrine, et une sagesse. Le *sophos* est un « sage ». Les « *theosophoï* » sont « ceux qui connaissent les choses divines », et pourtant ce n'est pas nécessairement des théologiens qu'il s'agit ! Il serait intéressant de relever systématiquement les emplois de ce mot chez les auteurs religieux depuis le début du christianisme jusqu'à la Renaissance ; on verrait qu'il s'écarte parfois du sens de son synonyme, « theologia », la théologie telle que nous l'entendons encore aujourd'hui. Il s'en distingue pour suggérer plus ou moins l'existence d'une connaissance de type gnostique. C'est dans ce sens, par exemple, que tend à l'employer le Pseudo-Denys, au VIe siècle. Et d'une manière moins nette, au XIIIe, l'auteur de l'étonnante *Summa Philosophiae*, qui n'est peut-être pas Robert Grosseteste mais qui en tout cas provient du même milieu que le sien : les théosophes sont seulement les auteurs inspirés par les livres saints, et les théologiens ceux qui ont pour tâche (comme le Pseudo-Denys ou Origène) d'expliquer la théosophie. On voit que les termes sont inversés, par rapport au sens actuel. Il faut attendre la Renaissance pour rencontrer le mot plus souvent, mais encore synonyme, généralement, de théologie ou de philosophie. Johannes Reuchlin, qui au début du XVIe siècle contribue beaucoup à répandre la Kabbale chrétienne, parle des « *theosophistae* » pour désigner les scolastiques décadents, suivi en cela par Cornelius Agrippa — alors que tous deux eussent pu revendiquer ce titre dans sa signification d'aujourd'hui. Du Cange renseigne sur l'emploi, à l'époque, de « théosophie » pour « théologie » *(Glossarium ad scriptores mediae et infimae latinitatis, 1733/1736)*. De 1540 à 1553, Johannes Arboreus (Alabri) publie une *Theosophia* en plusieurs volumes, mais il ne s'agit guère d'ésotérisme.

Le sens du mot se précise nettement à la fin du XVIe siècle, vraisemblablement sous l'influence de l'*Arbatel*, livre de magie blanche paru vers 1550 ou 1560, sans date, puis suivi de nombreuses rééditions. Ici, il a déjà pratiquement son sens actuel. On le retrouve dès lors, employé à peu près de la même manière, chez des ésotéristes aussi importants que Oswald Croll, Heinrich Khunrath, et surtout Jacob Boehme. La théosophie de Boehme part toujours de la nature, conçue par lui comme essentiellement céleste et divine ; cette théosophie est une philosophie de la nature élevée au rang de théologie. Contemporain est aussi le titre sous lequel paraît, à Neustadt, en 1618 et pour la première fois, le livre de Valentin Weigel : *Libellus Theosophiae (Ein Büchlein der göttlichen Weisheit)* — le titre n'est pas de l'auteur, mort trente ans plus tôt, mais il est contemporain de la publication. On voit par ces exemples que le sens du mot se précise au moment où la notion finit de s'élaborer définitivement en Allemagne, chez plusieurs auteurs en même temps, avec les caractéristiques conservées par la suite.

Ce moment où la théosophie acquiert ses lettres de noblesse correspond à l'apogée de la littérature baroque en Allemagne, ainsi qu'à la naissance du mouvement dit « Rose-Croix » — vers les années 1610-1620. Dès lors on emploiera souvent le mot, comme chez Johann Gichtel et Gottfried Arnold ; déjà il s'accompagne d'un terme voisin, en vogue dans les milieux rosicruciens et paracelsiens, apparu en 1592 sous la plume du philosophe platonicien et hermétiste Francesco Patrizzi : « Pansophie », qui rassemble les deux notions de théosophie, comme Sagesse par illumination divine, et de Lumière de Nature. En 1596, Bartholomäus Sclei oppose aux théologiens particularistes ou sectaires sa « *Mystica Theologia Universalis und Pansophia* », qui pour lui ne fait qu'un avec la « *Magia coelestis* » ou magie céleste. Il convient plus généralement d'entendre par « Pansophie », telle que l'a définie un peu plus tard Jan Amos Comenius, un système de savoir universel, toutes choses étant ordonnées à Dieu et classées selon des rapports d'analogie. Ou, si l'on préfère, une connaissance des choses divines acquise en partant du monde concret, c'est-à-dire de l'univers entier, dont il s'agit d'abord de déchiffrer les « signatures » ou hiéroglyphes. En d'autres termes, le Livre de la Nature nous aide à mieux comprendre l'Écriture et Dieu lui-même. On réserverait alors à la démarche inverse, qui consiste à connaître l'univers grâce à la connaissance qu'on a de Dieu, le terme de théosophie. Mais pratiquement, et surtout à partir du XVIIIe siècle, c'est « théosophie » qu'on emploie généralement, pour nommer aussi bien la démarche pansophique.

Au XVIIIe siècle, le mot et le concept de « théosophie » entrent dans le vocabulaire philosophique et se répandent largement. Les deux plus importantes œuvres théosophiques du début du siècle sont allemandes elles aussi ; leur retentissement sera grand, et leurs titres sont explicites : *Theophilosophia theoretica et practica* (1710), de Sincerus Renatus, et *Opus mago-cabalisticum et theosophicum* (1721), de Georg von Welling. C'est dans ce sens qu'à nouveau Franciscus Buddeus enregistre le mot dans son *Isagoge* (Leipzig, 1727), mais surtout le pasteur Jacob Brucker consacre à la théosophie un long chapitre de ses *Kurze Fragen aus der Philosophischen Historie* (Ulm, 1735) en allemand, puis de sa monumentale *Historia critica Philosophiae* en latin (Leipzig, 1741). Tous les théosophes y sont présents, on a l'impression qu'il n'en a oublié aucun. C'est une consécration officielle dans le monde des lettres, d'autant que Brucker va rester, durant tout le siècle des Lumières, la référence obligée en matière d'histoire de la philosophie. Peu d'auteurs, même parmi les ésotéristes, auront contribué autant que lui à faire connaître la théosophie, dont lui-même pourtant ne se sentait guère proche !

Au demeurant, le mot est absent de la plupart des grands dictionnaires français de l'époque des Lumières. On ne le trouve ni chez Furetière, ni dans les éditions du *Dictionnaire de l'Académie*, ni dans le *Dictionnaire* de Bayle. Dans celui de Trévoux il a droit à une courte mention, d'ailleurs incolore et inodore. Mais le temps perdu est rattrapé, grâce à Denis Diderot. Dans l'article copieux, intitulé « Théosophes », de sa grande Encyclopédie et dont il est lui-même l'auteur, il répète en français des passages entiers du texte de Brucker, sans citer sa source, en commettant ici et là des contresens que le fait de traduire librement n'excuse pas tout à fait. Son français est bien plus élégant et séduisant que le latin embarrassé du modèle, mais le contenu est plus superficiel aussi. Diderot, au demeurant, hésite entre la sympathie et le dédain ; il n'a en tout cas pas la tête théosophique, malgré une attirance pour les représentants de cette forme d'ésotérisme. Il a en tout cas contribué à répandre l'usage du mot en France. On continuera à l'employer parfois dans d'autres sens ; par exemple, Kant appelle « théosophisme » le système des philosophes qui, comme Malebranche, croient voir tout en Dieu ; et Antonio Rosmini emploie « théosophie » pour désigner la métaphysique générale de l'être. Mais même à connotations un peu vagues, c'est presque toujours le sens ésotérique qui dorénavant prévaut ; ainsi, Friedrich Schiller intitule un de ses premiers textes *Theosophie des Julius*, paru dans *Thalia* en 1787. Une certaine confusion apparaît à partir de 1875, lorsque Mme Blavatsky fonde la « Société théosophique », dont les enseignements très syncrétistes sont surtout d'inspiration orientale.

Herméneutique théosophique et discours mythique

Par théosophie, de même que par ésotérisme, on entend donc d'abord une herméneutique, c'est-à-dire une interprétation de l'enseignement divin — par exemple, du Livre révélé — fondée à la fois sur une démarche intellectuelle, spéculative (le mode de pensée est ici analogique et homologique, l'homme et l'univers étant considérés comme symboles de Dieu), et sur une révélation due à une illumination. Dans le cas de la théosophie proprement dite, cette interprétation de l'enseignement divin porte sur les mystères intérieurs à la divinité elle-même — théosophie au sens restreint —, ou sur ceux-ci et l'univers entier — théosophie au sens large, celui dont il s'agit ici.

Le théosophe part toujours d'un donné révélé, celui de son mythe — par exemple, le récit de la Création au début de la Genèse — dont il fait jaillir des résonances symboliques par la vertu de son imagination active. Il pense ainsi pénétrer les mystères de l'univers et des rapports qui unissent celui-ci avec l'homme et le monde divin. Comprise comme voie de salut individuel, la gnose impliquait déjà une idée de « pénétration » ; mais il s'agit cette fois de descendre non plus seulement en soi, cette catabase ou anabase devant s'effectuer aussi dans les profondeurs du divin même, et de la Nature. Celle-ci aspire à une délivrance dont l'homme détient la clef. Du *Corpus Hermeticum* alexandrin, l'ésotérisme occidental a eu tendance à conserver le principe selon lequel la *mens* de l'homme étant d'origine divine, l'organisation divine de l'univers se retrouve en elle : notre *mens* est d'une nature identique à celle des gouverneurs stellaires de l'univers décrits dans le *Pimandre*, donc à celle des reflets et projections de ceux-ci dans le monde le plus concret qui nous entoure. Et la Déité, qui « repose en elle-même » — comme dit Boehme, c'est-à-dire qu'elle demeure dans son absolue transcendance —, en même temps sort d'elle-même. Dieu est un trésor caché qui aspire à être connu ; il se laisse partiellement révéler en se dédoublant au sein d'une sphère ontologique, située entre notre monde créé et l'inconnaissable, qui sera le lieu de rencontre entre lui et la créature. Ainsi se trouvent réconciliées la transcendance et l'immanence.

Derrière le foisonnement du réel, le théosophe recherche le sens caché des chiffres ou hiéroglyphes de la nature. Quête inséparable d'une plongée intuitive dans le mythe auquel il adhère par sa foi, et dont son imagination active fait jaillir des résonances promptes à s'organiser en bouquets de sens. Tantôt il part d'une réflexion sur les choses pour comprendre Dieu, tantôt il s'efforce de saisir le devenir du monde divin — sa question n'est pas « *an sit Deus* », mais « *quid sit Deus* » —, pour comprendre le monde du même coup et posséder ainsi la vision intime du principe de la réalité de l'univers et de son devenir. Les aspects du mythe sur lesquels il met l'accent se trouvent tout naturellement être ceux que les Églises constituées ont tendance à négliger ou à passer sous silence : nature des chutes de Lucifer et d'Adam, androgynéité de celui-ci, sophiologie, arithmosophie... Il croit en une révélation permanente dont lui-même est l'objet, et son discours donne toujours l'impression qu'il reçoit la connaissance en même temps que l'inspiration. Il insère chaque observation concrète dans un système totalisant — mais point totalitaire —, indéfiniment ouvert, qui repose toujours sur le triptyque de l'origine, de l'état présent, et des choses finales ; c'est-à-dire sur une cosmogonie (liée à une théogonie et à une anthropogonie), une cosmologie, et une eschatologie. Saint Paul semble avoir justifié par avance cette recherche active et opératoire, en affirmant que « l'Esprit scrute tout, jusqu'aux profondeurs divines » (I Corinthiens, II, 10). Chez le théosophe, comme chez le gnostique en général, l'acquisition d'un savoir s'accompagne d'un changement de l'être, processus heureusement inévitable dès lors qu'il *joue* les drames théogoniques et cosmiques, ou qu'il cherche, comme Boehme, à accéder à une « seconde naissance ». Son discours, apparenté au récital ou au récitatif, donne l'impression d'être moins son œuvre que celle d'un esprit dont il serait le porte-parole ; c'est seulement dans le choix de ses images, dans la forme de son discours, qu'on peut découvrir chaque fois son originalité propre. Aussi bien l'essentiel pour lui n'est-il pas tant d'inventer, d'être original, que de se souvenir, de consacrer son énergie à « inventer » — mais au sens originel de « retrouver » — l'articulation vivante de toutes les choses visibles et invisibles, en scrutant à la fois le divin et la Nature observée souvent jusque dans ses plus infimes détails, et en se faisant l'herméneute de théosophes qui les ont scrutés avant lui.

À l'époque dite archaïque de la Grèce, le *mythos* et le *logos* — qui ensemble constituent la mythologie — ne s'opposent pas l'un l'autre, et évoquent un récit sacré concernant les dieux et les héros. Peu à peu, le *logos* l'a emporté sur le *mythos*, la philosophie sur la mythologie, au détriment de la métonymie et des significatifs déplacements de sens. L'herméneutique récente et contemporaine a au moins retrouvé la pluralité de sens ; mais si elle est « plurielle », elle n'a pas les mêmes finalités que la démarche théosophique. Par nature, celle-ci évite les impasses, car au lieu de la juxtaposition des traductions de sens elle pratique la progression d'un discours qui ne prétend pas dire autre chose que lui-même. Le récit révélé du mythe, sur lequel elle s'appuie, est là pour être reconduit, revécu, sous peine de s'évaporer en notions abstraites. Aussi la théosophie a-t-elle souvent, quoique dans l'ombre, secouru la théologie, en la revivifiant quand elle risquait de s'enliser dans le conceptuel. Celui-ci, pour Boehme, Œtinger, Baader et les autres théosophes, attend toujours sa réinterprétation dans et par un *mythos-logos* au sein duquel le concept, privé de statut privilégié, conserve tout au plus celui d'outil méthodologique et provisoire. Car bien plus que le recours à l'abstraction, c'est l'expérience du symbole qui assure la ressaisie de l'expérience mythique. Tout mythe, dans la mesure où il est complet, c'est-à-dire consiste en ce triptyque évoqué plus haut, se présente du même coup comme un récit des origines. Il rapporte des événements arrivés *in illo tempore*, comme l'a si pertinemment montré Mircea Eliade, qui fondent des actes rituels et des discours théosophiques.

Le théosophe exploite à fond la portée exploratoire du récit mythique en dévoilant l'infinie richesse de sa fonction symbolique — le « tableau naturel des rapports qui unissent Dieu, l'homme et l'univers », ainsi que le résume le titre d'un bel ouvrage (1782) de Louis-Claude de Saint-Martin —, richesse qui nous donne les moyens de vivre dans notre monde comme dans une « forêt de symboles ». Symboles, et non point allégories, car il ne s'agit pas d'arracher aux images, dont le récit révélé s'est revêtu, un sens autre que le récit lui-même et que l'on pourrait exprimer — réduire — par un autre type de discours. Reconduction permanente au sens latent du Livre, sens que seul le Livre lui-même nous permet d'approcher avec l'aide de l'Esprit, la théosophie noue l'origine et la fin, c'est-à-dire la théogonie, voire l'anthropogonie, et l'eschatologie ; mais bien sûr, une théosophie « complète » ajoute à ces dimensions celle de la cosmologie, ou plutôt cosmosophie, réflexion incessante sur les différents niveaux matériels et naturels, gnose perpétuellement nourrie de la découverte et de l'explicitation des analogies. Ainsi, l'existence humaine est appréhendée comme une totalité à partir de laquelle notre vie trouve son Orient, son Sens.

Perspectives théosophiques

Comparable en ceci à la prophétie, quoique selon des voies différentes, la théosophie est une « *ex-plicatio* » de la Révélation. Le christianisme se prête particulièrement à une telle « amplification » ; l'Évangile de Luc ne commence-t-il pas par ces mots : « Plusieurs ayant entrepris de composer un récit des événements qui se sont accomplis parmi nous... » ? Dans la tradition judaïque, la fonction du *midrash* est d'actualiser la Révélation en l'interprétant en fonction du présent. Le christianisme conserve, comme un besoin inhérent à sa nature profonde, cette nécessité d'une Révélation continuée, car bien que définitive pour l'essentiel (Hébreux, X, 12-14) elle reste nécessairement voilée en partie, apophatique. À propos de la théophanie de Jésus, Origène et Grégoire de Nysse expliquent que Sa gloire s'est manifestée dans la nuée. C'est dire que la Révélation demeure, jusqu'au dernier jour, objet d'élucidation prophétique, la théosophie renchérissant sur la nuée elle-même ; dans l'un et l'autre cas il s'agit d'entrer dans une compréhension toujours plus profonde du « mystère », qui n'est pas énigme insoluble, ni problème à résoudre, mais message proposé, support de méditation sans fin.

On pourrait dire qu'il existe deux formes de théologie. D'abord, l'enseignement, par l'Église, ou par une Église, de ce qu'est la Vérité révélée. Mais il y a, aussi, une autre forme de théologie, celle qui correspond à la tentative d'acquérir la connaissance *(gnôsis)* du domaine immense de la réalité au sein de laquelle s'opère l'œuvre du salut. Une connaissance qui porte sur la structure des mondes physique et spirituel, sur les forces à l'œuvre dans ceux-ci, les relations que ces forces entretiennent entre elles (microcosme et macrocosme), l'histoire de leurs transformations, les rapports entre Dieu, l'homme et l'univers. Domaine qui, lui aussi, mérite d'être exploré, pour la gloire de Dieu et le bien du prochain ; exploration qui, elle aussi, répond à l'exigence des talents à faire fructifier (Matthieu, XXV, 14-30). En chrétienté, il y a eu des théologiens, comme saint Bonaventure, pour se livrer à une approche théosophique de la Nature, car le déchiffrement de la « signature des choses » constitue l'une des deux directions complémentaires de la théologie, le théosophe étant un théologien de cette Écriture sainte qui s'appelle l'univers.

L'on peut distinguer, avec Valentin Tomberg, deux modes de cette approche théosophique fondée sur l'idée de correspondances universelles. Il y a, d'abord, une théosophie portant sur des rapports temporels, ce qu'il appelle un « symbolisme mythologique », les symboles mythologiques exprimant les correspondances entre les archétypes dans le passé et leur manifestation dans le temps. Par exemple, la nature du péché d'Adam, la chute d'Adam et d'Ève, leur état glorieux originel, font l'objet d'une projection théosophique sur la nature de l'homme actuel, la tâche qu'il doit accomplir, notamment l'œuvre rédemptrice qu'il lui incombe d'exercer sur la nature. Un mythe de ce genre est l'expression d'une « idée éternelle » ressortissant au temps et à l'histoire. Il y a, d'autre part, une théosophie portant sur l'espace, la structure de l'espace, et que Tomberg appelle un « symbolisme typologique ». Celui-ci concerne essentiellement le panneau central du triptyque théosophique « complet » évoqué plus haut (théogonie et cosmogonie, cosmosophie, eschatologie). Nous avons affaire cette fois à des symboles qui relient les prototypes d'en haut à leurs manifestations d'en bas. La vision d'Ézéchiel, par exemple, exprime un symbolisme typologique qui implique une révélation cosmologique universelle. La *Merkaba*, ou voie mystique du Chariot, qui procède de la Kabbale juive, se fonde entièrement sur cette vision d'Ézéchiel ; l'auteur du *Zohar* « voit » dans les créatures vivantes, et les roues, décrites par Ézéchiel, un ensemble d'images symboliques interprétable comme une clef de connaissance cosmique. Bien entendu, les deux modes d'approche (symbolisme mythologique et symbolisme typologique) coexistent la plupart du temps dans un même discours.

Les révélations ainsi décrites donnent évidemment l'impression « d'objectiver dans un macrocosme ce qui se passe dans la *psyché* individuelle en mal de Dieu », raison pour laquelle, rappelle Pierre Deghaye, le philosophe allemand Ludwig Feuerbach réduisait la théosophie au statut de « psychologie ésotérique ». Deghaye préfère y voir, notamment chez Jacob Boehme qu'il a surtout étudié, « une véritable psychologie des profondeurs », et cela sans se prononcer sur la réalité objective de ce à quoi les révélations boehméennes nous renvoient, c'est-à-dire sans réduire celles-ci à une dimension unique qui serait d'ordre purement psychologique. Certes, l'on a vite fait de déceler, chez les théosophes, l'alliance du désir et du concept, si bien que des mystiques ont pu trouver trop scientifique une théosophie nourrie de spéculations portant sur la Nature, et que les tenants d'une pure rationalité objective ont tendance à considérer les philosophes de la Nature — au sens romantique de *Naturphilosophie* — comme trop mystiques, en tout cas comme des gens dont le discours, au mieux, ne révèle rien d'autre que les mouvements à l'œuvre dans leur inconscient. Il semble qu'il y ait davantage de personnes, aujourd'hui, pour prendre au sérieux la théosophie, car notre époque s'interroge de plus en plus sérieusement sur la possibilité d'une connaturalité de notre esprit et de l'univers ; en d'autres termes, il n'est pas exclu que certaines de nos images reflètent effectivement les structures cachées de cet univers, et que les grands mythes fondateurs correspondent à celles-ci... Il reste aussi que le regard théosophique peut se révéler extraordinairement fécond, en contrebalançant dualismes et idéologies de toute sorte. En effet, la théosophie ne prétend pas qu'il faille dépasser l'homme pour le transformer en autre chose qu'en un homme ; elle lui rappelle seulement quels étaient nos vrais pouvoirs, et tente de nous les rendre. Elle enseigne que rien ne sert finalement de vouloir escalader le ciel en méprisant la terre, ou de se satisfaire de la descente des dieux sans chercher aussi à visiter avec eux l'Olympe : anabase et catabase, comme Castor et Pollux, sont indissociables et complémentaires. Grâce à elle aussi, le « multivers » parcellisé, éclaté, redevient univers, monde porteur de Sens et fait de pluralités vivantes.

Ésotérisme et occultisme

L'ésotérisme au sens large inclut une autre dimension, celle de l'occultisme. En effet, dès lors que l'ésotérisme intègre dans sa praxis spirituelle tout l'univers, c'est-à-dire la nature entière, visible et invisible, il n'est pas surprenant de le voir déboucher sur des pratiques très concrètes. Chacune a sa méthode propre, mais les lois qui les fondent reposent sur un principe identique, de même que les branches d'un arbre se nourrissent de la même sève. Il s'agit essentiellement du principe homo-analogique selon lequel le semblable étant comme le semblable, l'un des deux peut agir sur l'autre ; et cela, en vertu de « correspondances » qui unissent entre elles toutes les choses visibles, mais qui également unissent celles-ci aux réalités invisibles. De ces correspondances, la science expérimentale n'est guère de nature à rendre compte.

Parmi ces pratiques il convient de ranger toutes les formes de mancies, dont l'astrologie occupe la meilleure place ; mais il faut savoir qu'au plan le plus élevé, ésotérique, l'astrologie est moins une science divinatoire qu'une connaissance — une « gnose » — des rapports invisibles entre les astres et les hommes. L'alchimie aussi est une gnose. Dans la mesure où l'Adepte entreprend de reconduire une parcelle de matière, et du même coup lui-même, à leur état glorieux « d'avant la chute », elle est magie au sens le plus noble ; mais lorsque son projet se limite à la seule transmutation métallique, ou spagyrie, on dira qu'elle ressortit à l'occultisme. Mentionnons aussi la médecine occulte, qui repose sur les propriétés de certaines pierres, ou de plantes cueillies à un moment favorable. Et plus généralement la magie sous toutes ses formes, blanche ou noire ; la théurgie, par exemple, ou pratique consistant à invoquer des entités intermédiaires, généralement angéliques, est une forme de magie blanche (à cet égard, on parlera d'*évocations* à propos de l'occultisme, et plus volontiers d'*invocations* dans un contexte théosophique et traditionnel). Toutes ces branches de l'occultisme reposent sur la doctrine des correspondances, ou loi d'interdépendance universelle, qui exprime une réalité vivante et dynamique. Elles n'ont vraiment de sens que dirigées par l'imagination active, qui à la manière d'un catalyseur ou d'un révélateur chimique met en action des réseaux d'analogies et d'homologies cosmiques et divines. Au sens le plus noble, un occultiste est en même temps un ésotériste, voire un théosophe.

La distinction entre ésotérisme et occultisme n'est vraiment entrée dans le vocabulaire que depuis la fin du XIXe siècle, époque à laquelle on a éprouvé le besoin de créer ce second substantif, et qui précisément coïncide avec l'apparition d'un ésotérisme trivial. Au demeurant, l'ésotérisme a lui aussi une dimension pratique : il n'est pas une pure spéculation, dans la mesure où à la connaissance, à l'illumination et à l'imagination actives qui lui sont constitutives, correspond une forme de praxis — de même que l'occultisme renvoie nécessairement à une forme d'universalité. Le problème de terminologie se complique du fait que « occultisme » est parfois employé au sens de « ésotérisme ».

Secret et universalité

L'ésotérisme se présente donc comme un mode de vie et une éducation du regard. Les dangers du subjectivisme se trouvent écartés par la présence du monde et au monde, quand la gnose s'accompagne de théosophie au sens large, et par l'épaisseur historique de l'ésotérisme lui-même, qui ne se passe pas d'un donné révélé et transmissible. À ce donné, comme au point de départ de toute religion, est liée une tradition elle-même ésotérique, bien qu'on ne connaisse généralement celle-ci que tardivement, à travers des commentaires tels que cette théosophie de l'Ancien Testament qu'est la Kabbale juive. Chaque théosophe réinterprète sa tradition, si bien que l'ésotérisme actif apparaît finalement comme la forme privilégiée de l'herméneutique. Les nouvelles approches d'un texte n'excluent pas les précédentes, mais les complètent. Ainsi, la Kabbale chrétienne est une variation sur la juive, de même que Franz von Baader ou Saint-Martin « interprètent » le discours déjà existant de Boehme sur la Genèse. Dans le premier cas il y a, certes, déracinement, du moins utilisation d'une tradition par une autre ; mais l'existence de telles fractures culturelles n'est pas l'aspect le moins intéressant de l'histoire de l'ésotérisme.

Semblable forme de pensée est loin de la tendance historicisante qui confond la vérité historique avec celle des origines sacrées de chaque révélation, et que représentent aussi bien les tenants de la *Formgeschichte* que l'orientation démythologisante suivie par l'école de Rudolf Bultmann. À l'opposé, l'ésotériste comme l'herméneute cherchent à dégager la structure spécifique du langage des symboles et des mythes, d'abord dans leur propre culture, à laquelle ils restituent donc leur sens vivifiant, mais éventuellement aussi dans d'autres cultures que la leur. Ici intervient la notion de ce que Seyyed H. Nasr appelle le « relativement absolu », qui n'est contradictoire qu'en apparence. Il ne s'agit pas de relativiser sa propre foi, mais de voir dans le fondateur de chaque religion l'une des multiples manifestations possibles du Logos suprême, et dans chaque Livre l'une de celles du Livre suprême — ce que l'Islam appelle « la mère des Livres » —, même si nous croyons que l'entière vérité fut révélée de façon privilégiée dans notre propre tradition. Dès lors, l'activité ésotérique se révèle capable de détecter la trace de l'Absolu dans les formes diverses qu'il a prises, donc de le mieux connaître par-delà ces formes elles-mêmes. C'est pourquoi le corpus ésotérique des religions abrahamiques représente un immense trésor d'herméneutique dans lequel les hommes d'aujourd'hui, même ceux qui ne se rattachent à aucune tradition, peuvent venir puiser des enseignements dont notre époque éprouve de plus en plus consciemment, semble-t-il, le besoin.

Ils y peuvent puiser, non pas seulement pour y trouver éventuellement une foi vivante, mais d'abord pour y désapprendre à penser selon des systèmes clos, et pour y oublier les idéologies déshumanisantes. Un immense fonds d'herméneutique et de sagesse traditionnelles, maintenant disponible dans sa quasi-totalité grâce aux progrès de la recherche, de la reproduction, de l'édition, propose une forme de pensée non réductrice déployant indéfiniment, par le jeu de ses miroirs, la richesse des correspondances micro-macrocosmiques. La curiosité pour les traditions et les œuvres du passé comme du présent, si accessibles aujourd'hui, implique un éclectisme qui à son tour la favorise. Mais n'y a-t-il pas là incompatibilité avec la notion de secret ? Et avec celle d'un exotérisme qu'il faudrait soigneusement distinguer de l'ésotérisme ?

D'abord, tout ésotérisme est-il nécessairement lié à la notion de secret ? Comporte-t-il des éléments qu'il serait interdit de divulguer, par opposition à l'exotérisme, discours destiné à la place publique ? Gardons-nous de le réduire à la *disciplina arcani*. Le limiter à cette seule dimension procède souvent de la mauvaise foi, de l'ignorance, ou encore de la paresse intellectuelle — car il est toujours plus commode de restreindre son champ à de simples questions de vocabulaire. Il n'y a la plupart du temps aucune volonté de « secret », c'est-à-dire de secret conventionnel. Le secret n'a besoin de personne pour se défendre. En fait, qu'on parle d'un enseignement confidentiel que Jésus aurait donné à ses disciples, ou conservé jalousement au sein de sociétés initiatiques, la *disciplina arcani* signifie surtout ceci : les mystères de la religion, la nature ultime de la réalité, les forces cachées de l'ordre cosmique, les hiéroglyphes du monde visible, ne peuvent pas se prêter à une compréhension littérale, ni à une explication didactique ou univoque, mais doivent faire l'objet d'une pénétration progressive, à plusieurs niveaux, par chaque homme en quête de connaissance.

Dans un essai publié en 1906, Georg Simmel a dit l'essentiel sur la sociologie du secret, montrant qu'en dehors même de tout ésotérisme il est constitutif de la structure et de l'interaction sociales. Aussi bien ne nous paraît-il point constitutif de l'ésotérisme considéré dans sa spécificité. Une société dite « secrète » n'est pas créée en vue d'on ne sait quelles cachotteries, mais — comme le rappelait justement Raymond Abellio — pour mettre de la transparence dans un petit groupe d'hommes, car le monde lui-même, dans sa globalité, est opaque. Et généralement ce n'est pas une doctrine, que l'initié est supposé garder cachée, mais tout au plus les détails d'un rituel. Presque tous ceux de la Franc-Maçonnerie sont publiés depuis longtemps, ce qui ne constitue guère une trahison du « secret » maçonnique ! Si un Franc-Maçon, ou un membre d'une quelconque société ésotérique, doit taire le nom de ses frères affiliés, c'est tout au plus par mesure de discrétion. Dans les religions de l'hellénisme, la situation était comparable ; ce qu'on devait garder pour soi ne concernait pas un savoir religieux ineffable, d'ailleurs compréhensible au seul initié, mais un rite sous son aspect purement matériel. En effet, si on prend le sacré au sérieux il faut bien construire une cloison légère, voire simplement théorique, entre celui-ci et le monde profane, afin justement de ne point profaner ce à quoi on tient le plus, ce qu'on a soi-même obtenu avec difficulté en se soumettant à diverses épreuves.

On oppose, de même, ésotérisme à exotérisme. Ce qui est réservé à une élite, et ce qui s'adresse à tous. Distinction valable et fructueuse, à condition d'éviter une double méprise. D'abord, de croire qu'il s'agirait d'une incompatibilité. Il faut rappeler qu'il existe un ésotérisme de l'exotérisme, et un exotérisme de l'ésotérisme, comme si chacun d'eux ne se comprenait qu'en fonction de l'autre ou représentait une face d'une même médaille. Je puis tenter de pénétrer un enseignement ouvert à tous, par exemple un catéchisme élémentaire, en m'efforçant de découvrir l'esprit caché derrière la lettre ; inversement, un texte obscur pour celui qui n'est pas préparé à le lire, et s'adressant aux lecteurs familiers des arcanes difficiles qu'il contient, peut faire l'objet d'une interprétation unilatérale, morale, utilitaire. Au fond, il s'agit de niveaux de lecture différents. L'exotérique correspondrait au niveau littéral ou moral, l'ésotérique au niveau anagogique — l'allégorique ou le symbolique se situant entre les deux. Mais le problème des rapports entre ésotérisme et exotérisme se pose aujourd'hui, de façon plus intéressante, à propos surtout de la notion de Tradition.

Le problème de la Tradition. Trois voies ?

Le mot Tradition, avec sa majuscule, s'est imposé en Occident à la fin du siècle dernier. Au Moyen Âge, on avait parfois éprouvé le besoin de dresser des listes d'initiés, ou d'alchimistes, servant de référence, c'est-à-dire d'autorités ; ainsi, dans le texte fameux dit *Turba Philosophorum* (XIIIe siècle). À l'aube de la Renaissance on voit se préciser une chronologie des envoyés divins et des hommes à travers lesquels la « vraie philosophie », au sens précisément traditionnel du terme, s'est, croit-on, exprimée. La chaîne des initiés la plus couramment reconnue est alors : Énoch, Abraham, Noé, Zoroastre, Moïse, Hermès Trismégiste, les brahmanes, les druides, David, Orphée, Pythagore, Platon, les Sibylles. D'où l'expression « *philosophia perennis* », proposée par Augustino Steuco en 1540 dans son livre portant ce titre, reprise par Leibniz dans un sens philosophique qui déborde largement celui de l'ésotérisme. L'intérêt extrême porté à cette succession de noms propres décline à partir du milieu du XVIIe siècle ; il se maintient au XVIIIe, chez un théosophe comme Friedrich Christoph Œtinger qui fait grand usage de la notion de « *philosophia sacra* » et de « philosophie des Anciens ». Plus tard — depuis la fin du XIXe siècle jusqu'à aujourd'hui —, cette idée revient en force sous une forme nouvelle, la « Tradition ». D'inspirations si diverses sont les ésotéristes et les sociétés initiatiques se réclamant d'elle, qu'une certaine confusion règne autour de ce mot. Proposons une triple distinction, d'ordre méthodologique : il semblerait que pour trouver, ou retrouver, la Tradition, l'on ait plus ou moins le choix entre trois possibilités, que nous appellerons la voie « sévère », ou « puriste », la voie « historique », et la voie « humaniste » ou « alchimique ».

Les représentants de la voie « puriste » posent l'existence d'une Tradition « primordiale » — ce qui ne doit pas être pris dans un sens historique ou chronologique — et « d'origine non humaine », comme le rappelle souvent René Guénon, incontestablement le maître de cette voie au XXe siècle. Ce dépôt de sagesse et de gnose appartenait à l'humanité, qui l'a laissé s'éparpiller et se dissoudre. Pour retrouver la vraie voie ésotérique, il faut la chercher là où seulement elle existe, par-delà ces bases exotériques que sont les religions, simples rameaux d'une « unité » qui les transcende. Ainsi Frithjof Schuon peut-il intituler un de ses ouvrages : *De l'Unité transcendante des religions*. Dans le catholicisme et la Franc-Maçonnerie, Guénon voit les dépositaires d'une partie, et d'une partie seulement, de ce legs qui ne se trouve au demeurant nulle part mieux préservé que dans certaines formes de métaphysique hindoue. Mais il rappelle du même coup, et avec juste raison, que les Occidentaux n'ont pas grand-chose à gagner en se déracinant culturellement et métaphysiquement, c'est-à-dire en délaissant l'une des trois religions abrahamiques (juive, chrétienne et musulmane) au profit d'une lumière venue d'Orient.

Dans cette perspective guénonienne, la difficulté de retrouver, même partiellement, la Tradition primordiale, implique une grande exigence quant au choix des initiations ; elles doivent être régulières, donc s'inscrire dans une filiation authentique, ancienne et ininterrompue. « Tradition » signifiant à peu près la même chose que l'hébreu « Kabbalah » (comme nom commun, plus que comme *corpus* théosophique), c'est-à-dire « transmission », il s'agit de veiller scrupuleusement à la régularité de ces transmissions, qu'elles s'effectuent directement de maître à disciple ou par le canal d'initiations à l'intérieur d'un groupe. Corollairement, on remarque chez Guénon et nombre de guénoniens un désintérêt pour des courants théosophiques faisant pourtant partie intégrante de l'ésotérisme occidental dans ce qu'il a de meilleur et de plus authentique, notamment pour la théosophie et la philosophie de la Nature allemandes. Ainsi se ferment-ils à ce qui fait l'essentiel de l'histoire de l'ésotérisme dans l'Occident moderne. Leur choix une fois effectué, ils font preuve de peu de curiosité pour les divers modes d'émergence de la Tradition ou des traditions, et s'il leur arrive de quitter leur domaine propre, c'est souvent pour déclarer anathèmes ceux des autres. D'autre part, notre monde actuel, de plus en plus déchu, est considéré par eux comme celui du Kali Yuga, terme emprunté à la cosmologie hindoue : âge sombre dont il n'y a rien à espérer, qu'il s'agisse de nos arts, de nos littératures, de nos sociétés, de nos sciences. Aussi bien la modernité est-elle un désastre pour nos sociétés. Attitude volontiers dualiste, et généralement non chrétienne. Ne confondons pas cependant Guénon avec des guénoniens souvent beaucoup plus « puristes » que lui.

Dualisme qui renvoie à un régime identitaire : de René Guénon à Julius Evola ou à Georges Vallin, c'est toujours *la* « perspective métaphysique », qui nous est proposée, *l'*Unité au singulier — une fusion dans le Même, par la mystique ou par la connaissance. Diverses formes de néoplotinisme encouragent à une telle fusion, car en s'identifiant au Soi l'âme reconstitue la plénitude de l'Être pur, restaure la primauté du Même, du toujours identique. Cette forme d'ésotérisme, qui se présente volontiers comme *la* détentrice de *la* Tradition, est surtout une mystique intellectuelle débouchant, comme dans la conception védique, sur une vision atonique, plate, amorphe, du Monde : une mystique assez éloignée du spirituel concret, en raison de sa rigidité.

Pour René Guénon, la « tradition hermétique » se rapporte à une connaissance « non métaphysique », mais seulement « cosmologique » (rapports microcosme-macrocosme) ; les sciences y relatives, en tant que savoirs spécialisés, sont seulement dérivées, secondaires, par rapport aux principes ; elles ressortissent à l'Art Royal, point à l'Art Sacerdotal (cf. son article « Hermès », in *Le Voile d'Isis*, avril 1932). Cette restriction fait bien ressortir un aspect fondamental de la voie

« puriste » de type guénonien : il y a d'un côté les « principes », de l'autre les spécialités — les secondes n'ayant qu'à suivre les premiers. À cela on pourrait objecter que les principes ne nous sont accessibles qu'à travers une praxis passant par le Mythe. Or, le Mythe étant le point de départ et le point d'arrivée de toute herméneutique ésotérique, à vouloir le transformer en principes on lui fait perdre sa spécificité, soit qu'il change de plan en se faisant théologie, soit qu'il se dégrade en idéologie.

Suivre la voie appelée ici « historique » consisterait, comme suggère le mot, moins à mettre l'accent sur l'existence d'une Tradition originelle et primordiale, et sur les difficultés de la retrouver, qu'à en saisir les modes d'émergence à travers *les* traditions et dans un esprit volontiers syncrétiste, à suivre ceux-ci à travers l'histoire, comme ils se donnent à voir dans les rites religieux, les arts inspirés par une transcendance, et bien sûr dans les diverses formes d'ésotérisme proprement dit. La Tradition est unique sans doute, mais on admet qu'elle se ramifie de façon variée et complexe. Il y aurait une architecture, une arithmologie, une musique sacrées, par opposition à tout ce qui ressortit aux domaines profanes ou sécularisés. On se montre peu sensible à la variété des éléments doctrinaux : la référence à un « Orient » métaphysique, point nécessairement géographique, suffit à orienter une quête, à unifier une recherche, malgré la diversité ou la simultanéité des modes d'approche. Bien sûr, le vrai Sage appartient à *une* tradition, mais on admet ici qu'avant de choisir la sienne — avant de devenir un Sage — il n'est pas mauvais de goûter à quelques-unes, surtout si l'on n'a pas grandi en recevant de ses parents ou éducateurs un enseignement religieux dont ensuite on fait fructifier le dépôt. Les tenants de la seconde voie grappillent volontiers ici et là, selon un procédé comparable à ce qu'on appelle aux États-Unis le « *shopping around* » des étudiants : en début d'année universitaire, ils prennent largement le temps de fréquenter des cours variés, souvent fort différents les uns des autres, avant de faire leur choix. La différence est que les âmes en quête de Tradition, dans cette seconde catégorie, en restent généralement, et joyeusement, au « *shopping around* ». Voie beaucoup plus suivie que la première, avec tout l'enrichissement culturel qu'elle favorise lorsque ses représentants sont des gens de grande envergure. En France, les Associations — avec leurs revues — Atlantis, et La Nouvelle Acropole, pour différentes qu'elles soient l'une de l'autre, paraissent représenter assez bien ce courant socio-culturel et néo-religieux.

Vers la fin du XIXe siècle, divers facteurs ont pu contribuer à encourager cette attitude d'esprit si répandue aujourd'hui. Parmi d'autres événements significatifs en cette période confuse, si pleine d'intense curiosité, où les hommes de désir avaient à lutter contre un scientisme officiel grossier, rappelons la création, en 1875, de la Société Théosophique par Helena Petrovna Blavatsky, et le World Parliament of Religions à la Columbian Exposition de 1893 : d'une part, le début d'une flambée syncrétiste qui n'a pas fini de jeter tous ses feux ; d'autre part, le premier congrès international de religions comparées. Le développement de celles-ci, par la suite, dans les universités, la multiplication des échanges entre les pays, l'avidité de l'Occident en matière de religions orientales (surtout depuis l'aube du Romantisme), la facilité des moyens d'information — reproductions et encyclopédies —, ont facilité une saisie plus ou moins globale du trésor spirituel de l'humanité. Les sociétés ésotériques qui rassemblent un grand nombre de membres tirent parti de ces possibilités en filtrant, chacune à sa manière, cet héritage pour se conférer une spécificité, et pratiquent un syncrétisme assez large, même quand elles se prétendent détentrices d'un message qui leur serait propre. Ainsi, l'A.M.O.R.C. et la Société Théosophique, avec leurs ramifications dans le monde entier. Si, comme c'est le cas pour ces deux grandes organisations, elles touchent un vaste public, on les voit aussi s'ouvrir prudemment à la modernité. Mais généralement, les tenants de la Tradition, même ceux de cette seconde voie, entendent opposer leur conception de l'ésotérisme à tout ce qui ne ressortit pas explicitement aux traditions considérées comme telles.

Par l'ouverture à la modernité, une troisième voie est rendue possible, que nous appellerons « humaniste » en raison de l'élargissement du champ de recherche et d'activité qu'elle permet, ou « alchimique » dans la mesure où elle débouche sur une transmutation de nous-mêmes et du monde. Récemment, deux universitaires américains, Sheldon R. Isenberg et Gene R. Thursby, ont proposé de distinguer, à l'intérieur de la *philosophia perennis* contemporaine, un courant « évolutionnaire » *(evolutionarist)* et un courant « dévolutionnaire » *(devolutionarist)*, la ligne de partage résultant précisément de l'attitude face à la modernité. Le second correspondrait à peu près à nos deux premières voies, le premier à notre troisième voie. Outre Guénon et Schuon, seraient également dévolutionnaires Nasr, Pallis, Burckhardt, Huston Smith. Ichazo, Gurdjieff (!), Jacob Needleman, représenteraient le courant évolutionnaire. Cette nuance est utile et commode, mais une triple distinction permet peut-être de faire mieux ressortir la complexité du problème, malgré les risques évidents de désaccord dans l'attribution d'une de ces trois voies à tel philosophe ou à telle école. Au demeurant, c'est principalement entre les deux premières que la démarcation apparaît la moins évidente.

Il ne s'agit pas de vouloir concilier Hermès et Darwin, contrairement à ce qu'on avait cru pouvoir faire au XIXe siècle, car le clivage est irréductible entre l'humanisme anthropocentrique évolutionniste et l'humanisme hermétiste évolutionnaire. Toutefois, sans abandonner les possibilités offertes par les deux premières, et sans non plus se limiter à elles, il s'agit, avec cette troisième voie, de prendre pour matière première le monde, tout ce monde que Guénon dédaignait comme produit du Kali Yuga. Certes, dans la plupart des courants ésotériques occidentaux, particulièrement de type chrétien, la nature a toujours fait l'objet d'une telle attention, en raison des « signatures » qu'elle porte, et de sa possible transfiguration par l'homme. Mais il s'agit de faire entrer, en plus de l'univers naturel, dans cette troisième voie le monde de la culture et de la science, c'est-à-dire tout le rez-de-chaussée et même le sous-sol, dont les traditions proprement dites occupent le premier étage. Pourquoi, en effet, ce que l'apôtre Paul dit de la Nature (Romains, VIII, 23), ne s'appliquerait-il pas également à ce monde profane ? Pourquoi lui aussi n'aspirerait-il pas à sortir de l'exil et de la vanité, non par la destruction de ce qui le constitue, mais par une nouvelle « adoption » et « rédemption » dont il pourrait être l'objet ? Cette attitude d'esprit suppose généralement une approche du divin différente de celle des deux premières voies. Une approche difficilement conciliable avec le dualisme des théologies créationnistes ou avec le monisme de l'Unité indifférenciée, car le projet en question va bien au-delà de la simple reconnaissance du fait que les vices ou les contraintes de la société actuelle peuvent favoriser une prise de conscience plus haute de la Tradition elle-même. Plus radicalement que Nicolas de Cues, Jacob Boehme voit en Dieu non seulement la coïncidence des contraires mais la forme essentielle de la contradiction ; même dans la Nature, il ne pense pas les contradictions comme les différents aspects d'une action unique ou identique, mais comme une opposition constitutive de tout réel à tous ses étages. D'où un intérêt, chez les boehmistes et plus généralement chez les théosophes occidentaux, pour des domaines fort ramifiés de la connaissance, et partant leur éclectisme.

Cette tendance éclectique s'est évidemment renforcée avec la Renaissance, mais elle existait déjà dans maints écrits des *Hermetica*. On en trouve la trace dans les grandes *Sommes* médiévales (Vincent de Beauvais, Bartholomée d'Angleterre). Dans l'ésotérisme contemporain, les sciences humaines — psychologie, anthropologie — et exactes — biologie, microphysique — servent de terrain exploratoire aux tenants de cette troisième voie. Ils admettent volontiers l'existence d'un inconscient collectif, quitte à lui conférer — ce que n'avait pas cherché à faire Jung — une dimension proprement ésotérique, celle d'un transconscient branché sur le monde imaginal. L'étude comparée des contes et des mythes de tous les pays ne peut, selon eux, qu'enrichir de dimensions nouvelles une herméneutique compréhensive. Ils aiment étudier ce qu'on peut savoir des structures de la matière, telles que la microphysique les met au jour, afin d'y trouver des termes figuratifs de comparaison avec des intuitions arithmologiques du passé et y lire de nouvelles signatures. Au lieu de Tradition, ils parleront plus volontiers d'esprit traditionnel, fait d'une curiosité intense et orientée, ainsi que du besoin de créer des ponts entre les domaines du savoir. Ce qui, dans les meilleurs des cas, débouche sur une philosophie de la Nature au sens théosophique du terme. Ils savent bien que la modernité n'est pas exempte de dangers, mais ils ne les considèrent pas comme inéluctables. Dès lors, la notion de Tradition renvoie moins à un dépôt immuable, qu'à une perpétuelle renaissance.

Ésotérisme et Modernité, ou plaidoyer pour la troisième voie

Cette troisième voie est celle d'Hermès, grâce à qui l'on apprend à voir le mystère et le Mythe dans nos vies, même dans notre existence la plus profane, et à les placer dans le champ de notre savoir. Mais recueillir la modernité pour la mettre dans l'athanor suppose qu'on connaisse celui-ci et celle-là : double exigence, dont la satisfaction passe par une culture qui ne saurait être seulement ésotérique. « Nous sommes *condamnés*, notait Mircea Eliade, à apprendre et à nous éveiller à la vie de l'esprit par les livres. » L'érudition est « baptême de l'Intellect ». Nous y sommes, à plus forte raison, condamnés, dans un domaine aussi transdisciplinaire que celui de l'ésotérisme, où notre culture ne saurait, moins que jamais, se limiter à une spécialisation étroite. Comment se mettre à l'écoute d'un théosophe, d'un rituel, d'un livre d'alchimie, sans s'interroger sur le paysage : les champs voisins, les frontières communes, le contexte philosophique, littéraire, sociologique ? Non, certes, pour faire éclater les objets choisis, les frapper d'insignifiance à force de réduction, mais pour revenir à eux après nous être chargés de ce supplément de connaissance, les interroger alors d'autant mieux dans ce qu'ils ont de spécifique, d'irréductible, que nous sommes dès lors plus capables de faire briller par notre herméneutique enrichie d'outils nouveaux le prisme de leur incoercible noyau.

L'absence d'érudition, autant que le manque de rigueur, irrite aujourd'hui plus que jamais, en ce domaine carrefour si propice à l'entrée — on pénètre ici comme dans un moulin — d'esprits chimériques ou peu exigeants : documentation bâclée ou inexistante, ressassement de vieilles erreurs ou de clichés tenaces, foisonnement des contrefaçons, absence d'appareils scientifiques dans les rééditions d'ouvrages anciens, voilà le cortège de déceptions quotidiennes qui attendent l'amateur sérieux. Il y a aussi les contrefaçons, présentées par des auteurs qui construisent leur succès sur une réduction du contenu de mythes religieux à des événements historiques triviaux ou « scientifiques » ; certes, l'évhémérisme a existé de tout temps, mais il prend de plus en plus volontiers des couleurs au goût du jour : ainsi, dans *Chariots of the Gods*, Erich von Däniken interprète les hiérophanies bibliques comme des traces de la visite d'extra-terrestres. Ces nouvelles formes d'évhémérisme s'agrémentent d'une science-fiction moins servante de l'Imaginaire qu'alliée d'un grossier réductionnisme. Elle est l'œuvre de ce que, pour reprendre l'image fournie par les événements d'Athènes en 415 av. J.-C., nous appellerions volontiers les *hermocopides,* ou « mutilateurs d'Hermès ». Hermocopides sont aussi ceux qui présentent l'alchimie comme un procédé susceptible de produire des résultats énergétiques dans un but utilitaire. L'urgence se fait plutôt sentir, aujourd'hui, d'un évhémérisme à l'envers ! L'inversion des plans se manifeste aussi par l'habitude de confondre le simple et légitime besoin d'intégration psychique avec le parcours initiatique compris comme voie authentique de réalisation ésotérique. La fringale d'initiations, les foires d'occultisme, la jungle de mouvements et de groupes surgis un peu partout — mais surtout dans notre Extrême-Occident géographique — empêchent parfois de discerner ce qui, ici ou là, exprime une aspiration authentique, et ce qui traduit seulement un besoin de thérapie individuel ou collectif. Une profusion de discours pseudo-initiatiques, traversée et orchestrée par les media, accroît la confusion du fantastique et de l'ésotérisme, et celle de la fragmentation déstructurante et de l'intégration formatrice ou créatrice. Les idéaux d'effervescence communielle dont témoignent nombre de « nouveaux mouvements religieux » se rattachent à un mysticisme vague, fusionnel, moniste, donc identitaire — et par conséquent peu hermésien. Inversement, les pluralismes anomiques qui se sont multipliés dans le sillage nietzschéen n'ont pas donné naissance seulement à des écoles de pensée (Gilles Deleuze, Jacques Derrida), mais également à des attitudes de vie fondées sur un multiple sauvage, sur un goût de l'insolite et de l'inattendu — comme déjà dans le surréalisme —, un divers cultivé pour lui-même et où l'on trouve, récupérés mais hors contexte, quelques lambeaux d'ésotérisme.

Qu'il soit inflationniste ou moniste, cet imaginaire sauvage témoigne malgré tout du besoin d'échapper au régime « officiel » de l'imaginaire, régime schizomorphe dans nos sociétés et dont nos pédagogies et nos épistémologies ressentent de plus en plus les insuffisances. Timidement, comme contraintes par des nécessités internes, les sciences exactes commencent à proposer des modèles mieux aptes à répondre à la complexité du réel.

On voit ainsi s'effectuer un rapprochement de deux modes de pensée dont à l'époque de la Renaissance tardive on avait pu croire le divorce consommé à jamais. L'ésotérisme pourrait de nouveau féconder la pensée scientifique, et celle-ci stimuler des réflexions hermésiennes, théosophiques. Il ne s'agit pas d'encourager une confusion des plans, il serait seulement question de préciser toujours mieux les éléments dynamiques de nature à enrichir tant la pensée scientifique que les sciences humaines, l'ésotérisme cultivant de son côté une plus grande exigence de rigueur par son contact avec elles. De tels éléments pourraient être un mode de lecture plurielle, et une mise en pratique plus généralisée d'une *ratio hermetica.*

Les hermétistes occidentaux, ceux de la Renaissance en particulier, avaient compris que c'est la lecture du Mythe qui est la clef de compréhension de l'art, de la poésie, de la science et de la technique — et non l'inverse. Le besoin se fait sentir d'une remythisation du cosmos et de l'homme, ce qui signifie non pas créer à nouveau de faux mythes — totalitaires ou fragmentaires — mais les refuser en les démystifiant ; non pas adorer d'anciennes ou de récentes idoles, mais cesser d'idolâtrer l'Histoire, de succomber aux philosophies de l'Histoire comme à toute forme d'idéologie. Retrouver la lecture du Mythe, que ce soit dans le cadre d'une religion constituée ou en dehors d'elle, est aussi réapprendre à lire le livre du monde, de l'homme, et des théophanies. C'est comprendre que le langage, ainsi que le rappelle Gilbert Durand, passe d'abord par la lecture, si bien que l'écriture, tant exaltée par la linguistique formelle comme donné premier à déchiffrer, est seulement secondaire. « L'Art de Mémoire », tel qu'on le pratiquait à la Renaissance, manière de lire le monde pour l'intérioriser et l'écrire ensuite au-dedans de soi, pourrait ainsi que quelques autres « vieilles sciences » nous réorienter vers une herméneutique anagogique de la Nature, des activités humaines, des textes, grâce à des modes de lecture propres à révéler les métalangages ou structures vivantes de signes et de correspondances. Lire ainsi, c'est chercher au bon endroit la profondeur des choses, non pas dans des infrastructures socio-économiques ni dans des contenus latents de l'inconscient, mais là où elle se trouve.

Lecture nécessairement plurielle, elle-même expression d'une éthique de la totalité plurielle — d'une manière active d'être et d'avoir —, et qui refuse d'aplatir l'âme en objectivant les problèmes de l'esprit sous des concepts réducteurs ou abstraits. Éthique qui transcende l'illusion du banal et retrouve du Sens dans le concret, à une époque où le refus du Sens témoigne du sursaut désespéré d'un Prométhée voulant nous aveugler avec un flambeau de lumière artificielle. Éthique qui refuse l'impasse agnostique des grands abstraits, de ceux qui fuient le Sens en l'identifiant à la relation formelle, à l'échange des signes vides, en l'escamotant dans la trappe d'une linguistique sans référence extérieure à elle-même, sans heuristique. Solipsisme, atomisation, incommunicabilité, sont la rançon de modes de lecture formels, identitaires ou dualistes, alors que les sciences d'Hermès balisent les voies de l'altérité, de la diversité vivante, de la communication des âmes. Fermeture et altérité repérables dans nos arts et nos littératures, selon que Narcisse, Dionysos et Prométhée règnent chacun en maître absolu, ou qu'Hermès au contraire y stimule de vivantes relations.

De plus en plus apparaissent les signes annonciateurs d'une nouvelle lecture des mythes, et d'une approche différente des sciences humaines, à travers l'œuvre de ceux qui contribuent à instaurer un dialogue planétaire en déprovincialisant l'ethnologie et l'étude des religions. Ainsi, Mircea Eliade montre comment le profane lui-même reflète le mythique, et en intégrant une poétique dans sa démarche scientifique il fait discrètement sentir la nature et les exigences d'une quête qu'on peut bien appeler traditionnelle. Plus explicitement traditionaliste, Seyyed H. Nasr réussit à montrer ce que les grandes avenues historiques de la gnose et du sacré ont entre elles de commun et de différent. Mais on voit tout aussi bien, parallèlement, se mettre en place une epistémè reconnaissant la coexistence possible de plusieurs régimes de rationalité, dont celui d'une *ratio hermetica* — comme l'a appelée Gilbert Durand, et que lui-même, et à sa suite Jean-Jacques Wunenburger, ont définie dans ses termes et selon ses modalités. Une *ratio hermetica*, dont l'abandon, au profit exclusif d'une stricte philosophie identitaire de type aristotélicien, paraît bien être à l'origine de la crise de nos sciences humaines. Garante de l'ordre du cosmos et de l'unification du sujet, cette *ratio* porte en outre la promesse d'échanges entre ésotérisme et sciences humaines ou exactes. Elle est capable, en tant que « Haute Science » de type paracelsien, en tant que savoir des faits concrets, des « mirabilia », de tirer toujours mieux parti des apports de la science « désintéressée » sans perdre de vue pour autant tout ce que celle-ci néglige. Inversement, cette science officielle peut s'enrichir en ne refusant pas, fût-ce à titre exploratoire, le principe hermétique de similitude, la notion de participation à des entités-forces, ni l'idée que la Nature est faite de pluralismes concrets : Éléments de la *ratio hermetica* dont la « dualitude » serait presque le dénominateur commun.

La notion de « dualitude », présente partout dans l'hermétisme (le mot lui-même est récent, mais les traditions parlaient de syzygies), évoque un dispositif de forces polaires en position antagoniste. Elle est exclusive d'une conception unitaire fondée sur le seul principe d'identité, et d'une conception dualiste qui ne fait au fond que renvoyer à de l'identitaire. Elle est exclusive également d'une dialectique de type hégéliano-marxiste, qui n'est jamais qu'une conjonction du monisme et du dualisme. C'est précisément l'omniprésence de ces schèmes identitaires qu'elle remet en question. D'Aristote à Marx ou à Lévi-Strausss'est conforté un ordre de choses simple faisant l'économie des antagonismes structuraux pourtant à l'œuvre partout. À l'autre versant, parmi les systèmes proposés jusqu'ici en marge des courants hermétistes, c'est sans doute celui de Stéphane Lupasco le plus apte à déjouer l'emprise de l'hydre identitaire, car il a mis au point une science de l'énergétique et du complexe, qui rejoint l'alchimie en élevant la logique de la dualitude en loi universelle de toute manifestation. Pièce maîtresse de toute logique complexe, l'énergétique, comme l'a noté Wunenburger, est affectée trop présomptueusement à l'idéologie scientifique du siècle dernier, au profit des concepts de structure et d'information qui ne cessent pas d'obturer le passage vers une pensée non identitaire comme celle de la *ratio hermetica*.

Penser en termes de dualitude — selon la belle image de l'arc et de la corde, que propose Wunenburger —, c'est refuser d'opposer l'univers psychique et l'univers physique, mais les penser comme les deux versants d'un même Tout. C'est refuser d'opposer une métaphysique de l'Être à une autre du

Connaître, c'est-à-dire de référer l'une et l'autre à une homogénéité principielle. C'est substituer à cette opposition une métaphysique du Devenir. Il ne s'agit pas de renvoyer dos à dos l'Être et le Devenir, le simple et le complexe, l'Un et le multiple, ni de céder aux dialectiques de dualisation et de résorption — comme dans les schémas néoplatoniciens et de l'idéalisme allemand, ou de ses séquelles matérialistes —, mais de penser que tout, ainsi que l'ésotérisme occidental l'avait toujours su, prend place dans un ensemble de forces opposées en vivante tension. L'on trouve celles-ci, par exemple, en Dieu même chez Jacob Boehme, associé par ce théosophe à la forme essentielle de la contradiction et point seulement à une coexistence des contraires. Il est compréhensible, au demeurant, que la rationalité scientifique contemporaine ait quelque peine à suivre Boehme ou Baader jusque dans les usages hardis, mais fondés, qu'ils font de la contradiction et du paradoxe. En revanche, une pensée ésotérique bien au fait de la science moderne et contemporaine serait, plus que dans le passé, capable de donner naissance à une nouvelle philosophie de la Nature, comparable par son orientation à celle du Romantisme allemand mais cette fois mieux adaptée aux exigences concrètes et spirituelles de notre temps. Or, elle n'existe pour ainsi dire pas encore, faute d'hommes de désir ayant placé le Mythe dans le champ du savoir scientifique.

Exigences ésotériques spécifiques

En effet, l'ouverture scientifique et spirituelle permise par la troisième voie ne doit pas servir seulement à élargir le champ de notre epistémè ou à soigner les esprits malades de monisme identitaire et de dualisme schizophrénique, mais plus encore à féconder l'ésotérisme sur deux plans : l'élaboration d'une *Naturphilosophie*, et la reprise permanente d'un travail alchimique sur soi. On serait presque tenté de parler d'une quatrième voie, si la troisième, étant elle aussi ésotérique, ne comportait du même coup certaines exigences spécifiques. De fait, on risque en la suivant d'oublier celles-ci en cours de route ; l'attrait du ludisme intellectuel, la joyeuse satisfaction d'un savoir élargi, sont des chants de sirène qu'il faut savoir entendre, écouter, puis dépasser. En poétisant le monde par une lecture plurielle, toujours à la fois neuve et traditionnelle, on risque d'oublier que « *poïein* » signifie d'abord « créer ». À force de s'occuper de récupération, et pour être restés seulement spectateurs, on peut être tentés d'euphémiser les Mythes et leurs scenarii au lieu de revenir, toujours meilleurs acteurs, sur la scène où ils se jouent. Au fond, le danger consiste à céder à la tentation d'euphémiser ce qui, dans l'ésotérisme, est spécifiquement, nécessairement dramatique.

Un universalisme horizontal, de type syncrétiste au meilleur sens, doit s'appuyer sur une perspective métaphysique sous peine de se désagréger, surtout dans notre monde contemporain de débâcle et de déracinement spirituels. Il ne suffit pas de repenser l'Imaginaire en reconnaissant que toutes nos représentations et activités — nos sociétés, nos arts, nos techniques, etc. — ne font jamais qu'en exprimer un ; encore faut-il, aussi, se demander sur quoi se détache cet Imaginaire. Sur un « Sans-fond », comme le pense Cornelius Castoriadis ? Plutôt sur un Paradis, comme l'entrevoit Marc Beigbeder, mais un Paradis qu'il incombe alors à la démarche ésotérique de retrouver, d'explorer, puis de ramener à l'émergence.

Si une lecture hermésienne du monde nourrit mieux ses enfants que des résidus signalétiques formels ou abstraits, elle n'est pas par elle-même suffisante pour nous transformer. Lire n'est pas faire, le gai savoir n'est pas encore la praxis. Si l'astrologie, semblable à l'éclat des phares sur une route, ne supprime les fossés ni ne détermine le choix de notre itinéraire, voir dans une lumière d'analogie les réseaux de correspondances entre le microcosme et le macrocosme ne diminue pas davantage le désordre du monde et de l'homme, ne suffit pas à les reconduire vers leur harmonie originelle. À toute gnose un travail est attaché. Savoir mieux consulter les cartes de notre géographie anthropologique et cosmique n'implique pas que nous soyons capables de nous transporter tout armés sur le terrain des opérations ; de même, la circulation et l'échange des biens — domaine, pourtant, d'Hermès — ne peuvent être confondus avec la palingénésie.

Aussi notre troisième voie, plus que « humaniste », peut ou

doit s'appeler « alchimique », car cet adjectif rappelle aux exigences de la *nigredo* (l'œuvre au noir, premier stade du parcours de l'œuvre), que la simple jubilation esthétique risquerait de faire perdre de vue. *Nigredo, albedo, rubedo,* correspondent à un parcours qu'il n'est pas nécessaire de se savoir alchimiste pour effectuer. Aussi n'hésiterons-nous pas à affecter ces trois étapes à des œuvres et des hommes ne se réclamant pas nécessairement de l'ésotérisme ou de l'alchimie, mais qui, bien mieux que d'autres s'en réclamant, témoignent d'un engagement concret dans une voie opérative au bout de laquelle on peut, légitimement, parler de Grand Œuvre. Ce que Françoise Bonardel vient de montrer de convaincante manière, avec quantité d'exemples d'auteurs et de créateurs choisis parmi ceux de notre modernité *(Aspects du Grand Œuvre en Extrême-Orient*, thèse, Univ. de Grenoble, 1984) et en mettant en garde elle aussi contre les diverses formes et risques d'euphémisation. Toute voie ésotérique passe nécessairement par une ascèse alchimique — à distinguer de l'ascétisme, source de nos progrès technologiques mais point nécessairement modèle à suivre pour qui veut faire l'expérience de la Totalité. Considérer la lecture comme un mode d'initiation, prendre un livre comme instrument de retrouvailles avec la Nigredo, peut susciter en nous l'apparition de cette « mélancolie illuminée » que connaissaient bien les ésotéristes de la Renaissance.

L'ascèse requise ici assume pleinement le dramatique ; je la vois faite de tensions salvatrices entre pôles contradictoires — ce qui ne veut pas nécessairement dire d'angoisse —, de paradoxes surmontés et maintenus, d'étapes transformatrices et instauratrices de polarités vivantes. Elle consiste d'abord à s'engager sur le fil d'une lame tranchante, donc elle-même dangereuse, flanquée de deux gouffres périlleux de part et d'autre. Éviter ceux-ci, c'est résister d'une part à la tentation de l'idéalisme absolu, ou d'un dualisme également intransigeant, tous deux homogénéisants, et d'autre part à l'immersion dans le multiple hétérogénéisant. Mais comme rester en état d'immobilité sur la lame peut blesser notre imaginaire funambule, il s'agit pour lui de trouver quel mouvement effectuer afin, en avançant, d'échapper à ce troisième danger. Mouvement contradictoriel qui sera salvateur, alors qu'un autre, contradictionnel — pour reprendre la terminologie chère à Stéphane Lupasco —, serait mortel. Mouvement qui n'est point simple résultante de forces opposées ni équilibration obtenue une fois pour toutes — et dût-elle correspondre à une individuation au sens où C. G. Jung l'entend —, mais permanente reprise et recréation. Dans la lignée de Jacob Boehme, de Franz von Baader ou de Stéphane Lupasco — mais c'était aussi celle d'Héraclite —, tout ce qui est ou se constitue prend place d'emblée dans un ensemble de forces opposées en tension vivante, ternaire ou quaternaire, clefs des vraies transmutations, à distinguer des simples métamorphoses.

Le guide Hermès-Mercure n'a pas pour fonction de nous accompagner aussi loin, bien que pour des raisons de commodité de langage nous tenions « hermésisme » et « ésotérisme » pour synonymes. Mais ce qui nous accompagne, ce sont les *traces* d'Hermès, comparables aux cailloux du Petit Poucet. De tous les dieux, il est peut-être celui qu'on peut laisser jouer seul en nous avec le moins de risques. Mais il serait dommage qu'on se contentât de sa seule présence. Hermès attend que nous venions le délivrer pour nous aider à entreprendre le travail, à choisir nos autres dieux, à faire bon usage de nos mythes. Mais ensuite, c'est plutôt à Hermès Trismégiste de prendre le relais. Les écrits alexandrins placés sous le signe de ce Trois Fois Grand — les premiers écrits théosophiques qui comptent, dans l'Occident de notre ère —, pour une part sont d'inspiration plutôt pessimiste, rappelant notre première voie (la Tradition dite « puriste »), et pour une autre part ressortissent à un ésotérisme compréhensif susceptible d'accueillir toute la beauté et la complexité du monde. Faut-il voir, comme font parfois les meilleurs historiens de ces textes, en cette double attitude une pensée contradictoire due à une variété d'auteurs ? Reconnaissons-y plutôt une tension herméneutique nous incitant à surmonter cet antagonisme constitutif de notre être, grâce à un travail incessant qu'évoquerait un permanent et créateur va-et-vient entre le VIe et le VIIe Arcane Majeur du Tarot de Marseille (*L'Amoureux* et *Le Chariot*). Travail sans lequel le mystère de la tension hermétique ne s'ouvrirait pas sur une palingénésie, et risquerait de dégénérer chaque fois en simple modèle de pensée.

Note sur le mot « hermésisme »,
employé dans le schéma ci-joint

Dans l'exposé qui précède, on trouve les définitions de la plupart des concepts utilisés à l'intérieur du schéma ci-joint (ésotérisme, théosophie, pansophie, gnose, occultisme). Le mot hermésisme *mérite une explication particulière.*

Dans l'esprit d'une suggestion de Frances A. Yates, j'ai proposé qu'à côté du mot Hermétisme *(*Hermetism, *en anglais), servant à désigner le corps de doctrine des* Hermetica *ainsi que leurs gloses et exégèses, on emploie le mot* hermésisme *(*Hermeticism, *en anglais) pour désigner un ensemble plus vaste de doctrines, de croyances et de pratiques dont la nature s'est précisée à la Renaissance. Elles ne dépendent pas nécessairement de la tradition hermétique alexandrine, mais incluent aussi bien la Kabbale chrétienne, le rosicrucisme, la théosophie, le paracelcisme, et d'une façon générale la plupart des formes que revêt l'ésotérisme occidental moderne.* Hermésisme, *employé dans le schéma ci-joint, est donc pour moi synonyme, pratiquement, d'ésotérisme occidental moderne. Il convient de l'écrire avec une minuscule (comme* ésotérisme*), puisque contrairement à* Hermétisme *il ne désigne pas une doctrine ou un courant précis.*

À la pensée des Hermetica, *c'est-à-dire à l'Hermétisme, je fais correspondre — conformément à la tradition établie — l'adjectif* hermétique, *mais j'ai suggéré l'emploi de* hermésien *comme adjectif de* hermésisme. *« Hermésienne » serait donc l'attitude d'esprit commune à tout l'ésotérisme occidental placé sous le signe du dieu au caducée.*

Françoise Bonardel (in L'Hermétisme, *Paris, P.U.F., coll. « Que sais-je ? », 1985, p. 7, cf. aussi p. 59), après m'avoir cité, et en jouant sur les trois possibilités offertes par le français, a « choisi de nommer* hermétique *la pensée des* Hermetica, hermétiste *l'ensemble de la tradition ésotérique patronnée par Hermès ; et* hermésien *ce qui, inspiré par son Verbe, incite à entreprendre un acte herméneutique de la " compréhension " gnostique ». Françoise Bonardel introduit donc une nuance intéressante entre* hermétiste *et* hermésien. *Le premier mot réfère à un donné, le second davantage à un acte.*

Il faut rappeler l'usage relativement courant des mots Hermétisme *et* hermétique *au sens de* alchimie *et* alchimique. *Le contexte permet généralement d'éviter la confusion avec l'autre sens, défini plus haut, de ces deux mots.*

		ÉSOTÉRISME (sens large), ou HERMÉSISME		OCCULTISME
	RÉVÉLATION	GNOSE	PRATIQUES	PRATIQUES
Plan divin	— Livres révélés. — Expérience mystique, comme union personnelle avec le divin. — Prophétisme, comme révélation spirituelle directe.	— ÉSOTÉRISME (sens restreint) : illumination et salut, par vertu d'une connaissance des liens qui nous unissent aux esprits intermédiaires ou divins. — THÉOSOPHIE : au sens restreint, accent mis sur la nature de Dieu, les mystères cachés de la divinité. Au sens large, imagination active appliquée au mythe (théogonie, anthropogonie, cosmogonie, cosmologie, eschatologie).	Magie blanche, qui comprend principalement : — THÉURGIE : évocation d'esprits angéliques ; « réintégration » par rituels, etc. — ALCHIMIE, considérée sous son aspect spirituel et sotériologique.	
Plan naturel	— Signatura rerum : Astra, Naturalia, Mirabilia (« hiéroglyphes » de la Nature).	— PANSOPHIE : aspect de la théosophie au sens large, avec accent mis sur la cosmologie. C'est une gnose des choses divines en partant du monde concret (le Livre de la Nature aide à comprendre l'Écriture et Dieu même). — PHILOSOPHIE DE LA NATURE. — RATIO HERMETICA.	— Magia naturalis (médecine hermétique, et utilisation concrète des signatures). — Arts hermésiens (astrologie et toutes mancies). Emblèmes. Art de Mémoire. — Sociétés initiatiques et leurs rituels.	Magie noire. Nécromancie. Sorcellerie.

Sources antiques et médiévales des courants ésotériques modernes

On trouvera ici un panorama des courants de pensée correspondant à ce que j'ai appelé l'ésotérisme au sens large, ou à ce qui en tenait lieu, depuis la fin de l'Antiquité jusqu'au début des Temps modernes. Histoire qui pour le Moyen Âge ne dépasse guère, dans ce chapitre, le monde latin, sauf à considérer certains facteurs ayant fortement agi sur celui-ci, comme l'ésotérisme juif et la philosophie byzantine. Histoire indispensable pour comprendre les mouvements ésotériques depuis la Renaissance, car elle permet de connaître leurs racines. Il est généralement admis de faire commencer les Temps modernes, c'est-à-dire la fin du Moyen Âge, à la prise de Constantinople par les Turcs (1453). Pour marquer la continuité nous pousserons un peu plus avant, jusqu'à la fin du XV*e siècle.*

ASPECTS ÉSOTÉRIQUES DANS LA PENSÉE DU BAS-EMPIRE

Néo-pythagorisme et stoïcisme. Philon

Le néo-pythagorisme des deux premiers siècles, malgré le peu de documents qu'il a laissés, marque profondément de son empreinte le néo-platonisme, et ne cessera pas de réapparaître, jusqu'à aujourd'hui, sous les diverses formes d'arithmosophie. Les nombres permettent d'accéder à une métaphysique, prétendent Moderatus de Gadès qui donne une traduction

« numérique » de l'enseignement platonicien, et Nicomaque de Gérase. Mais l'originalité de cet enseignement réside dans le fait qu'il a tendance à lier intimement ces nombres à la croyance en une procession échelonnée des âmes après la mort, donc à toute une série de médiations dont les planètes et les étoiles constituent généralement des étapes. Ainsi s'exprime l'idée de médiation, si caractéristique de la pensée ésotérique. L'échelle la plus couramment représentée alors est, de haut en bas, l'Un, puis l'Intelligible ou les Idées, puis l'âme, enfin la matière. Après la mort ou dès cette vie, il s'agit d'en remonter les barreaux. Telle est du moins, très résumée, la conception rectrice de ce courant d'idées, proches à cet égard de celles des Esséniens et de Plutarque (vers 46-vers 120). Celui-ci en effet n'est pas seulement l'auteur des *Vies parallèles*, il a laissé également une doctrine sur la « production de l'âme » selon l'interprétation hardie qu'il donne du *Timée*. Les textes de Plutarque qui décrivent la montée des âmes vers la lune, après la mort, figurent parmi les plus beaux de tous ceux que cette forme d'imaginaire a laissés en Occident en matière de cosmicisation de l'au-delà. Les mythes égyptiens, surtout ceux qui se rattachent au culte d'Osiris, fascinent cet auteur dont le grand mérite, au demeurant, sera d'avoir pris au sérieux la notion même de « mythique », à l'encontre de tous ceux qui déjà voulaient n'y voir que l'allégorisation de forces et de phénomènes naturels.

Si les intermédiaires et les processions du néo-pythagorisme préparent directement la voie du néoplatonisme, il en va de même du stoïcisme, quoique pour des raisons un peu différentes. Il s'étend sur près de six siècles et imprègne aussi une partie des courants gnostiques et hermétiques. L'aspect du stoïcisme qui annonce le plus la pensée ésotérique en Occident est sans doute l'accent qu'il met sur la nécessité de connaître l'univers concret en mêlant harmonieusement sagesse et technique. La philosophie et la sagesse sont considérées elles-mêmes comme des techniques, alors que Platon et Aristote classaient celles-ci parmi les activités non « libérales ». Le stoïcisme enseigne donc la nécessité d'un savoir-faire concret, il refuse la spéculation pure et cherche à connaître la totalité organique qui garantit l'accord entre les choses célestes et terrestres.

Attitude accueillante aussi à l'égard de la religion populaire, voire même des divinations de toutes sortes. De Zénon à Posidonius, les stoïciens la défendent car ils se montrent sensibles à l'accord et la sympathie joignant ensemble les parties de l'univers. Corollairement, l'idée de passage entre des termes opposés grâce à la découverte de termes intermédiaires assure l'accord de l'âme avec les choses. Pensée moniste, qui connaît un univers dont un souffle pénètre toutes les parties. Aussi bien l'ésotérisme occidental restera-t-il fondamentalement anti-dualiste, c'est-à-dire opposé à toute forme de dualisme ontologique, et tourné à la fois vers le spirituel et vers le concret. Il conservera ce trait déjà propre à la pensée stoïcienne, c'est-à-dire le paradoxe qui consiste à conserver les données du sens commun en les transmuant pour en faire des manifestations d'une raison universelle.

Au tout premier rayon du christianisme naissant, donc avant même la rédaction du *Corpus Hermeticum*, l'œuvre de Philon d'Alexandrie (20 av. J.-C.-54 apr. J.-C.) prépare, elle aussi, la voie du néo-platonisme. En effet, pour ce juif alexandrin, le Dieu transcendant ne touche pas le monde directement mais par des intermédiaires, et l'âme n'atteint pas Dieu sans eux. Or, on a vu que l'ésotérisme reposera en dernière analyse sur l'idée de médiations, pour diverses que soient les formes qu'elles revêtent. Selon Philon, c'est par exemple le Logos, ou Verbe, qui est le médiateur dans lequel Dieu voit le modèle du monde, modèle selon lequel il crée le monde. Médiatrice est aussi la Sagesse avec laquelle il s'unit mystérieusement pour créer l'univers. Médiateurs sont encore les anges ou « démons », ignés ou aériens, ordonnateurs ou exécutants des injonctions divines, grâce auxquels notre âme peut remonter à Dieu. Avec Philon se précise la tendance, caractéristique du néo-platonisme, qui consiste à prospecter et à proposer des moyens d'atteindre une réalité transcendante, « intelligible ». Toutefois, contrairement au stoïcisme et bien entendu au christianisme, l'idée d'un Dieu venant assister l'homme reste quasiment absente.

Philon a accompli la synthèse de la tradition judaïque et de la pensée grecque grâce à son éclectisme, commun à tous les penseurs grecs alexandrins. Éclectisme qui lui permet de faire communiquer entre eux les domaines du savoir, les traditions, d'où la nécessité de scruter les Écritures à plusieurs niveaux ; multiplicité des lectures possibles d'un même texte, réaffirmée par la théologie médiévale et que l'ésotérisme a pour fonction de rendre possible. Au demeurant, Philon restera ignoré des penseurs juifs, son influence s'exercera sur la pensée chrétienne essentiellement.

L'Hermétisme alexandrin

L'Hermétisme alexandrin, c'est-à-dire l'ensemble des écrits appelés *Hermetica*, est bien plus encore que le stoïcisme le *corpus* fondamental où l'ésotérisme viendra puiser. On peut parler de quatre « religions » nouvelles et même rivales, du IIe au IVe siècle : l'Hermétisme, le gnosticisme, le néo-platonisme et le christianisme. Chacun possède avec les trois autres d'importants points communs. On sait qu'Alexandrie, fondée en 332 av. J.-C., avait connu un rapide développement au point de devenir l'une des cités les plus importantes de l'Antiquité. C'est là qu'Euclide avait ouvert son école de mathématiques où étudièrent Archimède, Hipparque, Ératosthène et Apollonius de Perga. Mais d'autres villes du Delta s'illustrèrent aussi. À l'esprit de l'Hermétisme alexandrin se rattachent les *Oracles chaldaïques*, sans doute l'œuvre de Julien le Théurge, contemporain de Marc-Aurèle ; l'inspiration de ces écrits est mi-orientale, mi-hellénique. On y trouve une théologie négative affirmant fortement la transcendance du Père, et une magie théurgique. Par « théurgie » il faut entendre, rappelons-le, la connaissance d'une théorie et d'une pratique nécessaires pour nous faire entrer en rapport avec les dieux non pas seulement par l'élévation de notre intellect mais au moyen de rites concrets, d'objets matériels, qui font agir l'influence divine où on le veut et quand on le veut, et permettent même de faire apparaître devant nous des entités angéliques. On retrouve des éléments des *Oracles chaldaïques* chez Marius Victorinus (vers 280-vers 363), saint Augustin, Porphyre, Synesius, Jamblique, Arnobe, au XIe siècle chez le Byzantin Psellos. L'époque de l'Hermétisme alexandrin voit aussi fleurir l'œuvre d'Apulée de Madaure (vers 125-vers 170), qui vit et étudie surtout à Athènes ; c'est l'auteur du fameux *Âne d'or* (ou *Les Méta-*

morphoses), roman en latin plein de magie, de charmes et de mystères.

Les *Hermetica* comportent plusieurs petites œuvres éparses dont la collection la plus célèbre, celle qui laissera une empreinte permanente sur la pensée occidentale, est le *Corpus Hermeticum*, auquel il faut rattacher l'*Asclepius* et les *Fragments de Stobée*. Le *Corpus Hermeticum* rassemble dix-sept traités en grec rédigés aux IIe et IIIe siècles. Ces traités ne se sont conservés que dans des manuscrits dont les plus anciens remontent seulement au XIVe siècle. Quatorze d'entre eux seront mis en latin par Marsile Ficin, en 1463. Le Moyen Âge les avait oubliés, à l'exception de l'*Asclepius*. À la Renaissance, Valentin Weigel (1533-1588), le père de la théosophie germanique — dont Jacob Boehme (1575-1624) est le prince —, cite Hermès Trismégiste plus que tout autre auteur d'avant son époque, le Pseudo-Denys, Eckhart, Platon et Augustin venant ensuite. C'est en effet au mythique Hermès Trismégiste, le « trois fois grand », que ces écrits se réfèrent. À la différence de doctrines sur certains points analogues, comme le mandéisme, les enseignements marqués du sceau de cet Hermès seront reçus par l'Occident moderne moins comme des vestiges d'un « passé dépassé » que comme une source toujours disponible, vivante, revivifiable, invitant à une herméneutique perpétuelle.

L'ésotérisme occidental des Temps modernes a gardé en propre avec l'Hermétisme alexandrin un état d'esprit, une attitude philosophique, et une référence — évidente dans certains des textes du *Corpus* — à un scénario de chute et de réintégration. L'état d'esprit, c'est l'éclectisme, la possibilité de s'abreuver à des courants divers — d'où la notion de *philosophia perennis* mise à l'honneur au XVIe siècle, et c'est aussi l'accent mis sur la volonté, au plan divin comme au plan humain. L'activité de Dieu est Sa volonté, et Son essence consiste à « vouloir ». De même, la théosophie germanique, à partir de Jacob Boehme, mettra l'accent sur ce primat de la volonté en Dieu. L'Adepte, lui, doit « vouloir connaître ». L'aspect optimiste et l'aspect pessimiste qui se partagent l'inspiration des *Hermetica* se retrouvent dans l'hermétisme moderne ; aspect optimiste dans la mesure où il est possible de s'unir au divin en inscrivant à l'intérieur de notre propre *mens* une représentation de l'univers ; aspect pessimiste dans la mesure où sont fortement soulignées les conséquences de la chute sur l'état présent de la nature.

Les présupposés philosophiques communs aux *Hermetica* et aux Temps modernes, c'est l'absence de dualisme ontologique absolu. Dans le traité *Noùs à Hermès*, le premier enseigne au second à refléter l'univers dans son propre esprit, à saisir l'essence divine de la nature et à l'imprimer à l'intérieur de sa psyché, ce qui est rendu possible par le fait que l'homme possède un intellect divin. Thème du « miroir », sur lequel on ne cessera pas de « spéculer »... On connaît Dieu grâce à la contemplation du monde. Et puisque l'univers est une forêt de symboles, il est naturel de s'intéresser à tout ce qu'il contient. D'où le goût des *Hermetica* (cf. notamment les *Kyranides*) pour le particulier, les *mirabilia*, au détriment de l'abstrait et du général. Cette science n'est pas « désintéressée », mais elle retrouve le général par le détour enrichissant du concret et du particulier. En germe, c'est déjà Paracelse et la *Naturphilosophie* romantique allemande. Goût du concret, philosophie de l'incarnation, d'où une évidente compatibilité d'esprit avec le christianisme. « Il n'y a rien d'invisible, même parmi les incorporels », car la reproduction des corps est une « opération éternelle », la corporification est « une force en acte » ; voilà ce qu'enseignent des passages du *Corpus*. C'est déjà presque la *Geistleiblichkeit*, la « corporéité spirituelle », de la théosophie de Boehme et d'Œtinger.

Le troisième point de convergence est la référence aux mythèmes de chute et de réintégration. Ici l'on constate que le thème de la chute de l'homme par l'attrait du sensible, thème si courant dans la théosophie occidentale, se trouve déjà dans le *Poïmandres* (le premier texte du *Corpus*) où l'on voit que l'enfermement d'Adam dans le sensible fut dû à l'*Éros* ; il ne s'agit pas d'un mépris de la nature mais d'un mythème cosmosophique qui convie à une œuvre régénératrice passant par une réascension. Celle-ci s'opère soit par notre « intellect » qui, branché sur des intelligences spirituelles intermédiaires, s'en sert comme d'une échelle spirituelle, soit par la voie théurgique, soit des deux manières à la fois. Les *Hermetica* permettent ainsi de mieux comprendre la théurgie de John Dee, et au XVIIIe siècle celle de Martines de Pasqually. L'essence divine enfermée à l'intérieur de l'homme n'est pas de nature à être délivrée, ou régénérée, n'importe comment, mais selon des voies précises, parmi lesquelles des initiations qui peuvent être de diverses sortes. L'enseignement que donne à ce sujet l'Hermétisme alexandrin implique la croyance en un « cosmos astrologique », alors que l'astrologie des Temps modernes tend de plus en plus, surtout depuis le XVIIe siècle, à se séparer des processus initiatiques et à devenir exclusivement une forme de mancie. Il y a enfin dans l'Hermétisme alexandrin l'idée que, grâce à l'homme, la terre elle-même est susceptible de s'améliorer, de retrouver un état glorieux, de devenir vraiment « active ». Idée d'une prodigieuse fécondité et qu'un texte de saint Paul (Romains, VIII, 19-22) a déjà puissamment contribué à répandre : l'homme a entraîné la nature dans sa chute, par voie de conséquence la nature est susceptible d'être régénérée avec l'aide de l'homme si celui-ci opère un retour inverse. Base possible pour une écologie métaphysiquement fondée !

Jusqu'en 1610 on croira ces écrits antérieurs au christianisme et contemporains de Moïse. D'où l'aura dont les yeux des « hommes de désir » les entourent. Néanmoins, à part l'*Asclepius*, dont la version latine n'a jamais été perdue, le Moyen Âge ne les avait pas connus directement. Il faudra attendre le début de la Renaissance pour en découvrir la quasi-totalité, ce qui permettra à Marsile Ficin d'en donner une traduction presque complète. L'alchimie hermétiste procède d'une inspiration comparable et elle surgit dans les mêmes milieux. Il ne semble pas qu'elle ait été connue de l'Égypte pharaonique. À l'intérieur de l'hellénisme alexandrin ou parallèlement à lui, elle paraît se développer comme un prolongement de l'astrologie hermétique, à partir de la notion de sympathie qui lie chaque planète à chaque métal. L'Hermétisme alchimique alexandrin suit deux directions : celle qui consiste à élaborer des recettes de teintures et de transmutations métalliques, et celle qui correspond à une mystique s'exprimant à travers des symboles naturels. Retraçons les grandes étapes de cette évolution.

L'alchimie occidentale commence indubitablement à Alexandrie, ou plus généralement dans les villes du Delta. Jusqu'au IIe siècle av. J.-C. environ, elle est essentiellement une technique liée à la pratique des arts de l'orfèvrerie. Avec Bolos de Mendès, dit le Démocritéen, elle prend au IIe siècle un tour philosophique ou plus précisément ésotérique ; pour la première fois semble-t-il, la doctrine fonde et soutient l'expérience. Un ensemble de textes importants, intitulés *Physica et Mystica*, souvent commentés par la suite, expriment les idées de Bolos. Ensuite, aux IIe et IIIe siècles, nous trouvons une série de textes que les historiens ont appelés « apocryphes », dont il subsiste seulement des extraits et qui répondent au besoin de tenir l'alchimie pour une science révélée par un dieu, un prophète ou un roi du passé. Vient alors Zozime de Panopolis (fin du IIIe siècle ou début du IVe siècle), qui sans doute travaille principalement à Alexandrie. Les vingt-huit livres composant la vaste somme dédiée à sa sœur Théosébie ont été traduits par Berthelot et Ruelle à la fin du siècle dernier. On y trouve un étonnant symbolisme allégorique, des secrets révélés au cours de visions, beaucoup de compilations en même temps que des écrits originaux, et surtout l'esprit de l'Hermétisme et de la gnose. C'est enfin l'époque des « commentateurs », à partir du IVe et jusqu'au VIIe siècle, au cours de laquelle on assiste à un divorce de plus en plus marqué entre les techniciens et les « mystiques », c'est-à-dire entre ceux qui cherchent uniquement des recettes efficaces, et les adeptes avant tout préoccupés de symbolisme ésotérique. Parmi eux s'illustrent Synesius (IVe siècle), Olympiodore (VIe siècle), et Stephanos d'Alexandrie (610-641). Ce dernier, également philosophe, mathématicien, astronome, en faveur à la cour de Byzance, considère l'alchimie essentiellement comme un exercice spirituel. Du VIIe siècle datent aussi les commentateurs anonymes dits l'Anépigraphe et le Chrétien. Sans doute le *Corpus* lui-même des alchimistes grecs, qui rassemble des textes de tous ces auteurs et dont le Moyen Âge s'inspirera, est-il achevé à la fin du VIIe siècle.

Le gnosticisme

Peut-on, au même titre que pour l'alchimie et l'Hermétisme alexandrins, parler d'ésotérisme à propos de la « Gnose » si vivante aux tout premiers siècles ? Certes, et d'autant plus qu'aujourd'hui même ce mot, au sens de « connaissance », est surtout synonyme d'ésotérisme. Pourtant, la gnose au sens général du terme doit rester soigneusement distinguée de la gnose du début de notre ère, à laquelle il vaut mieux, pour éviter les confusions, réserver le mot de « gnosticisme ». Le thème commun aux diverses formes de ce gnosticisme est la rédemption, la délivrance du mal ; elle implique la destruction de cet univers dans lequel nous vivons, du moins l'élévation de notre âme au-dessus de ce monde qu'il s'agit avant tout de quitter. Basilide et Valentin n'enseignent pas une doctrine dualiste selon laquelle le Mal serait un principe ontologiquement égal au Bien. Mais à la même époque — au IIe siècle — Marcion affirme un tel dualisme, que l'on retrouve dans quantité de systèmes du même genre traitant du même thème, celui de la délivrance, par le Christ, de notre âme d'origine divine qui se trouve enfermée dans ce monde-ci dont un mauvais démiurge est le créateur. Le Dieu de l'Ancien Testament est ce mauvais démiurge dont celui du Nouveau a voulu corriger l'œuvre malfaisante. Commune au gnosticisme et aux textes hermétiques est la méditation fondée sur des mythes plus ou moins issus de la Genèse biblique. Mais l'Hermétisme est souvent optimiste, le gnosticisme toujours pessimiste. Le premier maudit le second, qui commet l'erreur de ne voir en l'univers entier que l'œuvre mauvaise d'un créateur pervers. Les disciples d'Hermès Trismégiste sont les adversaires des gnostiques, même lorsqu'il s'agit de commenter des mythes ou des éléments doctrinaux plus ou moins communs aux uns et aux autres.

Le gnosticisme et le néo-platonisme ont un point commun, puisque l'un et l'autre enseignent que notre âme, d'origine divine et étrangère sur la terre, contracte en s'incarnant une souillure dont elle se débarrasse par une remontée à son origine. Et cela, en vertu d'une potentialité divine qui nous est propre et qui peut être actualisée quand elle se trouve éveillée de l'extérieur. Mais à un néo-platonicien comme Plotin le gnosticisme déplaît fort. Plotin lui reproche de professer un dualisme absolu, de ne pas se contenter de la pratique religieuse, de la voie ascétique, et de leur superposer des drames métaphysiques qu'il juge arbitraires.

Du point de vue de l'ésotérisme judéo-chrétien, le gnosticisme présente l'avantage de prendre le mythe très au sérieux. Chez Mani, on a affaire à un superbe mythe qui débouche sur la dramaturgie du « Sauveur sauvé », mythologème que l'ésotérisme des Temps modernes saura réactualiser. Mais la théosophie occidentale, qu'elle soit juive (Kabbale) ou chrétienne, rejettera toujours le dualisme ontologique et se tiendra éloignée des élucubrations compliquées et fantastiques qui, comme celles du gnostique Justinien au IIIe siècle, font dépendre d'une scène de ménage métaphysique le sort de l'homme. La tendance gnostique à abuser des intermédiaires a abouti à un fatras de clichés dont le succès est resté sans lendemain. L'ésotérisme chrétien ne pourra pas souscrire, d'autre part, à l'idée du gnosticisme selon laquelle le Christ n'est pas le Sauveur au sens plein et véritable du terme, mais seulement le révélateur d'une science cachée, l'envoyé qui aurait eu pour mission d'être un éveilleur plutôt qu'un Sauveur. Mais c'est surtout le dualisme absolu qui aura la vie longue. Il est aux sources du bogomilisme bulgare du Xe siècle, lui-même à l'origine du mouvement cathare. Enfin, l'image tragique et humiliante que Mani donne de l'être humain se retrouvera au XXe siècle, sous des formes évidemment bien différentes, par exemple dans l'anthropologie freudienne.

Le néo-platonisme païen

Dans la pensée platonicienne il existe une frontière nette entre le monde du haut et celui du bas, toute idée d'aide venue d'en haut étant exclue. Le haut ne descend pas vers nous, et ce n'est d'ailleurs pas nécessaire puisque notre âme, ici-bas entourée de choses qui nous rappellent l'existence d'un monde supérieur, trouve en elle-même des possibilités de développement. Le néo-platonisme conserve de la pensée de Platon la croyance que d'une part le monde des sens est l'opposé de celui des Idées, qu'il est la prison dont l'âme doit être délivrée, mais que d'autre part ce monde des sens a tout de même part aux Idées dans la mesure où il peut transmettre à notre âme des « réminiscences » qui la sortent de son état de rêve. Chez Platon, l'Éros va vers le haut, le salut est la montée de l'âme. Plotin, lui, insère la doctrine d'Éros dans le schéma cher aux Alexandrins : il y a montée *et* descente, double mouvement qui marquera du sceau néo-platonicien et pour toujours la pensée ésotérique occidentale.

Deux tendances caractérisent le néo-platonisme des premiers siècles. Elles ne se distinguent pas doctrinalement l'une de l'autre mais correspondent plutôt à des orientations différentes d'activités. L'une, purement intellectuelle, est celle de Plotin par exemple, pour qui nul culte visible ne se justifie. L'autre correspond aux débordements de mythologies, de rites et d'incantations. De Plotin à Damascius — du IIe au VIe siècle —, le néo-platonisme vit sa grande période en suivant une quadruple direction que l'historien Jean Trouillard résume ainsi : A) Reprise des grandes doctrines helléniques dans la lumière du platonisme. B) Curiosité intense pour les sagesses et les religions orientales. C) Recherche du salut autant que de la vérité. D) Tendance à poser une procession intégrale, une transcendance intransigeante alliée à une immanence mystique. L'ésotérisme occidental suivra chacune de ces directions en l'adaptant à sa manière.

Les philosophes néo-platoniciens se recrutent dans les classes aisées de la société, se cachent volontiers du vulgaire, enseignent que la philosophie exige une longue et laborieuse initiation. Ce seul trait suffit, aux yeux de certains de nos contemporains, à définir l'ésotérisme, bien que celui-ci ne se limite pas au goût — ou à la nécessité — du secret, de la « *disciplina arcani* ». Ce qu'on voit apparaître à la fin du IIe siècle, avec la naissance de ces milieux philosophiques, c'est essentiellement l'enseignement d'une méthode permettant d'accéder à une réalité « intelligible », ainsi que de construire ou de décrire cette réalité dans sa structure et ses articulations. Contrairement à ce que va devenir l'ésotérisme occidental, cette réalité intelligible n'a pas du tout pour fonction d'expliquer le monde sensible, elle aurait plutôt pour fonction de le quitter afin de relativiser cette région imparfaite pour accéder à une région pure où la connaissance et le bonheur sont possibles. Certes, le sensible reflète l'intelligible, mais peu importe le sens du sensible, l'essentiel est de le dépasser pour parvenir au monde des Idées. Pas de vraie communication entre les dieux et les hommes. Les personnages divins des mythes sont indifférents à notre sort. Cette philosophie est avant tout une méthode de « description des paysages métaphysiques où l'âme se transporte par une sorte d'entraînement spirituel » (Émile Bréhier). L'homme n'est plus, comme dans le stoïcisme — et comme il le redevient dans l'ésotérisme —, un but de l'univers, il est seulement un être essayant de contempler l'ordre universel. Peu importe dès lors l'interdépendance des êtres telle que la conçoivent l'hermétisme et plus généralement l'ésotérisme, seule importe la hiérarchie des formes de l'être, de la moins parfaite à la plus parfaite selon que nous savons remonter les barreaux de l'échelle ascendante.

Ammonius Saccas, dont on ne sait à peu près rien sinon qu'enseignant à Alexandrie (232-243) il était le maître de Plotin, est sans doute le premier philosophe néo-platonicien. Plotin, lui, se trouve à Rome de 245 jusqu'à sa mort (270), y réunit des disciples, dont Porphyre, qui éditera ses œuvres sous forme d'*Ennéades* (série de conférences portant sur l'astrologie, sur la manière dont l'âme descend dans le corps et lui est unie, sur la mémoire, etc.). Lorsque Plotin parle de la divination astrologique, de la prière ou du culte des statues, c'est pour montrer que l'efficacité de ces pratiques n'est pas due à l'action d'un dieu sur le monde mais de la sympathie qui relie les unes aux autres les parties du monde. Un acte cultuel bien exécuté ou une incantation produisent leurs effets. Tandis que l'intermédiaire selon Philon, le Logos qui peut châtier ou récompenser, se soucie du bien des hommes, l'hypostase platonicienne ne désire aucunement notre bien. Bon exemple, comme on l'a plusieurs fois remarqué, de la différence entre la dévotion sémite et l'intellectualisme hellénique. L'intérêt de Plotin pour la magie n'exprime pas un goût particulier de la nature comme porteuse de significations à déchiffrer ; il témoigne seulement d'un intérêt pour le rite, « qui transforme au fond tout acte cultuel en un acte magique » (*Ennéades* IV, IV, 38 sq.) ; trait commun à cette époque friande d'incantations, de tablettes, de mancies de toutes sortes. Le monde sensible est un vaste réseau d'influences magiques auxquelles seule la philosophie permet d'échapper, dans la mesure où elle se définit avant tout comme une école de purification. Rappelons que Plotin combat le dualisme du gnosticisme ; la Section IX de la IIe *Ennéade* a pour titre : « Contre ceux qui disent que le Démiurge de ce monde est mauvais et que le Cosmos est mauvais. »

Son disciple Porphyre (273-305), de Tyr, insiste sur le caractère purificateur de la théurgie et traite, dans les *Images*, de la signification symbolique des statues. La pensée de Jamblique de Chalcis (fin IIIe-vers 330), qui enseigne sous Dioclétien et Constantin, domine toute la fin du néo-platonisme. Ce néo-pythagoricien aime classer, comme Aristote, mais en platonisant, pour retrouver dans le monde « intelligible » les formes religieuses foisonnantes du paganisme. Son livre *les Mystères d'Égypte*, composé vers 300, est une tentative de justifier la théurgie et les « mystères » dans leur littéralité même, en manière de réaction contre une voie de salut qui serait purement « intellectualiste ». La philosophie était pour Plotin le seul moyen de communiquer avec des êtres supérieurs ; mais le livre de Jamblique se veut l'apologie de la théurgie. Il exercera longtemps son influence ; sur l'empereur Julien, sur Proclus, sur le Pseudo-Denys. Et c'est Proclus qui en sera le médiateur.

Macrobe, aussi important que Chalcidius pour comprendre le platonisme de Chartres au XIIe siècle, est l'auteur d'un commentaire du fameux « Songe de Scipion », de Cicéron (in *De re publica*, VI). Intitulé *In somnium Scipionis* et écrit vers 300, ce livre de Macrobe développe des vues néo-platoniciennes, astrologiques et arithmologiques qu'on retrouve en partie dans ses *Saturnalia*. L'Intellect y est conçu comme une faculté divine commune aux hommes et aux astres. Ceux-ci gèrent la raison humaine de la même manière qu'ils font fermenter le pain. Le germe-fer de la plante est mis ici en relation avec la raison de l'homme.

Le grand nom qui suit chronologiquement celui de Jamblique est Proclus (412-485), dit de Byzance, théurge enseignant lui aussi à Athènes. Marinus a laissé une *Vie de Proclus* qui nous renseigne sur sa biographie. Grand classificateur, esprit clair, il est l'auteur de nombreux commentaires de Platon, se montre curieux de tous les mythes, de tous les rites, et se rattache à l'école de Jamblique. Face au christianisme montant, Proclus se fait le défenseur des traditions antiques, mais l'ésotérisme chrétien se réfèrera souvent à son œuvre, d'autant que contrairement à Porphyre il polémique peu contre le christianisme. Son *Commentaire* sur le *Timée*, ses théories sur l'Âme du Monde, sur le « Chaos » qu'il considère comme aussi divin que la Lumière au point de voir dans l'un et l'autre la première expression du Bien, son sens de la dramaturgie mythique — combat des Titans, contre Dyonisos, lutte des Géants, contre Zeus, etc. —, et des polarités dynamiques, serviront à nourrir les spéculations théosophiques ultérieures. Sa conception des oppositions polaires, par exemple, connaîtra une postérité remarquable au cours des siècles car elle met l'accent sur la fécondité des principes antithétiques. Ses *Éléments de Théologie* reprennent la vieille idée de Thalès : « Tout est plein de Dieux » — au point que les cailloux eux-mêmes renferment une vie, ou une vertu purificatrice. C'est que sous l'influence des *Oracles chaldaïques*, Proclus comme Jamblique développent une conception de la magie qui correspond à une réhabilitation de la matière. Mais surtout, l'affirmation qu'il existe une forme non empirique de corporéité (« *Okléma* », le véhicule, idée empruntée au *Timée*) anticipe sur la notion théosophique de corporéité spirituelle, car selon Proclus toute âme possède un vêtement fait de lumière, une médiation entre corps et esprit, susceptible de se manifester, et douée d'une sensibilité inaltérable. C'est à peu près l'idée que Henry Corbin développera, à propos de l'ésotérisme shî'ite, en parlant de « corps subtil ». Proclus apparaît vraiment comme un des premiers représentants de l'ésotérisme occidental en ce sens qu'avant tout il se montre aussi soucieux de transfigurer le sensible que de purifier l'âme. Son influence passera par la Syrie, pour laisser sa marque sur le *Liber de causis* (vers 825 ?) par l'intermédiaire duquel cette pensée reviendra en Occident. Par Psellos, et plus tard par Gémiste Pléthon, elle s'exercera sur Pic de la Mirandole à l'aube de la Renaissance, et partant sur l'ésotérisme moderne.

Outre ces grands auteurs, le néo-platonisme a vu surgir diverses œuvres, diverses pratiques. Le livre de Philostrate, *Vie d'Apollonius de Tyane* (vers 220), avait déjà connu un vif succès à son époque, car ce roman montre le pythagoricien Apollonius s'initiant à tous les procédés magiques de l'Orient. Peu avant, on avait vu sévir le charlatan Alexandre d'Abonotique dont Lucien, dans *Alexandre*, s'était employé à dévoiler les machinations. Du IIIe au Ve siècle le gouvernement impérial multiplie lois et édits contre la divination et certaines formes de sacrifices — tout en croyant à leur efficacité —, c'est-à-dire contre des pratiques que le néo-platonisme rend de plus en plus solidaires de son propre enseignement. Le cosmos inspire aux néo-platoniciens une vénération religieuse qui s'exprime plus généralement, du IIe au IVe siècle, par un culte populaire du Soleil, tant dans les mystères de Mithra que dans le culte officiel du Deus Sol, dénominateur commun de presque toutes les religions de l'Empire. À cela s'ajoutent, bien entendu, d'une part l'influence des *Oracles chaldaïques*, livre saint de l'hellénisme — à propos duquel Proclus dit que s'il fallait brûler tous les livres du monde il voudrait qu'on gardât au moins celui-là, avec le *Timée* —, d'autre part les pratiques alchimiques, si répandues à cette époque et qui elles aussi reposent sur la croyance à l'unité des êtres, à la sympathie universelle. Avec l'alchimie grecque nous retrouvons l'Hermétisme, mais tout naturellement, puisque entre celui-ci et le néo-platonisme il existe des liens plus qu'étroits. Du moins, et surtout, avec Proclus dont le traité *Sur l'art hiératique*, fondé sur la théorie des sympathies, évoque de façon précise les « chaînes mystiques » — celle d'Hermès par exemple — qui unissent les plantes et les astres, et même les animaux, et ressortit lui aussi à l'aspect médico-astrologique de l'Hermétisme. Le néo-platonisme meurt en même temps que la culture grecque ; Damascius (vers 470 et 494), un des tout derniers néo-platoniciens, est un dévot de la vie spirituelle et mystique intense, mais c'est en philosophe qu'il s'exprime, non pas en magicien ni en théurge. En ce sens il marque la fin d'une époque. Les VIe et VIIe siècles vont correspondre à une longue période de silence.

Les débuts de l'ésotérisme chrétien

Le néo-platonisme hellénistique comporte des éléments doctrinaux incompatibles avec le christianisme. Ainsi, la divinité des astres — même si l'ésotérisme chrétien admet volontiers l'idée d'intellects agents, ou d'intelligences rectrices —, l'éternité du monde, et la croyance que les âmes sont d'origine divine. Mais ce dernier point peut faire l'objet d'interprétations dans un sens chrétien, et le dernier élément constitutif du néo-platonisme, la croyance à la magie, n'est pas du tout incompatible. De plus la notion d'intermédiaires ou de médiations, liée à celle de l'*Intellectus* humain en rapport avec des « intellects » recteurs ou agents, et la notion correspondante de périple initiatique dans le sens d'une montée de l'âme — et de la nature, transfigurable — vers Dieu, ne s'opposent pas davantage à l'enseignement de Jésus. C'est pourquoi l'ésotérisme chrétien adoptera et confirmera, au cours des siècles, des traits nettement néo-platoniciens, au point que ceux-ci deviendront vite inséparables de cet ésotérisme même. Influence à laquelle s'ajoute celle de l'Hermétisme. Lactance, converti en 300 au christianisme, puis précepteur du fils de l'empereur Constantin, considère Hermès Trismégiste comme un sage inspiré par Dieu. Certes, l'Hermétisme ignore tout du Sauveur, et d'autre part il tend à admettre plus ou moins l'idée d'une fatalité astrale inexorable, mais qui partage néanmoins avec le christianisme une haute conception de la place de l'homme dans l'univers et dans le devenir cosmique. Or, cette place est dramatisée par le judéo-christianisme. L'accent mis sur le « drame » — chute de Lucifer, d'Adam, univers entraîné dans cette chute, puis réintégration — actualise les mythes fondateurs et totalisants, en faisant intervenir dans leurs scénarii un certain nombre de *dramatis personae*, et des séquences à travers lesquelles tous les niveaux de l'Être et des choses se révèlent solidaires les uns des autres, qu'il s'agisse du Ciel, de la Nature entière ou de l'homme. Le cosmos des Grecs était sans histoire, éternel, tout au plus cyclique. Le christianisme y fait intervenir des changements radicaux, des initiatives absolues, qui accentuent l'aspect dramatique de l'Ancien Testament et font passer du même coup les récits mythologiques grecs au niveau de l'individu concret. Celse, dans son *Discours vrai* (IIe siècle), reproche ainsi aux chrétiens d'admettre un Dieu non absolument immuable, sensible à la pitié, et un Christ dont les récits ne se laissent pas allégoriser. Enfin, le christianisme conçoit l'homme comme un sujet relativement autonome ou indépendant du monde concret, c'est-à-dire comme un être doué d'une vie propre dont le rôle ne se limite pas à penser l'univers mais aussi à œuvrer de diverses manières. Une vie humaine est aussi une existence, qui implique une responsabilité, des « talents » qu'il s'agit de faire fructifier.

Ce n'est pas le lieu d'énumérer tous les éléments qui ont pu permettre de voir dans le christianisme primitif considéré en soi — à travers le Nouveau Testament — une forme d'ésotérisme. Limitons-nous à quelques rappels de cette nature. Mais, précisons-le du même coup, affirmer que son exotérisme n'est rien d'autre qu'une trahison de son sens originel, ésotérique, serait aussi faux que de prétendre l'inverse. D'autre part, les quelques traits évoqués ici concernent surtout un élément ésotérique parmi d'autres, celui du « secret », de la *disciplina arcani*, ou des degrés initiatiques. Les limites de ce panorama ne permettraient pas de développer davantage. Il y a donc ici et là, dans le Nouveau Testament, des passages comme Marc IV, 10 sq. ; VII, 17 sq. ; X, 10 sq., qui peuvent être interprétés dans un sens ésotérique. Parallèlement, dans Éphésiens, III, 17-19, saint Paul nous parle des quatre dimensions à connaître, de même qu'ailleurs il fait allusion à la « nourriture solide », celle que tout le monde ne peut pas supporter. Il n'est question nulle part d'une connaissance secrète communiquée aux Apôtres par le Christ après Sa Résurrection, mais après tout rien dans les Évangiles n'interdit de l'imaginer ; la plupart des Évangiles apocryphes ne s'en privent d'ailleurs pas. D'autre part, dans les premiers temps de l'Église on distingue les Commençants, les Progressants, et les Parfaits, schéma triadique propre à presque toutes les initiations. Et saint Ambroise nous dit qu'au IVe siècle encore on n'écrit ni ne récite le Symbole des Apôtres devant les catéchumènes ou les hérétiques. Qu'il s'agisse des discours catéchétiques de l'évêque Cyrille de Jérusalem, ou des textes de saint Basile, on a toujours l'impression qu'il existe un enseignement initiatique, par « paliers ».

Il n'y a rien d'étrange à cela. Comment, en effet, faire comprendre la Trinité, l'Eucharistie, le « Fils de Dieu », au premier venu qui n'en a jamais entendu parler ? Des conceptions métaphysiques si élaborées, insérées dans un mythe totalisant ou dérivées de lui, ne sauraient être accessibles à tous du premier coup. Il ne suffit pas d'être catéchumène pour pouvoir contempler ce que saint Basile appelle une « tradition tacite et mystique maintenue jusqu'à nos jours ». Comme l'écrit justement Raymond Abellio : « Démocratique par son mystère, le christianisme est aristocratique par sa gnose » (bien sûr, il ne s'agit pas ici du gnosticisme). « La science n'est pas pour tous », dira encore le Pseudo-Denys rappelant que les Apôtres ont exposé des vérités sous le voile des symboles et non pas dans leur sublime nudité. Mais à ces témoignages il faut joindre le rappel d'une évidence, à savoir qu'il n'y a jamais eu, et qu'il ne pouvait pas y avoir, de sacrements « secrets » dépassant par leur importance celui du baptême ou de l'Eucharistie ! L'ésotérisme au sens de « secret », ce n'est rien d'autre que les voies illuminatives permettant à notre intelligence de percevoir ce qu'il y a de plus « intérieur » dans les mystères. Ce n'est rien d'autre que la voie anagogique, c'est-à-dire le niveau supérieur de compréhension d'un document sacré au-delà d'une lecture simplement allégorique. Sur cette question complexe, on consultera l'étude de Jean Daniélou (in *Eranos Jahrbuch*, 31, 1962), et les références fournies par Frithjof Schuon *(De l'unité transcendantale des religions)*. Laissons pour l'instant le dernier mot à Origène : « Il y a diverses formes du Verbe sous lesquelles il se révèle à Ses disciples, se conformant au degré de lumière de chacun, selon le degré de leurs progrès dans la sainteté. » (*Contre Celse*, IV, 16.) Au demeurant ce serait, comme on l'a vu, mutiler la pensée ésotérique que de la limiter à cette seule dimension. On ne saurait répéter assez qu'en Occident le grand courant ésotérique passe par la Nature, et ne se limite nullement à la question de savoir si telle chose est moins « secrète », doit être tenue plus « cachée », qu'une autre. C'est à chacun de redécouvrir, pour son propre compte, ce qu'il est capable de comprendre. La Nature, c'est-à-dire le Cosmos tout entier, suggère et suscite cette herméneutique, ce dont le célèbre passage de l'apôtre (Romains, VIII, 19-22) porte témoignage.

L'existence d'Évangiles apocryphes a bien entendu aidé à mieux percevoir certaines des significations profondes des textes canoniques. Parmi certains de ces écrits, mentionnons seulement les *Pseudo-Clémentines* qui ont été attribuées à Clément de Rome, où il est question d'astrologie, de magie et d'angélologie. À ces textes s'ajoutent ceux de figures curieuses, comme Cyprien, magicien du IIIe siècle devenu évêque d'Antioche et mort martyr ; dans sa *Confession*, à propos de son éducation il parle beaucoup de démons, de mystères païens, de sciences naturelles et occultes. Mais l'essentiel, pour le développement d'un ésotérisme chrétien au sens plein du mot, est ailleurs, c'est-à-dire dans le débat qu'une forme importante de christianisme entretient avec la philosophie.

On sait en effet que l'histoire de la pensée chrétienne est inséparable du besoin d'accorder la foi à certains enseignements fondamentaux de l'hellénisme. Cela est particulièrement vrai pour l'ésotérisme chrétien. Clément d'Alexandrie et Origène sont très attachés à la civilisation hellène, et ce n'est pas un hasard si ces deux penseurs n'ont cessé d'être cités, jusqu'à aujourd'hui, par presque tous les ésotéristes. Il ne manquera pas d'autres chrétiens pour mettre au contraire l'accent sur les incompatibilités, dont la plus importante réside dans le fait que l'hellénisme ne limite pas la divinité au même point de la hiérarchie des êtres. En effet, pour Platon et les stoïciens, l'Être divin s'étend jusqu'aux astres, à notre monde, et même à nos âmes, tandis que les chrétiens le limitent à la Trinité. On voit ainsi Arnobe, converti en 297, s'en prendre à l'enseignement de Platon selon lequel les âmes sont des êtres divins déchus (c'est la fameuse théorie de la « réminiscence »). Et pourtant, voir de l'esprit jusque dans la matière inanimée, s'efforcer d'apercevoir à travers les innombrables « signatures » éparses dans la nature et repérables dans notre âme les échelons d'une échelle de Jacob unissant le ciel et la terre, voilà ce qui intéresse l'ésotérisme. Les Grecs avaient déjà dit là-dessus beaucoup de choses. Il s'agit au fond de concilier transcendance et immanence.

Pantène, stoïcien converti au christianisme, crée à Alexandrie un didascalée qui a successivement à sa tête Clément (160-215) et Origène (185-254), et qui représente sans doute le premier essai chrétien de grande ampleur destiné à rivaliser avec les écoles païennes. Clément, lui aussi stoïcien devenu chrétien, ose affirmer que le christianisme compte deux Anciens Testaments, celui des Hébreux et celui des Hellènes. Il déclare ouvertement que, si on lui donnait à choisir entre le savoir et le salut éternel, il choisirait le savoir, mais il sait bien, au demeurant, qu'on ne peut les séparer (*Stromates*, IV, 136). Dans ce livre majeur et dans d'autres écrits, il souligne plus fortement qu'aucun penseur chrétien avant lui, sauf évidemment les représentants du gnosticisme, l'importance de ce savoir, c'est-à-dire de la gnose — entendue ici au sens qu'elle conservera toujours dans l'ésotérisme chrétien. La gnose contient la règle de foi et la dépasse. « La gnose [...] est une sorte de maturité de l'homme, en tant qu'homme. Elle s'opère, grâce la connaissance des choses divines [...]. Par elle, la foi s'achève et devient parfaite, étant donné que le fidèle ne peut devenir parfait que de cette manière [...]. Il faut partir de la foi et, croissant dans la grâce de Dieu, acquérir, dans toute la mesure du possible, sa connaissance » (*Stromates*, VII, 55).

Dans cette même école chrétienne d'Alexandrie, Origène étudie d'abord auprès d'Ammonius Saccas — le même dont vingt ans plus tard Plotin sera à son tour l'élève — et laisse à sa mort une œuvre abondante dont *De principiis (Peri archôn)* est le livre le plus important. On peut dire qu'avec Origène la pensée chrétienne s'imprègne du néo-platonisme. Les âmes déchues sont seulement des purs esprits qui se sont éloignés de Dieu mais qui, grâce à un pèlerinage approprié, se rapprochent de lui. Notre corps terrestre est sur cette voie à la fois une punition et une aide (idée reprise par la théosophie chrétienne moderne). Des métaphores du voyage décrivent les étapes de ce cheminement. Origène a jeté ou consolidé les fondements d'un anti-idéalisme qui restera une des caractéristiques de l'ésotérisme chrétien, à savoir l'idée qu'il n'existe pas d'âmes créées qui soient complètement privées de corps. Dieu seul est incorporel, les corps ne font que se modifier en dignité et perfection, selon leurs mérites. Ainsi il n'existe pas de coupure absolue entre les mondes humain et angélique. L'idée d'apocatastase, qu'il défend, c'est-à-dire de salut universel — celui du Diable inclusivement —, accentue, même si on peut la trouver discutable, l'idée profondément origénienne d'intégration de l'œuvre du Christ dans un processus de type cosmique, et cette intégration même, avec ou sans apocatastase, fera la force de la théosophie moderne. Deux autres aspects de son œuvre méritent d'être mentionnés pour notre propos. Origène préconise d'abord un effort constant d'interprétation des textes — c'est-à-dire d'herméneutique spirituelle — pour passer de la foi à la connaissance (à la gnose), pour structurer dans notre esprit ce qui est par nature impénétrable. Le contenu des Écritures est triple : charnel (la lettre), psychique (moral), spirituel (mystique et prophétique). Il importe à chacun de nous de faire jaillir en nous-mêmes des significations ressortissant au troisième niveau. Ensuite, Origène préconise la liberté d'investigation. Or, celle-ci sera par sa nature même le fondement, ou la justification, de toute théosophie. Pas plus que chez Clément, la réduction de la foi à la gnose n'a pour but d'humaniser la foi en la privant de sa spécificité, car cette liberté d'investigation ne garde évidemment son sens qu'à l'intérieur du donné de la Révélation.

À cette notion de gnose — distincte, on l'a vu, de celle de gnosticisme — il faut rattacher l'idée de « Tradition », qui n'est pas spécifique de l'ésotérisme mais en reste pourtant inséparable historiquement. Elle ouvre la pensée du haut Moyen Âge, dans le *Commonitorium* de Vincent de Lérins en 354, avec la formulation des règles qui doivent servir à discerner la tradition véritable en matière de foi. L'auteur attache une grande importance à l'opinion des « Anciens ». Reprise au cours des siècles, cette idée favorisera et justifiera le penchant marqué des ésotéristes pour l'étude des auteurs anciens les plus divers, et d'une manière générale pour toutes sortes d'éclectismes. Mais chez Vincent de Lérins comme pour l'ésotérisme il s'agit toujours de rechercher des dénominateurs communs, c'est-à-dire ce qui est commun à tous. La pensée ésotérique occidentale comme d'ailleurs les théologies des Églises constituées admettent bien l'idée de croissance de la tradition, grâce à des révélations plus individuelles chez les théosophes, et à des élaborations doctrinales ayant davantage valeur collective d'autorité de la part des théologiens. Mais dans l'un et l'autre cas cette croissance est comprise comme une suite de développements qui ne prétendent pas être autre chose que des approfondissements et des éclaircissements. Il s'agit de maintenir une unité, doctrinale ou d'inspiration. Toute l'époque du haut Moyen Âge est caractérisée par une intense activité portant sur des commentaires de la Bible, suivant des règles se rattachant au commentaire allégorique selon Philon, à savoir qu'il n'existe aucune connaissance, qu'elle soit scientifique ou philosophique, dont le commentaire ne puisse tirer parti. D'où un éclectisme, une transdisciplinarité, que les théologies abandonneront peu à peu au cours des siècles, surtout dans les Temps modernes, mais que l'ésotérisme conservera en affirmant toujours l'absence de solution de continuité, de hiatus, entre la Révélation du Livre et celle de la Nature. Affirmation qui caractérisera notamment ce qu'on appellera les Philosophies de la Nature, au sens romantique du terme.

Du commencement du IIIe à celui du IVe siècle, trois noms paraissent représenter cet éclectisme néo-platonisant et ésotérisant dans la pensée chrétienne : Chalcidius, Synesius, Nemesius. Chalcidius, plus encore que Macrobe, contribue à imposer des thèmes platoniciens au Moyen Âge, dans l'esprit ésotérique. En effet, la traduction du *Timée* par Chalcidius, et le commentaire qu'il compose de cette traduction (vers 300), resteront jusqu'au XIIe siècle la source platonicienne fondamentale de la pensée du Moyen Âge. Synesius (vers 370-430) influencera surtout la période byzantine. Africain évêque de Cyrène, ami d'Hypatie, il écrit en grec ses *Hymmes* et ses *Lettres*, qui traitent en détail des sympathies occultes entre les objets naturels. Synesius conçoit l'univers comme actif et dynamique, et rappelle que la « connaissance » doit être cachée au vulgaire, donc ésotérique. C'est aussi tout un univers de significations que propose Nemesius, évêque d'Émèse, dont le traité *De natura hominis* (vers 400) est un des premiers textes fondamentaux du christianisme à présenter l'homme comme un microcosme, c'est-à-dire comme un univers en réduction, un trait d'union entre le monde des corps et celui des esprits. La resacralisation du monde passe par l'*anthropos*. L'univers d'ordre que Synesius voit dans l'ensemble des choses créées, visibles et invisibles, est un jalon dans l'histoire des « correspondances » occultes.

ASPECTS ÉSOTÉRIQUES DANS LA PENSÉE DU HAUT MOYEN ÂGE

Idées augustiniennes. Boèce

La pensée de saint Augustin (354-430), géant spirituel et intellectuel qui domine tout le haut Moyen Âge, ne ressortit pas au courant ésotérique mais son autorité a été souvent évoquée par les représentants de celui-ci. En effet, si la spéculation médiévale sur les choses divines a pu tirer de la tradition néoplatonicienne une nourriture substantielle, c'est en partie grâce à lui car il enseigne qu'une fois belle, harmonieuse, ordonnée, l'âme est capable de voir la source d'où coule toute vérité. Au niveau inférieur l'âme intelligente, unie aux intelligibles, aperçoit les vérités de ceux-ci dans une lumière de laquelle nous participons naturellement. L'ésotérisme se plaira ainsi à retrouver chez lui l'idée d'archétype. Ne dit-il pas que les lois des nombres sont fondées en Dieu, qu'avec les Idées ils gouvernent l'ordre des choses ? Nombres et Idées ne sont certes point des créatures, mais derrière eux est à l'œuvre l'éternelle Sagesse par laquelle le Créateur a fait le monde. « Les idées sont les formes originaires *(formae principales)*, les raisons stables et immuables, des choses [...]. Elles sont contenues dans l'intelligence divine » *(De diversis quaestionibus)* ; et puisqu'elles sont les archétypes des créatures, il ne tient qu'à nous d'essayer de remonter de l'image au modèle. Nous pouvons, à travers les choses du monde, nous élever jusqu'au Créateur.

Ce n'est pas là, tant s'en faut, un résumé de la pensée de saint Augustin, mais seulement l'aspect qui concerne peut-être le plus notre propos. La fin de sa vie correspond au glas de l'enseignement païen d'Alexandrie (c'est en 415 que la philosophe Hypatie est assassinée par des chrétiens). Les philosophes d'Égypte vont chercher refuge à Athènes, où Proclus enseigne, si bien que l'alchimie alexandrine passe en Grèce. Mais la fin de la vie de saint Augustin correspond aussi au début de la destruction de grandes villes par les Barbares, c'est-à-dire pour longtemps à la disparition d'une vraie civilisation romaine. On va alors assister à un développement de la vie spirituelle beaucoup plus qu'à une recherche de culture intellectuelle, d'où la création de conventicules, généralement assez fermés, qui rappellent ceux de l'époque de Philon à Alexandrie. Dans l'Orient chrétien l'accent est mis sur les préoccupations métaphysiques, avec le souci de comprendre la structure intelligible des choses, dans un sens néo-platonicien. En Occident on se préoccupe davantage de questions touchant à l'institution de l'Église et de sa hiérarchie, donc également aux hérésies (donatisme, pélagianisme, etc.). Avec Grégoire le Grand (vers 540-604) les papes se saisissent du pouvoir, mais sans donner aucune impulsion créative à la théologie car ils sont presque tous, jusqu'au Moyen Âge proprement dit, des politiques et des juristes. Il reste d'ailleurs peu de choses de l'Antiquité grecque, tout juste un peu d'Aristote (celui de la logique !), un peu de Platon ; mais on lit toujours Lucain, Virgile, Cicéron. Curieusement, une des rares grandes figures de l'époque, qui ne paraît pas avoir été particulièrement marquée par l'hermétisme, servira tout de même de référence fréquente dans la pensée ésotérique moderne, notamment dans la littérature maçonnique. Il s'agit de Boèce (480-525), le « dernier des Romains », consul en 510 sous

Théodoric, et exécuté après avoir été accusé de magie. C'est avec lui que le problème du nominalisme et du réalisme semble avoir fait sa première apparition précise. *La Consolation de la Philosophie*, écrit en prison avant son exécution, est un livre émouvant qui servira de modèle à d'innombrables âmes en quête de vraie sagesse. D'une plus grande importance pour nous sont les noms de Denys l'Aréopagite et de Jean Scot Érigène.

Le Pseudo-Denys

Denys, dit le Pseudo-Denys depuis qu'on le sait n'être pas le personnage dont il est question dans les *Actes des Apôtres*, et qui écrit au début du VIe siècle *(Théologie mystique, Noms divins, Hiérarchie céleste,* et *Hiérarchie ecclésiastique* ainsi que des *Lettres)*, contribue à faire passer de nombreuses idées néo-platoniciennes dans la mystique chrétienne. Il se vante de tirer toute sa philosophie ou, comme il le dit déjà, sa « théosophie », de l'Écriture elle-même. Aussi bien est-ce ainsi que dorénavant les théosophes concevront leur activité. La théologie négative qu'il élabore pose Dieu comme au-dessus de tous les « noms divins », mais ceux-ci restent la clef de voûte de sa théosophie, qui « imagine » une triple triade d'entités angéliques en une série de hiérarchies célestes auxquelles correspondent un état au moins théorique dans le monde d'en bas. Après Philon, Clément d'Alexandrie, Grégoire le Grand, et Origène, avec les Cappadociens et Augustin, le Pseudo-Denys est un maillon essentiel dans la grande tradition de l'angélologie occidentale, suivi par Bernard de Clairvaux, Hugues et Richard de Saint-Victor, Hildegarde de Bingen, Hadewijch et bien d'autres. Angélologie inséparable de la tradition ésotérique, qui se nourrit de médiations et de médiateurs, et l'on sait que *angelos* signifie « messager ». Le Pseudo-Denys donne au christianisme à la fois cette théosophie et une mystique élaborée, fondée sur des thèses plotiniennes fondues au dogme chrétien en un alliage neuf et harmonieux, alors que le néo-platonisme de ses prédécesseurs était généralement resté plus ou moins un fait de culture. C'est surtout des idées de Proclus que sa pensée théosophique est imprégnée ; il en est peut-être même l'élève, alors qu'il paraît plus proche de Damascius pour ce qui concerne sa théologie négative.

Maxime le Confesseur, Isidore et Jean Scot Érigène

Maxime le Confesseur, auteur ascétique et poète, vit environ un siècle après le Pseudo-Denys, dont il commente les œuvres. Il parle de l'éloignement de Dieu, du retour des créatures, de leur « restitution » — l'ésotérisme occidental parlera, dans le même sens, de « réintégration » —, et se montre encore plus christocentrique que son maître. Grâce aux interprétations que Maxime donne du Pseudo-Denys, la mystique et la théosophie de celui-ci pénètrent davantage en Occident, pour devenir l'une des sources les plus importantes et les plus précieuses de la mystique et de la théosophie chrétiennes. Les *Ambigua* de Maxime contiennent un passage capital pour la compréhension de l'anthroposophie (ou anthropologie théosophique) ultérieure, notamment à partir de la Renaissance ; c'est là en effet qu'on trouve, peut-être affirmée pour la première fois avec autant de netteté, la formule célèbre de l'homme « *officina omnium* » qui rassemble en lui à la fois le monde sensible et le monde intelligible, et unifie la création. Peu après lui, Isidore, évêque de Séville († 636), pour être moins profond, n'en unifie pas moins, mais par l'inventaire érudit. Auteur de célèbres *Étymologies*, véritable encyclopédie de l'époque, copiées par Raban Maur et qui seront lues par les générations suivantes, il a voulu constituer une somme des êtres et des choses. Déceler dans la nature une infinité de signes, s'appliquer à les présenter sous forme de fresques de correspondances, cela est le propre d'Isidore et de l'ésotérisme occidental. On a pu parler d'une véritable « esthétique de l'hermétisme » à propos de cet auteur qui est en effet caractéristique d'une pensée en essor dans le haut Moyen Âge, en opposition avec la pensée classique car elle s'attache aux symboles, aux jeux analogiques.

Il devait appartenir à Jean Scot Érigène de présenter de Denys et de Maxime une belle synthèse en faisant œuvre personnelle au point de créer un des plus importants édifices théologiques et historiques de tout le haut Moyen Âge. Moine venu d'Irlande — un des rares lieux d'Occident où souffle encore l'inspiration philosophique et où une vraie culture a trouvé refuge —, Jean Scot Érigène devient le savant familier de Charles le Chauve, à la cour duquel il compose en latin son chef-d'œuvre, *De la division de la nature* ou *Periphiseon*, rédige aussi des commentaires des écrits de Denys sur les noms divins, fait à la cour palatine l'exégèse des *Noces de Mercure et de Philologie* de Martianus Capella, et meurt vers 870. Vraie autorité et saine raison ne sauraient se contredire car toutes deux proviennent d'une même source, la Sagesse divine, à l'origine de toute lumière. Comme le titre de son chef-d'œuvre l'indique, Jean Scot s'est attaché à proposer une philosophie de la Nature. Il ne saurait être question d'en donner un résumé valable en quelques lignes ; rappelons simplement que malgré la suspicion et même l'interdiction dont elle sera l'objet de la part des autorités ecclésiastiques, elle alimentera les spéculations théosophiques de maints auteurs, jusqu'à l'époque de l'idéalisme allemand, au XIXe siècle. Les différentes sortes de « nature » qu'elle distingue et étudie, notamment celles de nature naturante, de nature naturée, et de nature « créée et qui crée », fourniront à la postérité un cadre commode susceptible de faire jaillir des inspirations diverses. Sa philosophie d'expansion et de contraction apparaît bien plus proche de la dynamique de la Kabbale que d'un platonisme classique. D'autre part, aux *Ambigua* de Maxime, qui avaient montré l'homme résumant et rassemblant en lui toute la Nature pour la reconduire à sa Cause première, répond une bonne partie de l'anthropologie de Jean Scot. De plus, si contrairement à Denys il n'emploie pas le terme d'*archétype*, c'est pour lui préférer celui d'*exemplum*, mais aussi pour valoriser à l'extrême l'idée d'archétypes, ou prototypes, vivants, à l'œuvre dans la « *natura creata et creans* » composée des plus nobles de toutes les créatures de Dieu. Cet enseignement, qui met si vigoureusement en relief celui de Denys, nous aide à mieux comprendre l'art des cathédrales. Le thème de l'androgynéité d'Adam avant la chute, qui reprend en les développant des idées déjà présentes dans l'œuvre de Maxime, sert de point de départ occidental à une longue tradition théosophique sur ce thème, jusqu'à Franz von Baader (1765-1841) — qui d'ailleurs se référera plusieurs fois expressément à Jean Scot — et même au-delà. Le *Periphiseon* est vraiment une « somme » théologique et souvent théosophique où se mêlent, unies par un style éloquent et grâce à l'effort d'une synthèse hardie, des idées et des citations empruntées à Augustin, à Boèce, aux Cappadociens, à Grégoire de Nysse et à Grégoire de Nazianze, à Maxime le Confesseur et au Pseudo-Denys, le tout fondu en une œuvre d'une puissante originalité.

Le Sepher Yetsira

Ce n'est sans doute pas un hasard si à l'époque du Pseudo-Denys apparaît le premier écrit important de la Kabbale, du moins le premier qui nous soit parvenu de cette tradition d'abord essentiellement orale. Il s'agit du *Sepher Yetsira*, dont la théosophie n'est pas sans présenter des analogies avec celles de la *Hiérarchie Céleste* et des *Noms Divins*. On sait que c'est la Kabbale qui constitue l'essentiel de l'ésotérisme juif. Si l'on veut en comprendre l'importance pour la religion hébraïque, il faut savoir que dans celle-ci la mystique, au sens d'union avec Dieu, reste assez exceptionnelle. Plus volontiers que d'union, le judaïsme parle de vision de Dieu, de contemplation de la majesté divine, de compréhension des mystères de la création. Vision, contemplation, compréhension active, voilà ce qui à ce niveau définit la théosophie. Or, la Kabbale n'est autre chose que la théosophie hébraïque. Elle a pour ancêtre historique direct la tradition ésotérique dite de la *Merkaba* (Ézéchiel I et III servant ici de texte fondamental), centrée autour de l'idée d'une ascension jusqu'au « Trône » divin. Cette tradition de la *Merkaba* se prolonge du Ier siècle av. J.-C. jusqu'au Xe de notre ère et présente de frappantes similitudes avec l'Hermétisme et avec certaines formes de gnose. Les livres dits des *Hekhaloth*, ou « Palais célestes », traités essentiellement initiatiques, décrivent avec un grand luxe de détails les étapes de cette ascension, révélant du même coup les mystères de la Création et la géographie du royaume angélique. C'est seulement vers le Ve ou le VIe siècle qu'est rédigé le texte obscur, qui ne tient pas en plus de quelques pages, intitulé *Sepher Yetsira*, ou « Livre de la Création ». Il veut concilier le monothéisme hébraïque avec certaines vues néo-platoniciennes, et servira de base à la plupart des spéculations kabbalistiques ultérieures. D'une inspiration parallèle à celle de la *Merkaba*, mais encore plus spéculatif et théosophique que ceux-ci, il est fondé sur une arithmologie complexe enseignant les trente-deux voies de la Sagesse (*Hokhma*, ou Sophia) par lesquelles Dieu a créé le monde, les vingt-deux lettres de l'alphabet sacré, et les dix *sephirot* ou nombres primordiaux, dont les six dernières représentent les six directions de l'espace. L'influence et le rayonnement considérables de ce traité sont sans commune mesure avec sa petitesse quantitative et sa relative obscurité.

Présence de l'Hermétisme. L'influence arabe

Retournons en chrétienté. On se tromperait en pensant que les autorités ecclésiastiques tiennent, au cours de cette période, en suspicion toutes formes d'ésotérisme, ou même les interdisent. Si l'alchimie n'est pas en odeur de sainteté, c'est à cause des « souffleurs » ou spagyristes seulement soucieux de s'enrichir, mais la littérature ecclésiastique du haut Moyen Âge est pauvre en condamnations de l'art d'Hermès, d'autant que cette pratique ou cette forme de spiritualité reste dans l'ombre jusqu'au XIIe siècle. Quant à l'astrologie, Gerbert (vers 950-1013), évêque de Reims qui devient pape en l'an 1000 sous le nom de Sylvestre II, la pratique conjointement à l'alchimie. On trouve déjà chez lui une représentation astrologique complexe et très élaborée, issue du schéma ptoléméen et que l'Occident devait garder longtemps : la Terre, au centre de l'univers, entourée de neuf sphères concentriques, à savoir les sept planètes, la sphère des étoiles fixes et celle du premier mobile. Un hermétisme plus ou moins christianisé continue par ailleurs la tradition de celui d'Alexandrie, mêlé ou non d'alchimie. C'est ainsi que le *Liber Hermetis* est la traduction d'un florilège grec élaboré au plus tard au Ve siècle, mais dont les éléments sont tirés d'ouvrages beaucoup plus anciens ; on y trouve surtout de l'astrologie, notamment une des premières représentations détaillées et complexes du système des décans. Ce livre restera fondamental pour l'ésotérisme du Moyen Âge, qui détient aussi l'*Asclepius* ; mais on sait qu'il faudra attendre l'aube de la Renaissance pour que l'ensemble du *Corpus* soit retrouvé, et du même coup traduit en latin. L'Hermétisme alexandrin maintient donc son influence grâce à des écrits divers, souvent des fragments, ou des florilèges ; outre le *Liber Hermetis* et l'*Asclepius*, quelques traductions du grec des *Kyranides*. Parallèlement, au ve siècle, *Les Noces de Mercure et de Philologie*, du Nord-Africain Martianus Capella, originaire de Madaure, rappelle beaucoup Denys l'Aréopagite par ses hiérarchies d'esprits, mais si ce livre bénéficie d'un réel intérêt dans l'Occident chrétien ce n'est pas particulièrement un livre inspiré par la Bible.

La masse des autres écrits hermétisants de cette époque vient surtout de l'arabe. Car en un siècle, à compter de 635, l'Islam, qui s'est considérablement étendu, s'est installé en Espagne et n'a interrompu son expansion en Occident qu'en 732 à Poitiers (et en 751 au Turkestan chinois). Sa religion, « sommaire et nette comme un paysage du désert et n'ayant pas le goût hellénique pour les spéculations compliquées sur la nature de la réalité divine » (Émile Bréhier) — ce qui ne l'empêchera pas de développer une magnifique théosophie, notamment dans sa tradition chî'ite —, favorise une théologie rationnelle et atomiste, mais sans négliger l'étude d'Aristote et du néo-platonisme. Fait capital, à partir du IXe siècle on traduit beaucoup en arabe, soit du syriaque, soit du grec, et nous savons que l'influence d'Aristote va dominer cet ensemble. Interprétation arabe dominée cependant par deux traités qui lui sont faussement attribués : la *Théologie d'Aristote* (traduite en arabe au IXe siècle), qui contient des textes de Plotin et d'autres du néo-platonisme, et le *Livre des Causes*, où l'on trouve des textes de Proclus. Ces traités mêlent deux esprits très différents, celui de l'empirisme rationaliste d'Aristote, qui possède sa technique logique propre, une forme de positivisme, et d'autre part une vision fortement mythisée du monde dans laquelle règnent des forces spirituelles que seule l'intuition peut prétendre saisir. Il est remarquable que l'esprit arabe se montre capable de passer aisément de l'une à l'autre tendance, et cela lui a permis de les développer toutes les deux. Parmi les philosophes arabes dont l'influence a contribué à orienter l'Occident vers la seconde tendance, mentionnons, outre Al Kindi (vers 796-873) et Al Farabi (Xe siècle), Avicenne (980-1036), pour qui la connaissance est due à l'influence que l'« intellect agent » exerce sur les intellects disposés à la subir. Il est certain que tant que persistera la croyance en des intellects agents, il y aura place pour une théosophie dans les philosophies de la nature et les anthropologies, mais cette croyance sera plus tard évincée, du moins officiellement, par l'influence d'Averroès (1126-1198) — bien que celui-ci reconnaisse tout de même « un » intellect agent.

C'est donc grâce aux Arabes que l'Hermétisme revient en Occident, ou lui parvient sous des formes neuves. L'astrologie, surtout du Xe au XIIIe siècle, se nourrit en grande partie de compilations arabes dont certaines viennent compléter les enseignements du *Liber Hermetis* en matière de décans. Arabe est ainsi la source du *Livre des images* du Pseudo-Ptolémée, du *Picatrix*, et des matériaux repris par le *Lapidaire* du roi Alphonse d'Espagne. De Syrie, l'astrologue Apomasar (IXe siècle) transmet des enseignements hermétistes à la latinité. Les miniatures des versions latines d'Apomasar, du *Picatrix* ou de l'*Astrolabe plan*, marquées par l'astrologie, font partie du trésor de la symbolique occidentale et sont d'autant plus précieuses qu'il faut attendre le XIe, et surtout le XIIe siècle, pour voir se développer vraiment une iconographie astrologique. Alchimie et Hermétisme profitent eux aussi de ces influences, car c'est des Arabes que vient le célèbre texte *Turba Philosophorum* — ou *Assemblée de Pythagore* —, compilation sans doute rédigée directement en arabe, et celui de la *Table d'Émeraude*, encore plus célèbre. Le récit de la découverte de la *Table d'Émeraude* est publié avec un exposé de la création du monde dans un ouvrage que les Arabes, vers 825, intitulent *Livre des Secrets de la Création*, lui-même tiré du *Livre des Causes*. Ils attribuent le *Livre des Secrets de la Création* à Balinous, c'est-à-dire à Apollonius de Tyane. Un beau chapitre, intitulé *Sur la Création de l'Homme*, présenté comme une révélation d'Hermès, rappelle le *Poïmandres* (texte, rappelons-le, par lequel s'ouvre le *Corpus Hermeticum*). Le texte de la *Table d'Émeraude* figure à la fin, à peu près dans sa version qui prévaudra dorénavant. Citons encore, parmi d'autres ouvrages, le *Livre de la Lune*, où Apollonius apparaît comme le porte-parole d'Hermès, et la *Fleur d'Or*, ouvrage de théurgie, enfin le traité hermétisant de Thâbit ben-qurra, né à Harrân en 826, sur les images magiques et astrologiques, très apprécié du Moyen Âge occidental. Les Arabes contribuent aussi à répandre des théories et des pratiques médicales, sous diverses formes dont celle d'un enseignement magique et hermétiste. La médecine constitue d'ailleurs à elle seule un immense chapitre de l'histoire des idées médiévales. Relevons seulement, pour le XIe siècle, le nom de Constantinus Africanus (1015-1087), né à Tunis et mort au Mont Cassius ; il a beaucoup traduit, et répandu, des œuvres médicales de toutes sortes, dont hermétisme et magie ne seront pas exclus.

Orient et Occident

On sait que l'activité intellectuelle de l'Occident ne connaît pas de grande reprise d'envergure avant la fin du XIe siècle. Il s'est fondé auparavant des « écoles » auprès des cathédrales (Auxerre, Reims, Paris), qui ont assuré la permanence d'enseignements et l'existence de copies de textes, mais après la conquête de l'Orient par les Arabes le parchemin est devenu rare et ce sont surtout les Ordres religieux, créés à partir du XIe siècle, qui vont copier des manuscrits. On va voir, alors seulement, se développer l'iconographie religieuse, qui tend naturellement vers des formes d'expression symbolique. Nombreux sont les manuscrits datant des IXe, Xe et XIe siècles — et bien entendu, des siècles ultérieurs également — prodigues en schémas qui associent le monde, l'année, l'homme, les quatre saisons, les quatre tempéraments, les quatre âges de la vie, les quatre vents, les points cardinaux.

Byzance dispose au Moyen Âge de suffisamment de possibilités pour continuer la tradition grecque, mais ses intellectuels font plutôt preuve d'un goût marqué pour les études juridiques, le monde des affaires, ou une théologie assez rationnelle. L'ancienne pensée grecque fait surtout l'objet de commentaires et de travaux d'érudition, dans lesquels il s'agit généralement de comparer Platon et Aristote. La chute de Rome en 470 a fait de Byzance l'unique capitale de l'Empire ; celle-ci reste pendant dix siècles un foyer culturel et spirituel. L'Occident, proie des Barbares, est réduit culturellement à quelques centres, essentiellement monastiques, en Irlande, et en Italie du Nord (Bobbie). Au temps de la seconde séparation d'avec Rome, c'est encore à la faveur d'études sur Platon que le néo-platonisme survit ou continue à se répandre, car si dans la ville de Constantin le grand aristotélicien avait été Photius (820-897), le platonisme de Michel Psellos (1018-1098) s'oriente dans le sens néo-platonicien. L'influence de Psellos, immense, se fera sentir dans la latinité à partir du milieu du XVe siècle. Il tire son inspiration de Proclus surtout, mais aussi de Plotin et de Jamblique, et contribue à répandre l'alchimie tout en se défiant de la théurgie et en se maintenant dans les limites d'un certain rationalisme. À côté de cette philosophie plus ou moins officielle, les monastères byzantins favoriseront un courant mystique dont certains aspects sont inséparables de l'ésotérisme latin. Ainsi, Jean Climaque au mont Sinaï qui enseigne avec son « échelle du Paradis » à parcourir les vingt-neuf degrés de contemplation et d'union, le trentième étant l'impassibilité, et Grégoire Palamas, dont il sera question plus loin.

NÉO-PLATONISME ET HERMÉTISME AU XIIe SIÈCLE

Le Temple, le Cosmos, l'Homme

L'esprit du XIIe siècle est caractérisé par une « découverte » sans laquelle on s'expliquerait moins bien les formes de la pensée ésotérique dans les Temps modernes. C'est la découverte de la Nature, qui n'est plus seulement un réceptacle d'allégories mais s'impose maintenant par elle-même. Cette prise de conscience favorise à l'époque romane, comme on l'avait vu déjà avec Jean Scot Érigène, un retour aux thèmes cosmologiques de l'Antiquité gréco-romaine, c'est-à-dire à un univers conçu et représenté comme une totalité organique, soumis à des lois qu'il s'agit de chercher dans une lumière d'analogie. La découverte de ces lois entraînera une double conséquence. D'une part, la sécularisation du monde, au fur et à mesure qu'on perdra le sens du sacré. D'autre part, un renouveau durable de la magie, au sens de « participation cosmique », c'est-à-dire finalement des thèmes cosmologiques du *Timée* et du néo-platonisme, du Pseudo-Denys, des écrits hermétiques. Sans doute l'hermétisme antique et du haut Moyen Âge n'aurait-il pas suffi à donner à la théosophie occidentale, telle qu'elle existe depuis la Renaissance, les formes qu'elle a prises, sans l'extraordinaire flambée symbolique de ce début du Moyen Âge proprement dit. En science, c'est dans la médecine et les mathématiques qu'on trouve les éléments les plus actifs de ce renouveau intellectuel. Mais d'une manière générale on assiste à l'élaboration systématique et poétique de réseaux de relations entre les règnes de la création visible et invisible. L'univers est pris en charge par la spéculation, qui s'attache à en déchiffrer les significations vivantes et concrètes. Selon le mot de Jean de Meun, la Nature est devenue la « chambrière », ou le vicaire, de Dieu. La matière elle-même est une limite, certes, mais elle n'est pas en soi mauvaise ; idée que reprend, à la suite de l'hermétisme, ce courant de pensée du XIIe siècle où l'on ne voit guère la chair méprisée — contrairement à une tendance sensible au XIIIe qui verra se répandre la torture comme pratique relativement courante.

Dieu vient s'incarner dans la pierre, en cette époque qui voit surgir le premier et peut-être le seul art vraiment sacré d'Occident. L'architecte des églises romanes, c'est Dieu lui-même. Elles sont, surtout les cisterciennes, faites de carrés, et symbolisent ainsi le cosmos, les quatre piliers d'angle représentant les quatre éléments. Les villes aussi sont construites en carrés, à l'image du Temple du Graal. La grande nef est voulue comme un corps dont les transepts forment les bras. L'homme microcosme a le nombre quatre, il montre les quatre points cardinaux, associés aux quatre éléments, aux quatre fleuves du Paradis. Passer du carré au cercle, c'est aller du temps à l'éternité, ou de la manifestation divine à l'unité. Figure d'un univers en expansion hiérarchique, et image à la fois du microcosme et du macrocosme, le temple roman entraîne avec l'homme la création entière vers Dieu. De ces pierres vivantes résonne le mystère, elles sont comme une action de grâces de la nature créée et font surgir des créatures fantastiques qui prennent place dans le drame humano-cosmique. Une telle connaissance des rapports qui unissent Dieu, l'homme et l'univers, ne peut se transmettre que par une tradition elle-même faite d'initiations ou de paliers successifs, tradition qui se propage dans des ateliers. Les apprentis, les compagnons, et les maîtres, utilisent la truelle, symbole trinitaire, mais d'autres outils aussi dont la riche symbolique, après s'être précisée à l'époque gothique, se perpétuera à travers ce mouvement ésotérique moderne qu'est la Franc-Maçonnerie spéculative.

Mais le décor roman se nourrit aussi de sentiment épique. Fidèle à l'inspiration fondamentale du Mythe judéo-chrétien, il fait la part belle au triptyque (cosmogonie-cosmologie-eschatologie), surtout à son troisième volet, apocalyptique, en développant une théologie visionnaire pleine de théophanies et de métamorphoses. C'est parce qu'elle est épique, donc narrative — comme tout mythe vivant, compris ésotériquement —, que cette sculpture confère au Christ et à l'homme image de Dieu des dimensions surhumaines. L'apocalypse romane a conservé quelque chose des terreurs du millénarisme. Si les intuitions fulgurantes de Jean Scot Érigène n'inspirent pas directement cette sculpture, elles aident à en comprendre la nature profonde. Plus que dans le gothique on est frappé par le nombre des monstres, leur exotisme, leur étrangeté. De l'apparente contradiction entre la silencieuse ordonnance de l'église et cette exaltation des prodiges du chaos, l'alchimie fournit tout naturellement la clef. La sculpture romane nous fait pénétrer dans un monde inconnu, dans un dédale tératologique, et en même temps dans les lieux intimes de la vie de l'esprit.

Les sententiaires, l'École de Chartres, enfin le mouvement mystique lié aux Ordres monastiques, caractérisent pour l'essentiel l'activité religieuse du siècle. Les sententiaires, qui correspondent à une sorte de codification du christianisme sous la forme de grandes encyclopédies théologiques, dans un esprit philologique et critique, sont illustrés surtout par les noms de Pierre Abélard et de Pierre Lombard. Il y a là peu de choses pour nous retenir ici, sinon qu'Abélard (1079-1142), dans l'*Éthique*, parle de l'action que les démons peuvent exercer sur nous grâce à leur connaissance des forces naturelles. Les herbes, les semences, les arbres et les pierres, recèlent des forces capables de remuer nos âmes ou de les apaiser.

La rénovation du platonisme qu'est la théologie philosophique de l'École de Chartres représente un effort réussi pour élargir l'horizon intellectuel dans un esprit d'une assez grande liberté investigatrice. Il s'agit moins de fixer la connaissance que de l'étendre. Bernard de Chartres, d'orientation platonicienne, écrit : « Nous sommes des nains montés sur les épaules de géants ; nous voyons plus qu'eux, et plus loin ; ce n'est pas tellement que notre regard soit perçant, ni élevée notre taille ; mais leur stature gigantesque nous élève, nous exhausse. » Bernard Silvestre, de la même école, écrit sous l'inspiration du *Timée* un *De mundi universitate sive megacosmus et microcosmus* (1147) où il évoque la vie des étoiles, les anges intermédiaires entre le soleil et la lune, les esprits sublunaires, annonçant ainsi les « esprits élémentaires » de Paracelse, et ne dédaigne ni l'astrologie ni la géomancie. L'auteur enseigne que l'univers sensible tient son regard dirigé vers une réalité divine qu'il s'efforce d'imiter. On pense ici encore au mot de l'apôtre sur les perfections invisibles (Romains I, 20). Le titre même de cet ouvrage aurait pu être signé par un Kabbaliste chrétien de la Renaissance. La nature, l'unité de la nature, les lois de la nature, voilà ce qui intéresse ce platonisme chartrain, comme cela apparaît aussi dans l'œuvre de Guillaume de Conches (vers 1080-1145) — élève de Bernard de Chartres —, qui parle beaucoup de physique — réclamant d'ailleurs l'autonomie de cette science —, répand l'enseignement de Jean Scot Érigène sur l'Âme du monde, et donne une liste des qualités et des humeurs naturelles de chaque planète ainsi que de ses influences positives ou négatives. Guillaume entreprend, comme Bernard Silvestre, d'intégrer dans le christianisme la philosophie platonicienne de la nature. On retrouve des éléments de ce platonisme chez un autre Chartrain, Gilbert de la Porrée.

Intensément curieux de tout, les Chartrains approfondissent les disciplines qu'ils peuvent connaître et les mettent en relation les unes avec les autres. En lisant Virgile, Boèce, le commentaire de Macrobe sur le « Songe de Scipion », ils découvrent, ou redécouvrent, et exposent ainsi, de vastes perspectives métaphysiques et cosmologiques, dans l'esprit platonicien ou néo-platonicien — alors qu'ils connaissent de Platon seulement le *Timée*, lu dans la version de Chalcidius. Certes, la doctrine des Idées, la réflexion sur les nombres, sont bien de nature à rejeter hors de notre monde sensible et dans le pur royaume des archétypes toute forme de réalité jugée absolue ou véritable, mais à cette tentation inhérente au platonisme proprement dit et à laquelle saint Augustin n'avait pas échappé, les Chartrains ne succombent pas. Ils doivent aux sciences naturelles cette intégration du monde, et bien sûr leur dette est évidente à l'égard de la science des Arabes, notamment médicale, rendue accessible à l'Occident depuis peu. La philosophie occulte de la Renaissance est par bien des aspects proche de celle des Chartrains. Pourtant, ce naturalisme à coloration ésotérique reste plutôt en marge de l'enseignement officiel. Aussi est-ce moins chez les Chartrains eux-mêmes que dans la tradition magique populaire qu'on le voit s'intégrer, par exemple dans le *Roman de la Rose.* Généralement ce sont les médecins, qui lisent les signatures, et secondairement ce sont les scolastiques.

Il y a, dans le mouvement mystique lié aux Ordres monastiques, une peinture de la vie intérieure qui rappelle souvent Philon, Plotin et bien entendu saint Augustin, mais ce mysticisme est généralement peu spéculatif. Il développe des règles de vie pour l'âme et non pas, comme chez Plotin, des spéculations servant à élaborer une conception philosophique de l'univers. Comme il n'y a pas d'ésotérisme sans spéculation, il n'y a pas lieu de s'attarder à présenter ici l'œuvre admirable de saint Bernard (1091-1153), ni celle de Hugues de Saint-Victor (vers 1096-1141), bien que pour le second la nature soit un champ d'investigation (cf. surtout *Didascalion*, et *Commentarium in hierarchiam*), et que la belle symbolique bernardienne renferme mille perles spirituelles, dont celle-ci : « On peut tirer du miel des pierres et de l'huile des rochers » (*Epistola*, C, VI).

Alain de Lille, sainte Hildegarde, Honorius

Alain de Lille (vers 1128-1203) tient beaucoup, par son esprit, de l'École de Chartres sans pour autant dépendre d'elle. Dans son chef-d'œuvre, *De planctu naturae*, celui qu'on appelle le « docteur universel » représente la Nature comme une jeune vierge qui porte un diadème orné de douze gemmes représentant les douze signes du zodiaque, et sept pierres symbolisant le soleil et les planètes. Elle est vêtue d'un manteau sur lequel est brodée toute la variété des êtres, les animaux s'y trouvant répartis en trois groupes. Représentation liée à celle de l'homme microcosme, formé des mêmes parties que la nature. La raison est en nous comme le mouvement de la sphère des étoiles fixes, et notre sensibilité si sujette aux changements est comme le mouvement complexe des planètes. La raison dans la tête est analogue à Dieu et au ciel, l'émotion et les sentiments dans le cœur le sont aux anges, la partie inférieure sise dans les reins, lieu de l'instinct, l'est à l'homme et à la terre ainsi qu'à différents minéraux. Les rapports entre Dieu et la nature sont plus ou moins empruntés à Proclus, et il tire du *Monologium* de saint Anselme la méthode qui consiste à remonter jusqu'à la nature de Dieu en utilisant comme échelons la variété de Ses attributs, c'est-à-dire de Ses « Noms » au sens où le Pseudo-Denys l'entendait. On trouve à plusieurs reprises chez lui l'image, avec des commentaires, de la sphère intelligible dont le centre est partout et la circonférence nulle part. Et il se fait l'exégète de la symbolique iconographique de l'époque, notamment quand il décrit la licorne *(calidissima natura)* apaisée par la jeune fille *(frigida et humida)*. Avec Alain de Lille on peut vraiment parler d'ésotérisme, mais c'est peut-être encore plus vrai pour Hildegarde et Honorius.

Sainte Hildegarde de Bingen (1099-1180), auteur du *Scivias* et du *Liber divinorum operum simplicis hominis*, développe des idées par bien des points semblables à celles qui précèdent. Elle insiste, par exemple, sur l'analogie qui existe entre la rondeur de la tête et le firmament. Elle n'est certes pas la seule à le faire, mais son originalité est de proposer une œuvre vaste et cohérente dans laquelle les visions, intimes et surtout cosmiques, occupent une grande place. Cette visionnaire intègre dans un ensemble inspiré les révélations dont elle est l'objet, au point qu'on peut parler à son propos de théosophie, plus précisément de cosmosophie. C'est ainsi que la seconde vision du *Scivias* évoque l'harmonie des quatre éléments avant la chute de Lucifer. Ailleurs, elle parle de l'effet perturbateur du péché d'Adam sur la nature *(« elementa humanis iniquitatibus subvertuntur »)*, thème qui sera un des leitmotive de la théosophie occidentale, et sainte Hildegarde va jusqu'à dire que le sang d'Abel a taché le sol au point d'en faire jaillir des humeurs néfastes d'où naquirent les serpents venimeux.

Le cosmos symbolique du XIIe siècle, ancêtre direct des représentations cosmologiques ésotériques que la Renaissance verra pulluler, trouve une remarquable illustration philosophique et iconographique dans la *Clavis physicae* d'Honorius Augustodunensis. Honorius a sans doute fait ses études à

Cantorbéry auprès de saint Anselme, avant de se retirer dans la communauté bénédictine irlandaise de Saint-Jacques à Ratisbonne. Il a laissé une production abondante. La *Clavis physicae* est « probablement l'une des plus parfaites expressions de l'activité imaginative des hommes du XIIe siècle, en même temps que la traduction fidèle d'une représentation du monde liée au système platonicien, tel que l'avaient interprété les Pères grecs et leur disciple du IXe siècle, Jean Scot » (M.-Th. d'Alverny). Ce petit ouvrage est appelé *Clef de la Nature* parce qu'il prétend nous révéler les secrets qu'elle contient. Il reprend l'idée de Maxime et de Jean Scot sur l'homme conçu comme « *creaturarum omnium officina* », ou organe de toutes les créatures et rassemblant en lui la création entière. Plusieurs dessins, surtout un beau tableau, illustrent le texte. On y voit notamment Dieu descendre dans les Causes primordiales (intermédiaires entre Dieu et la créature), puis de là dans leurs effets, et se manifester dans Ses théophanies, jusqu'aux corps inertes. Un magnifique dessin, riche de connotations symboliques, représente l'Âme du Monde, vue selon la tradition cosmobiologique des stoïciens passée à travers l'interprétation de Jean Scot. Un autre écrit d'Honorius, l'*Elucidarium*, sorte de précis catéchétique et pédagogique, insiste sur nombre de correspondances symboliques. Ce traité servira de base pendant trois siècles à la formation dogmatique du clergé et des fidèles. L'auteur y développe notamment une définition de l'homme-microcosme, idée certes banalisée depuis longtemps, mais sa liste longue et détaillée de correspondances entre les parties du corps humain et les éléments constitutifs du monde n'a peut-être pas d'antécédent dans la littérature occidentale (par exemple, os, ongles, cheveux et sens sont mis en relation avec pierres, arbres, herbes et animaux, ce qui paraît faire écho à des spéculations judéo-hellénistiques et alexandrines). On retrouve ces conceptions dans d'autres textes d'Honorius comme le *Sacramentarium* ou le *De imagine mundi*. La *Clavis physicae* a fait l'objet d'une remarquable étude en français, par le même auteur (M.-Th. d'Alverny) qui a également étudié un curieux petit traité anonyme en forme de sermon, les *Pérégrinations de l'Âme dans l'autre monde*, porteur d'influences avicenniennes et gnostiques.

Hermétisme et alchimie

Il serait facile de multiplier les exemples d'intérêt porté aux analogies entre l'homme et la nature, entre le microcosme et le macrocosme. Certains noms ou titres se détachent par l'originalité de la pensée, ou par l'influence qu'ils exerceront. Le *Liber vinginti quatuor Philosophorum*, écrit à la fin du siècle, est un texte court mais dans lequel on trouve pour la première fois l'image de Dieu conçu comme une sphère dont le centre est partout et la circonférence nulle part. Ce livre est teinté d'hermétisme. Et c'est le dialogue entre Hermès Trismégiste et Asclepius, qu'évoque plusieurs fois Guillaume d'Auvergne, évêque de Paris, pour rappeler l'existence d'une puissance divine à l'œuvre dans les herbes et même dans les pierres. Alexander Neckam, frère de lait de Richard Cœur de Lion, mérite une mention particulière pour cette notion, développée par lui, selon laquelle le péché de l'homme a eu des conséquences physiques sur la nature. Dans son *De naturis rerum* il attribue à la chute d'Adam non seulement les taches sur la lune mais aussi l'état sauvage de la plupart des animaux, l'existence d'insectes nuisibles, d'animaux venimeux, et des maladies qui nous affligent. Le goût, très répandu, pour les pierres précieuses, leur symbolique et leurs vertus occultes, trouve une belle expression dans le *Liber lapidum seu de gemmis*, poème de 734 hexamètres dû à Marbed (1095-1123), évêque de Rennes, et dont il existe de nombreuses copies.

Surtout, on ne saurait passer sous silence le fait que les livres d'Avicenne (980-1037), contemporains des grandes œuvres de l'ésotérisme ismaélien, sont déjà partiellement traduits en latin au cours du XIIe siècle. La théorie avicennienne de la connaissance est une angélologie, qui fonde à la fois une cosmologie et une anthropologie. Elle aurait pu servir de modèle à la tradition occidentale. Mais elle se trouve aussitôt en butte à une critique destructrice, notamment de la part de Guillaume d'Auvergne. Ainsi se prépare la voie de l'averroïsme démythisant du siècle suivant, alors que la doctrine avicennienne de l'Intelligence agente, illuminatrice des âmes humaines, offrait à l'Occident un élargissement et un approfondissement de son angélologie. Rejeter les hiérarchies célestes médiatrices de la Création, c'est rejeter l'angélologie et ébranler la cosmologie visionnaire.

De l'astrologie on pourrait citer évidemment maintes œuvres pour chaque époque, mais dans ce XIIe siècle les noms de Roger de Hereford et de Jean d'Espagne se détachent parmi beaucoup d'autres. L'astrologie n'est pas une question essentielle, car le monde dans lequel vivent les hommes d'alors est parcouru par le divin ; l'individu tente de se situer lui-même à l'intérieur de la vie divine pour participer à une rédemption universelle le soustrayant à des lois aussi inexorables que celles des astres peuvent l'être. Il s'agit pour l'homme, comme dit alors Guillaume de Saint-Thierry, de devenir « par grâce ce qu'est Dieu par nature ». L'alchimie pose des questions différentes, du moins sous sa forme spiritualisée qui fait d'elle un rituel, ou un acte magique destiné à rendre à une partie de matière un peu de la gloire originelle dont le monde entier bénéficiait avant la chute, ou avant les chutes successives, l'alchimiste lui-même bénéficiant de cette transmutation. On conviendra qu'il n'est pas toujours facile de démêler les intentions des uns et des autres « adeptes », de toujours distinguer le vrai alchimiste du simple spagyriste ou du « souffleur ». Et cela, d'autant qu'au XIIe siècle l'Occident multiplie davantage les « recettes » que les récits mystico-allégoriques, contrairement à ce qui se passe chez les Arabes. Aussi bien l'alchimie n'est-elle guère connue en Europe avant le XIIe siècle ; c'est l'Islam qui l'y introduit, par l'intermédiaire de l'Espagne. Et l'on sait que l'apparition de textes alchimiques arabes dans la langue latine a enrichi de nombreux termes nouveaux le vocabulaire scientifique européen.

L'année 1144 marque un événement, avec ce qui pourrait bien être la première traduction, d'arabe en latin, du premier livre important d'alchimie médiévale. Traduit par Robert de Chester, archidiacre à Pampelune, qui le dit « édité » par Morienus Romanus, ermite de Jérusalem, à l'intention de « Calid, roi des Égyptiens », il a pour titre *Liber de compositione alchemiae quem edidit Morienus Romanus*. Morienus, dont l'histoire est racontée dans le livre, devient du même coup la première figure mythique marquante de l'alchimie européenne. Ce *Liver de compositione alchimiae* contient une romanesque histoire selon laquelle Hermès découvrit et fit connaître les arts et les sciences occultés depuis le déluge, avant que Morienus lui-même ne les découvrît. On y lit d'étonnants récits d'initiation, et bien sûr il sera souvent réédité, notamment au XVIe siècle, et dans le grand corpus de Manget en 1702. Robert de Chester donne aussi la traduction d'un commentaire arabe de la *Table d'Émeraude*. Au demeurant, parmi les Arabes et les Latins, la réputation d'Hermès Trismégiste ne cesse de se confirmer et de croître de plus belle, en dehors même de la littérature alchimique ; de plus en plus on le considère comme une fontaine de savoir et de sagesse. Roger Bacon pourra ainsi parler de « Hermès Mercurius, le père des Philosophes ».

Les plus grands traducteurs d'arabe en latin sont alors Gérard de Crémone (vers 1114-1187) qui vit et travaille surtout à Tolède, et l'érudit anglais Adélard de Bath. Gérard de Crémone traduit le *Liber de causis*, évoqué plus haut, contribuant à étendre l'influence de Proclus. Presque en même temps que la traduction, par Robert de Chester, du commentaire arabe de la *Table d'Émeraude*, apparaît la première transcription latine du texte proprement dit de cette *Table*. Présentée par Hugo de Sanctalla, évêque de Tarazona en Espagne, et publiée avec le *Liber de secretis naturae et occultis rerum causis quem transtulit Apollonius de libris Hermes Trismegisti*, elle sera bientôt considérée par les alchimistes comme un texte révélé accessible seulement à quelques initiés.

Parallèlement à l'extension des connaissances on voit s'élargir au XIIe siècle le système des « *artes liberales* », ce dont l'alchimie sait tirer parti. Elle se considère en effet comme un « art » divin et ne cessera plus d'être vue comme telle. À la fois « *ars* » et « *scientia* », science naturelle et science divine, elle multiplie les expressions figurées et allégoriques, à l'instar de Macrobe. En évoquant les principes ultimes de la matière, ceux qui touchent au divin, Macrobe avait vu dans la forme poétique la seule possibilité d'expression acceptable, et dit que la Nature elle-même parle en poète (*Commentarius in somnium Scipionis*, I, 2, 17). L'alchimie du XIIe siècle, comme souvent aussi la théologie, reprend les procédés de l'*involucrum* utilisés par les poètes et les philosophes de l'Antiquité, qui consiste à utiliser la fable pour voiler et révéler en même temps les secrets divins de la Nature.

Mythe d'Alexandre, Fidèles d'Amour, *et mythes chevaleresques*

L'Hermétisme, au sens général du terme, ne se réfère pas nécessairement à Hermès. C'est ainsi que le *Roman d'Alexandre*, écrit en vers dans le premier tiers du siècle, met en scène des personnages dont certains, comme le magicien Naptanabus, sont déjà depuis longtemps légendaires. Le fil continu du récit repose sur la vieille idée selon laquelle Aristote aurait été le tuteur d'Alexandre. Si dans ce roman l'extérieur de la tente d'Alexandre rappelle diverses sortes de pratiques magiques, l'intérieur se veut un résumé de tout le savoir du monde ; on y voit figurés les saisons, les mois, les jours, les heures, les planètes, enfin la géographie de la terre — ce qui annonce cet « art de mémoire » dont la Renaissance connaîtra de si beaux exemples. Le merveilleux « alexandrin » de cette œuvre jaillit d'un syncrétisme qui prépare la voie à une résurgence du mythe de la Toison d'Or, mythe dont la prégnance sera forte, principalement au XVIIIe siècle, mais par lequel aussi s'effectuera le passage du Moyen Âge à la Renaissance. Située chronologiquement entre Charlemagne et Arthur, cette figure d'Alexandre propose à la civilisation du Moyen Âge le modèle d'un imaginaire visant à la conquête du monde. On sait que le Portugal vivra ce mythe, pleinement, dans des expéditions dont les seules ambitions économiques seraient incapables d'expliquer l'enthousiasme. Mais il faut noter aussi, à propos du mythe d'Alexandre, l'existence au XIIe siècle de nombreux écrits pseudo-aristotéliciens attribués, faussement bien entendu, au « maître » d'Alexandre. Ils sont de diverses sortes : alchimiques, astrologiques, pneumatologiques, ou concernent les vertus occultes des pierres et des herbes, la chiromancie et la physiognomonie. Le plus célèbre de ces écrits, *Secreta secretorum*, véritable fourre-tout d'occultisme avec surtout beaucoup d'astrologie, met en scène un Aristote prodigue en conseils donnés à Alexandre. C'est un des livres les plus populaires du Moyen Âge.

Il y a dans tout cela un aspect initiatique souvent évident, qui au XIIe siècle s'affirme volontiers sous diverses formes et dans différents genres. Initiatique est l'amour courtois, sous sa forme élaborée dans laquelle on exalte, « pour la première fois depuis les gnostiques des IIe et IIIe siècles, la dignité spirituelle et la valeur religieuse de la Femme [...]. La fonction sotériologique de l'amour et de la Femme est clairement proclamée par un mouvement en apparence essentiellement *littéraire*, mais qui comportait une gnose occulte, et probablement initiatique »

(M. Eliade) : les *Fedeli d'Amore.* Véritable milice secrète répandue en divers pays d'Europe, elle s'exprime à travers un langage caché. Les « Fidèles » se consacrent au culte de la « Femme unique » et à l'initiation au mystère de l'amour. Aussi bien est-ce le siècle qui voit apparaître un ésotérisme au sens de langage ou d'enseignements secrets, ce qui n'existait sans doute pas auparavant avec la même ampleur. Les amoureux comme les membres de sectes religieuses possèdent leurs signes, leurs symboles, leurs mots de passe.

Initiation, secret, amour, connaissance et mystique, se fondent dans la mythologie chevaleresque suscitée par cette époque si riche en redécouvertes spirituelles de toute sorte. Mythologie qui va connaître une destinée culturelle plus importante que son histoire sociale ou politique. Sa première grande expression littéraire s'élabore autour du légendaire roi Arthur, les écrits dits de la *Matière de Bretagne* servant à la fois de réceptacle et de source vive aux aspirations de l'âme et aux inspirations poétiques cristallisées autour de personnages comme Arthur, Perceval, Lancelot ou le Roi Pêcheur. Symbolisme et scenarii initiatiques marquent, plus profondément que dans les premiers romans bretons et arthuriens, le thème du Graal, qui aux alentours de 1180 fait sa première apparition avec le livre de Chrétien de Troyes et Robert de Boron. Le Graal combine des traditions occidentales de type druidique et celtique (Irlande, Avalon) aux mystères du christianisme. Elles viennent se fondre dans la figure de Parsifal, ou Perceval, et dans le Graal, calice mythique à fortes connotations alchimiques (soleil ou hostie, et lune ou calice). Le symbole du Graal évoque les courants ésotériques souterrains liés aux évangiles apocryphes, notamment celui de Nicodème qui exaltait le personnage de Joseph d'Arimathie. Et ce n'est pas un hasard si la même époque voit introduire le rite d'élévation de l'hostie à la messe romaine. À un chevalier allemand, Wolfram von Eschenbach, il appartiendra de consacrer à ce thème du Graal, et à la chevalerie, leur premier chef-d'œuvre aux sens inépuisables : *Parzival,* écrit entre 1200 et 1210. Les éléments orientaux y abondent, mais c'est bien d'un grand livre de l'Occident qu'il s'agit. Son sens hermétique a fait l'objet d'une récente réaffirmation par des chercheurs (H. et R. Kahane) qui font dériver le mot « graal » (coupe, vase) du grec *krater.* Ainsi se trouverait soulignée la fonction sotériologique de ce symbole, et suggérée une influence « trismégistienne », car le livre IV du *Corpus Hermeticum* parle d'un grand « cratère » rempli par Dieu d'intellect, envoyé sur terre et dans lequel doivent se plonger les hommes de désir pour avoir part à la connaissance et pour remonter vers Dieu. Outre ce mot, l'expression « *lapis exillis* », elle aussi à consonance alchimique, a suscité bien des interrogations. L'image du « krater » sera utilisée au XVIe siècle par l'hermétisant Lazarelli, dans son « bassin d'Hermès » ou *Crater Hermetis*.

À ces émergences mythiques se rattache évidemment l'Ordre du Temple, créé à Jérusalem en 1119 après la première croisade et la prise de Jérusalem (1099). La mission de ces chevaliers, qui reçoivent leur règle de saint Bernard, consiste théoriquement à protéger les pèlerins. On a vu des similitudes entre l'Ordre du Temple et l'Ordre islamique des Vieux de la Montagne ; il y en a certainement entre celui-là et le Graal, comme l'atteste le *Parzival* de Wolfram. Aussi bien la Terre sainte n'est-elle pas seulement géographique mais intérieure, cachée, ésotérique. Elle est le lieu de rencontre du ciel et de la terre. Il suffit pour s'en persuader de visiter le couvent templier de Tomar, au Portugal ; cet édifice, véritable organisme vivant, porte la marque et le témoignage d'enseignements dont la quête du Graal, vécue dans le sens initiatique et symbolique, se révèle inséparable. Ce n'est sans doute point un hasard si le mythe du Cinquième Empire apparaît à la même époque au Portugal. Il naît avec l'indépendance du pays — due à la victoire sur les Maures en 1139 —, lorsque le Christ promet à Alfonso Henrique que le Portugal recevra le Royaume de la Mer pour transmettre au monde le message chrétien.

Citons encore deux facteurs importants pour la compréhension des mouvements ésotériques dans les Temps modernes : l'influence qu'exerceront Joachim de Fiore, et l'ésotérisme juif.

Joachim de Fiore. Moïse Maïmonide. Le Bahir

L'abbé calabrais Gioachino da Fiore (vers 1135-1202) élabore un vaste système de philosophie de l'Histoire universelle fondé sur un schéma ternaire. À l'Ancien Testament correspond le règne du Père, au Nouveau celui du Fils, et une troisième époque nous attend, dans l'histoire même, à savoir une sorte de perfection chrétienne correspondant au règne du Saint-Esprit. Le temps des « primevères », puis celui des « roses », enfin celui des « lys » ! Le fait qu'il s'agisse bien d'une perspective temporelle, et non pas eschatologique au sens d'une « sortie du temps », est attesté notamment par le fait que Joachim imagine ce Troisième Âge comme susceptible de connaître une fin dramatique ; la perfection divine reste réservée en effet pour le Jugement dernier. Ces théories vont connaître un succès considérable, exercer une influence énorme dont les conséquences ont fait récemment l'objet d'une magistrale étude (H. de Lubac). Joachim de Fiore est à l'origine des philosophies modernes de l'histoire, celles de Lessing, Hegel, Marx et d'autres, qui séculariseront, chacun à leur manière, la pensée du Calabrais. Mais celle-ci servira également de point de départ à des spéculations sur les dates du Troisième Âge, et de prophéties variées concernant les futurs guides spirituels de l'humanité. L'œuvre de Bengel, au début du XVIIIe siècle, en représente un exemple privilégié mais qui prend place parmi bien d'autres. Enfin, cette œuvre aura servi à réaffirmer fortement le caractère toujours ouvert de la prophétie. De celle-ci, le magistère ecclésiastique a plutôt tendance sinon à déclarer officiellement la fermeture, du moins à laisser entendre qu'elle est close ; mais si le Saint-Esprit, comme l'annonce Joachim, est appelé à régner durant la dernière partie de l'histoire humaine, il est d'ores et déjà permis de le laisser souffler à travers nous, de nous en faire l'instrument, c'est-à-dire de prophétiser au sens biblique du terme. Le joachimisme introduit donc le principe d'une grande liberté spirituelle dans chaque âme individuelle, dès lors que celle-ci est déclarée capable de découvrir, avec l'aide de l'Esprit dont se rapproche la venue, des significations cachées depuis le commencement du monde. La théosophie chrétienne, cette forme particulière de la prophétie, tirera parti de l'enseignement joachimite.

C'est surtout en Espagne et au Maroc que se développe la philosophie juive. Le *Fons vitae*, d'Avicebron (vers 1020-1070), penseur de Malaga, importante source de néo-platonisme pour l'Occident latin dès le XIIe siècle, était une classification hiérarchique des êtres, du haut en bas de l'échelle cosmique. Plus tard, le contemporain de Joachim, Moïse Maïmonide (1135-1204), dit Moïse de Cordoue bien qu'il vive surtout au Caire, est un penseur de premier plan de la pensée hébraïque. Albert le Grand et Thomas d'Aquin le citeront volontiers, car il tente de faire pour la pensée juive ce qu'eux-mêmes chercheront à réaliser pour la pensée chrétienne, c'est-à-dire réconcilier Aristote et la Bible, la philosophie et la Révélation, tâche dont avant eux Guillaume de Conches avait envisagé aussi la possibilité. La pensée de Moïse Maïmonide, telle qu'elle s'exprime surtout dans son *Guide des Égarés*, est complexe, son système souvent contradictoire. Ce n'est pas spécifiquement l'œuvre d'un théosophe. Aussi bien ne s'agit-il ici que de rappeler certains des points qui marqueront les courants ésotériques ultérieurs, notamment à travers la Kabbale chrétienne de la Renaissance. Il pense en effet que les prophètes de l'Ancien Testament ont reçu, outre les textes recueillis par la Bible, des révélations philosophiques, transmises oralement, puis perdues au cours des persécutions du peuple juif. Son célèbre livre contient une remarquable définition du prophète et du prophétisme, et par deux fois il y expose que notre monde inférieur est gouverné par les vertus et les influences des sphères célestes, qui sont animées, conscientes et libres. Il estime aussi, trait essentiellement gnostique, que la connaissance d'ordre métaphysique est nécessaire pour assurer la survie après la mort (*Guide*, III, 51, 54). Pour certaines traditions ésotériques en effet, seule la somme des connaissances métaphysiques acquises par nous ici-bas est immortelle.

Mais c'est évidemment la Kabbale qui ici encore nous livre l'essentiel de l'ésotérisme juif. Le *Sepher Yetsirah* en a posé les fondements aux Ve et VIe siècles, et voici qu'une compilation de matériaux kabbalistiques anciens et récents, effectuée en Provence au XIIe siècle, vient constituer le premier exposé de Kabbale proprement dite, sous le titre *Bahir*. À partir de ce livre *Bahir* les Kabbalistes de Provence vont orienter la Kabbale dans une double direction, celle d'une gnose d'origine orientale, et celle du néo-platonisme médiéval. C'est sous cette double forme qu'elle passera en Espagne, notamment à Gérone. De même que dans l'époque précédente, celle du haut Moyen Âge, il s'agit moins d'union mystique que de théosophie. Face au Talmud cette théosophie interprète nombres et lettres comme un discours que la Sagesse nous adresse, et à partir de là s'efforce de connaître le monde dans ses rapports avec Dieu grâce aux chaînes intermédiaires. Ce qui est le plus spécifique ici reste sans doute l'usage d'une méthode interprétative de la lettre, qui donne à voir dans chaque mot de la Torah un sens élevé aux ramifications multiples.

★

GRANDES SOMMES, GRAND ŒUVRE, COURANTS NOUVEAUX, AU XIIIe SIÈCLE

Spiritualités nouvelles. Cathares, Frères du Libre Esprit, saint François

Ce n'est pas l'ésotérisme qui inquiète les autorités ecclésiastiques à la fin du XIIe siècle et pendant le XIIIe. Théosophie, alchimie, astrologie, hermétisme, ne constituent guère un sujet de préoccupation pour une Église dont les représentants eux-mêmes sont souvent pénétrés de néo-platonisme. Elle a plutôt fort à faire avec les hérésies de toute sorte : vaudois (du nom du Lyonnais Pierre Valdès qui, prêchant la vraie pauvreté évangélique, nie toute autorité ecclésiastique), disciples d'Amaury de Bène autour de 1200 (le règne de l'Esprit étant déjà là, Dieu est présent n'importe où autant que dans l'hostie), joachimisme (l'abbé de Fiore a laissé en mourant de nombreux disciples). Mais surtout, elle s'attaque au problème cathare.

Le catharisme a commencé à pénétrer l'Europe occidentale au début du XIIe siècle, en provenance de l'Empire byzantin — Bulgarie notamment — où ce mouvement sectaire s'appelait bogomilisme (du nom de son fondateur, Bogomil, qui vécut au Xe siècle). Un dualisme absolu caractérise le catharisme, qui pour cette raison ne ressortit pas à la tradition ésotérique occidentale telle qu'on l'entend ici. Nous retrouvons là un trait propre à la plupart des représentants de l'ancien gnosticisme : le monde a été créé par un mauvais démiurge, celui de la Loi mosaïque ; la matière et la chair sont absolument mauvaises, le

Christ en venant sur terre n'a pris qu'une apparence de corps. Le pape Innocent III, aidé de plusieurs grands seigneurs et du roi de France, entreprend en 1207 une croisade contre les Albigeois — c'est-à-dire contre les Cathares établis surtout dans le sud-ouest de la France —, dont il vient à bout à force de cruautés sans nom. Il faudra attendre 1330 environ pour que l'Église cathare ait cessé d'exister en France. À cette croisade — la seule victorieuse ! —, la France doit son unification en tant que royaume, la civilisation méridionale sa destruction, et l'Europe la création de l'Inquisition, qui décidée en 1215 au concile de Latran aboutira en 1254 à l'autorisation de la torture. Ce concile condamne vaudois, joachimites et disciples d'Amaury de Bène — de même que le *De divisione naturae* de Jean Scot Érigène (en 1210), suspect d'être à l'origine de l'amaurisme. Il condamne enfin Aristote, mieux connu du fait que l'essentiel de son œuvre vient d'être redécouvert.

Davantage que dans le catharisme, c'est parmi les Frères du Libre Esprit qu'on trouve certains traits propres à l'ésotérisme occidental, comme d'ailleurs à tout ésotérisme, puisqu'il s'agit de l'accent mis sur la « connaissance ». On peut dire que sous l'influence d'Amaury de Bène, mort vers 1206, les Frères du Libre Esprit mettent l'accent sur la « connaissance » du salut plutôt que sur l'« espérance » du salut. Car la connaissance est supposée exercer par elle-même un effet salvifique. Contrairement aux Cathares, ils prêchent une doctrine qui est affirmation de la vie, amour universel, où Agapè s'incorpore à Éros. Chaque chrétien est considéré comme un membre à part entière du corps du Christ. Mysticisme radical d'union, qui trouve une de ses meilleures expressions chez Marguerite Poret, brûlée en 1310 comme hérétique, dont le *Miroir des simples âmes* est un texte ésotérique aussi en ce sens qu'il s'adresse uniquement à ceux qui « comprennent ».

Pour canaliser l'idéal de pauvreté évangélique menaçant de s'étendre anarchiquement et de saper l'autorité de l'Église, en 1210 Innocent III donne à François d'Assise (1182-1226), dont la vocation admirable date de 1209, l'autorisation de diriger un Ordre mineur. Fait essentiel dans l'histoire du christianisme, car l'esprit franciscain va contribuer à y introduire un amour de la nature que l'esprit roman n'avait pu imposer. Pour celui-ci en effet, la nature représentait surtout un moyen de connaissance, d'où la curiosité dont il faisait preuve à son égard. Mais si maintenant il s'agit davantage d'amour, on assiste paradoxalement à l'éclosion d'une forme de puritanisme dans la manière de considérer le corps, tendance sensible jusqu'à nos jours. L'amour franciscain, au contraire, stimulera des vocations de philosophes de la nature et d'alchimistes. Un autre aspect du mouvement de piété populaire évangélique rappelant l'idéal religieux vaudois, mais toléré par les autorités religieuses en raison du caractère limité de ses prétentions, se manifeste par la création de communautés religieuses féminines — les béguines — qui s'organisent dans les régions du Nord et dont Mathilde de Magdebourg (1207-1282) reste parmi les plus connues pour son livre *la Lumière de la Divinité*, le premier écrit en allemand par une mystique.

L'averroïsme. L'esprit franciscain : saint Bonaventure

Les philosophes et théologiens du début du XIIIe siècle disposent enfin de presque tout l'œuvre d'Aristote, grâce aux traductions en latin qu'on en a fait de l'arabe et du grec. Les condamnations n'excluent pas l'intérêt, au contraire. On ne traduit pas seulement ses commentateurs grecs, mais aussi arabes, c'est-à-dire Al Kindi, Al Farabi, Avicenne, Averroès, et l'on connaît relativement moins bien Platon. Averroès (1126-1198), né à Cordoue, dont l'œuvre fut composée surtout à Séville et au Maroc, étend son influence, posthume mais certaine. Connue à Paris à partir de 1230, cette œuvre se répand surtout à compter de 1270 ; c'est à ce moment que saint Thomas écrit contre lui *De l'unité de l'intellect*, et que des condamnations sont prononcées contre les averroïstes, notamment en 1277, condamnations dans lesquelles des maîtres ès arts comme Siger de Brabant et Boèce de Dacie se trouvent impliqués. Les averroïstes enseignent en effet l'éternité du monde et de l'espèce humaine, l'existence d'un intellect unique pour tous les hommes, l'impossibilité pour la volonté de choisir librement, et l'idée que Dieu ne connaît rien d'autre que soi (négation de la Providence). Le péripatétisme, surtout revu par Averroès, donne de l'univers une image peu conforme au christianisme. S'il a pu tenter des chrétiens soucieux d'élaborer grâce à lui des théologies

« rationnelles », il est encore plus incompatible avec la pensée ésotérique. Même indépendamment de son interprétation averroïste, il apparaît assez incompatible avec le dogme puisqu'on y trouve l'idée d'un univers éternel et incréé, d'un Dieu qui se limite au rôle de moteur du ciel et des étoiles fixes, et dont ni la connaissance ni l'action ne s'étendent jusqu'au monde sublunaire, enfin la croyance que l'âme disparaît avec le corps.

Deux tendances se partagent ainsi la réflexion et s'opposent. D'abord, l'esprit franciscain, nourri de saint Augustin et représenté surtout par saint Bonaventure, croit possible d'atteindre, au moins par l'image, la réalité divine, et cela dans un sens néoplatonicien. La raison, conformément à l'idée que s'en faisait saint Augustin, est déjà une illumination car l'être par nature aspire à des formes nouvelles, de même que la matière porte potentiellement en elle les déterminations que la forme engendrera. Ensuite, l'esprit dominicain, issu d'Aristote, représenté par Albert le Grand et saint Thomas d'Aquin. Il s'agit d'effectuer une séparation de principe entre la théologie révélée et une philosophie qui pose comme premier principe opérationnel son indépendance vis-à-vis de la théologie, c'est-à-dire qui part de l'expérience sensible selon une méthode « rationnelle ». Dès lors la connaissance intellectuelle s'oriente naturellement vers l'abstraction, l'individu vise à se trouver complet par lui-même — donc coupé des correspondances analogiques universelles —, et la matière à attendre passivement la forme. Mais à ces deux tendances s'en ajoute une troisième, celle de l'école d'Oxford, qui partage avec l'esprit chartrain du XIIe siècle un désir d'intuition universelle. Il est représenté par Alexandre Neckham, l'astronome et alchimiste Michel Scot, Robert Grosseteste le théologien de la lumière, et Roger Bacon.

Saint Bonaventure (1217-1274), le « docteur séraphique », né près d'Orvieto, étudie la théologie à Paris, où il enseigne à son tour, et en 1257 se trouve élu Ministre Général de l'Ordre des Franciscains. Parmi d'autres titres d'une production assez abondante, son chef-d'œuvre est *l'Itinéraire de l'Esprit en Dieu*, mais outre la voie mystique c'est surtout la Nature qui tient une grande place dans sa pensée car pour lui Dieu se révèle dans les réalités du cosmos. Fidèle à l'orientation fondamentale du néoplatonisme, il conçoit la raison comme médiatrice entre la foi et une intuition intellectuelle apte à saisir d'emblée le principe. Il cherche des expressions, des images, des vestiges, de la nature divine. En cela il diffère assez de saint Thomas, peu sensible au vaste symbolisme qui fait considérer au docteur séraphique la Nature à l'égal de la Bible, comme un livre dont il s'agit de déchiffrer les signatures. Le monde intelligible n'est pas comme pour Plotin un intermédiaire entre Dieu et le monde sensible, il n'est pas une première création, ni même une création, mais Dieu lui-même en tant que Verbe ou Fils. En ce sens, saint Bonaventure n'est pas platonicien, puisque rien ne vient combler le gouffre qui sépare la créature de son créateur, mais en échange rien ne vient faire obstacle au retour de l'âme à Dieu. Avec les franciscains, contre saint Thomas et en accord avec une des idées les plus répandues dans la théosophie ultérieure, notamment à partir de Jacob Boehme, saint Bonaventure nie l'existence de formes absolument pures ou désincarnées dans la création, si bien que les anges eux-mêmes sont faits, comme les hommes, d'un couple de forme et de matière. L'idée que le monde physique ne tient pas en lui-même son propre principe d'explication et n'est pas autonome mais dépend de raisons séminales pour son fonctionnement, et l'idée d'hylémorphie universelle, voilà des propositions caractéristiques de ce mouvement platonico-augustinien auquel se rattache également un Jean Peckham (vers 1220-1292) et que le mouvement inverse, aristotélicien, s'efforce de combattre.

De quelques Dominicains.
L'école d'Oxford : Robert Grosseteste, Roger Bacon

Si l'esprit de l'ésotérisme moderne se rattache à cette tendance franciscaine par le biais du néo-platonisme chrétien, il ne faudrait pas croire que les théologies marquées par l'aristotélisme soient absolument dépourvues de tout élément de ce genre. Elles s'en rapprochent par le détour de la mystique. Les Dominicains allemands propageant à Cologne les doctrines d'Albert le Grand sont Hugues de Strasbourg et Ulrich de Strasbourg. Celui-ci représente la transition entre le péripatétisme arabe et l'œuvre de Maître Eckhart. Si Albert lui-même, dans son traité sur les minéraux, cite beaucoup Hermès Trismégiste, c'est pour se référer aussi à l'alchimie et à la magie, et distinguer les simples physiciens des vrais alchimistes. Saint Thomas d'Aquin lui aussi croit en l'alchimie, dont il attribue l'efficacité à l'utilisation de forces occultes de vertu céleste. Il considère les étoiles comme des médiatrices entre les « intelligences séparées » et notre monde matériel, et tend à répondre affirmativement à la question de savoir si ce sont les anges qui font se mouvoir les étoiles. Les anges supérieurs meuvent les corps célestes, mouvement que ceux-ci communiquent aux corps terrestres. À toute chose visible est spécialement préposée une substance angélique. Dieu gouvernant les créatures inférieures par l'intermédiaire des supérieures, et les corps terrestres par celui des étoiles, Thomas ne rejette pas absolument l'astrologie ; il admet que les étoiles puissent agir sur l'intelligence humaine et qu'elles aident à prédire de grands événements collectifs. Mais pour lui, la raison aidée par la foi est plus importante que l'intelligence au sens ésotérique et néo-platonicien d'*intellectus* ; à celui-ci il n'attribue qu'un caractère « naturel ». Surtout, son adoption des catégories aristotéliciennes, et l'accent qu'il met sur l'origine sensible de la connaissance, ont contribué à la désacralisation de celle-ci — et de la Nature. Rattaché à l'école d'Oxford, Alexandre Neckham inaugure la série des « sommes » de connaissances encyclopédiques et surtout naturelles, avec *De naturis rerum* (1217), somme dont nous retrouverons quelques exemples. De la même école, Michel Scot illustre le fait que l'astrologie n'entraîne pas de persécutions au Moyen Âge. Il sera question de lui plus loin.

L'esprit d'Oxford s'épanouit dans l'œuvre d'un professeur de cette université, l'évêque Robert Grosseteste (1175-1253). Le néo-platonisme et l'intérêt pour les sciences, deux traits propres à ces maîtres anglais du XIIIe siècle, apparaissent de façon marquée chez ce précurseur des Philosophes de la Nature de l'époque moderne. Il écrit sur l'homme-microcosme, les Intelligences, les émanations divines. Son sujet de prédilection, qui le rend si intéressant aux yeux de la postérité, ce sont les spéculations sur la lumière ; dans son système elle joue un rôle assez semblable à celui du feu dans la philosophie stoïcienne. En tant que « première forme corporelle » *(lux)* elle explique, par son expansion, sa condensation ou sa raréfaction, la présence de tous les corps de l'univers et la constitution du monde. Grosseteste imagine qu'un point lumineux créé par Dieu s'est diffusé de façon à former une sphère de rayon fini, l'univers (hypothèse qui préfigure le *big bang*) ; en parvenant à la limite de son pouvoir de diffusion elle détermine le firmament, qui renvoie à son tour une lumière *(lumen)*, laquelle engendre les sphères célestes et celles des éléments. Un auteur parisien lui aussi théologien de la lumière, Adam Pulchrae Mulieris (contemporain de Guillaume d'Auvergne), préfigurait plusieurs des intuitions de Grosseteste avec son *Liber de Intelligentiis*. Dans la seconde moitié du XVIIIe siècle, quand la théosophie prendra la forme d'une *Naturphilosophie* romantique, on retrouvera, chez Œtinger — le plus grand théosophe allemand de son temps — et ses disciples, des spéculations comparables. Mais d'une manière générale la lumière est au centre de toutes les cosmosophies.

Un ouvrage longtemps attribué à Grosseteste, mais qui n'est pas de lui, s'intitule *Summa philosophiae*. C'est une encyclopédie d'esprit très franciscain, répartie en dix-neuf livres caractérisés par l'intérêt porté aux sciences de la nature et particulièrement à la minéralogie. On y trouve une intéressante définition de la théosophie, car l'auteur anonyme distingue les « philosophes » (Platon, Aristote), les « théosophes », c'est-à-dire les auteurs inspirés par les livres saints, et les « théologiens », ceux qui ont pour tâche d'expliquer la théosophie (Denys, Ambroise, Jérôme, Augustin, Origène...). On y trouve aussi une fantastique histoire mythologique mettant en scène Abraham, Atlas et Mercure.

Admirateur de Grosseteste, le célèbre franciscain de Paris et d'Oxford Roger Bacon (vers 1210-1294) a laissé parmi d'autres titres un *Opus majus* caractéristique de l'esprit d'Oxford en ce sens qu'il y traite à peu près de tout. Incarcéré quelque temps par le Général des Franciscains — par politique vis-à-vis des Dominicains, auxquels Bacon s'en était pris violemment —, il ne cesse de lutter contre les prudents cloisonnements thomistes, et cherche un appui auprès de Clément V en qui il dit voir le Pape prédit par les astres pour la conversion de tous les peuples au catholicisme. On a parfois fait de lui, dans les Temps modernes, un rationaliste précurseur de la méthode expérimentale, ce qui donne une fausse idée d'un personnage féru à la fois d'illuminisme et d'expérience. Deux attitudes ici inséparables, car ce qu'il appelle « expérience » *(experimentum)* ne doit pas être pris au sens actuel mais au sens de « travail d'expert » ; à ce titre, l'*experimentum*, ce sont des pratiques comme l'alchimie et l'astrologie. Plus tard, Paracelse pensera de la même façon quand il traitera de l'*expérience* en médecine. Il faut entendre par ce mot l'étude et la connaissance des forces « naturelles » cachées, comme celles dont Pierre de Mariscourt s'efforce de dégager les significations. Science expérimentale, pour Bacon, cela signifie science secrète et traditionnelle, à condition de ne pas séparer science concrète et Écriture, mais de les lier l'une et l'autre car elles s'éclairent réciproquement. C'est à une science très comparable qu'Œtinger, après Paracelse, se consacrera. Bacon croit aussi aux secrets spirituels, et à ce titre anticipe sur la philosophie occulte de la Renaissance, avec laquelle il partage déjà l'impatience de faire sauter les cadres étroits dans lesquels des systèmes trop formels, comme ceux des Dominicains, veulent enfermer l'homme et l'univers. Quelques esprits rares, illuminés par une sagesse supérieure, peuvent guider dans cette direction l'humanité qui a besoin d'eux, pense Bacon qui à ses heures ne dédaigne pas non plus de pratiquer l'alchimie et l'astrologie. Il considère les étoiles comme incorruptibles, et volontaires dans leurs mouvements que règlent des intelligences angéliques. L'intellect agent qui illumine nos esprits vient de Dieu et ne constitue pas une partie de l'esprit humain ; une philosophie véritable est révélée par Dieu, qui en a fait profiter les patriarches et Salomon.

Les « Sommes » : Vincent de Beauvais, Bartholomée d'Angleterre, Guillaume d'Auvergne

Tout ésotérisme n'est pas absent des écrits des Dominicains. Le *Speculum maius* de Vincent de Beauvais, sous-prieur au monastère de cette ville, s'inscrit — surtout par son chapitre *Speculum naturale*, vers 1245 — dans la série des grandes « Sommes » naturelles inaugurée par le *De naturis rerum* de Neckham. Le livre de Vincent est un exposé d'histoire naturelle sous la forme d'un immense commentaire des premiers chapitres de la Genèse. On est frappé par l'importance qu'y occupent les personnages de la mythologie grecque. Apollon et Mercure y sont des sorciers bienfaisants, les dieux deviennent patrons de peuples et de villes, les pierres portent des sceaux aux effigies des dieux. Rappelons que les sources mythologiques dont dispose encore le Moyen Âge sont constituées essentiellement par *les Noces de Mercure et de Philologie* (début du Ve siècle) de Martianus Capella, le *Commentaire sur le songe de Scipion* de Macrobe, ainsi que par des textes d'Isidore et de Bède. Un autre Dominicain, très crédule — il admet la réalité de quantité de croyances populaires —, est l'auteur d'un gros *De natura rerum*, en dix-neuf volumes. C'est Thomas de Cantimpré, qui a emprunté à Neckham le titre de sa propre *Somme*. On peut lui comparer Bartholomée d'Angleterre, un Franciscain auteur vers 1230 de *De proprietatibus rerum* dont il existe de nombreux manuscrits et qui sera traduit en plusieurs langues. Certes, des « Sommes » de ce genre ne sont pas toujours d'une inspiration résolument magique, mais du fait qu'elles multiplient histoires et observations sur les vertus des plantes, des animaux, des minéraux, sur les signes célestes, elles préparent la voie à la philosophie occulte de la Renaissance, d'autant que certaines d'entre elles ont été extrêmement répandues. Elles correspondent surtout, d'ailleurs, autant à la démocratisation intellectuelle, c'est-à-dire au goût de la vulgarisation, qu'à l'encyclopédisme, deux traits propres à ce siècle gothique où les Dominicains s'illustrent aussi avec *la Légende dorée* de Jacques de Voragine.

Guillaume d'Auvergne (1180-1249), évêque de Paris, est peut-être le premier des docteurs chrétiens de l'Occident latin à faire preuve d'une bonne connaissance d'ouvrages attribués à Hermès Trismégiste, du moins de ceux dont on dispose alors. Il a laissé plusieurs traités, dont *De universo*, qui davantage que les autres traite de la Nature elle-même et fournit une information bibliographique considérable en matière de magie. Guillaume d'Auvergne s'inscrit lui aussi dans la longue tradition de spirituels qui attribuent tout le mal du monde au péché humain. Mais son œuvre marque un point de rupture avec la pensée traditionnelle en ce sens qu'il dresse contre l'angélologie avicennienne des chefs d'accusation témoignant d'une opposition irréductible à l'égard de ce qui constitue peut-être l'essentiel, ou la spécificité, de la pensée ésotérique occidentale. Nous retrouverons ce problème à propos de l'averroïsme du XIVe siècle. En revanche l'avicennien Ulrich de Strasbourg

(† 1277), déjà cité, assimile dans son œuvre la Lumière à l'Être et à la Forme et présente une version personnelle des hiérarchies dont le néo-platonisme et le Pseudo-Denys avaient jeté et développé les fondements.

Théurgie, astrologie, médecine

Parmi les ouvrages de magie du XIIIe siècle, signalons l'existence de traductions, en espagnol et en latin, du *Picatrix*, compilé au XIIe siècle par l'Arabe Norbar, et surtout de textes accréditant la croyance selon laquelle Salomon, grâce aux révélations d'un ange, aurait été un magicien auteur de divers traités occultes. Ces traités attribués légendairement à Salomon sont considérés au XIIIe siècle comme relevant de l'« *Ars notoria* », art supposé procurer la connaissance de Dieu, ou la communication avec Dieu, grâce à des procédés théurgiques tels que l'invocation des anges, l'utilisation de figures et de dessins ou les prières appropriées. Dans cette catégorie d'écrits il faut ranger le *Liber secretis*, ou *Liber juratus*, attribué à un certain Honorius, livre plein de noms d'anges, de prières théurgiques, de mots étranges dérivés de l'hébreu et du chaldéen.

Deux personnages importants retiennent l'attention des historiens de l'astrologie. L'Écossais Michel Scot (vers 1170-1232), principal traducteur d'Averroès mais aussi astrologue de Frédéric II qui fit venir à sa cour voyants et mages, est l'auteur de textes faisant autorité en leur temps mais critiqués aussi pour leur prodigieux amoncellement d'érudition suspecte. Dante le mettra dans son enfer, bien que de son vivant cet astrologue n'ait pas eu d'ennuis avec les autorités. Les descriptions des sept recteurs planétaires en rapport avec les sept métaux, celle des diagrammes astrologiques où apparaissent des noms d'anges, caractérisent son œuvre maîtresse, le *Liber introductorius, Liber particularis, phisionomia* (donc, en trois parties), guide étonnant de la géographie du ciel et de la terre, des mondes intermédiaires, des analogies et correspondances de toute sorte. Dante ne réserve pas un meilleur traitement à Guido Bonatti, mort vers 1300, l'autre grand astrologue, professeur à l'Université de Bologne et auteur du *Liber astrono-*

micus, sans doute l'ouvrage d'astrologie en latin le plus important de tout le siècle. À ces œuvres il faut ajouter le traité *Speculum astronomiae*, que des chercheurs ont cru pouvoir attribuer à Albert le Grand, d'autres à Roger Bacon — mais rien de tout cela n'est sûr —, et qui reste un des plus intéressants traités d'astronomie médiévale. Ce *Speculum* enseigne l'existence de deux principes éternels, le corps du ciel et son âme, celle-ci animant celui-là. Dieu ou l'Intelligence est susceptible d'envoyer science et savoir dans l'homme endormi, par l'intermédiaire d'un corps céleste. Il s'agit encore de variations autour de l'idée d'intellect agent. On est loin du déterminisme averroïste professé alors par Pierre d'Aban ou Siger de Brabant. L'universelle loi des correspondances trouve bien entendu son application dans diverses mancies ; le plus marquant en matière de géomancie, celui de l'Italien Bartholomée de Parme, est la grande *Summa* publiée en 1288 à Bologne, entièrement consacrée à cette question. La doctrine des correspondances, des homologies et analogies, n'a jamais cessé de nourrir la pensée et la réflexion médiévales, au XIIIe siècle peut-être davantage encore qu'au précédent. Doctrine qu'illustrent les noms de Gilbert d'Angleterre (*Compendium medicinae*, vers 1230), Guillaume d'Angleterre, et surtout Petrus Hispanus. Ce dernier, devenu pape sous le nom de Jean XXI, auteur de *Thesaurus pauperum*, manuel médical fort en honneur pendant le reste du Moyen Âge, ne traite guère, il est vrai, des vertus occultes des choses, mais beaucoup des quatre qualités élémentaires — chaud, froid, sec, humide —, selon les catégories que l'alchimie a toujours plus ou moins conservées.

Textes alchimiques. Arnaud de Villeneuve. Le Roman de la Rose. *Le* Sepher Ha Zohar

Critiquée à la fois comme science chimérique et comme discours nébuleux, l'alchimie réagit en se disant science divine. Aussi la voit-on fonder de plus en plus résolument l'idée de transmutation sur celle d'Incarnation et multiplier les références bibliques. Roger Bacon n'est pas le seul Franciscain à s'y intéresser ; le frère Élias, un des compagnons de saint François, est déposé en 1239 de ses fonctions de général de l'Ordre franciscain parce qu'il s'occupe d'alchimie. Pourtant il semble que cet Ordre compte, plus qu'aucun autre, d'assez nombreux adeptes ou sympathisants. Ce qui n'a pas de quoi surprendre.

Les versions latines d'un ensemble de textes divers et d'inspirations variées intitulés *Secreta secretorum* contiennent, outre des recettes pour la fabrication de la pierre philosophale, la reproduction du texte de la *Table d'Émeraude*, dans un contexte qui lui sert de commentaire. Vers la fin du siècle on voit circuler deux publications dont toute la littérature alchimique s'inspirera par la suite : la *Turba Philosophorum*, déjà citée, et des traités attribués à Geber. La *Turba* met en scène, sous forme de dialogues à plusieurs voix, un certain nombre de philosophes anciens (Pythagore, Socrate, Anaxagore, Démocrite, Parménide...), accréditant l'idée d'une « *philosophia prisca* » ou « *perennis* » qui aura tant de succès dans l'ésotérisme des Temps modernes. La *Summa*, l'ensemble des textes attribués à Geber, renferme préceptes, généralisations, aphorismes, dont une partie reviendra inlassablement sous forme de citations dans les écrits ultérieurs et jusqu'à aujourd'hui.

Vraisemblablement de la fin du XIIIe siècle date le petit ouvrage *Aurora consurgens (l'Aurore à son lever)*, merveilleuse perle spirituelle qui a fait récemment l'objet de diverses traductions et présentations ; au Moyen Âge on l'a attribué à saint Thomas, de même qu'on attribuait à des auteurs célèbres quantité d'écrits de ce genre. L'influence arabe directe s'exerce toujours, en alchimie comme ailleurs, mais cesse pratiquement après 1300. À cette époque, grand siècle en Espagne avec le règne d'Alphonse le Sage, le plus connu des alchimistes ibériques est le Catalan Arnaud de Villeneuve (vers 1235-1311), également médecin. Touché par le joachimisme et auteur de traités médicaux il est aussi celui d'un pamphlet anti-thomiste *(Gladius veritatis adversus thomistas)*. Grand voyageur, jouissant d'une vaste notoriété, réformateur social, diplomate, il a laissé plusieurs ouvrages d'alchimie, parmi lesquels *le Rosier des Philosophes*. Il semble être le premier à utiliser la symbolique de la passion du Christ comme *exemplum* du processus transmutatoire.

Cette science d'Hermès n'est pas absente de la plus belle œuvre littéraire du temps, le *Roman de la Rose*, commencée par

Guillaume de Lorris, continuée par Jean de Meun, et dont la rédaction s'étend de 1230 à 1285. On y voit se déployer un riche univers allégorique et symbolique, que miniatures et enluminures viendront encore embellir. La nature y est représentée servante de la divinité, conformément à l'enseignement d'Alain de Lille. Sinon toujours alchimique, du moins initiatique est encore la queste du Graal racontée dans *Der Junge Titurel*, d'Albrecht von Schwarzenberg, écrit un peu après 1260, épopée de quarante-deux mille vers qui fait surgir dans toute sa splendeur architecturale l'*Imago Templi*, celle du Temple de Salomon et de la Jérusalem céleste.

La Kabbale, enfin, s'augmente au XIIIe siècle de ce qui restera son livre capital, le *Sepher Ha Zohar*, ou *Livre de la Splendeur* ; il apparaît en Espagne peu après 1275 et sera considéré pendant plusieurs siècles, du moins par certaines communautés, comme un des trois ouvrages fondamentaux de la religion juive, à côté de la Bible et du Talmud. Cette compilation géniale, due à Moïse de Léon mais que pendant des siècles on va croire beaucoup plus ancienne, représente le sommet de la théosophie juive, c'est-à-dire d'une mystique spéculative appliquée à la connaissance et à la description des œuvres mystérieuses de la divinité. Jamais encore l'arbre séphirotique n'avait fait l'objet de telles descriptions et de tels prolongements théosophiques. Texte inspiré de plus de mille pages, trésor d'herméneutique qui a trouvé des légions d'herméneutes. Les Kabbalistes chrétiens de la Renaissance s'en empareront pour le commenter à leur manière, mais aussi des générations de Philosophes de la Nature, car le *Zohar* prolonge considérablement la dimension talmudique relative au travail ou aux rites, pour développer une mythologie de la Nature, une valorisation cosmique dont la philosophie de la Renaissance saura tirer parti. L'extase mystique jouant dans la spiritualité juive un rôle moins important que la spéculation théosophique, il n'est pas surprenant que le grand mystique Abraham Abulafia, né à Saragosse en 1240, dont l'œuvre est très personnelle car très mystique, n'ait pas été fort populaire. Pourtant la technique méditative d'Abulafia intéresse l'ésotérisme par son aspect initiatique et symbolique qui fait également appel à des techniques corporelles rappelant le yoga.

Sculpture gothique, Grand Œuvre et Maçonnerie

À travers la sculpture s'expriment des tendances spirituelles diverses dont une des caractéristiques est de saisir la nature dans sa concrétude, en portant sur elle un regard naturaliste et cosmique. Animaux et plantes, feuillages souvent luxuriants, emplissent maints chapitaux et colonnes des cathédrales, comme si des tranches d'existence familière avaient eu depuis toujours pour destinée d'être transmuées en pierre vivante, et comme si ce siècle qui méprise la chair voulait cependant la racheter, surtout lorsque avec le gothique tardif les formes s'épanouissent. On ne dira jamais assez tout ce que le christianisme doit à l'esprit franciscain. Ces formes saisies dans les sculptures ne perdent rien de leur réalité au cours du processus opératoire : une telle palingénésie respecte le détail. Pline, Aristote lui-même, se trouvent dépassés dans l'exactitude. Parmi d'autres documents que l'époque a laissés, les dessins, croquis, esquisses et notes de Villard de Honnecourt, l'architecte inspiré, conservent les traces exemplaires de l'atelier et du chantier ; c'est-à-dire du creuset, où les éléments constitutifs d'une *materia prima* vivante et variée s'appellent les uns les autres et se répondent, se fondent et s'interpénètrent, pour aboutir à cette œuvre alchimique peut-être insurpassable, la cathédrale gothique. Le ciel et la terre y consomment un mariage que déjà la Grèce avait voulu célébrer dans sa statuaire, mais ici les scenarii bibliques, fortement soulignés ou seulement suggérés, ajoutent à ces noces une dimension qui rend perceptibles les mouvements invisibles des profondeurs divines, humaines et cosmiques. Car si l'esprit hellénique organise principalement la lumière autour de l'homme, et les figures en fonction de l'ordre de la raison, la sculpture médiévale, semblable en cela à l'iconographie bouddhique, ne cesse pas de distribuer personnages, événements et décors naturels, en cycles autour des figures divines.

Le tracé des dessins et des sculptures, et ce dont ils se veulent la représentation, prétendent moins que l'art roman appeler le mystère. Nous sommes plutôt ramenés à l'évangile des créatures, en attendant que le déclin joyeusement assumé de ce style restitue à l'inquiétude humaine une plus grande part de ses ressorts dramatiques. En renonçant partiellement aux monstres, le XIIIe siècle oublie le démoniaque roman, mais ce qu'il perd en esprits intermédiaires, il le gagne en esprit encyclopédique. Aussi bien les cathédrales sont-elles construites et décorées en même temps que s'édifient les grandes « Sommes » ou encyclopédies dont le *Speculum majus* de Vincent de Beauvais est le type. « Encyclopédique », cela veut dire recherche du sens de la multiplicité des choses et de leurs relations, mais en posant un centre, un axe référentiel — un « Orient » — en fonction duquel elles s'organisent. Miroir de la Nature, Miroir de la Science, Miroir de l'Histoire, ainsi se présentent de telles œuvres, écrites ou architecturales. Elles enseignent les règnes hiérarchiques des créatures et de la vie spirituelle, confèrent au rythme occulte de ces relations universelles une dimension musicale qui, pour se faire plus rassurante qu'avec l'art roman, n'en continue pas moins à transmettre un système de valeurs symboliques et cosmiques. Même si ces formes sont devenues plus familières, elles suivent encore la loi des nombres et des signes, elles ne se prétendent pas autre chose que l'écriture de la pensée de Dieu, du moins la montée en Dieu des êtres et des figures. Elles ne se prétendent point nécessairement hiéroglyphiques, contrairement à ce qu'ont cru certains esprits romantiques enclins à y trouver plus d'ésotérisme qu'elles n'en contiennent. Pourtant, il y a sûrement beaucoup de vérité dans les interprétations de l'alchimiste Fulcanelli, dont le bel ouvrage *le Mystère des Cathédrales* (1925) interprète les bas-reliefs du portail central de Notre-Dame de Paris comme autant de symboles du Grand Œuvre. Les éléments astrologiques ne manquent pas non plus, ainsi qu'en témoignent les deux tours du Soleil et de la Lune à la cathédrale de Chartres, les douze signes du zodiaque liés aux tâches saisonnières à celle d'Amiens, et d'autres exemples de même nature.

Les maçons qui édifient ces temples ne possèdent pas seulement un savoir-faire ; l'aspect opératif de leur activité suppose un savoir étendu que leurs rapports avec les clercs instructeurs ou commanditaires viennent enrichir et approfondir. Ces artisans se groupent en associations. En effet, le système de la corporation romaine, celui des *collegia*, dissous par les Barbares, s'est peu à peu rétabli sous une forme nouvelle, les associations monastiques. À la fin du XIIe siècle chacune de celles-ci rassemble Maîtres laïcs et Maîtres ecclésiastiques et tend à s'appeler confrérie. Lorsque ces confréries deviennent des communautés de métiers bien constituées, elles se voient accorder de larges privilèges (fiscalité, liberté de déplacement, etc.), ou « franchises », d'où leur nom de « franc-métier », dont la franche-maçonnerie est évidemment l'exemple le plus connu. La Guilde (en anglais : *gild*) est une forme juridique d'association assez autonome ; une de ses caractéristiques est le *convivium*, ou banquet, dont la Franc-Maçonnerie moderne conservera la tradition. Guildes ou confréries sont composées de loges (ainsi, en Allemagne la *Steinmetzen-Brüderschaft* est composée de « *Hütten* »). Le mot « corporation » est moderne, et le Compagnonnage proprement dit, tel qu'on l'entend aujourd'hui, n'apparaîtra qu'au XVIe siècle.

Si chaque métier possède alors ses saints particuliers, ses initiations spécifiques, les patrons de la Franc-Maçonnerie sont les deux saint Jean, et guildes ou confréries imposent aux apprentis de se conformer à un certain nombre d'obligations à caractère technique, moral, spirituel. Ces obligations, ou Devoirs, constituent ce qu'on appelle aujourd'hui les « *Old Charges* » (Anciens Devoirs), dont les textes qui nous sont parvenus ne remontent pas au-delà de la fin du XIVe siècle, mais ce n'est pas trop anticiper sur cette époque que de les citer ici car ils furent rédigés d'après des Devoirs antérieurs. Il s'agit des manuscrits *Regius* (env. 1390) et *Cooke* (vers 1410). Le premier, en 794 vers, le second en prose, enseignent que la Maçonnerie fut créée en Égypte par Euclide, puis propagée en Angleterre où elle remonte au roi Ahelstan (Xe siècle) ; la géométrie, ou écriture de Dieu, ou encore Maçonnerie, née aux origines du monde, se trouve donc située dans le devenir universel. À cela s'ajoutent conseils et directives moraux et opératifs, mais les considérations mythiques et symboliques rehaussent l'aspect spéculatif de ces textes, au point que de plus en plus la Maçonnerie médiévale tend à accepter en son sein des hommes qui ne sont nullement « opératifs ». On les appelle « acceptés ». Il faudra attendre 1717 pour que des loges londoniennes, conscientes du fait que l'aspect opératif de la Maçonnerie est désormais purement symbolique, décident de créer sur la base ancienne et traditionnelle une Maçonnerie différente, appelée spéculative. Si 1717 représente la date de naissance de la Franc-Maçonnerie telle qu'on l'entend aujourd'hui, son esprit prendra forme avec les *Constitutions* d'Anderson en 1723 ; or, pour rédiger ce fameux texte, Anderson se servira du manuscrit *Cooke*, dans lequel au demeurant nous trouvons pour la première fois le mot « spéculatif ».

Comment la Maçonnerie médiévale pourrait-elle n'être pas spéculative ? D'une part, ces chevaliers constructeurs que sont les Templiers soutiennent et développent considérablement les francs-métiers, et même après la disparition de l'Ordre on les verra s'introduire dans les corporations de constructeurs ; or, les Templiers subissent en Orient l'influence des karmates, des ismaéliens, des fatimites, des assacines. Certains historiens ont trouvé là une raison de supposer que les maîtres d'œuvre de nos cathédrales ont cherché à inscrire dans la pierre divers enseignements hérétiques. Mais les hérésies templières sont des fables, et il faut trop d'imagination pour voir dans les sculptures la propagande manichéenne ou cathare que des auteurs tendancieux ont voulu y déceler. Ces pierres portent fréquemment la marque de signes de reconnaissance, mais s'il ne manque pas de raisons de penser que certains secrets restent le privilège des Maçons, rien n'autorise à parler d'hérésie.

D'autre part, la Maçonnerie médiévale ne peut se priver du spéculatif, puisqu'elle a précisément pour fonction d'exprimer dans l'architecture et la sculpture le langage universel du symbolisme. Elle ne peut manquer de se considérer comme une activité privilégiée, puisque selon l'esprit de ce temps l'univers entier est imaginé comme un immense chantier de construction ou plutôt de reconstruction. Elle est la seule corporation qui ne soit pas localisée, d'où une mobilité ignorante des frontières et une plus grande facilité pour transmettre les images et les idées. Le langage universel qu'elle véhicule traduit les modes de pensée essentiellement ésotéristes et symbolistes qui resteront ceux de tout l'Occident jusqu'au XVIIe siècle, et qu'ont en commun alchimistes et hermétistes. À l'aube du Moyen Âge, Gerbert d'Aurillac se montre capable d'être à la fois pape, alchimiste, et maître d'œuvre, tandis qu'à l'autre bout de cette période Nicolas Flamel représentera le parfait exemple du mariage de l'architecture, de la sculpture, et du Grand Œuvre.

ENJEUX PHILOSOPHIQUES, ALCHIMIE, MYSTIQUE AU XIVe SIÈCLE

Averroïsme et avicennisme. Nominalisme et réalisme

Deux faits majeurs marquent l'histoire des idées philosophiques et religieuses au XIVe siècle. Ils se préparaient de longue date. De tous deux résultent la grande sécularisation moderne, et le rôle de plus en plus marginal de l'ésotérisme par rapport aux autorités ecclésiastiques. Lorsque sera presque achevée cette rupture, c'est-à-dire dès la Renaissance, les Églises auront tendance à considérer l'ésotérisme comme une pensée rivale ou dangereuse. Plus tard, la philosophie moderne, forme sécularisée de la théologie, le classera définitivement comme pensée marginale.

C'est d'une part le succès de l'averroïsme latin, entraînant une rupture avec la théorie avicennienne de la connaissance ; et c'est d'autre part le problème du nominalisme. Vers 1300, la pénétration des textes arabes en latinité est pratiquement achevée. On travaille désormais sur ce qu'on a déjà répertorié ou traduit. Or, le philosophe à l'influence la plus marquante sur le XIVe siècle latin est l'interprète d'Aristote, Averroès, traduit par Michel Scot. Averroès distingue bien ésotérisme et exotérisme, dont une exégèse spirituelle, le *ta'wîl*, permet de connaître les complémentarités. Mais sa cosmologie aboutit à détruire une partie de l'angélologie avicennienne, celle des mondes intermédiaires que représentent les « *Angeli* » ou « *Animae coelestes* », à savoir le domaine du *Malakût*, du Monde des Images autonomes perçues en propre par l'imagination active. En posant une homologie fondamentale entre « *Anima coelestis* » et « *anima humana* », l'avicennisme enseignait l'existence d'une Intelligence agente, « *dator formarum* » ramifiée en une pluralité d'intellects possibles. Cela revient à dire, comme l'enseigne l'ésotérisme traditionnel, que notre intellect est relié à une source supra-individuelle de lumière et de connaissance. Déjà Guillaume d'Auvergne avait tenté de réfuter cette doctrine. Et si saint Thomas accordait volontiers à chaque individu un intellect agent, il refusait à celui-ci le statut d'entité spirituelle vraiment distincte de notre raison naturelle et brisait du même coup la relation immédiate de l'individu avec le monde divin, qu'il s'agisse de l'Esprit-Saint, de l'Ange de la Révélation, ou des anges en général.

Les « *Animae coelestes* » possèdent l'imagination active à l'état pur et parfait ; l'homme est capable de l'exercer lui aussi pour son propre compte, quoique imparfaitement, grâce au rapport qu'il peut entretenir avec ces hiérarchies, angéliques ou intellectives. Leur disparition, chez Averroès et dans l'averroïsme, est celle de l'Imaginal, réduit au statut de simple imaginaire. On doit à Henry Corbin ce mot « Imaginal », créé pour distinguer le « *mundus imaginalis* » spécifique, de l'imagination au sens purement subjectif ou psychique du terme. On lui doit aussi le premier exposé systématique des conséquences désastreuses de l'averroïsme latin adopté au détriment de l'avicennisme. Dans l'Orient iranien au contraire, l'avicennisme s'est perpétué, d'où l'apparition et le rôle des récits symboliques dont le *ta'wîl* dévoile les vérités spirituelles, tandis qu'en Occident c'est le roman, genre littéraire profane, qui est apparu et a proliféré. De plus, une fois brisée la relation entre l'individu et l'Intelligence agente, tout naturellement l'autorité de l'Église va se substituer à cette relation personnelle qui se passe assez volontiers d'intermédiaires terrestres, les intermédiaires célestes pouvant suffire à celle-ci car ils garantissent et établissent l'autonomie de l'individualité spirituelle comme norme. Il était à peu près inévitable de voir des hommes s'insurger contre une norme — celle de l'Église constituée — ne reposant plus sur l'initiation individuelle, donc sur une liberté vraiment créatrice. Une fois socialisée, la norme exotérique ira jusqu'à se défaire de ce qui est spécifiquement religieux.

Le nominalisme pose des problèmes comparables. On sait qu'il consiste à nier l'existence des « universaux », illusoires selon lui (« *Universalia sunt nomina post rem* »), tandis que le « réalisme », comme son nom l'indique, en affirme la réalité (« *Universalia sunt realia ante rem* »). Pour un réaliste, l'espèce, par exemple humaine, constitue une réalité. Pour un nominaliste, cette espèce n'est qu'un mot, la seule réalité se trouvant dans les individus humains. L'enjeu de ce débat est capital pour notre propos, car la connaissance « traditionnelle » voit nécessairement dans les lois et les réalités du monde sensible un ensemble de répliques analogiques et homologiques des mondes supérieurs, célestes ou divins. Ainsi, selon Aristote lui-même, le mouvement des cieux n'est possible que par l'action d'intelligences motrices éternellement existantes. Elles avaient été liées par les Arabes et par les philosophes occidentaux du XIIIe siècle à une cosmologie théologique qui trouvait en elles un indispensable appui : les hiérarchies angéliques, dont le Pseudo-Denys avait pour ainsi dire dressé la carte.

Or, c'est ce principe dynamique qui se trouve attaqué au XIVe siècle par les nominalistes parisiens et par certains scotistes. Ils sortiront vainqueurs du débat, faisant place nette pour le développement de la science moderne, à commencer par la physique, et une mécanique céleste comprise à l'image de la mécanique terrestre viendra remplir le vide creusé par le départ des intelligences motrices. Ainsi se trouve rompue la continuité que la dynamique traditionnelle garantissait entre un univers spirituellement structuré et des lois purement physiques se suffisant à elles-mêmes. Au XIe siècle, Roscelin de Compiègne s'était fait le chantre du nominalisme. Au XIVe, ce courant est illustré par Jean Buridan, recteur de l'université de Paris, par Nicolas Oresme († 1382), théologien parisien lui aussi et évêque de Lisieux. Il convient de citer ici les scotistes, au demeurant non nominalistes, c'est-à-dire les disciples de Duns Scot (vers 1265-1308), qui avait tenté d'évacuer toute trace de l'esprit néo-platonicien, donc de continuité et de hiérarchie entre les diverses formes du réel. Émile Bréhier a pu dire que si l'augustinisme posait encore la continuité dans l'être et dans la connaissance, le thomisme proposait plutôt une continuité dans l'être mais une discontinuité dans la connaissance, et qu'enfin le scotisme enseignait la discontinuité dans l'être et la discontinuité dans la connaissance (encore pourrait-on se demander ce que Bréhier fait ici de l'univocité de l'Être, thèse scotiste majeure). À ces noms, il faut ajouter celui de Guillaume d'Ockham dont la dialectique critique contribue à ébranler un certain nombre des conceptions théologiques antérieures. L'ockhamisme se répand en Allemagne, où un professeur de Tübingen, Gabriel Biel († 1495), le vulgarisera au siècle suivant. Or, ce sont des élèves de Biel, tel Staupitz, au couvent des Augustins, qui initieront Luther à un nominalisme pour lequel Dieu ressemble davantage à un principe capricieux et arbitraire qu'à une entité œuvrant en fonction d'un ordre et d'un bien universels.

Mystique rhénane et d'Orient : Maître Eckhart, Palamas

On aurait pu s'attendre à voir surgir en contrepartie un courant opposé qui eût été un sursaut de science sacrée et de théosophie. Or, l'époque paraît pauvre en ce domaine. Certes, la contrepartie du nominalisme existe, et c'est la mystique, surtout rhénane. Mais elle n'est pas à proprement parler une théosophie car elle tend à aller directement à Dieu sans passer par la Nature, et ne retrouve ensuite celle-ci que toute pétrie de la divinité. Il y a pourtant de la gnose, au sens plein et étymologique du terme, chez Maître Eckhart.

Maître Eckhart (1260-1327), un dominicain, le plus grand des mystiques rhénans, n'est pas sans affinités avec Plotin, mais sans qu'on puisse parler de dépendance directe. On retrouve en effet chez lui le triptyque néo-platonicien fondamental : unité originaire des êtres, division (ou chute), et retour à l'unité. Idée tout ce qu'il y a de plus traditionnelle, et partant inséparable de la notion même d'ésotérisme en Occident. On trouve chez Maître Eckhart un reflet des triades de Proclus dont Guillaume de Moerbeke (vers 1215-1286) avait traduit, parmi d'autres textes, l'*Elementatio theologica*, qui avait été la source directe du *Liber de Causis*. Au-dessus de la Trinité ou « nature naturée », Maître Eckhart conçoit la Déité *(Gottheit)* ou « nature non naturée ». L'expérience mystique n'est pas pour lui un retour à l'*unio mystica* qu'exaltait saint Bernard mais à la *Gottheit* ou unité non manifestée. Il est possible à l'homme, selon le maître rhénan, de réintégrer l'identité ontologique avec Dieu tout en restant dans le monde, mouvement de retour à une origine qui précède Adam et même la Création. À Augustin, à Albert le Grand et à son contemporain Dietrich de Freiberg, il emprunte la notion de « fond de l'âme » *(« Seelengrund », « synteresis »)*, qui correspond au lieu unique et privilégié dans lequel la créature retrouve son unité fondamentale perdue. La connaissance, au sens où il l'entend, ne consiste pas à se représenter des choses qui restent extérieures à nous, elle est bien plutôt la transmutation des choses connues, et de nous-mêmes, dans un retour à Dieu. Eckhart se sépare radicalement de saint Thomas en déclarant l'*Intellectus* supérieur à l'*esse*, car selon saint Jean était d'abord la Parole, autrement dit l'*Intellectus* — et non pas l'Être. De cet enseignement, Tauler (1300-1361) et Suso (1300-1365) retiennent surtout une règle de vie, tandis que la pensée de Ruysbroek (1293-1381) rappelle plutôt la piété philonienne en ce qu'il déconseille aux hommes de désir de pénétrer les articles de foi — mise en garde peu théosophique.

Au début ou au tournant du siècle le dominicain Dietrich de Freiberg (vers 1250-vers 1310) développe, dans une œuvre magnifique, des thèmes néo-platoniciens qui eux aussi doivent beaucoup à Proclus. Dietrich se montre peu thomiste, et consacre une grande partie de ses travaux à la notion d'intellect actif en voulant montrer que l'âme contient dans sa connaissance la totalité des êtres. « L'intellect agent, écrit-il, est par son essence l'exemplaire de tout être en tant qu'être. » Il s'ensuivra une série d'équations entre l'intellect agent des péripatéticiens et l'image de Dieu en l'homme. Un peu plus loin dans le siècle c'est encore un Dominicain, Bertoldus de Morsbruch, qui s'inspire du néo-platonisme et de Proclus.

La mystique de l'Église d'Orient est représentée surtout par saint Grégoire Palamas (1296-1359) de Thessalonique, dont les théories comportent une forme de gnose. Il se défie de l'imagination, mais rejoint l'une des idées les plus chères de la théosophie occidentale en enseignant que le contemplatif amène à Dieu, à travers lui, l'ensemble de la création. La Lumière incréée, distincte de la Trinité mais qui émane de celle-ci, met l'homme de désir en communication avec Dieu. Sous l'influence de Palamas, l'Église byzantine se détournera de l'esprit de la Renaissance, de sorte que ni l'humanisme, ni quelque chose de comparable à la Réforme, n'y pourra pénétrer. Il y a d'autre part dans l'hésychasme de ce théologien et de son école une forme de méditation qu'on a pu appeler justement un yoga chrétien. C'est la prière du cœur, que bien avant lui le christianisme oriental connaissait, mais avec l'œuvre de Palamas l'hésychasme acquiert un vrai statut religieux et la spiritualité orientale trouve enfin une synthèse théologique. Cette œuvre n'appartient pas directement à l'Occident latin mais elle laissera une marque profonde, notamment à la fin du XVIIIe siècle, sur un certain nombre d'ésotéristes occidentaux comme le Russe Alexandre Labzine.

Rulman Merswin et l'Île Verte

Le XIVe siècle voit se multiplier les « prophètes » millénaristes et apocalyptiques, et se développer les sectes de Flagellants qui défrayent la chronique surtout aux alentours de 1348. Elles sont généralement liées aux Frères du Libre Esprit, mais caractérisées par l'ignorance des efforts faits depuis le Pseudo-Denys et Jean Scot Érigène pour adapter le néo-platonisme au christianisme. De plus, alors que l'*unio mystica* de la mystique traditionnelle est une illumination momentanée, les Frères du Libre Esprit se considèrent métamorphosés de façon définitive et détenteurs de pouvoirs thaumaturgiques.

Plus intéressant pour nous est le développement d'une éthique de « chevalerie ». À cet égard, l'un des faits les plus importants du siècle dans le domaine de l'ésotérisme occidental est l'apparition à Strasbourg d'un groupe de chercheurs spirituels appelés « Amis de Dieu ». Sur les rives de l'Ill et sous la direction du laïque Rulman Merswin (1307-1382), un ancien cloître abrite ces hommes de désir, également laïques. Le cloître est définitivement consacré à cet usage en 1369. Ses chercheurs de vérité sont liés de diverses manières aux Chevaliers de Saint-Jean résidant à Rhodes. Rulman Merswin, directeur spirituel de l'Île Verte, dit détenir lui-même ses instructions d'un personnage dont il ne dévoilera jamais le nom et dont on parle seulement comme de « l'Ami de Dieu, d'Oberland ». Merswin correspond avec lui ; leurs lettres, conservées jusqu'à aujourd'hui ainsi que divers autres documents de cette chevalerie mystique, constituent un véritable trésor. Qui est l'Ami de Dieu, d'Oberland ? Personne ne le saura sans doute jamais. Cependant, le fait qu'après la mort de Merswin les Amis de Dieu aient cessé de recevoir tout message du guide et maître secret d'Oberland incite les historiens à ne voir en lui et Merswin qu'une seule et même personne. Peu importe, d'ailleurs. L'essentiel est l'existence de ces « chevaliers en quête de chevalerie », comme les appelle Merswin lui-même. Quant à l'Oberland, on n'est pas certain non plus de sa localisation géographique car il peut s'agir du « haut pays » de Berne comme de celui de l'Alsace. La meilleure interprétation est de toute manière spirituelle. Rappelons que c'est Merswin qui convertit Tauler à « l'intériorisme », après quoi Tauler devint l'un des plus grands prédicateurs de tous les temps. Et Tauler avait lu aussi le *Liber de Causis* dans la traduction de Guillaume de Moerbeke, subissant donc indirectement l'emprise de Proclus.

Raimond Lulle. Pietro d'Abano. Astrologie

Les trois sommets de la gnose — au sens où nous l'entendons ici — du XIVe siècle sont la pensée de Maître Eckhart, l'œuvre de Rulman Merswin liée à l'existence des Amis de Dieu, et l'*Ars magna* de Raimond Lulle (1235-1316). Celui-ci est plutôt un homme du XIIIe siècle, mais le XIVe s'ouvre sur la rédaction définitive de son *Ars magna* (1305-1308). Né près de Majorque, membre du tiers ordre franciscain, Lulle est toute sa vie à la recherche d'un « art » à valeur universelle ; il étudie les causes premières, ou *Dignitates Dei* qui sont les noms ou attributs divins, projet qui s'inscrit dans la tradition revivifiée par Jean Scot Érigène. Lulle brise avec les schémas statiques dont le Moyen Âge se sert pour présenter les divers domaines de la connaissance et leurs imbrications, et à la place il propose des structures et des diagrammes assez abstraits mais très dynamisés (à défaut d'être vraiment génétiques et dialectiques) reposant sur des lettres plutôt que sur des images. Or, le procédé qui consiste à combiner les lettres à des fins de « connaissance » et d'illumination est typiquement juif, particulièrement kabbalistique. Les éléments auxquels les signes renvoient représentent des concepts religieux, au sens le plus étendu du terme, et des données figurant la structure universelle élémentaire du monde selon la manière dont l'époque le voit. Les figures de l'*Ars magna* sont donc, par nature comme par voie de conséquence, utilisables à des fins théologiques, médicales, ou astrologiques ! On y rencontre des Dignités divines disposées en structures ternaires, on les voit descendre et se refléter dans la création. L'*Ars* s'applique à tous les plans possibles et imaginables, depuis Dieu lui-même jusqu'aux niveaux les plus inférieurs de la nature en passant par les anges, les astres, les quatre éléments, et c'est bien entendu un *ars ascendendi* aussi bien que *descendendi*.

À la fin du XIIIe et au début du XIVe siècle, en cette époque si profondément marquée par la scolastique, l'*Ars* lullien apparaît en opposition à celle-ci comme le canal par lequel passe le néo-platonisme médiéval tel que Jean Scot Érigène en avait transmis le flambeau à sa manière, c'est-à-dire un platonisme dynamisé et proche de la Kabbale juive alors florissante en Espagne. Rien de surprenant que Lulle parte en guerre contre l'averroïsme de son temps ; en 1311 au Concile de Vienne, il tente mais sans succès d'en faire interdire l'enseignement dans les universités chrétiennes. Le lullisme connaîtra une vaste diffusion, mais à partir de la Renaissance seulement. Nicolas de Cues, Marsile Ficin, Pic de la Mirandole, y puiseront une bonne partie de leurs connaissances et de leurs méthodes. D'une manière générale les ésotéristes de la Renaissance assimileront le lullisme aux divers aspects de la tradition herméticokabbalistique. Des ésotéristes tels que Wronski (1776-1853), puis Saint-Yves d'Alveydre (1842-1909), sont comparables à Lulle par cette « recherche de l'absolu » fondée sur des jeux combinatoires, l'un par ses schémas géométriques, l'autre par son fameux « Archéomètre ». À compter du début du XIVe siècle de nombreux traités d'alchimie apparaissent sous le nom de Raimond Lulle, souvent réédités aux époques ultérieures. Mais tous sans doute sont apocryphes.

Parallèlement à l'astrologie lullienne, celle de son contemporain Pietro d'Abano (ou de Padoue, 1250-vers 1317), qui est en relation avec Marco Polo et Michael Savonarole et qui échappe de peu à l'Inquisition, contient une grandiose conception de la nature. L'hermétisme astrologique constitue la moitié de son œuvre encyclopédique, dont le *Conciliator* (1303) est le livre le plus important, avec sa Nature contrôlée par les étoiles et ses choses pleines de dieux. Pietro d'Abano est aussi l'auteur d'un traité de physiognomonie qui est un classique du genre. Cecco d'Ascoli, dit Francesco Stabili (1269-1327), poète, savant et astrologue hermétisant italien, a moins de chance puisqu'il finit sa vie sur le bûcher de Florence. En cette première moitié du siècle l'astrologie est surtout médicale chez Augustin de Trente et Geoffroy de Meaux. Un « homme zodiacal », indiquant les correspondances entre les signes astrologiques et les parties du corps humain est conservé à la Bayerische Staatsbibliothek de Munich. À la fin du siècle une œuvre astrologique paraît dominer les autres, celle d'Antonius de Monte Ulmi, *De Occultis et manifestis* (ou *Liber intelligentiarum*), dans laquelle se mêlent de façon intéressante l'angélologie, les esprits planétaires, la nécromancie et la théurgie.

Les alchimistes : Dastin, Bonus, Rupescissa, Flamel

Le XIVe siècle voit se multiplier des figures comme celle de Thomas de Bologne, des médecins de cour qui sont en même temps alchimistes et astrologues. À l'instar du pèlerin, l'alchimiste effectue des parcours puisqu'il assure une transition entre le monde savant et celui des gens moins cultivés. Il devient vraiment le médiateur de cultures différentes, et l'on gagnerait à mieux connaître les diverses formes de son statut social jusqu'à la Renaissance. La littérature alchimique, en effet, prend vraiment son essor, pour rester abondante jusqu'à l'ère des Lumières inclusivement. L'adepte le plus célèbre, au moins dans la première moitié du siècle, est l'Anglais John Dastin dont les écrits ont été souvent confondus avec ceux d'Arnaud de Villeneuve. Dastin correspond avec le pape avignonnais Jean XXII qui règne de 1316 à 1334, pour défendre l'alchimie dont celui-ci avait condamné la pratique par la bulle *Spondent quas non exhibent* en raison de la grande quantité d'or alchimique — ou maquillé ! — circulant sous forme de fausse monnaie. On a aussi une correspondance entre le cardinal Orsini et Dastin, ainsi que deux traités de cet alchimiste, *Libellus aureus* et *Desiderabile desiderium*. Un autre adepte, Petrus Bonus alias Pierre Lombard (à ne pas confondre avec le théologien du XIIe siècle), est l'auteur d'un texte fameux, *Pretiosa margarita novella de thesauro ac pretiosissimo philosophorum lapide*. Rédigé vers 1330, cet exposé prolixe reflète l'âge d'une scolastique surélaborée mais constitue surtout un témoignage de ce que la pierre philosophale est devenue. À savoir, une question de foi, une forme de mystique et un objet de prédication au moins autant qu'une expérimentation. Armé de sa plume et de ses références plus que de ses métaux et de ses cornues, Petrus Bonus est surtout un théoricien, un spéculatif qui tente d'harmoniser la philosophie d'Aristote avec les voies du Grand Œuvre. D'un intérêt symbolique évident sont aussi les écrits de l'Adepte Martin Hortulanus, auteur d'un commentaire de la *Table d'Émeraude* — alors appelée souvent « *Thelesinum* » ou « *Telesim* », ou encore « Secret d'Hermès » —, qui compare les processus alchimiques à la création du monde. On retrouve des préoccupations semblables chez Nicolaus de Comitibus, dont le *Speculum alchimiae* — paru sous le nom d'Arnaud de Villeneuve — contient un dialogue entre un maître et son disciple. Ici, une forte note religieuse vient connoter harmonieusement des considérations astrologiques.

On a vu que les disciples de saint François s'intéressaient souvent à l'alchimie ; le fait surprendrait de la part d'apôtres de la pauvreté si l'on définissait le Grand Art simplement comme un procédé de fabrication de l'or matériel. Cet engouement confirmerait plutôt que nous avons affaire à une science spirituelle. Au milieu du XIVe siècle, le franciscain Jean de Rupescissa (ou Jean de Roquetaillade) jouit d'une notoriété considérable en raison de ses emprisonnements répétés, de ses prophéties sur la venue de l'Antéchrist, et de ses traités d'alchimie. On lui doit un classique du genre, le *De consideratione quintae essentiae*, souvent traduit et réédité jusqu'à nos jours, parfois sous forme de contrefaçons, et qui porte aussi le titre *Liber de famulatu philosophiae*. C'est, longuement développée, l'idée qu'une « quintessence » est à l'œuvre dans chaque chose, et ce sont des théories sur les quatre éléments et les Principes. Tout cela annonce Paracelse. L'alchimie de Rupescissa, pratique, concrète, ne dédaigne pas la recherche d'élixirs de longue vie ; elle est aussi très spirituelle, très symbolique. Dans son livre sur la quintessence on trouve une description de la passion du Christ servant d'*exemplum* du processus chimique. Il est vrai que les prédicateurs d'alors se servent volontiers des sciences naturelles pour exposer des thèses d'ordre spirituel, et que la littérature aime prendre ses *exempla* dans les domaines du sacré pour illustrer des réalités concrètes.

D'autres franciscains partagent le même intérêt, comme Eximeniç de Gérone, joachimite visionnaire. L'alchimiste le plus célèbre de tout le Moyen Âge vit un peu plus tard. C'est un Français, qui n'est point franciscain mais laïque : Nicolas

Flamel (1330-1417), copiste, libraire, enlumineur parisien. Voici, en quelques mots, la belle légende qui l'entoure. Il découvre donc, selon celle-ci, en 1357 un livre vu en rêve, signé Abraham le Juif ; pour le déchiffrer il fait le pèlerinage de Compostelle en 1378, visitant au passage les synagogues. À Léon, il rencontre Maître Canchès, un Kabbaliste juif qui se passionne aussitôt pour la quête que Flamel poursuit et qui décide de l'accompagner à Paris. Mais Canchès meurt en cours de route, non sans avoir donné à son compagnon une clef pour interpréter le livre. Rentré chez lui, Flamel l'essaye, s'affaire trois ans à ses fourneaux et réussit le Grand Œuvre (1382). Dès lors il dote chapelles, églises, hôpitaux, fait preuve d'une grande largesse. Son épouse dame Pernelle est associée à cette histoire. Le couple était représenté sur le portail de la chapelle Saint-Jacques-de-la-Boucherie dont il reste la tour appelée tour Saint-Jacques. La belle geste flamelienne a été contée par lui-même — ou plutôt, de manière apocryphe — avec beaucoup de détails. À chacun de l'interpréter comme il se doit, aux niveaux qui conviennent ! L'ouvrage qu'on lui a attribué, *le Livre des figures hiéroglyphiques*, est un commentaire des planches du mystérieux livre d'Abraham le Juif. De ces planches on peut rapprocher le fait que le XIVe siècle voit apparaître les premiers traités alchimiques avec enluminures. Il y en a peu encore, mais dignes d'intérêt, comme celui de Constantinus, *Livre des secrets de Ma Dame Alchimie*.

La Divine Comédie. *Alchimie et littérature. L'imaginaire chevaleresque*

On a voulu voir de l'alchimie dans *la Divine Comédie* — composée à partir de 1302 — et il est certain qu'il ne faut pas un gros effort d'imagination pour y déceler çà et là un enseignement ésotérique. De ce colossal poème, Dante (1265-1321) est lui-même le sujet mais c'est l'univers, saisi dans sa totalité, qui en est la matière. Les hiérarchies célestes et angéliques, le cône qui se termine par la pointe luciférienne au centre de la terre, les cercles concentriques et les images cycliques dont le livre est fait, rappellent évidemment des œuvres déjà évoquées ici. Le *Convivio*, cet autre texte écrit en 1304, distingue (cf. II, 1) les quatre sens de l'Écriture ; le quatrième est anagogique, c'est-à-dire au fond ésotérique, et sans doute est-ce ainsi qu'il convient de lire *la Divine Comédie.* René Guénon, de façon presque convaincante, a parlé d'une relation entre le christianisme de Dante et le soufisme ésotérisant d'Ibn Arabi. Aussi bien Dante semble-t-il avoir été un des disciples de la Fede Santa, un tiers ordre templier, sans oublier cependant que par certains côtés il se rattache à l'averroïsme, car non seulement saint Thomas (canonisé en 1323 par Jean XXII) a une place de choix dans le *Paradis*, mais également Siger de Brabant. Quoi qu'il en soit, *la Divine Comédie* représente la dernière grande Somme du Moyen Âge, après laquelle le christianisme aura toujours plus ou moins tendance à s'émietter, à se parcelliser.

La popularité de l'alchimie est attestée par l'un des *Contes de Canterbury*, de Chaucer *(Conte du Valet et du Chanoine)*, mais de façon plus significative par une littérature dont le merveilleux se confond avec la pensée alchimique. « Alchimie de luxe » — comme l'appelle aujourd'hui Daniel Poirion —, où la fée-mère Mélusine « figure la matière, origine de toutes les métamorphoses, donc de toute vie et de toute richesse ». C'est ce qui apparaît dans *la Noble Histoire de Lusignan* (1392), roman en prose de Jean d'Arras dont le libraire Couldrette donnera quelques années plus tard une version en vers. Ici, le roman rejoint l'iconographie qui fleurira un peu plus tard dans les *Très Riches Heures du duc de Berry*, une iconographie emblématique dont l'art hermétique s'ornera si volontiers par la suite, aux XVIe et XVIIe siècles. C'est l'époque où l'on commence à dessiner des cartes à jouer — un des premiers jeux connus apparaissant vers 1367 —, dont on sait l'importance à la fois comme mancie, et, plus tard avec le Tarot, comme support de méditation symbolique. Dans le roman de Jean d'Arras, la féerie sert moins de cadre à des contes merveilleux qu'elle ne propose un système symbolique d'explication du monde d'après les correspondances universelles. Mélusine, c'est l'Âme du Monde, qui rappelle à son devoir le chevalier dont Perceval a laissé inachevée la mission rédemptrice. Citons encore le *Roman de Fauvel*, où il est question du macrocosme et du microcosme.

L'imaginaire du voyage, c'est-à-dire du périple initiatique, est lié à la queste chevaleresque. Le procès et l'exécution de

Jacques de Molay, le dernier Grand Maître, marque la fin de l'Ordre du Temple en 1314. Mais le mythe du Temple va traverser les siècles, affirmer son pouvoir, notamment en Allemagne quatre siècles et demi plus tard sous la forme maçonnique de la Stricte Observance Templière ; en même temps, dans les autres Rites apparentés on verra pulluler les grades chevaleresques nimbés d'ésotérisme. Le drame *les Fils de la vallée* (1804), le chef-d'œuvre de Zacharias Werner qui cristallisera ces aspirations romantiques, sera un jalon essentiel dans l'histoire des incarnations de l'idéal chevaleresque. Lorsqu'il arrive à l'Antiquité gréco-romaine d'être évoquée dans les œuvres romanesques des XIVe et XVe siècles, c'est pour y tenir le rôle d'un « miroir » de chevalerie et d'héroïsme. Mais la prégnance du mythe templier, ses résurgences permanentes, expriment avant tout la quête d'une sodalité fraternelle et initiatique. Enfin, la fondation en 1379 de la Milice du Christ, au Portugal, pour remplacer l'Ordre déchu, correspond à une vocation de découvertes maritimes transposable bien entendu sur le plan spirituel, tandis que la création des Templiers avait été plutôt liée à une reconquête. Ce serait ne pas voir loin que d'attribuer au seul attrait d'épices et de produits exotiques la grande aventure portugaise vers l'au-delà des mers.

PHILOSOPHIE, ART, ROMANESQUE, DANS L'ÉSOTÉRISME DU XVe SIÈCLE

L'Académie florentine. Marsile Ficin

Le néo-platonisme de Proclus reste vivant au XVe siècle à Byzance, avec son représentant le plus autorisé, Gémiste Plethon. Depuis Michel Psellos (1018-1096) les cercles universitaires byzantins avaient été caractérisés par un mouvement philosophique de plus en plus autonome, jusqu'au XVe siècle. Cette indépendance, maintenue en dépit de la promiscuité régnant entre Grecs et Latins dans leurs colonies et comptoirs autour de la mer Égée — au moins depuis la dernière croisade, au début du XIIIe siècle —, avait contribué à l'éclosion de l'esprit scientifique et à une désaffection certaine vis-à-vis de la philosophie occulte. Mais avec Gémiste Plethon, le néo-platonisme de Proclus, qui d'ailleurs n'avait jamais été tout à fait abandonné, redevient un sujet d'intérêt. Or, Plethon se rend à Florence à l'occasion d'un grand « congrès international » de philosophie qui s'ouvre en 1439. Il transforme pour l'occasion son nom (Georges Gemisthos) en Plethon, pseudonyme déjà adopté par l'auteur du livre des *Lois*, écrit ésotérique destiné aux membres d'une société secrète polythéiste et platonicienne. À cette pénétration du néo-platonisme en Italie, le cardinal Bessarion contribue. C'est dans cet esprit que Cosme de Médicis confie, vers 1450, au très jeune Marsile Ficin (1433-1499) la création de l'Académie platonicienne florentine. Ficin traduit Plotin en 1492, à peu près en même temps que Jean Pic de la Mirandole (1463-1494) donne avec son fameux *Heptaplus* une lecture théosophique de la Genèse. Surtout, Ficin traduit en latin les textes du *Corpus Hermeticum*, dont on vient de découvrir la totalité alors que le Moyen Âge n'avait connu directement que l'*Asclepius*. Il effectue ce travail à la demande de Cosme lui-même qui estime cette traduction plus urgente encore que celle de l'œuvre complète de Platon. En 1463 il a achevé ce travail, en 1471 paraît l'édition complète, et en 1497 il traduit encore le *De mysteriis* de Jamblique. Dans *De christiana religione* et *Theologia platonica* (1474-1475), ce Platon florentin qu'est Ficin développe les thèmes néo-platoniciens de la hiérarchie des êtres en prolongeant, quoique selon d'autres voies, l'irénisme philosophique et religieux de Nicolas de Cues.

Alexandre VI, dont le pontificat dure de 1492 à 1503 et qui soutient Pic, fait peindre par Pinturicchio, dans l'appartement Borgia au Vatican, une grande fresque où abondent symboles hermétiques et signes zodiacaux. En 1488 le pavé de la cathédrale Giovanni di Stefano à Sienne est incrusté d'une belle œuvre qu'on peut voir encore aujourd'hui : Hermès Trismégiste représenté comme un grand vieillard barbu, vêtu d'une robe et d'un manteau, coiffé d'une mitre à bourrelet, entouré d'un certain nombre de personnages, avec l'inscription : « *Hermes Mercurius Trismegistus Contemporeanus Moysii.* »

Pic de la Mirandole et l' homo universalis

Le Moyen Âge avait connu une partie des écrits hermétiques. Dédaignant l'alchimie et l'astrologie, Pic de la Mirandole attire l'attention sur eux, principalement sur le *Corpus Hermeticum* traduit par Ficin. Mais à cela il entend mêler le Coran, la philosophie islamique, et surtout la Kabbale juive, que l'Occident ne s'était guère appropriés jusque-là. Grâce à Pic, pour qui rien ne prouve mieux la vérité de la religion chrétienne que la Kabbale et la magie — telle est la formulation d'une de ses fameuses thèses —, on va assister pendant plus de deux siècles à la formation d'une Kabbale chrétienne. Grâce à lui, grâce à Ficin, la Renaissance va connaître des horizons culturels qui ne se limitent pas à l'Antiquité classique, fût-elle étudiée et redécouverte dans un esprit nouveau ; et l'ésotérisme va se constituer en philosophie, jusqu'à faire partie intégrante de la pensée de la Renaissance, et en réaction contre un averroïsme envahissant. Aller au-delà, jusqu'à la Renaissance triomphante, dépasserait les limites de ce propos. Rappelons que l'image de l'homme proposée par Pic dans son *Oratio de hominis dignitate*, exaltation de l'*homo triumphans*, est une apologie de la personnalité accomplie ; loin d'être spécifiquement païen, cet idéal correspond aussi à une théologie de la Grâce. Affirmation de la nécessité d'une philosophie totale, d'un Savoir, plus que d'une science matérielle conquérante et agressive. La *magia naturalis*, à la fin du XVe siècle, exprime elle aussi cet effort de réconciliation et d'harmonisation, elle correspond au besoin de rapprocher la nature et la religion, tandis que l'hermétisme sous toutes ses formes contribue à susciter un universalisme religieux fondé sur cette concorde et cette paix dont Nicolas de Cues s'était fait auparavant le chantre. Et parallèlement, l'*opus alchymicum*, cette branche privilégiée de l'hermétisme, poursuit son œuvre de rédemptrice de l'homme et de la nature.

Une figure comme celle de Pic, pour exceptionnelle qu'elle soit, n'est pas sans précédent. Dans les années quarante de ce siècle d'intense fermentation, un garçon prodige du nom de Fernandus de Cordova était réputé connaître toutes les langues, jouir d'une étonnante mémoire et posséder un doctorat en plusieurs disciplines ! Cette sorte de chevalier errant des universités et de l'intelligence préfigure, par-delà Pic lui-même, l'*homo universalis* de la Renaissance, universalité que favorise l'éclectisme propre à l'ésotérisme. Astrologie, alchimie, médecine « magique », font déjà partie du corpus culturel de la pré-Renaissance, époque marquée aussi, plus que les précédentes, par la croyance aux démons et par leurs rapports avec les arts secrets, par la doctrine des vertus occultes des choses naturelles — d'où le développement de la *magia naturalis* —, par la physiognomonie, la chiromancie... Elle est caractérisée également, dans un domaine différent, par une forme de mystique, la *devotio moderna*, qui depuis le XIVe siècle propose une spiritualité accessible à chacun, sans spéculations, sans médiations, soucieuse de rester dans le sillage de l'orthodoxie et dont l'*Imitation de Jésus-Christ*, attribuée à Thomas a Kempis (1380-1471), reste l'expression la plus universellement connue. Mystique triste au demeurant, pratiquement iconoclaste, nécessairement réservée à quelques âmes marquées du sceau de l'austérité et point de celui d'une liberté investigatrice s'exerçant à découvrir dans un même mouvement les merveilles du ciel et celles de l'univers.

Nicolas de Cues

En philosophie, l'apôtre de la concorde et de la paix, celui qui par l'ampleur de ses vues domine l'époque et dont les courants ésotériques modernes subiront tous plus ou moins l'empreinte, est Nicolas de Cues (1401-1464). Nourri des œuvres de Maître Eckhart et du Pseudo-Denys, il développe une théorie des « opposés » dans laquelle l'infiniment grand coïncide avec l'infiniment petit, et où comme chez saint Bonaventure l'unicité divine coïncide avec la Trinité. Science totale — mais pas totalitaire —, qui englobe aussi bien l'astrologie — importante dans sa vie —, et pour laquelle l'« *ars coincidentiarum* », art ésotérique, se distingue nettement de l'« *ars conjecturarum* », celui de la science commune ; le premier correspond au principe de la connaissance intellectuelle des choses, le second au principe de contradiction, celui de la connaissance simplement rationnelle. Le Cusain part en guerre contre une mathématique et une logique fermées, statiques, et fait entrevoir en sciences la possibilité de formes dynamiques. Ce faisant, il pythagorise.

L'Intellect *(intellectus)* voit réunis des contraires que la seule raison raisonnante *(ratio)* déclare opposés et irréductibles. La « docte ignorance » — titre de son livre le plus connu, *De docta ignorantia*, en 1440 — est une forme de connaissance supérieure, une gnose, celle de la coïncidence des opposés, ou état d'unité de toutes choses. La courbe coïncide avec la droite, le jour avec la nuit. La logique aristotélicienne se trouve dépassée, réduite au statut de méthode opératoire, dans cet univers visible et invisible dont le centre, expose Nicolas de Cues en continuateur du livre hermétique des « XXIV Philosophes », est partout et la circonférence nulle part. Si Pic est le dernier grand « proclusien », il se peut que Nicolas de Cues en soit l'avant-dernier. On retrouve chez lui l'idée que chaque degré de la hiérarchie universelle des êtres contient toute la réalité possible, quoique chaque fois sous un aspect différent. À Proclus aussi il semble devoir ses images de l'unité et de la continuité qui joignent les choses et leurs correspondants intellectuels. Appliquant ses théories aux diverses croyances humaines, Nicolas de Cues en tire dans *De pace fidei* (1453) l'idée d'une unité fondamentale des religions en laquelle les polythéistes eux-mêmes ont leur place, puisque dans tous les dieux c'est toujours la Divinité qu'ils adorent.

Présence de l'astrologie et de l'alchimie. Enluminures et arts plastiques

Dans les années qui précèdent directement la Renaissance, peu de gens sont aussi adonnés à l'astrologie et à certains arts occultes que les moines, qui bien sûr fournissent aussi des théologiens — et des inquisiteurs. Astrologie et médecine s'allient étroitement dans l'œuvre du moine Jean Ganivet, dont *Amicus medicorum* (1431), au style remarquablement clair, connaîtra de nombreuses rééditions. Œuvre que prolonge celle de Conrad Heingarter dans la seconde moitié du siècle. La physiognomonie est représentée surtout par Michael Savonarole (1384-1464), auteur de *Miroir de la physionomie* et grand-père du réformateur florentin. Au XIVe siècle l'astrologie et la Kabbale ont plus d'importance que l'alchimie. Jean Trithème (1462-1516), de Wurzbourg, un des pères de la philosophie occulte de la Renaissance et le futur maître de Paracelse, annonce aussi Cornelius Agrippa, et ne réserve qu'une place modeste à l'alchimie. Si celle-ci semble relativement pauvre en livres majeurs, on voit tout de même apparaître de nombreuses copies de traités plus anciens.

L'Anglais George Ripley, en 1470, dédie à Édouard IV son livre *The Compound of Alchemy*, ou « Livre des douze portes », et en 1476 *Medulla alchimiae* à George Neville, archevêque d'York, lui aussi vulgarisateur en la matière. Les écrits de George Ripley seront souvent réédités comme des classiques du genre ; le célèbre *Theatrum chemicum Britannicum*, anthologie présentée par Elias Ashmole en 1652, les mettra en bonne place. Thomas Norton († 1477) restera lui aussi un classique, et Christophe de Paris, vulgarisateur éclectique de l'alchimie des XIVe et XVe siècles, prépare la voie aux grandes « Sommes » anthologiques du XVIIe siècle. Classiques sont restés aussi les traités du Bolonais Bernard Trevisanus (1406-1490), comme le *Liber de secretissimo philosophorum opere chemico* qui évoque Hermès, et *De chimico miraculo*, roman des péripéties d'un chercheur en Pierre philosophale. Plusieurs livres paraissent ou paraîtront sous son nom, qui ne sont pas de lui, car d'une manière générale on voit se multiplier les écrits à l'attribution fantaisiste. Ainsi, le merveilleux ouvrage (début XVe) *les Douze Clefs de la Philosophie hermétique*, sur lequel rêveront les générations futures, serait l'œuvre d'un bénédictin d'Erfurt (Basile Valentin) qui de plus aurait découvert l'antimoine. Mais on ne possède pas la moindre trace de son existence avant la première impression d'un de ses livres, en 1602 ! L'alchimie est présente dans les milieux de cour. On connaît un traité attribué à Charles VI, intéressé par la science d'Hermès comme son prédécesseur Charles V et comme le duc de Berry.

À Bourges, le palais de Jacques Cœur (1395-1456), argentier de Charles VII, est une « demeure philosophale » qui fait aujourd'hui encore l'objet de visites nombreuses et de pèlerinages alchimiques. De même, l'hôtel Lallemant, dans la même ville, est prodigue en symboles et allusions hermétiques. Enfin, les tapisseries de *la Dame à la Licorne*, dont le musée des Thermes et l'hôtel de Cluny ainsi que le Museum of Art à New York ont conservé les plus belles, relèvent d'un « ésotérisme courtois » aux significations indubitablement alchimiques avec les oppositions traditionnelles (série solaire du lion, opposé aux symboles féminins et lunaires entourant la licorne). Même si la pensée alchimique produit alors peu de livres originaux, elle envahit le domaine du merveilleux. Masquée, elle s'offre à notre sagacité dans les tableaux du Flamand Jérôme Bosch (vers 1450-vers 1516) exécutés dans les dernières années du siècle, comme *la Tentation de saint Antoine* ou *le Jardin d'Éden*.

Le XIVe siècle avait vu apparaître quelques traités alchimiques avec enluminures, comme celui de Constantinus, mais l'illustration ne commence à se répandre qu'à partir du début du XVe, moment qui correspond à l'exécution des deux chefs-d'œuvre de ce genre que sont *Aurora consurgens*, et entre 1410 et 1419 le *Livre de la Sainte Trinité* — récemment étudiés par Barbara Obrist. Le second, réalisé en Allemagne du Sud et écrit en allemand, est un traité mystique dans lequel la Trinité et la passion du Christ servent à allégoriser un contenu alchimique dont des recettes assez terre à terre ne sont pas pour autant absentes. Il existe une belle enluminure de l'*Ordinall* de Norton, et des textes enluminés de Nicolas Valois dont l'athanor est encore conservé au château de Flers. On reconnaît dans ces manuscrits des symboles de maçonnerie opérative, comme la pierre cubique et le compas, qui suggèrent ici l'existence de liens plus ou moins étroits entre alchimistes et corporations de bâtisseurs. Citons enfin la superbe enluminure effectuée vers 1475 en Italie du Nord et conservée à la Bibliothèque Nationale de Florence.

La symbolique hermétisante de ces manuscrits s'introduit volontiers dans d'autres ouvrages qui ne sont pas spécifiquement alchimiques. Le duc Jean de Berry (1340-1416) est le mécène qui permet aux frères de Limbourg d'enluminer ses *Très Riches Heures*. Ce sont elles qui contiennent le fameux « homme anatomique » où se trouvent indiquées avec un art très sûr les correspondances entre les parties du corps humain et les planètes ou les signes zodiacaux. Si la chute des anges est rarement traitée par les artistes d'alors, on en trouve tout de même un bel exemple dans les *Très Riches Heures*, rappelant l'invective d'Isaïe à Lucifer : « Comment es-tu tombé du Ciel, Lucifer, toi qui brillais dans le matin ? » De telles œuvres témoignent de l'amour des sciences occultes, que Charles V partage avec ses frères, et auxquelles il se consacre avec son astrologue Christine de Pisan. Les rapports entre les signes astrologiques et les parties du corps humain se multiplient dans l'iconographie ; rappelons l'existence du *Guildbook of the Barber Surgeons of York*, et du *Compost et Kalendrier des Bergers*. Albrecht Dürer s'en inspire peut-être pour réaliser son bois *le Syphilitique* en 1496. Mais il y a aussi les *Heures de Bedford* (1423), les reliefs d'Agostino di Duccio (Temple Malatestiano à Rimini), les nombreuses gravures des « roues de Fortune », les « mois et décans » de Francesco del Corsa au palais Schifanoia, du duc Borso d'Este, à Ferrare (vers 1740) ; et l'extraordinaire manuscrit italien en couleurs, *De sphaera*. La cathédrale de Florence abrite le tableau de Domenico de Michelino (1465) qui représente Dante dans un décor cosmique. Et j'ai déjà mentionné la fresque de Pinturicchio au Vatican.

Le plus beau témoignage qu'ait laissé en ce domaine la Renaissance commençante reste à mes yeux la *Primavera* de Botticelli, peinte en 1478. Bien sûr, le contenu polysémique de cette œuvre envoûtante ne se livre pas d'un seul coup et permet diverses interprétations. Mais loin d'être contradictoires elles peuvent se compléter et s'éclairer réciproquement. Ce peut être un horoscope à l'adresse de son destinataire, le jeune cousin de Laurent le Magnifique. Cadeau hermétisant tout à fait dans le courant de la pensée ficinienne, il fait penser aussi, comme l'a vu G. Francastel, aux calendriers illustrés de l'époque. Surtout, y figurent Hermès-Mercure, et sous la forme de l'ange le *spiritus mundi*, un *spiritus* qui est ici le canal emprunté par l'influence stellaire, de sorte que Frances A. Yates a pu appeler ce tableau un véritable talisman magique, une « figure du monde ».

L'astrologie philosophique exprime ainsi l'esprit du baroque gothique en vogue dès la fin du XIVe siècle, en ce sens qu'elle exprime la même orientation vers des formes de surréalité spirituelle, un semblable refus des ordres arrêtés. Curieusement, à partir de ce moment-là, c'est la géométrie architecturale qui a tendance à se figer, alors qu'auparavant les cathédrales proscrivaient lignes droites et angles droits. Mais dans les autres domaines prévalent la fête et le romanesque, en même temps que l'obsessionnelle présence de la mort. Fêtes et costumes étranges sous Charles VI, et ce roman de l'âme qu'est la *Devotio moderna*. Suso n'est-il pas avant tout le romancier de lui-même ? L'astrologie n'est-elle pas le roman de la destinée, grâce auquel l'homme se trouve relié à un ensemble de forces lointaines ? Elle étend les limites de l'individu aux dimensions cosmiques, préparant la voie à la grande théosophie chrétienne, de type germanique surtout, celle de Jacob Boehme (1575-1624) et que préfigurera Valentin Weigel (1533-1588). Le XVe siècle se passionne encore pour la chevalerie, cette autre forme de surréalité qui cultive si volontiers l'emphase symbolique, l'hyperbole épique, et l'étrange, trois caractéristiques à travers lesquelles les milieux aristocratiques aiment à se définir ou à se retrouver. Mais elle n'est pas que cela, il faut y avoir avant tout un modèle initiatique de spiritualité.

Toison d'Or, romans initiatiques et Prêtre Jean

L'année 1429 est marquée par un événement gros de conséquences pour la pensée ésotérique des Temps modernes : la création de l'Ordre de la Toison d'Or par Philippe le Bon, duc de Bourgogne, sous le prétexte officiel de combattre les Sarrasins — ce que ses chevaliers ne réaliseront d'ailleurs jamais. L'Ordre possède un beau symbolisme vestimentaire et rituélique sur lequel rêveront des générations d'alchimistes, au moins jusqu'au XVIIIe siècle. Il servira aussi, comme son nom l'indique, à relancer le mythe de Jason dans l'imaginaire européen, mythe qui servira de structure paradigmatique et figurative à l'*opus* alchimique lui-même, de thème au romanesque de la pré-Renaissance, et de schéma initiatique à partir du XVIe siècle. Vers 1460 Raoul Lefèvre écrit un roman intitulé *Histoire de Jason* dans lequel bien entendu c'est l'or — alchimique ou spirituel — qui est la grande affaire, les merveilles déployées par le récit se ramenant à ce même dénominateur commun.

Parallèlement aux Ordres de chevalerie se créent ici et là des Ordres initiatiques. Plus encore qu'à la cour du duc Jean de Berry, l'ésotérisme s'exprime un peu plus tard à celle de René d'Anjou (1409-1480). Roi de Naples et de Sicile, roi de Jérusalem, il fonde un Ordre dont la devise est « loz en croissant » (« louange en croissant »), mais écrit aussi des ouvrages où s'unissent ésotérisme et mystique, comme *le Livre du Cuer (= Cœur) d'Amour épris* (1457). Artistes et écrivains travaillent pour lui dans un même esprit de syncrétisme culturel, parmi lesquels Pierre Chastellain, auteur d'un *Temps perdu* (1445) puis d'un *Temps recouvré* (1455), et qui lui-même pratique l'alchimie, dont il sait citer les bons auteurs. *Le Songe de Poliphile* (*Hypnerotomachia Poliphilii*, Venise, 1499), de Francisco Colonna, illustré de belles gravures sur bois, est tout à la fin du siècle comme une synthèse allégorique de ces grands mythes. On y retrouve, selon le schéma emprunté à Dante, la femme idéalisée, qui apparaît comme le guide de l'homme dans sa queste.

Le Portugal poursuit cette queste en se lançant dans des expéditions bien réelles quand les sujets de Jean II rêvent du fameux Prêtre Jean qui n'en finit pas de nourrir l'imaginaire lusitanien. Le fameux Henri le Navigateur (1394-1460) part à la recherche de ce mystérieux personnage, l'Éthiopie passe pour le pays où il réside, on voit en lui un gardien du Graal venu d'Asie, un roi caché, l'empereur du dernier jour. Si finalement il s'agit d'un leurre au regard de la seule histoire « objective », une vérité d'un autre ordre peut être perçue : « Le Prêtre Jean, c'est le roi-prêtre idéal du royaume johannique » (Henry Corbin). Il préfigure aussi le sébastianisme, mais on peut voir également en lui le paradigme des « Supérieurs Inconnus » auxquels on voudra croire dans l'histoire moderne et dont le mythique Christian Rosenkreuz, à l'aube du XVIIe siècle, est l'un des avatars.

Ce n'est pas la mémoire de la seule histoire événementielle, qui nous instruit, comme le rappelait Henry Corbin, sur ce qui se passe « au confluent des deux mers », là où s'effectuent en réalité les transmissions spirituelles. Peu importent les noms, les titres et les chronologies, toujours indispensables au départ mais qui devraient se limiter à servir de points de repère. Lire les enseignements ésotériques avec des yeux qui ne sont pas seulement de chair, mais de feu, se rattacher à l'une des traditions qu'ils véhiculent, c'est entrer dans une « histoire subtile », la seule où se dévoilent les significations. Une œuvre n'est véritablement « en acte » que dans la mesure où elle laisse parler en nous, pour nous, la Tradition ; où elle nous éveille en rappelant à nous les présences impérissables et nous sollicite de devenir nous-mêmes des éveilleurs.

Foi et savoir chez Franz von Baader et dans la gnose moderne

Foi et savoir. *Glaube und Wissen*... Il existe une famille d'esprits pour lesquels les deux notions sont indissociables. En font partie tous les penseurs de la gnose — au sens large —, bien qu'il existe aussi une gnose sans la Foi. Parmi les « gnostiques », ceux qu'on appelle « théosophes » dans notre chrétienté moderne me paraissent lier intimement Foi et savoir, croyance et connaissance.

Saint Paul rapproche ces deux notions : « Or la foi et une ferme assurance *(subtantia)* des choses qu'on espère, une démonstration *(argumentum)* de celles qu'on ne voit pas [...]. C'est par la foi que nous reconnaissons *(intellegimus)* que le monde a été formé par la parole de Dieu, de sorte que ce qu'on ne voit pas a été fait de choses visibles[1]. » Et le *Dictionnaire de théologie catholique* définit la Foi comme un assentiment *intellectuel*, quoique produit sous l'influence de la volonté. Mais alors, on a foi « en quoi » ? En Christ ressuscité, selon des textes révélés ; dès lors, pas de foi sans un certain enseignement reçu, fût-il très simple, auquel nous donnons notre assentiment, donc sans un savoir. Sur quoi porte ce savoir ? Sur les rapports entre cet événement (l'Incarnation, la Résurrection...) et ma personne, mais aussi entre lui et le monde, et par voie de conséquence sur le caractère désormais très particulier des rapports entre moi et le monde. Selon mon tempérament je me sens dès

1. Hébreux, XI, 1 et 3 (trad. de SEGOND). Dans la Bible de Jérusalem, on lit : « Or la foi est la garantie des biens que l'on espère, la preuve des réalités qu'on ne voit pas [...]. Par la foi, nous comprenons que les mondes ont été formés par une parole de Dieu, de sorte que ce que l'on voit provient de ce qui n'est pas apparent. »

lors impliqué, fondamentalement, soit sur le plan moral (les œuvres), soit sur celui de la connaissance, soit sur les deux à la fois. Pour beaucoup de croyants, la Foi ne peut que rendre désirable le savoir, car ils aspirent à connaître ce qu'ils aiment, en même temps que leur amour est moyen de connaissance. Qu'est-ce qui permet de connaître toujours mieux ? L'enseignement que l'on reçoit, la réflexion, et l'illumination. Le dosage de ces trois moyens de connaissance confère à chaque croyant une position religieuse unique, d'autant plus spécifique que pour certains l'apprentissage de la connaissance, ou (et) le savoir-faire — le savoir-agir, que l'on parle de l'engagement social ou de la théurgie — sont inséparables de la connaissance même. C'est pourquoi la Foi, qui n'est pas sans un engagement de l'être, se présente souvent comme une croyance en mouvement, c'est-à-dire un approfondissement incessant du dogme qui est à la fois objet et instrument de connaissance.

On a d'abord la Foi, ensuite on lit les textes. Mais ce n'est pas toujours vrai, l'inverse est peut-être fréquent. Peu importe : l'essentiel, pour que la Foi s'épanouisse dans et par le savoir auquel invite le texte, reste la pratique des lectures à plusieurs niveaux : littéral, allégorique, anagogique. Le théosophe s'intéresse presque uniquement à la troisième, s'efforçant de remonter, de reconduire, le donné scripturaire à son sens originel, de « l'originer » grâce à l'illumination intérieure et à une spéculation fondée sur les homologies — *imaginatio vera* qui se présente comme l'herméneutique par excellence, ce *tâ'wil* dont Henry Corbin parle à propos des théosophies shî'ites. C'est pourquoi la théosophie chrétienne a tellement tendance à identifier la connaissance et le salut, d'autant que saint Paul lui-même donne l'impression d'absoudre sa propre hardiesse : « l'esprit scrute tout, jusqu'aux profondeurs divines »...

Le théologien et le théosophe, ces deux hommes qui peuvent avoir la même Foi, ne se ressemblent pas tout à fait ; la dissemblance porte sur la nature de la connaissance *(das Wissen)*, et les méthodes qui y conduisent. Le théologien cherche à définir la Foi, il raisonne sur les données de la croyance, leurs implications dans la vie des hommes ; il s'efforce de préciser, de délimiter, de circonscrire. Le théosophe ne se distingue pas de ce qu'il étudie, chez lui toute augmentation de savoir s'accompagne d'un changement de l'être. Il procède par identification, *joue* les drames cosmiques. Le discours qu'il profère, le « récitatif » qu'il module, ne semblent pas son œuvre propre mais plutôt celle d'un ange Raziel dont il serait seulement l'organe. Dans sa sphère jamais cernée il invente — retrouve — l'articulation des archétypes et des mythèmes, *mime* le rôle des esprits, des hommes et des éléments ; surtout, il s'intéresse *en même temps* à cette nature observée dans les plus infimes détails afin de saisir les homologies entre tous les niveaux des mondes visible et invisible.

La constitution d'une science profane résolument séparée des autres domaines de la connaissance avait été l'une des idéologies aliénantes du XIIIe siècle. C'est contre cette séparation que s'insurgeront de nombreux théosophes occidentaux en développant une *Naturphilosophie* à laquelle les prédisposait l'une des vocations profondes de la théosophie : l'intérêt porté à la nature et à toutes ses manifestations. La Réforme n'a pas porté remède à cette ségrégation, pas plus qu'à la liaison — qui se révèle artificielle — de l'être et de la valeur aux « principes » de l'Histoire ; elle s'est limitée à attaquer la ségrégation du sacré et des valeurs culturelles en une classe privilégiée[1]. D'autre part, si la pensée scolastique faisait sa part à la raison et à la liberté humaines, son problème restait essentiellement celui de la connaissance de Dieu dans le cadre d'une philosophie préoccupée du Logos platonicien et surtout d'un rationalisme aristotélicien. Luther a voulu opposer à ce principe rationnel de la connaissance le principe irrationnel de la Foi : on peut croire sans connaître, on obéit en entendant l'appel de la parole. L'abîme entre raison et Foi ne fit que grandir ; mais Luther s'étant débarrassé d'une connaissance rationnelle, des luthériens se dirigèrent naturellement vers la théosophie, cherchant la connaissance par un mariage de la spéculation et de l'illumination. On n'a pas manqué de souligner le caractère « organique » de la pensée de Luther, en voulant démontrer que la réalité d'une spéculation alchimique et même astrologique n'avait rien de surprenant chez des luthériens[2]. Il

1. Cf. Gilbert DURAND, *Science de l'Homme et Tradition, Le nouvel esprit anthropologique*, Paris, Sirac-« Tête de feuille », 1975, et Berg International, 1980.

2. John Warwick MONTGOMERY, *Cross and Crucible ; J. V. Andreae, Phoenix of the Theologians*, La Haye, Nijhoff, 1973, t. I, p. 21 : « *Luther's thought was profoundly "organic" in character, as Joseph Sittler has shown in his* Structure of Christian Ethics » (Baton Rouge, La., Louisiana State Univ. Press, 1958, cité par MONTGOMERY, p. 21).

n'empêche que des luthériens opposent aujourd'hui encore la *Naturphilosophie* d'un Paracelse à la théologie de l'omniprésence du Christ dans le monde naturel, et d'une façon générale à la théologie de la Révélation[1]. Un livre comme *Les Noces chymiques de Christian Rosenkreuz* (1616), de J. V. Andreae, trouve plus facilement grâce aux yeux d'un luthérien comme J. W. Montgomery, qui voit dans l'aspect alchimique de l'ouvrage une application licite de la Foi à la science, et la possibilité pour la science de rendre compte de la Foi ; mais Montgomery privilégie le niveau théologique par rapport au niveau alchimique (et, naturellement, psychologique)[2].

La Foi s'illuminant par la connaissance de la Nature est davantage, il est vrai, une idée favorite de Paracelse — ce célèbre médecin contemporain de Luther, fort indifférent en matière de religions constituées, qui ne peut être considéré comme un luthérien. Toute la théosophie ultérieure retiendra sa théorie des deux flambeaux ; celui de la Nature, connaissable par ses « signatures » *(signatum)*, et la Bible (ou la grâce). Dieu veut être connu dans ses œuvres. De même, Figulus (*Pandora magnalium naturalium aurea*, 1607) dit qu'il y a trois livres : la nature (macrocosme), l'homme (microcosme), la Bible. C'est que les œuvres de la Nature présentent, même de façon incomplète, le reflet visible de l'œuvre invisible de Dieu. La Nature nous prodigue les signes par le moyen desquels Dieu nous fait la grâce de nous accorder la fugitive vision de sa Sagesse, de ses *magnalia* : « Dans les choses éternelles, c'est la Foi qui rend visibles les œuvres ; dans les corporelles invisibles, c'est la lumière de la Nature qui révèle les choses invisibles[3]. » L'expérience *(Erfahrung)* selon Paracelse doit montrer quotidiennement l'inanité d'une pseudo-connaissance fondée sur le seul raisonnement logique *(logika)* : « *Je gelehrter, je verkehrter !* » Pour connaître Dieu et pour savoir guérir les maladies, la quête des *sceaux* et des forces invisibles de la Nature vaut mieux que la réflexion purement abstraite. Ce que Dieu a créé contient en effet plus de savoir *(Wissen und Erkanntnuss)* que n'en possède

1. C'est le cas de MONTGOMERY, *op. cit.*, t. I, p. 197 sq.
2. *Ibid.*, t. II, p. 273 sq.
3. Cité par Walter PAGEL, *Paracelse. Introduction à la médecine philosophique de la Renaissance*, Paris, Arthaud, 1963, p. 67. « *In den Ewigen dingen macht der Glaube alle Werk sichtbar : in den leiblichen unsichtbarlichen dingen macht das liecht der Natur alle ding sichtbar* » (cité in *ibid.*, p. 126).

notre raison livrée à elle-même. Aussi nous retrouvons Dieu dans Sa création, de même que toutes les parties de l'univers sont représentées dans l'homme — tandis que la logique formelle professée par Aristote ou Galien, nouvelle venue dans l'histoire de la connaissance, reste impropre à l'étude de la Nature et même la contredit.

Pour Friedrich Christoph Œtinger, le plus grand théosophe allemand du XVIIIe siècle, l'essence de la religion personnelle est la *cognitio centralis* qui aide le chrétien à voir au-delà des inévitables polarités de l'existence, à trouver ainsi la paix et la joie dans la reconnaissance de l'intention divine d'une harmonie ultime[1]. Dans son *Dictionnaire étymologique et emblématique*, Œtinger a réservé une entrée au mot *Wissen*, une autre au mot *Glaube*. « Savoir », dit-il, c'est « voir (comprendre, pénétrer) une chose selon toutes ses parties »[2]. Ainsi, dira Novalis, la superstition consiste à prendre une partie pour le Tout — voire pour Dieu lui-même[3]. À l'article *Glaube*, Œtinger explique que la Foi consiste notamment, « non pas à supprimer l'ordre syllogistique des pensées mais à le vivifier »[4]. Il arrive à Novalis d'employer un mot clef : *Illudieren*. La Foi est *Illudieren*, ce qui signifie que l'on pose hypothétiquement et imaginairement une idée en attendant une vérification éventuelle. Tout savoir véritable suppose cette anticipation *(a priori)* du savoir véritable : la Foi (la croyance) est le savoir à distance, mais le savoir est le savoir (la connaissance) du présent. Le succès du savoir repose alors sur la puissance de la Foi qui arme et qui renforce notre énergie. Novalis dépasse ici l'enseignement de l'Épître aux Hébreux, car pour lui il ne s'agit plus tant d'espérance que de certitude. Il écrit encore : « La Foi est l'action de la volonté sur l'intelligence » ; et cette phrase, surprenante pour qui se fait une idée superficielle du romantisme allemand : « Je suis persuadé que par la froide intelligence technique et par un tranquille sens moral on parvient mieux aux véritables révélations, que par l'imagination (= la fantaisie) qui semble nous conduire

1. Cf. le bon résumé de F. Ernest STOEFFLER, *German Pietism during the eighteenth century*, Leyde, Éd. E. J. Brill, 1973, p. 116.

2. *Etymologisches und emblematisches Wörterbuch*, 1776 ; rééd. Hildesheim, Olms, 1969.

3. Theodor HAERING, *Novalis als Philosoph*, Stuttgart, Kohlhammer, 1954, chap. X.

4. ŒTINGER, *op. cit.*, article « *Glaube* » : « *Gott und die syllogistische Ordnung der Gedanken nicht aufheben, sondern beleben* » (Gal. III, 21).

seulement dans le royaume des fantômes, ces antipodes du véritable ciel[1]. » En effet, tout reste simple croyance et illusion, erreur et fausseté, tant qu'on est incapable de relier à la totalité dernière — à l'absolu — ce que l'on pose. Voilà pourquoi toute connaissance *(Erkennen)* apparaît comme un élargissement *(Erweiterung)*, une *Hinausschiebung*, du domaine de la Foi et revient à dire qu'on pose de nouveaux intermédiaires *(Setzen neuer Vermittelungen)* ; ces résultats intermédiaires *(Mittelresultate des Prozesses)* constituent l'essentiel du processus cognitif, qui est donc une Foi continuée *(fortgesetzter Glaube)*. Si ce processus infini et toujours approximatif venait à cesser, la connaissance elle-même cesserait d'exister[2].

★

C'est sans doute Franz von Baader qui, parmi les penseurs de la gnose chrétienne moderne, a le plus parlé des rapports entre Foi et savoir. Plusieurs opuscules dont il est l'auteur témoignent, dans leurs titres mêmes, de l'importance qu'il donnait à ce thème de réflexion : *Tout ce qui s'oppose à l'entrée de la religion dans la région du savoir ou ne favorise pas cette entrée, vient du mal* (1825) ; *Du besoin, introduit par notre époque, d'une réunion plus intime de la science et de la religion* (1825) ; *Du comportement de la connaissance à l'égard de la Foi* (1833) ; *De la division de la croyance et de la connaissance religieuse, racine spirituelle de la décadence de la société religieuse et politique à notre époque comme en tout temps* (1833) ; *Du lien solidaire qui unit la science religieuse et les sciences naturelles* (1834)[3]. Il reprend bien entendu ce thème dans d'autres ouvrages, et l'on comprend

1. Sur tout ceci, cf. Th. HAERING, *op. cit.*, p. 332 s. « *Glauben ist Wirken des Willens auf die Intelligenz. Ich bin überzeugt, daß man durch kalten technischen Verstand und durch ruhigen moralischen Sinn eher zu wahren Offenbarungen gelangt, als durch Phantasie, die uns bloß ins Gespensterreich, diesen antipoden des wahren Himmels, zu leiten scheint* » (*ibid.*, p. 334).

2. *Ibid.*, p. 96.

3. *Alles, was dem Eindringen der Religion in die Region des Wissens sich widersetzt oder selbes nicht fördert, ist vom Bösen* (1825) ; *Ueber das durch unsere Zeit herbeigeführte Bedürfnis einer innigern Vereinigung der Wissenschaft und der Religion* (1825) ; *Ueber das Verhalten des Wissens zum Glauben* (1833) ; *Ueber den Zwiespalt des religiösen Glaubens und Wissens als der geistigen Wurzel des Verfalls der religiösen und politischen Societät in unserer wie in jeder Zeit* (1833). *Ueber den solidären Verband der Religionswissenschaft mit der Naturwissenschaft* (1834).

qu'Eugène Susini, dans sa thèse sur Franz von Baader, ait consacré un chapitre au « problème de la connaissance » chez Baader[1]. Limitons-nous à quelques points essentiels, significatifs de la pensée gnostique de Baader, pris en différents endroits de son œuvre et dont plusieurs n'ont pas été, à ma connaissance, relevés jusqu'ici.

Baader reprend l'idée baconienne de *harmonia luminis naturae et gratiae* pour lui donner un fondement solide conforme à l'aspect organiciste de sa propre théosophie[2]. Ce projet s'annonce dès les œuvres de jeunesse, et l'on peut ajouter avec E. Susini que « toute l'œuvre de Baader, à partir de 1822 notamment, lutte pour la réconciliation de ces deux aspects de la vie de l'esprit : spéculation et croyance »[3]. Au mot de Pascal : « Toute notre dignité consiste en la pensée », Baader ajoute que penser est la nature même de l'homme et que Méphisto hait la spéculation[4]. L'attitude prêchée par Méphisto entraîne un divorce entre Foi et savoir, dont les conséquences se font sentir en d'autres domaines ; c'est le commencement d'un pourrissement, individuel ou collectif[5]. Pour Baader, toute recherche commence par la Foi — contrairement, remarque-t-il, à Descartes et à « tous nos philosophes » qui commencent par le doute ou l'incroyance ; car la Foi éveille la recherche, la porte, la guide, l'assiste. Le « bon mot » de Rousseau (« on cesse de sentir quand on commence à penser ») est faux[6]. Il est dangereux aussi car il contribue, dit Baader dès 1794, à l'édification d'un système de morale et de religion pour la tête, et d'un autre pour le cœur, alors que la vraie lumière concentrée brûle elle-même plus que la « chaleur sombre »[7]. Il ajoutera plus tard que l'amour et la connaissance *(Erkenntniss)*, qui est lumière, ne deviennent véritables que dans leur mariage ou concrétude. De même que le verre laisse passer les rayons de

1. Eugène Susini, *Franz bon Baader et le romantisme mystique. III. La philosophie de Franz von Baader,* t. II, Paris, J. Vrin, 1942, cf. surtout pp. 71 à 133. Cf. aussi Staudenmaier, « Ueber das Verhalten des Wissens zum Glauben bei Fr. von Baader », pp. 179-181, in *Jahrbücher für Theologie und christliche Philosophie,* 2, 1834.
2. Cf. notamment *Ueber den solidären Verband..., op. cit.,* t. III.
3. E. Susini, *op. cit.,* p. 84.
4. Cf. *ibid.,* p. 102.
5. *Sämtliche Werke,* rééd. anastatique, Scientia Verlag, Aalen, 1963, seize vol.
6. *Ibid.,* VI, 139 sq. Baader cite plusieurs fois, dans son œuvre, ce mot de Rousseau.
7. *SW,* XI, 434.

lumière mais pas les rayons de chaleur et ne nous livre donc qu'une lumière irréelle, de même le feu lié dans les ténèbres n'est qu'incandescence dévorante. Si la tête est l'organe de la lumière, le cœur est celui du sentiment — de la chaleur[1].

Il faut procéder hardiment : au lieu de passer son temps à se demander si et comment on peut et doit nager, mieux vaut se mettre à l'eau en invoquant le nom de Dieu qu'en s'entourant d'instruments pour apprendre[2]. Sentiment et philosophie ont partie liée : « Plus le sentiment est superficiel, plus la spéculation est superficielle[3]. » De même, « le sentiment et le savoir, la Foi et la contemplation *(Schauen)*, ne s'excluent pas mais se complètent, se révèlent dans leur concrétude »[4]. Baader n'a que mépris pour un mysticisme purement sentimental, qu'il appelle souvent « piétisme » et qu'il lui arrive de qualifier (en français) de « religion des femmelettes » ; il ne cesse de répéter que la « science » doit viriliser la sentimentalité religieuse et qu'il est bien difficile, au XIXe siècle, de se maintenir aussi loin des brebis pieuses que des boucs impies[5]. La croyance est un hommage, une expression d'admiration *(obsequium)* relevant de l'ordre rationnel ; dans son étude consacrée à Lamennais, il reprend un mot de l'Écriture *(« rationabile sit obsequium vestrum »)* et remarque à ce propos que la « foi rationnelle » *(Denkglaube)* (du professeur Paulus) ne lui apparaît pas comme une chose nouvelle[6]. On est loin du « *Credo quia absurdum* ». En s'appuyant sur l'autorité de Théodoret, Baader dit aussi que la croyance aveugle est la source de toutes les erreurs, de tous les malheurs, dans l'Église[7]. D'une manière plus intéressante encore, il explique dans *Du comportement de la connaissance à l'égard de la Foi* que l'homme sait seulement dans la mesure où il se sait « su ». L'œil spirituel, dit en effet Platon, ne voit, ne se découvre, que dans un autre œil spirituel ; de même, notre savoir ne vient pas, comme disent les rationalistes, *per generationem*

1. *SW*, IX, 11 ; XI, 284 sq.
2. *SW*, VIII, 205.
3. « *Je flacher das Gefühl, desto flacher die Spekulation* », *ibid.*, VIII, 187, cité par E. Susini, *op. cit.*, p. 93 ; cf. aussi *SW*, VIII, 207.
4. « *Gefühl und Wissen, Glauben und Schauen treiben sich nicht einander aus, sondern ergänzen und bewähren sich in ihrer Concretheit* » (*SW*, IX, 305).
5. Cf. p. ex. XV, 405, 419.
6. Cité par E. Susini, *op. cit.*, p. 128. *SW*, V, 244.
7. *Ibid.*, X, 190.

aequivocam, ni de nous-mêmes, mais *per traducem*, c'est-à-dire par participation réelle, insertion *(Theilhaftwerden, Eingerücktwerden)*, à — et dans — une vision et un savoir qui existent et nous concernent *a priori*. Leur caractère originel, supérieur ou central se manifeste à l'individu par sa stabilité (son ubiquité et sa « sempiternité »), intérieurement et extérieurement. Le centre et la périphérie, le « témoignage » interne et externe, les événements secrets et publics, ne peuvent ni ne doivent jamais être séparés. Malebranche a raison, pour qui nous voyons tout en Dieu, en un œil divin perdu avec la chute mais qui s'est de nouveau ouvert à nous par la Révélation, et dont nous ne nous servons guère, préférant nous servir de notre œil animal. Je suis vu, donc je vois, dit l'abbé Bautain. Je suis pensé, donc je pense ! je suis voulu — désiré, aimé —, donc je veux, je désire, j'aime. De même que mes mouvements s'appuient sur quelque chose de mobile, car ce qui se contente de me résister ne fait que me retenir sans me donner d'appui réel, de même la motivation de mon vouloir ne peut être elle-même qu'un vouloir ; ainsi le libre mouvement de ma raison ne peut être que d'une nature plus raisonnable, qui sait mieux m'entendre et mieux se faire comprendre de moi[1]. La foi de l'homme en Dieu (foi que possèdent aussi les démons), disait déjà Baader en 1822 dans *Fermenta cognitionis*, repose sur la connaissance que nous avons d'être vu, su, comme percé *(durchgesehen)* par quelqu'un que nous ne voyons pas[2].

Les rapprochements homologiques dont Baader se sert couramment éclairent poétiquement sa pensée. Je songe à certains passages qu'il consacre à la lumière, notamment quand il explique, en 1834, que toute lumière est elle-même une vision ou un œil, de même que l'œil est une lumière — bien que logiciens et opticiens s'obstinent à parler d'une lumière qui serait elle-même aveugle. Celui qui a planté l'oreille ne devrait-il pas entendre ? — dira Franz Hoffmann en commentant Baader. Celui qui a formé l'œil ne devrait-il pas voir ? (Psaume XCIV, 9 Proverbes, XX, 12). Et Baader note que le Christ ne croyait pas, mais regardait *(schaute)* — c'est pourquoi nous ne pouvons

1. *SW*, I, 348 ; cf. aussi p. 369 sq. L'abbé BAUTAIN est l'auteur de *Enseignement de la philosophie en France*, Strasbourg, 1833.
2. *SW*, II, 183.

croire qu'en lui. Il est le contemplant *(Schauender)*, la lumière du monde ![1] Ce n'est donc pas un sentiment obscur et subjectif, ou incommunicable, mais un savoir communicable, qui fonde la Foi, la conditionne, dit Baader en 1828 dans un *Cours de dogmatique spéculative* ; sans ce savoir, on ne pourrait pas parler de caractère obligatoire *(Verbindlichkeit)* de la Foi, d'aucune Foi qui soit loi, d'aucune incroyance qui soit péché. Foi et savoir sont comme mouvement et repos. L'homme ne peut croire qu'en sachant, savoir qu'en croyant. Seulement il ne doit pas chercher à croire là où il lui faut savoir, ni vouloir savoir là où il doit croire. L'objet de la Foi étant une doctrine (un savoir) ou un fait, la Foi ne s'oppose pas plus à l'incroyance que la connaissance ne s'oppose à l'ignorance ; la vraie Foi s'oppose à la fausse, le vrai savoir au faux savoir[2]. C'est une erreur des théologiens et des philosophes, écrit-il en 1832, de dire que l'incroyance savante *(wissend)* s'oppose à la Foi ignorante, car l'homme ne peut refuser de croire en une chose que s'il croit en une autre[3]. En 1833, dans l'étude consacrée aux rapports entre croyance et connaissance, Baader revient sur la notion de mouvement : la croyance est à la connaissance ce que le mouvement est à son fondement *(Begründung)*. Prendre appui pour se mouvoir, trouver un motif pour la volonté libre, cela représente le rôle de la Foi dans l'usage de la raison (*Grund* dans l'ordre naturel correspond à *Beweggrund* dans l'ordre de la volonté). Rappelons ce passage, déjà présenté et traduit par E. Susini : « J'affirme que, de même que l'on ne peut se mouvoir librement sans prendre fondement, et de même que l'on ne peut prendre fondement sans se mouvoir librement, de même on ne peut faire usage de sa raison sans croire librement et croire sans faire usage de sa raison[4]. » Affirmation qui apparaît inséparable de sa théorie du fondement. Dans *Addendum à mon écrit sur le quaternaire de la vie*, texte qu'il envoie à G. H. von Schubert en

1. *SW*, VI, 106 sq.
2. *SW*, VIII, 28 sq.
3. *SW*, VI, 66.
4. E. Susini, *op. cit.*, p. 132. « *Ich behaupte, daß, so wie man sich nicht frei bewegen kann ohne Grund zu fassen, und wie man nicht Grund fassen kann ohne freies Bewegen, man auch seine Vernunft nicht gebrauchen kann ohne frei zu glauben, und nicht glauben kann, ohne von seiner Vernunft Gebrauch zu machen* » (*SW*, I, 344).

1818, il se déclare d'accord avec Schirmer pour dire que la pensée *(das Denken)* n'est rien d'autre que « la faculté se rassemblant dans le Un », « l'entrée en soi »[1]. L'entrée *(Einkehren)* en soi suppose une dispersion préalable — une « abyssalité », dit Boehme — qui est un *Ungrund.* Celui-ci est situé plus bas que l'union *(Einigung)* ou fondement *(Grund)*, car le fondement est toujours plus haut que ce qui dépend de lui — que ce qui est porté, fondé *(begründet)* par lui ; cette autofondation, ce fondement *(Selbstergründung, Begründung)*, doit donc être considéré comme une élévation *(Selbsterhöhung, Selbstpotenzierung)*, ainsi que le suggèrent Œtinger, et Saint-Martin dans *L'Esprit des choses* (t. I)[2].

Dès son journal de 1786, aux accents fort lyriques — il a alors vingt et un ans —, Baader s'écrie, dans un passage où il célèbre le printemps : « Ô si mon âme était la parfaite image de la divinité, de la lumière, du soleil qui éclaire et réchauffe tout autour de soi ! » Le lendemain, il ajoute que les sentiments qu'il éprouve ne sont plus des pensées perdurant douloureusement dans son cerveau, dont elles brûleraient *(durchglühen)* les fibres. Au contraire, la lumière enfin rassemblée comme dans un foyer central *(Brennpunkt)* se transforme en une chaleur s'écoulant doucement à travers tout son être[3]. Ainsi se trouvait déjà posée la notion de « fondation », dont un texte de 1835 précise davantage encore la signification. Baader y écrit que le mot hébreu *bara*, qui signifie « créer », a donné en allemand *bar* dans *offenbar* (manifeste), *gebären* (engendrer), *Gebärde* (mouvement, geste), etc. Racine indiquant une « mise en lumière » *(Inslichtsetzen)* ou une dé-couverte, en même temps qu'un soulèvement qui est arrachement à une profondeur insondable ; une « fondation », qui permet de distinguer la force corporisante, substantifiante, du feu empli de lumière, et la force décorporisante du feu vide de lumière[4]. Fidèle à son habitude, il recourt à l'étymologie pour se faire comprendre ; peu importe que,

1. « *Das Denken* » — écrit SCHIRMER — « *selbst aber ist nichts anderes als das in Eins sich* sammelnde *Vermögen, das Sichbesinnen und Einkehren in sich* » (cité par BAADER, in *SW,* XV, 349). Cette phrase est tirée du livre de SCHIRMER intitulé *Versuch einer Würdigung des Supranaturalismus und Naturalismus* (1818).

2. *SW,* XV, 349.

3. *SW,* XI, 25.

4. *SW,* IV, 279. Pour d'autres passages relatifs à la « Begründung », cf. E. SUSINI, *op. cit.*

parfois, celle-ci soit scientifiquement fantaisiste, puisqu'elle a le mérite de rendre claire sa pensée et de nous proposer de riches thèmes de réflexion. Il rapproche par exemple *glauben* (croire) de *geloben* (promettre solennellement) et de *verloben* (fiancer)[1]. Le rapprochement avec *verloben* est de Windischmann ; ce mot signifie « se lier », « se marier » *(sich verbinden, vermählen, eingeben).* « Promesse » qui suppose une volonté. Pas de Foi sans volonté. Mais au « *Nemo credit nisi volens* » de saint Augustin, il substitue un « *Nemo vult, nisi videns* », et rend le dicton allemand « *Trau, schau, wem* » par « *Vide, cui fidas* »[2]. Baader ne manque pas de faire remarquer que dans *Andacht* (recueillement), il y a *denken* (penser) ; saint Pierre demande en effet à sa communauté de donner à sa foi un fondement rationnel, en étant toujours prête à se défendre devant quiconque demande raison de l'espérance qui est en chacun des membres (I Épître, III, 15)[3]. Notre théosophe rapproche aussi le mot *Manu*, le père de l'humanité chez les Hindous, de la racine sanscrite *man* (connaître), et remarque qu'en sanskrit les mots *Manischa* (connaissance) et *Manuschja* (homme) révèlent la même analogie — de même que le latin et l'anglais avec *mens* et *mind*, l'allemand avec *Mensch* (homme) ; ainsi, le mot « homme » signifiait « celui qui connaît »[4]. *Anerkennung*, impossible à traduire exactement, reprend, note E. Susini, le mot *erkennen* (connaître, reconnaître) « et exprime à la fois l'idée de croire à quelque chose et l'idée d'approuver ». *Anerkennung* est une synthèse de la croyance et de l'admiration. Le diable et l'ange connaissaient *(erkennen)* la supériorité de Dieu comme supérieur à eux-mêmes, mais l'ange reconnaissait *(anerkennen)* cette supériorité, tandis que le diable refusait son « adhésion » *(Anerkennung)*[5]. « *Si non credideritis, non intelligetis* », dit aussi Baader qui écrit également que la Foi est l'affectivité du savoir[6].

Il s'en prend fréquemment aux philosophes qui ne désirent pas articuler les deux notions de Foi et de savoir. Tel est le cas

1. *SW,* I, 364.
2. *SW,* I, 342 sq., 304.
3. Cf. E. Susini, *op. cit.,* p. 100 ; cf. aussi *SW,* X, 23, n.
4. Cf. E. Susini, *op. cit.,* p. 103, *SW,* I, 237.
5. E. Susini, *op. cit.,* pp. 115 et 129.
6. *Ibid.,* p. 124.

de Kant, Jacobi, Herbart[1]. La Foi n'est pas un postulat kantien[2]. Jacobi et Rousseau sont trop antirationalistes[3] ; avec eux, Kant a contribué à développer chez beaucoup la timidité à l'égard de la spéculation[4]. Pour Descartes, toute philosophie est étrangère à la Révélation. Hegel a déclaré que l'on acquiert le concept à condition d'exclure l'affectivité — alors que le rationnel et l'affectif sont inconciliables seulement pour une affectivité ennemie de la raison, la seule affectivité imaginée par Hegel. Sachons qu'au contraire l'homme ne garantit pas sa liberté en s'isolant à la Robinson ; il ressemblerait alors à une industrie renonçant à tout capital, à tout crédit[5]. Aussi bien l'opposition entre le supranaturel (ou supraratione l) et le « contre-naturel » ou l'antirationnel est-elle la cause de l'erreur consistant à opposer artificiellement rationalisme et supranaturalisme ; ce qui dépasse ma nature, ma connaissance, n'est pas nécessairement au-dessus de cette nature, de cette connaissance[6]. Le doute cartésien est donc bien loin de l'attitude de Paracelse, pour qui la croyance est l'acte par lequel le sujet qui croit s'ouvre pour recevoir[7], et nous avons vu que les philosophes ont généralement tendance (attitude naïve, *einfältig*) à poser seulement notre besoin de savoir et de connaître, point celui d'être connu et su[8]. Mais bien que l'Allemagne soit partiellement, voire gravement, responsable du divorce de la connaissance et de la Foi, leur réconciliation partira d'Allemagne[9]. En France, c'est d'abord à Saint-Martin que pense Baader à propos de ceux qui ont tenté de dénoncer un tel divorce : « Je ne m'arrête point à examiner, écrit le Philosophe inconnu, si dans la conduite ordinaire de l'homme, sa volonté attend toujours une raison décisive pour se déterminer ou si elle est dirigée par l'attrait seul du sentiment ; je la crois susceptible de l'un et de l'autre mobile ; et je dirais que pour la régularité

1. *SW*, I, 372. Pour Kant, cf. aussi E. Susini, *op. cit.*, p. 100.
2. « *Man glaubt [...], was man begehrt, weil das Begehren (als Affect) bereits ein objectives Zeugniss in sich hat (non existentis nulla cupido), folglich kein blosses Wünschen, das Glauben kein (kantisches) Postulieren ist* » (*SW*, III, 335, n.).
3. Cf. E. Susini, *op. cit.*, p. 91.
4. *Ibid.*, p. 92.
5. *Ibid.*, pp. 93, 111.
6. *Ibid.*, p. 98.
7. *Ibid.*, p. 118.
8. *SW*, XV, 614.
9. Cf. E. Susini, *op. cit.*, p. 94.

de sa marche, l'homme ne doit exclure ni l'un ni l'autre de ces deux moyens, car autant la réflexion sans le sentiment le rendrait froid et immobile, autant le sentiment sans la réflexion serait sujet à l'égarer[1]. » D'ailleurs, note Baader, Saint-Martin a dit que « dans le vrai ordre des choses, la connaissance et la jouissance de l'objet doivent coïncider »[2]. Théologiens et philosophes doivent se convaincre de ce qu'un connaisseur des œuvres de Saint-Martin, Joseph de Maistre, appelle la « graciabilité » ; il s'agit, pour la philosophie et la théologie, de la possibilité de rentrer en grâce l'une auprès de l'autre[3]. On conçoit que Baader, avec bien d'autres romantiques, rêve d'une religion qui serait une science, et d'une science qui serait une religion[4]. Enfin, il n'attend pas grand-chose des penseurs du protestantisme moderne car la plupart tombent soit dans un nihilisme destructeur, soit dans un « piétisme » (un mysticisme) « séparatiste », non scientifique — gens de « petite santé », dit-il pour qualifier ces derniers[5] ; et l'une des conséquences de la Réforme fut que « s'établit parmi les protestants et les catholiques l'erreur identifiant protestantisme et spéculation scientifique ; le protestant crut devoir se tenir à l'écart du catholique pour ne pas perdre sa science, et le catholique crut devoir se tenir à l'écart de cette même science pour ne pas perdre son catholicisme »[6].

On conçoit dès lors que la connaissance doive être militante[7]. Le savoir qui nous est *donné (gegeben)* pour l'action *(Thun)* — par exemple, pour la construction dans la connaissance mathématique, pour l'expérience dans le savoir physique — diffère du savoir obtenu grâce à cette action : ce second savoir est « proposé » *(aufgegeben* — Jésus a dit : « Pratiquez mon enseignement, vous comprendrez sa vérité »). L'action *(Thun)*

1. SAINT-MARTIN, *Des Erreurs et de la Vérité*, 1775, t. I, p. 65. Cité par E. SUSINI, *op. cit.*, p. 87.
2. Cité in *ibid.*, p. 111.
3. *Ibid.*, p. 134.
4. *Ibid.*, p. 97 (cf. aussi p. 100).
5. *Ibid.*, p. 86 sq.
6. Citation traduite par E. SUSINI, in *ibid.*, p. 91 : « *Wie sich denn bald unter Protestanten wie unter Katholiken die irrige Meinung der Identität des Protestantismus und der Wissenschaftlichkeit festsetzte, und der Protestant sich vom Katholiken fern halten zu müssen glaubte, um seine Wissenschaft nicht einzubüssen, so wie der Katholik von letzterer, um sich nicht vom Katholizismus zu entfernen* » (*SW*, VIII, 11).
7. Cf. les passages relevés par E. SUSINI, *op. cit.*, p. 104 sq.

n'est d'ailleurs pas le résultat immédiat du savoir *donné* mais elle provient de la croyance, de l'espérance, de la confiance, en la science, si bien que toute Foi — comme toute incroyance — se situe entre un savoir donné *(gegeben)* et un savoir proposé *(aufgegeben)* — ce qui confirme qu'il faut savoir pour croire, et croire pour savoir[1]. « *Scimus quia facimus* », disait Vico ; « *scimus quae facimus, nescimus quae non facimus* », dit Baader : toute théorie de la connaissance doit commencer non pas par la fausse identité du savoir et de l'être, mais par celle du savoir et de l'action[2]. De même que la Foi est fonction de la volonté, de même croyance et connaissance, liberté et connaissance, action et connaissance, croyance et action, sont inséparables comme l'attention et la perception, l'inspiration et l'expiration. Orthosophie — vérité du savoir — et orthodoxie — vérité de la croyance — se complètent[3]. La croyance qui est anticipation sur l'avenir a partie liée avec la divination, mais si celle-là est plus active, créatrice, celle-ci est plus passive, réceptive[4]. Baader explique en 1822 au prince Galitzin, à qui il dédie son étude consacrée à la force de croyance et de divination, que pour Paracelse la croyance est l'acte par lequel le sujet qui croit s'ouvre pour recevoir ; la croyance serait alors « l'acte subjectif psycho-physique de l'ouverture de soi, et par suite de réception (d'ouverture par rapport à un être fort, et de réception d'un don fait par lui) ; la croyance est donc la condition nécessaire, tant pour l'opérateur que pour le malade, pour participer à la manifestation parfaite de cette force »[5].

On n'est pas loin du processus jungien d'individuation, puisque cette ouverture doit contribuer à une remise en ordre et en harmonie d'éléments dissociés. Dans son écrit de 1830 *Du concept biblique d'esprit et d'eau*, Baader explique par de belles images que la lumière liée dans la tête au froid doit descendre dans le cœur pour y épouser l'amour plein de chaleur qui languit dans les ténèbres. Ainsi, dit-il, se brisera la geôle téné-

1. *SW*, X, 23 sq.
2. Cf. E. Susini, *op. cit.*, p. 70 sq.
3. Cf. *ibid.*, pp. 101 et 119.
4. Cf. *ibid.*, p. 117.
5. Cité et traduit par E. Susini, in *ibid.*, p. 118 : « *Der subjective psychisch-physische Act des Sichöffnens, somit Empfangens (gegen einen und von einem Kräftigen) (...), folglich die nothwendige Bedingung für den Operator sowohl, als für den Kranken, um der vollendeten Manifestation jener Kraft teilhaft zu werden* » (*SW*, IV, 78).

breuse, de même qu'un ange de lumière descendit comme un éclair dans le tombeau du Christ pour en faire sauter l'entrée. La difficile tâche à accomplir consiste à dissoudre le froid et les ténèbres — à les transformer en eau. On observe en effet dans la nature que le froid lumineux — la science, l'intelligence — et la chaleur sombre — le sentiment — essaient de s'unir : dans la région de lumière l'eau se manifeste sous la forme de larmes — les nuages, la pluie —, et de même l'eau — la rosée — s'élève pour se régénérer en participant au feu lumineux du soleil. Cette coïncidence de la production d'eau avec la naissance de lumière et de chaleur vaut, dit le théosophe, pour tous les domaines de la vie. « Rien, dit Saint-Martin, n'éclaire autant l'esprit que les larmes du cœur. Il n'attend que celles-ci pour se montrer. » Citation qui s'appuie sur le grand fondement général de la production de l'eau et de la lumière : celle-ci ne peut se montrer tant qu'il y a coagulation. « *Beati qui lugent* »...[1].

Dans l'une des réflexions que lui inspire le *Tableau naturel* de Saint-Martin, le théosophe fait une remarque significative qui me paraît éclairer davantage encore, quoique indirectement, le problème de la Foi et du savoir. Il écrit que le découpage de la lumière en couleurs différentes est pour la lumière la façon de se rendre saisissable, de même qu'aucun son, aucun mot, n'est concevable hors du contexte de figuration sonore dans lequel il s'inscrit[2]. Il faudrait donc passer par le jeu des couleurs pour trouver la lumière, et par celui du langage pour remonter au Verbe. Mais si notre savoir rationnel est seulement capable de concevoir la manière dont les couleurs sont en relation les unes avec les autres, c'est-à-dire s'il ne peut connaître que des structures, nous risquons de ne saisir la lumière en soi que comme une simple abstraction. Or, Baader ne saurait courir ce risque puisque, pour lui, derrière la couleur il y a le Feu, ou l'éclair, qui sont énergie personnifiée et substance irréductible. Il récuserait le structuralisme formaliste actuel, moins sans doute pour ses méthodes que pour certaines de ses positions métaphysiques. Selon le théosophe, formes et structures

1. *SW*, X, 4-6 *(Ueber den biblischen Begriff von Geist und Wasser)*. BAADER a tiré une partie de ces considérations du livre de Johannes MENGE, *Beiträge zur Erkenntniss des göttlichen Werks*.

2. *SW*, XII, 189.

ne font qu'exprimer un sens, ou plutôt constituent le détour que ce sens emprunte pour se manifester à nous. Au-delà des structures il y a *la* vie ; en deçà il y a notre perception, *notre* vie. Si connaître les relations entre les couleurs revient à découvrir les voies de la Lumière, il reste que pour connaître l'origine de la Lumière elle-même il faut faire l'expérience du Feu — expérience personnelle qui passe par la Foi, croyance ignée de type alchimique. Et nous savons que dans l'alchimie, Foi et connaissance sont inséparables l'une de l'autre, et de l'action « *Ora et labora...* » Enfin, quand Baader parle de Foi et de savoir, de science et de croyance, de raison et de religion, l'opposition entre ces deux termes doit être, selon les passages de son œuvre, envisagée de trois points de vue différents qu'a bien démêlés et exposés E. Susini : *a)* Science et religion doivent représenter deux institutions indépendantes ; malgré le « fusionnisme » romantique rappelé plus haut, Baader n'est pas partisan de la théocratie. *b)* La Foi et la spéculation sur le dogme doivent se réconcilier, selon les principes chers à Baader qui déclare suivre Joseph de Maistre pour l'essentiel. *c)* Les rapports de l'activité rationnelle et de la croyance concernent le problème philosophique de la connaissance tout entière et ici Baader se tient toujours à égale distance de la raison et du sentiment[1].

Ajoutons que l'intérêt porté par lui au problème des rapports entre Foi et savoir, aussi bien que les réponses données à cette question au long de son œuvre, découlent de la position spécifiquement théosophique sous-tendant sa pensée. Gnostique — au sens général du terme —, il n'hésite pas à affirmer — en s'appuyant sur l'autorité de Grégoire de Nazianze — l'existence de vérités que Jésus n'a pas complètement révélées à ses disciples pour éviter de les éblouir d'un seul coup, notamment celles qui touchent au Saint-Esprit[2] D'autre part, tandis que Bonald, dont il connaît et commente la pensée, nous entretient des « traditions » des Hébreux, Baader parle de leur « Tradition », de la « Tradition-mère », la « philosophie » lui apparaissant comme une tradition dégradée[3]. Il existe heureusement une croyance et une connaissance « radicales »,

1. E. Susini, *op. cit.*, pp. 95-97.
2. Cf. *ibid.*, p. 105 sq.
3. *Ibid.*, p. 109.

« données » à la créature avant la chute, mais qui « restent » malgré l'état de péché[1] ; encore faut-il que cette croyance et cette connaissance, proposées à nous comme à l'état de racines, se développent grâce à notre initiative. « *Non progredi est regredi* », écrit-il en 1833, pour ajouter que les dogmes sont des principes de connaissance *(Erkenntniss-Principien)* dont nous devons faire sans cesse un usage nouveau et élargi, comme le géomètre avec ses axiomes ou le jardinier avec ses semences. Voilà ce qu'il faut répondre à ceux qui refusent de nouvelles découvertes dans la connaissance religieuse sous prétexte qu'elles seraient incompatibles avec la permanence des dogmes[2]. La réconciliation baadérienne de la Foi et de la connaissance s'inscrit donc dans le programme salvateur propre à toute théosophie chrétienne : il s'agit de se réintégrer dans l'état naturel à l'homme et dont nous avons gardé la nostalgie malgré notre état d'êtres morcelés. La destruction de l'androgynie originelle au moment du drame anthropocosmique a séparé du même coup notre puissance affective de notre puissance cognitive ; l'aliénation mentale correspond à leur séparation absolue, alors que leur union est nécessaire à l'amour. Le sommeil magnétique reconstitue temporairement cette union originelle, contrairement à ce que pense Kieser, ce qui explique que les malades mentaux se montrent insensibles à l'action magnétique[3]. Quoi que l'on pense du bien-fondé des idées de Baader concernant le magnétisme, ce jugement repose à mon avis sur une intuition juste : la double nécessité, pour l'équilibration de la psyché, d'une distanciation propre à toute activité symbolique véritable, et d'une tension perpétuelle mais créatrice entre des éléments à la fois opposés et complémentaires. C'est pourquoi on peut regretter que Baader se soit refusé à nous parler davantage des mythologies. Légitimement soucieux de sauvegarder la spécificité de son christianisme face au déferlement de la mode orientale et particulièrement indianiste, il s'est surtout attaché à tirer ses arguments de sa réflexion sur la

1. *Ibid.*, p. 131.
2. *SW*, I, 361 sq. : « *Denjenigen, welche in dem religiösen Wissen keine Möglichkeit neuer Entdeckungen zugeben, weil diese mit der Permanenz der Dogmen unvereinbar wären, muß man zu bedenken geben, daß diese Dogmen Erkenntniss-Principien sind, von welchen wir stets neuen und weitern Gebrauch machen sollen, wie der Geometer von seinen Axiomen, oder wie der Gärtner von dem ihm anvertrauten Samen* » (n.).
3. Cf. E. Susini, *op. cit.*, p. 112 sq.

Bible ; mais il était mieux armé que quiconque pour fonder une mythocritique : son christianisme n'y aurait rien perdu, et sans doute aurait-il su, au moins autant que Schelling, concilier ce christianisme et la « tautégorie ».

★

Ce qu'on appelle en Occident « théosophie » correspond à un projet qui s'ébauche à la Renaissance[1] et se précise surtout — non pas uniquement — dans les pays germaniques. L'herméneutique, la philosophie, l'alchimie spirituelle, qu'elle propose, ne constituent pas une méthode ou une réflexion — une « tradition » — originales, car c'est un fait que les mêmes attitudes d'esprit se retrouvent ailleurs : on ne saurait refuser à Jean Scot Érigène le titre de théosophe, et en terre non chrétienne le shî'isme, que Henry Corbin nous a rendu accessible, apparaît essentiellement comme une théosophie. Ce qui la caractérise plutôt, en Occident, du XVIe au XIXe siècle, c'est la volonté, propre à chaque théosophe, d'unifier pour son propre compte cette méthode, cette réflexion, cette tradition — volonté qui se manifeste à partir de la Renaissance, c'est-à-dire au moment où s'accentue le divorce entre Foi et connaissance, jusqu'à ce que l'incroyance et la sécularisation ayant dissipé la Foi, les rapports de celle-ci avec la connaissance ne se posent plus de la même manière ou même plus du tout. Les errements de l'ésotérisme à partir de la mort de Baader, son éclatement en systèmes irréductibles et autonomes, son émiettement anarchique, ont beaucoup contribué à discréditer la théosophie, d'autant qu'auparavant les religions constituées et les idéologies en place l'avaient déjà tenue en suspicion.

À partir du milieu du XIXe siècle, la source théosophique est tarie, en ce sens qu'on ne verra plus guère de personnalités marquantes et à ceci près qu'il y a toujours eu, jusqu'à nos jours, des épigones disciples plus ou moins inconditionnels de Boehme, d'Œtinger, de Saint-Martin, de Baader. Enfin, il est significatif que le mot « ésotérisme », vague à souhait, fasse son

1. C'est ainsi que Bernard GORCEIX a pu légitimement intituler sa thèse : *Valentin Weigel et les origines de la théosophie allemande*, Paris, Presses universitaires de Lille, 1970.

apparition au moment de cette décadence et presque en même temps que les tables tournantes. Car si l'on observe que chez le théosophe et le théologien la Foi et le savoir rendent possible et légitiment une action, une pratique, on constate que la « religion » d'Allan Kardec est construite tout entière à partir d'un savoir-faire, d'une expérience matérielle. Les théories magnétiques de Baader s'inscrivaient encore dans une perspective théosophique, en ce sens que Foi et savoir étaient posés avant l'expérimentation même ; c'était aussi le cas chez Willermoz qui, dans les années quatre-vingt, avait quelque peu négligé son œuvre maçonnique pour écouter les crisiaques. Mais si le Lyonnais et le Munichois tendaient l'oreille, c'était pour entendre un discours qu'il s'agissait d'interpréter selon des clefs théosophiques préalables et dont il n'était pas question de se départir, alors que le christianisme expérimental de la religion spirite est construit à partir de messages de l'au-delà. Éliphas Lévi, vers 1860, a inventé le mot « ésotérisme », et de son temps comme à l'époque actuelle on hésite toujours entre deux sens à donner à ce mot : celui de sagesse, de connaissance, cachées — ou de pratiques magiques, d'occultisme[1].

Si la gnose se présente comme une connaissance ne pouvant se passer d'une croyance qui implique l'être entier dans son origine, son présent et son devenir, quelle peut être cette croyance hors des religions révélées ? On constate que pour beaucoup d'esprits c'est la « Tradition » ; celle-là même dont parlait Baader, mais privée de son épanouissement dans le christianisme. La notion de Tradition a pour caractéristiques, en notre Occident contemporain, d'être extrêmement imprécise et de plonger ses racines dans un Orient revu et corrigé par les rêves des Européens. René Guénon, penseur exigeant, souvent rigoureux mais peu au courant des gnoses occidentales et particulièrement germaniques, a affirmé la légitimité de cette Tradition qui véhiculerait selon lui une doctrine ne devant pas être transmise n'importe comment et par n'importe qui. Le succès du guénonisme repose pour une bonne part sur le goût de l'Orient, répandu en Europe surtout depuis le Romantisme, et

1. Un ouvrage qui au demeurant n'est pas dépourvu de grandes qualités, comme celui de Robert AMADOU, *L'Occultisme, esquisse d'un monde vivant,* Paris, Julliard, 1950, contribue à cette confusion à cause de son titre. Car il s'agit bien de l'ésotérisme.

sur le fait que chez beaucoup la Tradition vient occuper naturellement la place laissée vacante par la Foi. Guénon pensait que l'Église catholique et la Franc-Maçonnerie représentent les deux seules institutions authentiques dépositaires de cette Tradition, et il n'a cessé d'inciter ses lecteurs ou ses disciples à se tourner vers l'une ou vers l'autre ; en même temps, il mettait en garde contre le danger que l'on court à vouloir se plonger dans une culture différente de celle qui nous a vus naître. Le catholicisme romain intéresse Guénon moins en tant que christianisme que comme reflet de la « Tradition » qui a pu le précéder, plus authentique que l'Église de Pierre et que le christianisme même. Quant à la Maçonnerie, tout le drame de son histoire, depuis sa création en 1717 — donc, sous sa forme théorique actuelle —, semble provenir du fait que depuis un siècle elle a trop souvent, du moins en France et en Italie, séparé sa vocation, avant tout initiatique et symbolique, de la croyance en Dieu, dont les premières « Constitutions » la voulaient inséparable. La conséquence inéluctable fut une perte d'intérêt pour l'initiation et le symbolisme. À vrai dire, aucun credo particulier n'y est obligatoire ; elle repose tout entière sur le rituel, point sur un dogme. En réaction contre l'évolution sécularisante, un Rite comme le Rite Écossais Rectifié, héritier d'une partie importante de la tradition occidentale, notamment martinésiste et saint-martinienne, a tendance à admettre seulement des chrétiens en son sein ; il apparaît aujourd'hui comme un rite maçonnique dont les pratiques initiatiques et rituéliques allient intimement la connaissance des symboles, et même ce qu'on peut appeler la gnose occidentale, à un christianisme authentique. Mais dans bon nombre de sociétés parentes, non maçonniques dans leur principe, ainsi que chez bien des chercheurs en vérité, la notion même de Foi a tendance à faire problème, soit que le Christ se « cosmicise » au point de n'être plus conçu que comme un fluide évanescent — et l'abus de l'adjectif « christique » m'apparaît à cet égard comme un signe qui ne trompe pas —, soit — ce qui revient parfois au même — que la phobie de l'Incarnation engendre un docétisme vidant le christianisme de sa spécificité, soit encore que le Christ se réduise à un portrait parmi d'autres dans la galerie des « Grands Initiés ».

À ces systèmes, le chrétien lui-même peut reprocher d'avoir l'audace de se prétendre encore chrétiens alors qu'ils sont avant tout recherche de savoir sans la Foi qui fonde ce savoir et qui s'approfondit grâce à lui. Plus intéressante, surtout plus authentique, m'apparaît la pensée de Raymond Abellio, parce qu'il ne fait point semblant d'avoir la Foi en Christ ni de privilégier aucun Livre révélé ; pour lui, l'univers a un sens que nous pouvons déchiffrer, le langage de Dieu étant inscrit en nous et dans la nature selon des structures semblables qu'il nous incombe de décrypter et qu'expriment derrière leur littéralité la Bible ou le *Zohar*, par exemple. Il affirme la possibilité pour la conscience de se révéler à elle-même et de percer du même coup l'opacité du monde grâce à un processus de transfiguration fondé au départ sur la « réduction » chère à Husserl. Son œuvre est l'une des plus intéressantes de la gnose contemporaine — sinon la plus intéressante — en raison de son aspect à la fois rigoureux, convaincant et « initiatique ». C'est la connaissance à la recherche d'une Foi. Abellio est polytechnicien de formation, et l'on observe une semblable quête chez d'autres penseurs rompus aux disciplines scientifiques, avec cette différence que chez eux l'apparition d'une gnose résulte essentiellement d'une prise de conscience des insuffisances de la science officielle et du rationalisme — tandis que R. Abellio n'avait pas reçu que des enseignements scientifiques, mais également initiatiques. Ainsi, W. Heisenberg, dont l'ouvrage *la Partie et le Tout* expose un long cheminement personnel qui part de la simple reconnaissance de la méthode expérimentale pour aboutir, ce qui n'est sans doute qu'une étape, à retrouver dans la structure de la matière les nombres et les symétries de Platon. Ici, le savoir scientifique conduit à une gnose — mot que Raymond Ruyer reprend dans le titre même de *la Gnose de Princeton*. Au fond, ce que Heisenberg et les chercheurs de Princeton découvrent comme par hasard, c'est que l'univers a un sens, et que l'homme et lui ont partie liée.

Depuis que ces voix autorisées ont rappelé que dans les sciences dites exactes le mot « raison » ne peut plus être synonyme de « physique classique », d'autres auteurs — et des éditeurs — ont cherché à intéresser l'opinion au désarroi causé par la défaite du scientisme. L'occasion était belle puisque la Foi, évacuée, laisse une place dont le vide aspire a être comblé, en même temps que s'esquisse la possibilité d'un savoir nouveau ou « retrouvé ». Si en plus on prend soin de ne rien définir, d'aller dans toutes les directions possibles, cela reste vague à souhait et entretient le frisson fantastique que suscite le discours, facilement effrayant parce que difficilement déchiffrable, des espaces infinis. Le succès de la revue *Planète* pendant plusieurs années semble s'expliquer par là. Son propos fondamental se ramène, comme on l'a déjà remarqué, à deux postulats implicites : *a)* Il y a plus de choses dans le ciel et sur la terre que dans toutes nos philosophies. *b)* Il y a plus de choses mystérieuses dans la science qu'on ne l'avait cru jusqu'ici. Sur ces deux postulats s'articule une double méthode : *a)* Les énigmes scientifiques sont présentées comme des mystères métaphysiques ou religieux. *b)* Les mystères religieux sont présentés comme des énigmes scientifiques.

Ce n'est pas ainsi qu'on peut réconcilier aujourd'hui croyance et savoir, mais plutôt par un retour au symbole et au mythe. Un savoir qui est celui du symbole, c'est-à-dire indéfinition permanente, a tendance à échapper à la dégradation, à l'entropie, qui menacent toute information et à orienter, à canaliser, la croyance dans un sens toujours ouvert et toujours à redécouvrir. C'est que le symbole menace de s'objectiver (comme dirait N. Berdiaev) s'il ne s'insère pas dans un ensemble dynamique et cohérent — s'il n'est pas l'image d'un archétype qui trouve lui-même place dans un mythe complet fondateur de toute gnose, de toute connaissance de ce que nous avons été, de ce que nous sommes et de ce que nous deviendrons. Il n'y aurait pas, dès lors, fusion positive de la Foi et du savoir, sans la pleine adhésion à un mythe — au sens noble de ce mot. Le fait de vivre le mythe — les trois volets de son triptyque, simultanément —, de le « jouer », constitue l'originalité du théosophe par rapport au théologien. Toute l'œuvre de Mircea Éliade met en évidence que l'adhésion intellectuelle *et* affective à un mythe se révèle organiquement inséparable d'une connaissance du monde et de soi-même. Le mythe tout entier passe alors entre la croyance et la connaissance pour les relier en un axe unique qui assure l'insertion de l'homme dans toutes les directions de l'espace. Il en découle, sur le plan psychologique, le caractère « individuant » du mythe, ce que C. G. Jung, puis James Hillmann, ont bien mis en lumière ; et cela semble tellement vrai que le seul fait de les étudier se révèle fréquemment un facteur d'équilibration de la psyché. Surtout, adopter l'un d'eux pour soi-même et entièrement entraîne une meilleure compréhension de tous les autres, et connaître ceux-ci aide à approfondir le sien propre. Ces observations ne s'appliquent guère, bien entendu, aux gnoses spiritualistes — idéalistes — comme celle de Guénon chez qui l'univers sensible est comme évacué. Ajoutons que la sensibilisation contemporaine au mythique, donc à une certaine forme de connaissance, peut mener des hommes à la Foi, comme ce fut le cas d'Albert Béguin, qui vint au christianisme sous l'influence des théosophes du romantisme allemand — encore qu'il soit difficile de faire la part entre ce genre d'influence, et la conversion parfois consécutive à la lecture ou à l'audition d'un enseignement sacré.

Il me semble enfin que les théosophes chrétiens partagent un même sentiment contre toute interdiction d'un accès de l'âme à son modèle divin. C'est pourquoi la distinction entre Foi et Connaissance n'a guère de sens pour eux, et s'ils en parlent c'est à propos de ceux pour qui elle fait problème. Tantôt c'est la connaissance du théosophe qui se développe et s'éprouve, tantôt c'est sa Foi qui s'approfondit ; mais cela revient au même dans la mesure où, finalement, croire est un concept de disposition — on ne croit pas sans cesse —, et où le savoir dont il s'agit, qui veut saisir la réalité même et pas seulement décrire certains de ses aspects, a peu de rapports avec la science. Einstein disait que la science n'est pas faite pour donner le goût de la soupe. Le savoir de Boehme et de ses frères en théosophie est non seulement destiné à *donner* le goût de la soupe mais à nous y faire *goûter*, programme qui ne me semble nullement correspondre à des « vérités chrétiennes devenues folles » mais signifier au contraire un retour perpétuel, toujours salutaire, à une participation sur tout les plans, y compris le plan sensible, le seul au fond qui m'intéresse et que l'abstraction fait vite oublier ou surtout renier — le seul en tout cas qui nous permette de redécouvrir l'identité absolue de l'Homme de Savoir et de l'Homme de Désir.

Église intérieure et Jérusalem céleste

Fondements d'une anthropologie cosmique selon Franz von Baader et la théosophie chrétienne

Pour la seconde fois, nous voici réunis sous cet emblème de l'Université de Saint-Jean de Jérusalem, symbole qui évoque le Temple traditionnel dont chacun d'entre nous s'emploie à devenir le co-architecte et l'ouvrier. L'an passé, les « sciences traditionnelles » ont fait l'objet d'une introduction méthodologique assez large et précise pour que soient définis les grands axes de notre recherche et les pierres angulaires de l'édifice. Nous travaillons maintenant à ce Temple même, symbole d'une cité à retrouver, à recréer, à reconstruire : celle que l'Apocalypse de Jean nous fait entrevoir au chapitre XXI avec l'évocation d'un ciel nouveau et d'une terre nouvelle, d'une Cité devenue elle-même Temple de lumière[1]. Cette disparition du Temple matériel, ou plutôt son apothéose, voilà l'image de ce qu'on appelle l'Église intérieure, dont la Jérusalem céleste consacrera l'avènement.

Les deux termes (Église intérieure et Jérusalem céleste) sont liés. Mais il reste à préciser qu'il s'agit d'une connaissance à acquérir et d'une œuvre à accomplir : de cette double démarche je parlerai en tant que chrétien, me limitant surtout à des auteurs chrétiens, et en ce qui concerne le temps de l'histoire à quelques penseurs de la fin du XVIIIe et du début du XIXe siècle.

L'Église intérieure met d'abord l'accent sur la Foi vivante en la Révélation du Fils de Dieu ; elle rappelle ainsi qu'avant de se considérer comme protestant, orthodoxe ou catholique romain

1. Apocalypse, XXI, 22 : « De temple, je n'en vois point en elle (dans la ville) ; c'est que le Seigneur, le Dieu Maître-de-Tout, est son temple, ainsi que l'Agneau. »

il importe, évidence souvent oubliée, de se savoir chrétien, certitude sans laquelle l'appartenance n'a guère de sens. Les chrétiens qui se réclament d'elle disent volontiers qu'ils placent l'Église de Jean ou même de Jacques au-dessus de celle de Pierre, mais cela ne signifie pas nécessairement indifférence à l'égard de ces religions constituées. Il arrive inévitablement que des hommes se réclamant d'elle aient tendance à nier le corps de l'Église au profit de son âme, et que la trop grande indifférence des formes entraîne celle du fond[1], comme on le vit souvent dans les milieux piétistes et quiétistes. Mais ces tendances ne sauraient définir l'Église intérieure en son principe. Elle ne se définirait pas davantage par un œcuménisme militant, car pour elle il ne saurait y avoir d'œcuménicité qu'au niveau d'une véritable herméneutique spirituelle, d'un *ta'wîl*.

Elle n'est pas piétisme vague, car elle suppose une démarche conjointe de la réflexion spéculative, de l'*imaginatio vera* et du cœur, ce qui la rend inséparable de la méditation théosophique. Il s'agit de bâtir en soi un Temple, de se faire non seulement le porte-parole, mais aussi l'architecte, de l'Église universelle qui aspire à trouver grâce à nous sa *Leiblichkeit*, sa « corporéité », comme dit si bien le théosophe allemand Œtinger. Un tel désir ne va à l'encontre d'aucune confession. J'ai rappelé ici l'an dernier qu'à la suite de Weigel, Paracelse, Jacob Boehme, la critique théosophique s'était exercée contre une tendance théologique qui semblait rabaisser l'homme à l'état de solitaire coupé de toute participation cosmique et au rôle de jouet dans les mains du Créateur. Cette critique oppose à la tentation dualiste l'affirmation que nous sommes au contraire, avec Dieu qui a besoin de nous, les co-ordinateurs, les co-créateurs, d'un univers attendant sa réintégration. Elle veut rappeler aussi que l'absolu est déjà en nous, non pas dans un au-delà transcendant ou organiquement coupé de l'humanité : le *Seelenfünklein*, cette petite étincelle sensible dans notre âme, représente selon Maître Eckhart une parcelle de la divinité même et il ne tient qu'à nous, avec l'aide de la grâce, de la transformer en un feu vivant qui embrasera le cosmos entier et fera descendre la Cité sainte.

1. Remarque de Gabriel DE BRAY dans une lettre adressée à Maximilien Ier, 13/25 septembre 1820, *in* Eugène SUSINI, *Lettres inédites de Franz von Baader*, Paris, P.U.F., 1967, p. 408.

À l'époque dont j'ai choisi de parler aujourd'hui, le philosophe Hemsterhuis entrevoit une société idéale sous la forme d'une Grèce mythique restaurée et transfigurée, tandis que l'Illuminisme chrétien tend vers une Foi capable d'éclairer l'univers entier : c'est la manifestation d'une autonomie de l'ésotérisme en tant qu'*intériorisme* — pour reprendre l'heureuse expression de Henry Corbin. Penchons-nous sur un petit livre bien représentatif de cet Illuminisme chrétien. L'auteur en est I. V. Lopouchine et il a pour titre : *Quelques traits de l'Église intérieure, de l'unique chemin qui mène à la vérité, et des diverses routes qui conduisent à l'erreur et à la perdition.* Écrit en russe, à Moscou, de 1789 à 1791, édité en 1798 à Saint-Pétersbourg, il a été traduit en plusieurs langues (en français par Charles Auriat de Vatay, en allemand par Ewald et Jung-Stilling, en latin par Jung-Stilling).

Voici l'essentiel de ce livre si caractéristique de l'Église intérieure[1]. Adam, créé androgyne, n'a pas su se maintenir « dans les régions de lumière », aussi Dieu « l'exila ». Le premier soupir de repentir du premier homme devint « la première pierre sur laquelle est bâtie l'Église intérieure de Dieu sur la terre ». C'est dans cette Église que Dieu « accomplit le grand œuvre de la régénération ». Jésus est venu l'accomplir sur la croix « en aspergeant mystérieusement toutes les âmes de la vertu de son sang ; de cette teinture propre à renouveler l'âme en Dieu ». Non seulement il changea l'eau en vin, mais il régénéra aussi la « masse d'éléments immatériels, dont il formera une nouvelle terre et de nouveaux cieux, lorsque ceux qui composent le monde matériel s'écrouleront ». L'Église ésotérique est « un moyen pour entrer dans la vraie Église de Jésus-Christ, qui est intérieure ». La force divine qui demeure dans le fond de [notre] être intérieur, commence à y opérer sa régénération, et y ouvre la route par laquelle le royaume de Dieu peut se manifester. Cette « lumière vive » doit pénétrer en nous comme un « ferment », renouveler les trois principes qui nous constituent : esprit, âme, corps. Lopouchine écrit :

> *Il est certain que la sagesse, qui a tout créé, a découvert à ses élus qui l'aiment, le secret de sa création, par lequel leur est*

1. Pour plus de détails, cf. Antoine FAIVRE, *Eckartshausen et la théosophie chrétienne*, Paris, Klincksieck, 1969, pp. 151 sq. et 223 sq.

révélée sa composition la plus intime et l'action diverse de l'esprit de la nature, profondément caché et mû par l'esprit de Dieu dans la matière-principe (materia prima), *dans cette terre immatérielle, dont tout a été formé* (Genèse, II, 7). *Depuis la chute des créatures elle s'est revêtue de l'enveloppe grossière élémentaire qui subsistera jusqu'à l'heureux accomplissement des temps, où sortiront d'elle un nouveau ciel et une nouvelle terre. Ainsi « les pères et les docteurs de l'Église intérieure » sont ceux qui peuvent s'écrier, avec saint Paul : « Ce n'est plus nous qui vivons, c'est Jésus-Christ qui vit en nous. »*

L'édifice de cette Église sera achevé quand il n'y aura plus de volonté qui ne soit soumise à la volonté de Dieu. Alors la mort disparaîtra, la créature prendra une nature immatérielle, on verra briller « un nouveau ciel et une nouvelle terre ».

On trouve des accents semblables chez Eckartshausen. Il explique dans *les Hiéroglyphes les plus importants pour le cœur de l'homme* (1796) que si le baptême par l'eau, celui de Jean-Baptiste, permet d'accéder à l'Église extérieure, il n'est qu'une préfiguration du second, le baptême par l'Esprit, qui était celui de Jésus et nous fait accéder à une autre Église[1]. Mais nulle part Eckartshausen ne nous dit que le second rend le premier inutile. Dans *Quelques paroles tirées du plus intime, pour ceux qui sont encore dans le Temple et sur les parvis* (1797) et *De la perfectibilité du genre humain* (1797), il prend soin de marquer qu'il y a, comme on dirait aujourd'hui, un ésotérique de l'exotérique, et vice versa. Il emploie dans son vocabulaire les termes : « l'extérieur, l'intérieur, le plus intérieur ». Ainsi, les emblèmes et les mystères sont l'exotérique de la religion et des prêtres, qui sont eux-mêmes l'exotérique du prophétisme. De même, la lumière originelle est l'ésotérisme de l'organe ou de l'effet qui sont l'ésotérisme de la forme ou du phénomène, etc.[2].

Vous aurez noté au passage, chez ces auteurs, l'importance du monde naturel et matériel en attente de réintégration. Il est permis de dire que dans cette tradition comme dans la *Naturphilosophie* nous avons affaire à une interprétation amplifiante du passage de l'Épître aux Romains, VIII, 19-22 :

1. T. II, p. 202 sq. Cf. A. FAIVRE, *op. cit.*, p. 379.
2. *Ibid.*, p. 380 sq.

Car la création en attente aspire à la révélation des fils de Dieu : si elle fut assujettie à la vanité — non qu'elle l'eût voulu, mais à cause de celui qui l'y a soumise —, c'est avec l'espérance d'être elle aussi libérée de la servitude de la corruption pour entrer dans la liberté de la gloire des enfants de Dieu. Nous le savons en effet, toute la création jusqu'à ce jour gémit en travail d'enfantement.

Cette libération, cette gloire des enfants de Dieu, voilà la Cité sainte, la Jérusalem céleste du chapitre XXI de l'Apocalypse. Pratiquement, tous les théosophes chrétiens ont fait ce rapprochement. Citons dans le domaine français l'un des plus connus : Jean-Philippe Dutoit-Membrini, ministre protestant à Lausanne. Il fut le directeur spirituel d'un groupe de croyants qui rassemblait ceux que l'on appelait les « âmes intérieures », fraternité de chrétiens communiant dans des affinités, des réactions semblables, d'une manière libre et spontanée qui rappelait les « collegia pietatis » de Spener. Dutoit est l'auteur en 1793 de *la Philosophie divine, appliquée aux lumières naturelles, magique, astrale, surnaturelle, céleste et divine*. Commentant dans ce livre le passage cité de l'Épître aux Romains, Dutoit écrit que « tout est feu dans l'univers » et nous propose cette belle évocation :

Ainsi les corps et la matière la plus brute sont dans un soupir non développé, dans une stupeur et dans un désir sourd. Elles ont comme une fièvre interne qui fermente et cherche à se dégager de ce qui leur est étranger. Les corps les plus inférieurs dans l'ordre des corps, renferment et contiennent des principes plus nobles... dont ils sont comme les geôliers [...] *Et voilà le gémissement sourd de la matière et des corps, et le désir non développé d'une existence plus noble qui sera leur fin en devenant des corps glorieux appropriés aux corps glorieux et célestes des Esprits glorifiés* [...] *Alors les Principes plus nobles que [la matière crasse] cache, enferme et englue pour ainsi dire, dégagés de cette matière qui n'est qu'un* caput mortuum, *et rassemblés seront, comme je l'ai dit, notre globe glorieux et une matière brillante de splendeur. On voit des types et images de tout dans la nature, et de ceci dans les pierres précieuses qu'on trouve au sein de la terre. La sainte Cité, la nouvelle Jérusalem sera tout autant et plus brillante encore à l'envisager simplement selon le physique glorieux*[1].

La tâche de l'homme consiste alors à aider Dieu à reconduire la nature vers sa perfection ancienne. Dutoit écrit : « Mon Père (le Verbe comme *Dieu*) travaille jusqu'à maintenant, et moi je travaille aussi (comme *Dieu* homme ou homme inséparablement uni à la divinité)[2]. » Nous retrouvons cette tradition magnifiquement orchestrée par le plus prestigieux théosophe allemand du XIXe siècle, Franz von Baader. À travers lui nous saisissons encore mieux en quoi consistent la connaissance à acquérir et l'œuvre à accomplir. Dans une lettre en français adressée à Louis de Divonne en 1811, Baader parle d'un « extérieur » qu'il appelle péjorativement « périphérique » et qu'il ne faut pas confondre avec l'Église extérieure. Baader écrit :

> *Nos philosophes ont fait une confusion terrible en confondant cette double manière d'être en Dieu, centrale ou organique (régénérée) et périphérique ou mécanique (irrégénérée), et les athéistes, qu'ils nient le Dieu vivant en nous, et qu'ils nous disent que le Dieu n'est que hors de nous (Nature, Fate, etc.), ont raison autant que ce Dieu ne se trouve vraiment pas dans le cœur de l'homme irrégénéré ou du Diable, et que ceux-ci ne le trouvent et sentent que hors d'eux comme une terrible* barrière[3] *!*

Cette citation rappelle utilement que les ténèbres extérieures ne sont pas les Églises constituées. Celles-ci ont partie liée avec l'Église intérieure. Baader, qui prend toujours soin de considérer *à la fois* l'incarnation historique du Christ et sa présence, dans l'univers, nous explique en 1828 dans son traité *De l'Église visible et de l'Église invisible* que Jésus, par son ascension, a transformé sa présence limitée, terrestre, en une présence cosmique quoique voilée. Celle-ci confère sa dimension cosmique

1. *La Philosophie divine,* t. III, p. 70.
2. *Ibid.,* p. 72.
3. Eugène SUSINI, *Lettres inédites de Franz von Baader,* Paris, J. Vrin, 1942, t. I, p. 269. Baader ne maîtrisait pas le français.

à l'Église chrétienne qui est elle-même l'amplification de l'Église nationale juive. Le « ferment » rendu possible par la *Menschwerdung* (l'Incarnation) poursuit son œuvre à travers le temps jusqu'à ce que le Un ait pénétré au centre de toutes les formes particulières, se les soit soumises *(subjcirt)*, les ait assimilées organiquement, c'est-à-dire, dit Baader, de l'intérieur vers l'extérieur — en un mot, jusqu'à ce que Dieu soit tout dans tout. Voilà le fondement de l'Église intérieure selon Baader, mais mieux encore qu'Eckartshausen il associe à cette notion une dialectique qui lui confère rigueur et solidité. Il nous incite en effet à ne pas imiter certains mystiques protestants qui privilégient exclusivement l'intérieur en le tenant pour le seul essentiel, car le concept même de réel ou de vivant, nous dit-il, coïncide avec celui de l'identité de l'extérieur et de l'intérieur, et la non-identité des deux n'est que signe de mort. Toute communauté de l'intérieur est liée absolument à une « conformation » ou corporisation extérieure correspondante, et il n'est point d'esprit qui ne soit un « esprit de corps ». Baader rappelle à ce sujet, comme il le fait souvent, ce verset de la *Table d'Émeraude* : « *Vis eius integra si conversus fuerit in terram.* » Les deux Églises sont inséparables en leur essence comme dans leur action, sans qu'il faille pour autant les confondre. C'est l'union de l'Un et du particulier[1]. Car la cause doit « *prendre nature* pour se manifester ou se rendre effective », écrit-il en 1834[2], et à travers toute son œuvre il laisse entendre que cette manifestation divine s'incarne à la fois dans les Églises et dans notre intérieur.

Mais cet intérieur ne reste pas passif. Le Grand Œuvre consiste à faire coïncider parfaitement le travail de Dieu et le nôtre en un double mouvement de bas en haut et de haut en bas, processus que la *Table d'Émeraude* évoque dans le raccourci saisissant de sa poésie. De même, écrit Baader en 1816 à C. D. von Meyer, que dans toute plante deux choses, la terre et le soleil, deviennent une seule chose sans se confondre, le corps d'une plante ne se formant que si le soleil devient terre et la terre soleil, de même l'homme et Dieu se rejoignent grâce au

1. BAADER, *Ueber die sichtbare und unsichtbare Kirche, so wie über die sichtbaren und unsichtbaren Wirkungen der sichtbaren Kirche,* in *Samtliche Werke, op. cit.*, VII, 211sq.
2. *SW*, XV, 517.

Christ[1]. Baader compare Dieu à un alchimiste qui se sert d'un récipient (la créature) pour préparer la *Tinctur* dont il a besoin (son Fils). Cet alchimiste, dit Baader, ne jette pas le récipient une fois le travail terminé. Dans la générosité de sa joie devant le travail accompli, il confère à ce récipient lui-même la *Tinctur* d'une vie éternelle[2].

Point de descente sans élévation, écrit-il en 1832 à Emilia Linder ; si quelque chose vient d'en haut, autre chose doit monter à sa rencontre. Le ciel aspire à rejoindre la terre, l'esprit à rejoindre la nature, comme la terre doit se hausser jusqu'au ciel et la nature jusqu'à l'esprit sans qu'aucun de ceux-ci se confondent pour autant. Si l'homme mâle a pour fonction d'attirer l'esprit dans le cœur, il incombe à la femme d'attirer la nature ou la terre dans ce cœur qui est le lieu central par excellence où le haut et le bas se rejoignent, où l'homme et la femme deviennent vraiment humains. Pour trouver ce divin centre, l'homme aide la femme à élever le bas tandis qu'elle l'aide à faire descendre le haut. Afin d'y parvenir, l'homme essaie de vaincre l'orgueil, la froideur et l'impatience qui entravent la descente, tandis que la femme tente de résister à la pusillanimité, à la pesanteur et à la paresse qui font obstacle au mouvement vers le haut. Baader pense que ce trait anthropologique permet de comprendre la nature de la catastrophe qui introduisit la différence des sexes, c'est-à-dire de mieux saisir le péché originel dans son essence. En effet, si l'être humain ne peut vivre vraiment que dans son cœur, région centrale, intérieure, située entre la tête et la base du corps, le cœur doit attirer vers lui à la fois le ciel et la terre, ce qui est rarement le cas puisqu'on voit généralement ce cœur possédé tour à tour par le ciel et la terre, l'esprit et la nature, alors qu'il devrait posséder l'un et l'autre. Dieu est Dieu parce qu'Il se trouve entre l'esprit et la nature, qu'Il est les deux et en même temps au-dessus d'eux. Dans la création, l'homme est image de Dieu parce qu'il est ou doit être également le cœur du ciel et de la terre — doctrine, ajoute Baader, purement biblique, mais ignorée depuis longtemps par les philosophes et les théologiens. Dans les instants privilégiés où nous avons l'impression

1. *Ibid.*, XV, 305.
2. *Ibid.*, XV, 312, et E. Susini, *op. cit.* (éd. J. Vrin), p. 296.

de reprendre cette place, nous n'avons pas seulement le sentiment intime et céleste de ce qu'est l'intégralité de l'être mais nous savons qu'un tel accomplissement nous permettrait d'agir, tel Orphée, sur les autres hommes et sur la nature. Si la licorne indomptable consent à se coucher auprès de la jeune vierge ou à jouer à ses pieds, alors la création sera achevée. Dans le premier chapitre de la Genèse il est dit que Dieu a parachevé par la création de l'homme celle du ciel et de la terre, et que c'est seulement en demeurant dans l'homme *(inwohnend)* qu'il put demeurer dans cette création, c'est-à-dire célébrer en elle le sabbat. En un rapprochement saisissant, Baader compare cette première page de la Bible à la dernière du Nouveau Testament, ce chapitre de l'Apocalypse révélant qu'avec la descente de la Cité de Dieu (ou du Royaume des enfants de Dieu) le nouveau ciel et la nouvelle terre trouveront leur achèvement définitif. Car le ciel, la terre, et l'homme créés pour l'éternité, doivent rester éternellement ; la manifestation divine a besoin d'eux trois dans son harmonie[1].

Baader écrit aussi que la Genèse commence par un dualisme, la création du ciel et de la terre, mais se termine par une création qui abolit ce dualisme : celle de l'homme qui relie le ciel à la terre et le monde créé au Créateur. Cette fonction de l'homme, l'Apocalypse nous assure qu'elle est éternelle, puisque le nouveau ciel et la nouvelle terre sont reliés pour toujours l'un à l'autre par la Cité future[2]. Dieu trouve en l'homme son sabbat, il y a alors libre expansion réciproque de l'un dans l'autre car l'un et l'autre se trouvent réciproquement : telle est l'union sacramentale du Créateur dans la créature, le sabbat éternel dont parle l'apôtre Paul. La création était trop étroite pour Dieu. Il avait besoin de l'homme pour s'y déployer librement[3].

Baader nous met en garde contre la confusion panthéiste ; chaque organe de l'ensemble conserve son individualité en concourant à l'harmonie du Tout. La Cité céleste, une fois restaurée, n'abolira ni le ciel ni la terre. Il nous met aussi en garde contre l'angélisme : si l'Écriture enseigne que les hommes

1. *SW,* XV, 486 sq.
2. *Ibid.,* 609.
3. *Ibid.,* 641 sq.

seront *comme* des anges, cela ne signifie pas qu'ils seront *des* anges. Il ne s'agit pas de confondre la nature angélique avec la nature humaine, ni la nature terrestre avec la nature céleste. L'Écriture précise : « un nouveau ciel et une nouvelle terre ». La nouvelle Jérusalem aura son siège sur la terre, mais sans se confondre avec elle ni avec le ciel ; elle sera l'intermédiaire entre les deux, le lien assurant leur profonde unité. Cette fonction d'intermédiaire était celle de l'homme avant sa chute puisqu'il était supérieur aux créatures célestes et terrestres. On voit ici encore l'anti-dualisme foncier de Baader. Il ajoute que l'homme n'a pas été créé de la terre, puis mis sur elle, pour la quitter ensuite ou y retomber, mais pour la cultiver, c'est-à-dire aider à sa réintégration, au sabbat de Dieu en elle, lui faire perdre cette « difformité » due à la chute et dont le ciel a été lui aussi la victime. Si nous ne comprenons pas cela, dit le théosophe, nous sommes aveugles au Mal auquel la terre se trouve exposée par la faute de l'homme, à ces prévarications qui peuvent aller si loin qu'un jour la terre, comme dit l'Écriture (Genèse IV, 11-19, Lévitique, XVI, 43), ne nous supportera plus, nous recrachera ou nous engloutira. Baader répète avec insistance que dans les deux premiers versets de la Genèse, « *tohu va bohu* » fait allusion à une catastrophe terrestre et céleste dont Dieu n'était pas responsable, si bien que la réparation est le but de toute la création décrite dans la Genèse, réparation dont l'achèvement s'appelle la Jérusalem céleste à laquelle l'homme doit travailler[1]. Le monde qui nous entoure ne cesse-t-il pas de nous rappeler la douleur de l'Univers ? « À travers toutes les beautés de la nature, écrit-il en 1820, l'homme perçoit, de façon tantôt plus assourdie et tantôt plus forte, la douloureuse plainte de cette nature qui se lamente de devoir porter son voile de veuve par la faute de l'homme[2]. » Notre œuvre se déroule de la façon suivante :

> *La créature ne doit pas seulement* [...] *se plonger vers ce qui est au-dessus d'elle afin que ce plan supérieur l'élève à lui en*

1. *Ibid.*, III, 313 sq. BAADER cite à propos Johannes MENGE, *Beiträge zur Erkenntnis des göttlichen Wortes und göttlichen Ebenbildes*, Lübeck, 1832.

2. « *Durch alle Schönheiten der Natur hindurch vernimmt der Mensch bald leiser bald lauter jene melancholische Wehklage derselben über den Witwenschleier, den sie aus Schuld des Menschen tragen muß* » (*SW*, II, 120).

descendant en elle, mais elle doit en même temps élever vers soi le plan inférieur en elle, afin que le ciel et la terre se rencontrent à nouveau dans cette créature, qu'elle devienne le lieu où ils célèbrent leurs noces et que ce qui est en haut devienne semblable à ce qui est en bas[1].

Baader écrit en 1832 à Justinus Kerner que l'homme réalise sa véritable virtualité cosmique dans ces moments privilégiés où l'esprit et la nature se trouvent unis dans son cœur, c'est-à-dire quand ce cœur n'est autre que la nouvelle Jérusalem, la Cité de Dieu à laquelle aspirent le nouveau ciel et la nouvelle terre[2].

Il ne saurait donc être question, dit Baader, ni de matérialisme ni d'idéalisme. Qualifions sa position de résolument « non dualiste » : en cela il s'insère bien dans la tradition théosophique occidentale, dont il ne s'éloigne pas, son originalité consistant surtout dans la démarche de sa pensée spéculative, son prodigieux esprit de synthèse et le génie de la formule exhaustive. C'est dans la mesure où ce non-dualisme entraîne, comme on l'a vu, un rejet de l'angélisme que Baader a tendance à se méfier de Swedenborg. En 1834, il écrit que les swedenborgiens se trompent en disant que les hommes deviennent des anges après leur mort[3]. Et l'année suivante il note pertinemment que la notion swedenborgienne d'au-delà n'est pas chrétienne car le Suédois ne parle que de l'immortalité de l'âme, ce qui, ajoute Baader, « est faire preuve de moins de pénétration que les païens qui, eux, avaient bien vu tout ce qu'une âme sans corps *(leiblos)*, donc sans action, pouvait avoir d'imparfait et d'insuffisant »[4]. Baader se méfie généralement des descriptions de Swedenborg qui se contente de faire défiler des images et ne sait pas distinguer selon leur valeur les

1. « *Die Creatur muß sich nemlich nicht nur gegen das ihr Höhere vertiefen, damit dieses in ihr niedersteigend sie zu sich erhebe, sondern sie muß zugleich das ihr Tiefere zu sich erheben, damit Himmel und Erde sich in ihr wieder begegnen, und sie die Ehestätte der Vermählung beider werde, damit das, was oben ist, dem gleich werde, was unten ist u. u.* » (*SW*, IV, 231).

2. « *Tritt uns denn aber der Mensch als solcher und in seiner wahrhaften, zum Theil selbst kosmischen Virtualität anders als in jenen Silberblicken auf, in welchen Geist und Natur in seinem Herzen geeint sich finden, oder in welchen dieses Herz das neue Jerusalem (civitas Dei) ist, auf welches der neue Himmel und die neue Erde harren ?* »

3. *Ibid.*, III, 313 sq.

4. *Ibid.*, XV, 529, et IV, 272.

diverses catégories d'esprits. Swedenborg se préoccupe de la beauté, de l'esthétique, mais sa théosophie est fumeuse. Elle n'est pas assez « incarnée »[1].

Nous ne saurions ainsi trop souligner l'importance de la *Menschwerdung*, de l'incarnation, dans la pensée baaderienne. Grâce à elle ce théosophe se maintient, à l'instar de ses devanciers, à égale distance de l'angélisme idéalisant et du matérialisme historique. Il nous rappelle en somme qu'il ne suffit pas de défendre des valeurs idéales, et que la Cité sainte s'évanouit comme un mirage dès qu'on perd non seulement la notion du *Leib*, du corps spirituel, mais aussi de la croyance en l'incarnation de Jésus-Christ Fils du Dieu vivant. Conserver une foi inébranlable en cette incarnation historique n'est pas succomber à l'historicisme réducteur si l'on maintient en même temps que le Christ est *aussi* un Christ cosmique ; mais nier cette incarnation historique, c'est succomber à la tentation d'une doctrine qui vide le christianisme de sa spécificité. Baader écrit en 1816 à Conrad Schmid :

> *L'espérance de tout chrétien [repose] à la fois sur la Révélation future, générale et personnelle, du Christ (comme juge du monde), et sur la Révélation intérieure, secrète et individuelle* [...]. *Il n'est pas chrétien, celui qui ne croit pas, soit en la venue historique, soit en la venue mystique (secrète) du Christ, et n'en éprouve pas de joie*[2].

D'une manière plus précise encore, il écrit à Johann Friedrich von Meyer en 1817 :

> *La Foi et l'Espérance d'un chrétien qui connaît le monde (c'est-à-dire la Foi en Son passage terrestre à un moment de*

1. *Ibid.*, XII, 358 et 383. On lit pourtant sous la plume de SWEDENBORG : « Si les Esprits n'avaient pas des organes, et si les Anges n'étaient pas des substances organisées, ils n'auraient pu ni parler, ni voir, ni penser » (*Arcanes célestes*, Paris, 1845-1889, t. III, traduction Le Boys des Guays, p. 5 sq. n° 1533. Remarquons néanmoins que ces *Arcanes célestes*, bien que présentées comme un vaste commentaire de la Genèse, n'ont pratiquement aucune dimension cosmogonique ou eschatologique).

2. « *[Ich muß] noch bemerken, daß die Hoffnung jedes Christen zugleich auf die zukünftige allgemeine persönliche Offenbarung des Christs (als Weltrichters) und auf innre heimliche individuelle Offenbarung desselben beruht (nach dem Spruch : ich werde mich Ihm offenbaren etc.) und daß der kein Christ ist, welcher entweder das historische oder das mystische (heimlich) Kommen des Christs nicht glaubt und nicht sich freuend darauf hofft.* » *In* Eugène SUSINI, *op. cit.*, éd. J. Vrin, p. 293.

> *l'histoire et l'Espérance de Son retour) [est] tout* aussi nécessaire *que la Foi en un Christ qui se manifeste secrètement*[1].

Nous comprenons pourquoi, comme tous ses illustres prédécesseurs, il insiste tant sur ce point. C'est que l'incarnation soulève vers le ciel la nature souffrante en attente, tandis que le ciel aspire à consommer avec la terre des noces éternelles. La Cité sainte, résultat de cette union, a pour première pierre le cœur de l'homme-médiateur. Autour de ce cœur s'articule l'architecture de la Jérusalem céleste, cité à rebâtir, de même que les Francs-Maçons travaillent à équarrir une matière brute pour en faire une pierre cubique, pierre d'angle du Temple à reconstruire. Et puisque l'université Saint-Jean de Jérusalem veut contribuer à cette reconstruction, selon notre Foi et les méthodes définies l'an passé, j'ai voulu pour ma part suggérer seulement un *lieu* spécifique en délimitant l'espace autour duquel organiser l'édifice anthropocosmique. La connaissance de ce lieu peut, me semble-t-il, nous aider à enfanter l'œuvre qui n'attend qu'à jaillir de notre terre. Autour de cet espace il nous incombe de construire des loges — comme celles des compagnons —, sans toit, pour ne pas perdre de vue le ciel d'où descendront les tours, et de construire non seulement des murs mais aussi, dans le monde souterrain, les fondations sans lesquelles les ouvriers risqueraient de ne travailler que sur du sable. C'est sur ce double plan, horizontal et vertical, que j'entrevois la connaissance à acquérir et envisage l'œuvre à accomplir. Image trop ambitieuse ? Peut-être... Mais nous avons le droit de nous laisser guider par nos images, si nous maintenons fermement l'axe quadruple qui les fonde et les justifie : notre Orient spirituel, d'où vient la connaissance et qu'habitent les anges ; notre Occident historique et apollinien, domaine de l'espace et du temps ; cette condition de créature par laquelle nous sommes enfants de la terre ; enfin le Royaume où notre Père céleste attend la restauration des rapports qui unissent Dieu, l'homme et l'univers.

Le centre de la croix, voilà le lieu de l'Église intérieure sur

1. « *Der Glaube und die Hoffnung eines weltkundigen Christs (nämlich der geschichtliche Glaube seines irrdisch dagewesenseyns und die Hoffnung Seiner Wiederkunft) sey dem Christen* eben so nöthig *als der eines heimlich sich kundgebenden Christs.* » In *ibid.*, p. 302.

lequel la Cité sainte peut s'édifier. Parce que ce centre conjoint les rayons des quatre horizons, il assure, une fois dynamiquement fixé, la cohésion dans la cité retrouvée. Mais c'est surtout la croix du Golgotha, qui m'apparaît le modèle d'un tel axe : modèle gnostique — au sens étymologique —, par la présence du disciple bien-aimé ; historique, puisque l'Incarnation ne peut s'effectuer que dans une histoire ; terrestre et anthropologique, puisque Jésus a réellement vécu parmi nous et que l'arbre de la croix fut enfoncé dans notre sol ; célestiel et cosmique enfin, puisque la croix prélude à la descente dans le monde souterrain, à la Résurrection et à l'Ascension de Celui qui a dit : « Je suis la Voie, la Vérité et la Vie. »

Le Temple de Salomon dans la théosophie maçonnique au XVIII*^e^ siècle*

Depuis l'anéantissement de l'Ordre de Jacques de Molay, plusieurs obédiences ont revendiqué la filiation templière. Mais pas plus dans l'exposé qui suit que dans la pensée de Willermoz, il ne s'agit de faire la preuve de filiations semblables, au demeurant toujours hypothétiques. Il s'agit seulement de rappeler ce que le Temple peut et doit représenter pour le Chevalier Bienfaisant de la Cité Sainte, mais aussi, bien entendu, pour tout Maçon du Rite Écossais Rectifié, dès le grade d'Apprenti. Pour cela, point de meilleure méthode que d'exposer, ne fût-ce qu'à grands traits, les rapports analogiques essentiels entre les diverses parties de ce Temple, l'Homme-Chevalier et l'univers, les relations thématiques entre ces éléments et les plans numérologiques de toute création matérielle et spirituelle.

Parmi les enseignements du christianisme transcendantal, celui des néo-templiers du XVIIIe siècle apparaît comme un des plus précieux. La Stricte Observance Templière (S.O.T.) du baron de Hund, en Allemagne, réfère à la doctrine « templière », dont elle se prétend, plus à tort qu'à raison, le successeur. Pour nous, l'important ne réside pas dans ce point d'histoire mais dans le symbolisme même. Sur la S.O.T., la Réforme dite de Lyon vient se greffer, et la fusion semble complète en 1782. Il semble qu'à ce moment-là, le message du Temple éternel se présente clairement aux Hommes de Désir. Plus que jamais sans doute, le Temple est alors conçu dans son aspect ternaire, mais avec les supports symboliques d'une architecture de l'univers sous-tendue par une théosophie cohérente, c'est-à-dire cosmogonique, cosmologique, eschatologique.

Martines de Pasqually, rappelons-le, n'a guère parlé du Temple de Salomon dans son *Traité de la Réintégration des Êtres* écrit en 1771[1]. Mais seulement parce que ce *Traité* est resté inachevé ; toute sa symbolique théosophico-alchimique signifie *la même chose* que la symbolique willermozienne relative à ce Temple. De quels documents disposons-nous qui peuvent nous instruire pleinement à ce sujet ? J'en connais quatre. Chronologiquement, c'est d'abord les *Conférences de Lyon* (1774-1776), dont l'original se trouve à la Bibliothèque municipale de Lyon. Deuxièmement, ce sont les trois grades très élaborés du Rite Écossais Rectifié ; les archives départementales

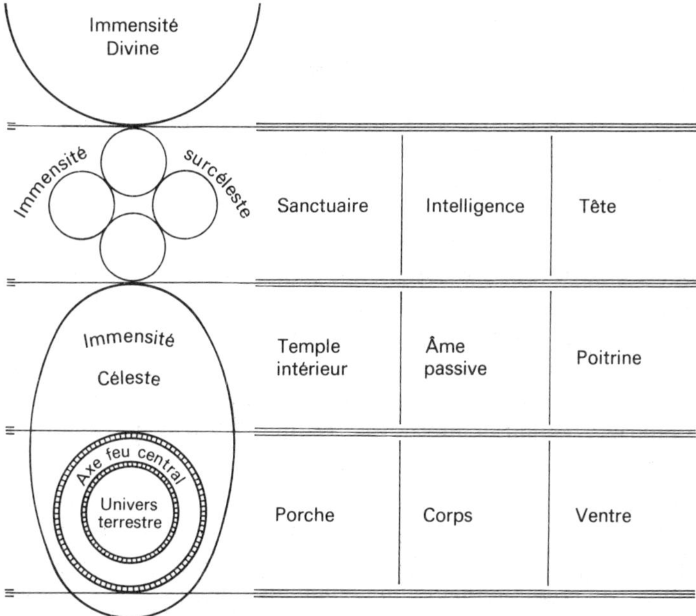

de Valence (fonds de la Loge l'Humanité à l'Orient de Crest) en conservent un précieux exemplaire. Troisièmement, il faut citer, quatrième grade de ce rite, le Rituel de Maître Écossais de Saint André, dont une belle copie de 1809 se trouve à la Bibliothèque municipale de Lyon. Et nous savons que ces quatre grades sont toujours vivants. Quant au quatrième document,

1. Cf. deux références à Salomon, pp. 110 et 125, in *Traité*, éd. Chacornac, 1899.

c'est évidemment les *Instructions secrètes aux Grands Profès,* que j'ai découvertes dans le fonds Bernard de Turckheim et publiées en appendice au livre de René Le Forestier[1]. Pour bien comprendre le symbolisme du Temple willermozien, on ne saurait distinguer ces quatre documents les uns des autres. Néanmoins, les plus importants, sur lesquels s'appuie le présent exposé, ce sont les *Conférences de Lyon,* le rituel du premier grade et les *Instructions secrètes.* Plongeons-nous dans la luxuriante simplicité de ce vivant symbolisme.

Dans les *Instructions secrètes,* Willermoz enseigne aux Grands Profès que l'initiation maçonnique provient historiquement du Temple de Jérusalem. Celui-ci, contrairement aux pyramides d'Égypte, ne provient pas d'« un choix arbitraire et de pure convention humaine ». Voilà qui peut choquer les historiens. Mais ne demandons pas à Willermoz de faire œuvre d'historien ; son enseignement est d'une autre nature. La suite du texte apparaît fort intéressante : « Destiné à former un Emblème universel », le Temple de Jérusalem « fut élevé sur des plans tracés par une main supérieure » et ses signes « ne furent de l'invention d'aucun homme ». C'est pourquoi, ajoute-t-il, il est « recommandé aux Maçons d'étudier avec constance et sans se décourager, tout ce qui concerne le Temple de Salomon, ses proportions et divisions, les nombres qui les expriment ; l'époque et la durée de sa construction ; le sol sur lequel il fut bâti ; le nombre et le genre de matériaux et d'ouvriers qu'on y employa ; enfin les diverses révolutions

1. René LE FORESTIER, *La Franc-Maçonnerie templière et occultiste aux XVIIIe et XIXe siècles,* publié et présenté par Antoine FAIVRE, Paris, Aubier-Nauwelaerts, 1969. DÉSAGUILIERS, dans un excellent article sur le Temple salomonien dans le Rectifié, a déjà attiré l'attention sur les sources (ci-dessus référées) des quatre premiers grades : cf. « Renaissance Traditionnelle », 1972, n° 9-10 : « Le Symbolisme du Temple de Salomon dans les quatre premiers grades du Régime Écossais Rectifié .» Les *Conférences de Lyon,* ou *Instructions aux Élus-Cohens* (1774-1776), sont un ensemble de procès-verbaux de séances tenues à Lyon chez Jean-Baptiste WILLERMOZ ; les Élus-Cohens lyonnais éprouvèrent en effet, après le départ de Martines DE PASQUALLY, le besoin de confronter leurs interprétations de la doctrine martinésiste, et de noter soigneusement les aspects de l'enseignement oral qui pouvaient leur avoir échappé. Louis-Claude DE SAINT-MARTIN et DUROY D'HAUTERIVE ont participé à ces séances. J'ai publié ces *Conférences,* sous le titre : *Les Conférences des Élus-Cohens de Lyon : aux sources du Rite Écossais Rectifié,* Braine-le-Comte (Belgique), Éd. du Baucens, 1975, 155 p. et ill. Quant aux rituels des premiers grades, les Archives départementales de Valence ne conservent que les grades un et trois (1785-1787), mais les archives willermoziennes de Lyon nous renseignent sur le deuxième grade.

qu'il a éprouvées. Aucun de ces objets ne fut déterminé en vain ; tous tendent essentiellement à retracer l'histoire de l'homme en général, et démontrent des rapports avec le Temple et avec l'Univers ». Cet univers créé est d'ailleurs « appelé philosophiquement le Grand Temple universel, dont celui de Salomon fait la figure » (*Instructions secrètes aux Grands Profès, in* Le Forestier, *op. cit.,* p. 1026).

Le grade d'Apprenti du R.E.R. apparaît alors comme une véritable propédeutique à ce symbolisme templier. On y lit : « Le tapis que vous voyez devant vous représente le Temple fameux qui fut élevé à Jérusalem par le Roi Salomon à la Gloire du Grand Architecte de l'Univers. Il est le type fondamental de la Maçonnerie. » La Maçonnerie en est l'héritière, comme on le voit dans un grade ultérieur : le quatrième grade affirme en effet que « le Temple de Jérusalem est le grand type général de la Franc-Maçonnerie qui s'est renouvelée sous divers noms, sous diverses formes et à différentes époques [...]. Ce Temple mémorable fut et sera toujours, tant par les grandes et étonnantes révolutions qu'il a éprouvées, le type général de l'homme et de l'univers ». Revenons au premier grade. Il rappelle que les Maçons reconstruisent le Temple. La prière de ce grade commence ainsi : « Daigne accorder à notre zèle un succès heureux, afin que le Temple que nous avons entrepris d'élever pour ta gloire... » Voilà pourquoi l'Apprenti a d'abord pour tâche de dégrossir la pierre brute. « Frère Apprenti », lit-on dans cette instruction, « cette pierre brute sur laquelle vous venez de frapper est un emblème vrai de vous-même. Travaillez sans relâche à la dégrossir pour pouvoir ensuite la polir, puisque c'est le seul moyen qui vous reste de découvrir la belle forme dont elle est susceptible, et sans laquelle elle serait rejetée de la construction du Temple que nous élevons au Grand Architecte de l'Univers ». De plus, dans l'instruction de ce premier grade, l'officiant demande au récipiendaire : « Pourquoi le Temple de Salomon sert-il d'emblème aux Maçons ? » Réponse : « Pour leur rappeler qu'ils doivent élever dans leurs cœurs un Temple à la vertu dans le même degré de perfection qu'avait celui de Salomon. » Bien entendu, il faut comprendre « vertu » au sens fort de l'époque.

Mais ce symbolisme, disions-nous, renvoie à une vision théosophique du monde. L'enseignement du R.E.R. est un enseignement progressif. Les *Instructions secrètes* apparaissent donc beaucoup plus explicites sur ce point, de même que le premier document en date, les *Conférences de Lyon*, qui n'étaient pas spécifiquement maçonniques mais essentiellement martinésistes, doctrinales. Disons que s'il faut élever un Temple, il s'agit d'un nouveau Temple devant ressembler le plus possible au premier, qui a été détruit. Willermoz et ses Frères sont nourris, véritablement imbibés, d'enseignement biblique. Rappelons brièvement ce chapitre d'histoire sur lequel se greffe totalement et harmonieusement la doctrine ésotérique du R.E.R. En – 960, Salomon construit le Temple de Jérusalem (le pays devenant en même temps une monarchie héréditaire). Il a été précédé par le Temple de Silo (vers – 1040) qui déjà abritait l'Arche d'Alliance. Le Temple de Salomon donna à l'Arche une demeure digne d'elle sur la montagne de Sion, à Jérusalem, grâce à Hiram, architecte, mais aussi roi de Tyr. Fait essentiel : l'Arche, qui avait accompagné les armées d'Israël au combat, cesse d'être un objet nomade, si bien que le nouvel édifice devient le centre du monde, d'autant que, construit en sept années, il symbolise la création en sept jours. Sa destruction en – 587, due à la victoire du roi de Babylone Nabuchodonosor qui déporta les juifs d'Israël, est suivie cinquante ans après par sa reconstruction par Zorobabel grâce à la victoire du roi perse Cyrus sur Nabuchodonosor[1].

Ainsi, l'essentiel de l'enseignement ésotérique qui sous-tend la théosophie « templière » du R.E.R. réside dans l'idée que voici : le Temple de Salomon figure l'état de l'univers et de l'homme avant la chute ; à cause de celle-ci, la construction du Temple de Zorobabel ne bénéficie plus au même degré des directives du Grand Architecte, c'est-à-dire de Dieu. En d'autres termes, le Temple de Zorobabel figure l'état de l'homme actuel et du monde où nous sommes plongés. Ce second Temple se présente comme le type de l'humanité et de l'univers saisis dans leur déroulement historique. Il s'agit donc, pour le Maçon, de parfaire l'œuvre de Zorobabel, ou même de refaire un autre Temple, pour faire mieux que Zorobabel. Il

1. Il sera rebâti en – 20 (Temple d'Hérode), jusqu'en 64, et détruit en 70 selon les prédictions de Jésus. Sur le Temple dans les Écritures, cf. surtout I Rois, I à X ; I, II Chroniques ; Esdras.

s'agit de retrouver la verticalité synchronique du Temple de Salomon, c'est-à-dire, si l'on veut, d'échapper aux infinies vicissitudes de l'histoire diachronique. Martines de Pasqually avait écrit :

> *C'est en réfléchissant sur [son état] glorieux qu'Adam conçut et opéra sa mauvaise volonté au centre de sa première couche glorieuse que l'on nomme vulgairement* paradis terrestre, *et que nous appelons mystérieusement :* terre élevée au-dessus de tout sens. *Cet emplacement est ainsi nommé par les amis de la Sagesse, parce que ce fut dans ce lieu connu sous le nom de Moria que le Temple de Salomon a été construit depuis. La construction de ce Temple figurait réellement l'émanation du premier homme. Pour s'en convaincre, on n'a qu'à observer que le temple de Salomon fut construit sans le secours d'outils composés de métaux : ce qui faisait voir à tous les hommes que le Créateur avait formé le premier homme sans le secours d'aucune opération physique matérielle* (Traité, *p. 25*).

Dans les *Conférences de Lyon*, Willermoz enseigne lui aussi que le Temple de Salomon fut créé sur « la montagne de mont Mor », c'est-à-dire « terre élevée au-dessus de tout sens » (24)[1], et que ce Temple se présentait à la fois comme spirituel, corporel et temporel. La poésie qui se dégage des raisons qu'en donne Willermoz mérite d'être appréciée (67, parag. v). Les *Instructions secrètes* reprennent ce thème, orchestré cette fois dans un grandiose prophétisme eschatologique :

> *Toutes ces choses nous ont été figurées par l'histoire du Temple et par celle du Peuple Élu, mais ce dernier doit encore fournir le type le plus consolant pour l'homme. Car les traditions nous annoncent que quand la Nation juive aura reconnu et réparé ses crimes par une longue et sévère expiation, elle doit rentrer dans ses premiers droits, et être de nouveau rassemblée dans Jérusalem. L'Arche Sainte cachée par Jérémie dans une caverne, dont il scella l'entrée, reparaîtra dans tout son éclat, et les tribus fidèles reverront les murs de la cité sainte ; figure*

1. Les chiffres arabes entre parenthèses renvoient à ma numérotation des « paragraphes » dans les *Conférences des Élus-Cohens de Lyon, op. cit.*

> *parfaite de la première résurrection de l'homme dans sa première forme incorruptible, en faveur de tous ceux qui auront déposé la chair et le sang dans le tombeau, à l'imitation et par le secours de l'homme Dieu et divin (p. 1044).*

Selon la Bible, le saint des saints s'est retiré du Temple à cause des prévarications du peuple ; alors les Assyriens détruisirent l'édifice et le peuple fut conduit à Babylone. De même, dit Willermoz, l'homme a chuté, l'Esprit s'est retiré de son intelligence, son feu intérieur s'est obscurci tout comme le feu que Jérémie cacha dans un puits. Autre rapprochement typologique : Cyrus permet au peuple de revenir à Jérusalem sous la direction de Zorobabel et d'y rebâtir le Temple ; de même, Dieu est miséricordieux, il nous aide sur le chemin de la Réintégration. Zorobabel, puis Nohémie, réédifièrent le Temple, mais il n'est pas aussi beau que l'ancien ; de même, le corps de l'homme actuel est beaucoup moins beau que le corps glorieux d'Adam : « Les hommes du tems, qui ont perdu toutes les notions de ce qui les a précédés, sont bien éloignés d'appercevoir cette dégradation de notre nature ; ils trouvent que l'homme est bien, et que tout est bien autour de lui. Livrés aux plaisirs sensibles ils font leur Idole de ce corps, qui leur en procure les jouissances, et n'ont d'autre regret que celui de prévoir l'instant où leur prétendu bonheur doit finir » (p. 1043). « Par le plus grand des crimes, ajoutent les *Instructions secrètes*, la Nation élue perdit alors la parole sacrée dont elle était dépositaire, et qui faisait toute sa force, parole, qui n'était parfaitement connue que du Grand Prêtre, et que les Maçons cherchent depuis avec tant de soins. Ce fut à cette époque que le second Temple fut détruit jusques dans ses fondements, par la fureur des soldats, ministres aveugles des vengeances divines, et que le peuple juif fut dispersé parmi les nations et livré pour des siècles à l'opprobre et à l'ignominie. » De même, le corps de l'homme, c'est-à-dire son temple matériel, sera détruit ; de même le Temple universel, c'est-à-dire la nature, la création, sera détruite dès que le « principe de force » (c'est-à-dire « l'axe feu central increé », selon la terminologie de Martines de Pasqually) qui en fait le soutien alchimique se retirera ; alors l'univers entier s'effacera (p. 1044).

Au grade de Maître Écossais de Saint André, un tableau est présenté au candidat ; il figure le Temple de Jérusalem en ruine, les deux colonnes brisées et renversées, le pavé mosaïque et l'escalier de sept marches détruits, l'autel des parfums fendu au milieu du Temple, à l'entrée duquel on voit la mer d'airain et ses supports cassés et dispersés. Autour de ces tableaux sont figurés des chaînes et autres signes de captivité. Un second tableau, découvert au candidat après le premier, représente le Temple de Zorobabel, avec le chandelier à sept branches, l'arche d'Alliance et les deux chérubins, le porche du Temple et la mer d'airain rétablie sur ses supports[1].

Nous apercevons déjà l'harmonie typologique de cette vision du monde : le Temple juif, le corps de l'homme, l'univers même, voilà autant de Temples, qui « figurent les uns aux autres », pour reprendre une expression willermozienne (« figurer à » est fréquemment employé dans ses écrits). Le corps humain est évidemment le premier Temple dans l'ordre de notre perception. Il « figure à » la Loge maçonnique. Il faut le considérer comme « une loge ou un Temple qui est la répétition du Temple général, particulier et universel » (17), c'est-à-dire des différents niveaux de l'univers selon la cosmologie martinésiste. Mais « si le corps de l'homme est un Temple, il doit donc y opérer un culte » (88). On pense évidemment aux paroles du Christ : « Détruisez ce Temple, et je le rebâtirai en trois jours » (45, 47). Nous ne saurions distinguer tous les Temples, tant ils s'imbriquent les uns dans les autres, selon la meilleure tradition de la pensée analogique. Voici l'essentiel, dans les *Conférences de Lyon* : « Le Corps de l'homme et le Temple de Salomon sont la répétition de la création et l'image du Grand Temple universel » (87). Martines de Pasqually avait écrit : « Adam, par les trois principes spiritueux (= alchimiques, c.à.d. Sel, Soufre, Mercure) qui composent sa forme de matière apparente, et par les proportions qui y règnent, est l'exacte figure du temple général terrestre, que nous savons être un triangle équilatéral » (*Traité*, p. 82).

On peut dire, en gros — mais c'est déjà trahir l'appréhension vivante du symbole dans son jaillissement concret —, qu'il y a

1. Cf. Paul NAUDON, *La Franc-Maçonnerie chrétienne*, Paris, Dervy, 1970, p. 153 sq.

quatre Temples : celui de l'Univers, celui de l'homme, celui de Salomon, et un temple mystique non figurable, essentiellement eschatologique — bien que chacun doive y travailler —, celui de Zorobabel au sens anagogique. Ce résumé apparaît trop partiel, car un Temple, cela peut être à la fois beaucoup plus et beaucoup moins — mais comment distinguer le macrocosme du microcosme ? Dans les *Conférences de Lyon*, Willermoz essaie de faire comprendre cela de l'intérieur par ses auditeurs. Qu'est-ce qu'un Temple ? C'est d'abord chaque chose animée par un « véhicule », si bien que l'atome, explique-t-il, est un Temple à lui seul (17). Il ajoute qu'au niveau des êtres supérieurs non soumis au temps, comme au niveau de ceux qui y sont soumis, le Temple est l'enveloppe qui abrite ces êtres et qui sert de réceptacle à leur action (87, parag. II et III).

Ces allusions alchimiques n'ont rien d'alambiqué ni d'obscur. Elles éclairent davantage cette symbolique du Temple, et même d'un jour nouveau, sans lequel notre compréhension de ce système théosophique resterait incomplète. De quoi s'agit-il ? Dieu a conçu le Temple de la Nature parce qu'il y a été déterminé par une cause, la chute de Lucifer (*Instr. sec.*, p. 1027). L'univers a été créé pour servir de réceptacle, de geôle, aux anges déchus, puis à l'homme après sa chute. Il a tracé une sphère spatiale et temporelle dans le non-espace et dans l'atemporalité qui préexistaient à ces chutes ; afin, pourrait-on dire, de limiter les dégâts, car les êtres déchus ne peuvent se répandre hors de cette sphère. Ce n'est pas Dieu lui-même qui a produit celle-ci, mais il l'a fait exécuter par ses agents. De même, ce n'est pas Salomon qui a construit lui-même le Temple de Jérusalem, et David n'a fait qu'en préparer l'exécution (*Instr. sec.*, p. 1029). Le Grand Architecte de l'Univers s'est contenté d'imprimer à cette œuvre la régularité, la vie et le mouvement, de même que Salomon, qui n'exécutait pas lui-même les travaux, mais donnait des directives à ses ouvriers, n'entendait « aucum bruit d'outil » (*Instr. sec.*, p. 1039). Toute vie, et même tout atome, est animé par un « véhicule » qui, par l'intermédiaire d'une chaîne d'agents de rangs divers, reçoit une partie de l'impulsion originelle dont le siège est situé dans « l'immensité divine » (cf. *infra*). Chaque être, nous l'avons vu, est enveloppé d'un « temple » qui sert de réceptacle à son action. Nous comprenons maintenant pourquoi le Temple de

Jérusalem est vraiment la figure du Grand Temple universel : de même que le Temple de Salomon fut détruit quand la gloire du Seigneur s'en fut retirée, de même « le grand temple universel cessera, lorsque l'action divine en aura retiré ses Puissances, et que le terme prescrit pour sa durée sera accompli » (*Instr. sec.*, p. 1029). L'« axe feu central », ou « principe de force », qui entoure le Grand Temple universel, c'est-à-dire l'univers entier, est comme la pierre d'angle de ce Temple. Quand Dieu anéantira cet axe, tout retombera dans le néant, de même qu'un être vivant meurt lorsque l'effet de cet axe cesse de s'exercer sur lui, de maintenir en cohésion les trois principes alchimiques qui sont la condition de toute vie.

Avant la chute, l'homme ne dépendait pas de cet « axe feu central ». Mais si la « forme primitive de l'homme », comme dit Willermoz, changea de nature après la chute, en revanche « la figure apparente de cette forme ne changea point », puisqu'elle devait être « une image vivante du Temple universel ». Cette forme, c'est le Temple personnel de l'homme, appelée Loge par les Maçons (*Instr. sec.*, p. 1032). Saint Paul écrivait : « Ne savez-vous pas que vous êtes le Temple de Dieu ? » (I Corinthiens, III, 16), et : « Ignorez-vous que votre corps est le temple du Saint-Esprit qui est en vous ? » (I Corinthiens, VI, 19). Dans son second Sermon, saint Bernard, à propos de la dédicace de l'église, fait allusion au temple de pierre : Dieu ne l'habite pas car Il demeure dans l'homme, Son image. C'est pourquoi « le corps de l'homme est la vraie Loge du Maçon, ou son Temple particulier ». De même, le Sanctuaire du temple de Salomon fut la Loge invisible de l'Esprit divin, qui vint l'habiter. La Loge signifie aussi, en Maçonnerie, le lieu où s'assemblent les Frères, car ce lieu, ajoute Willermoz, représente le Temple universel, c'est-à-dire l'univers créé.

Les *Instructions secrètes* rappellent que, dans une Loge maçonnique, on trace la figure du Temple avec de la craie blanche, « pour signifier que le Temple disparaîtra quand le Christ viendra faire de la terre entière un Temple du Seigneur ». Voilà pourquoi une Loge maçonnique n'est pas exactement la représentation du Temple. Il ne faut pas, en effet, que la Loge entière, dans toute sa superficie, représente le Temple de Salomon (*Instr. sec.*, p. 1038). En revanche, et bien entendu, la Loge maçonnique figure le Temple universel, c'est-à-dire l'univers entier[1]. Ce Temple universel ne fait pourtant qu'entourer les deux autres, c'est-à-dire le Temple particulier de notre corps, et le Sanctuaire du Temple de Salomon, dans lequel les Maçons s'efforcent d'entrer. La plupart des Loges maçonniques ont un plafond étoilé. Au Moyen Âge chrétien, le Temple était vécu dans le mental collectif comme symbole du macrocosme universel et du microcosme humain. On pense ici, également, au symbole de l'équerre et du compas, que l'art roman utilisait, dans son langage, sous forme du cercle et du carré pour signifier, entre autres choses, l'homme immortel enfermé dans un corps mortel. Le corps de l'homme est à la fois Loge et Sanctuaire ; la Loge est à la fois corps de l'homme et lieu maçonnique.

Il n'est pas indifférent de se demander dans quelle mesure l'idée fondamentale de ce symbolisme est conforme à la tradition biblique. Si nous comparons le Temple de Salomon ou le tabernacle portatif du désert avec les Temples des autres religions orientales, nous comprenons mieux pourquoi le lien sacré où se tenait le Dieu d'Israël revêtait un sens cosmique. Dieu lui-même présente le modèle figuratif de la Demeure appelée à servir de pont entre le ciel et la terre : « Tu te conformeras exactement, dans l'exécution de la Demeure et de tout son mobilier, aux modèles que je vais t'en montrer » (Exode, XXV, 9) ; et encore : « Tu m'as ordonné de bâtir un Temple sur la sainte montagne, un autel dans la ville où tu as fixé ta tente, *image de la Tente sacrée* que tu préparas dès l'origine » (Sagesse, IX, 9). Dieu réside dans Son Temple céleste (« Il entendit de son temple ma voix, et mon cri parvint à ses oreilles », Psaume XVIII, 1 ; « Le vainqueur, je le ferai colonne dans le temple de mon Dieu », Apocalypse, III, 12) et le temple matériel fait partie des « copies des réalités célestes » (Hébreux, VIII, 5). Toutefois, le symbolisme cosmique conçu comme figure de l'univers n'apparaît explicitement qu'avec Philon d'Alexandrie et Flavius Josèphe. Le second décrit que « la raison d'être de chacun des objets du Temple est de rappeler et de figurer le cosmos » (*Ant.* III, 7, 7) ; de même,

1. Selon les anciens rituels — notamment du XVIIIe siècle —, la Loge n'est pas censée se tenir dans le Temple de Salomon mais sous le Porche du Temple. La Loge ne fait que précéder la demeure du Seigneur, elle est la voie qui y conduit.

Philon : « Il convenait que, construisant un sanctuaire fait de main d'homme au Père et au chef de l'univers, on prît des éléments semblables à ceux dont il avait fait le tout[1] ». Nous retrouvons cette conception dans les midraschim. Selon une ancienne tradition rabbinique, les trois parties du Temple de Salomon correspondent : le *debir* (saint des saints, où l'on place l'Arche) au plus haut des cieux, le *hekal* (porche) au reste de la terre, le *ulam* (parvis) à la mer[2]. Il faut avouer que cette symbolique est presque absente de l'Ancien Testament, car la présence de Dieu dans le Temple a pu constituer, dans l'esprit de ses rédacteurs, une réalité jugée plus importante que sa présence dans l'univers. Dieu offre au peuple élu de résider à Jérusalem, dans le Temple. C'est pourquoi il n'y a qu'un Temple de Jérusalem, alors qu'il y a plusieurs églises ou synagogues. D'autre part, l'alliance divine avec le peuple élu a pu servir de frein à une projection sur un plan universel. Mais cette symbolique n'est pas vraiment absente de l'Ancien Testament, si l'on admet qu'elle y est seulement potentialisée ; en effet, le Nouveau Testament l'actualise ; c'est le christianisme, qui révèle pourquoi le Temple représente à la fois un édifice et un corps humain, ou encore un groupe de disciples, c'est lui qui dévoile en même temps que si l'on peut multiplier à l'infini les représentations (synagogues ou églises), celles-ci réfèrent toujours à un seul modèle figuratif. Il n'existe qu'une montagne de Sion, et si l'on connaît plusieurs cités terrestres il n'y a qu'une Jérusalem céleste. De même, chaque homme apparaît à la fois semblable aux autres et unique ; microcosme de l'univers, il se compose indissociablement d'un corps, d'une âme, d'un esprit (I Corinthiens, v, 46-49 ; xv, 44-45). Le christianisme ne conçoit l'immortalité que par la restauration intégrale des corps grâce à l'esprit. À ce triptype correspond, comme nous le verrons, celui du Porche, du temple proprement dit, et du sanctuaire[3].

1. *Vit. Moys.*, III, 6. Ces deux textes sont cités par Jean DANIÉLOU, in « La Symbolique cosmique du Temple de Jérusalem », *Annuaire 1953 de l'École Pratique des Hautes Études, Ve Section* (cf. « Symbolisme et monuments religieux », p. 61 sq.), à qui j'emprunte l'essentiel de ce passage de mon exposé.

2. André CAQUOT. « La Religion d'Israël, des origines à la captivité de Babylone », in *Histoire des Religions*, t. I, Paris, Gallimard, « Bibl. de la Pléiade », 1971, p. 421.

3. Curieusement, un Maçon comme Alex. HORNE, *King Solomon's Temple in the Masonic Tradition*, Londres. Aquarian Press, 1972, dans son livre assez décevant malgré le titre, ne réfère *jamais* au R.E.R. Il s'agit d'un bon ouvrage d'érudition, mais presque entièrement dépourvu d'intelligence symbolique.

Cependant, Willermoz et ses Frères ne privilégient pas essentiellement l'archétype du Temple au sens synchronique. Ils s'intéressent attentivement à ce qu'on pourrait appeler les temples historiques, modèles figuratifs de l'histoire du genre humain. C'est surtout dans les *Conférences de Lyon* que nous trouvons de précieuses remarques à ce sujet. On ne s'étonne pas de lire que le premier Temple était celui d'Adam. L'auteur en distingue d'abord sept principaux : après Adam, ceux d'Énoch, Melchisedech, Moïse (c'est-à-dire l'Arche d'Alliance), Salomon, Zorobabel, Jésus-Christ ; cette typologie exprime la « délivrance » et la « réconciliation » ; mais « les autres, comme Noé, Abraham, etc., sont des types différens » (17), que nous retrouverons plus loin. L'auteur ne développe pas le symbole du Temple d'Adam : cela va de soi, si l'on songe aux données fondamentales de la cosmogonie martinésiste. Pour ce qui est d'Énoch, le texte nous intéresse d'autant plus qu'il apporte quelques notions prélevées dans le *Traité de la Réintégration* et inexistantes dans les *Instructions secrètes* : les Temples d'Énoch, Moyse, Salomon, correspondent non seulement à des étapes de l'humanité, mais également aux trois classes d'êtres spirituels de la création universelle (67, parag. II ; cf. aussi *infra*, sur l'idée de ternaire dans la création). Le Temple d'Énoch, qui suit directement celui d'Adam, « est tout spirituel », son but est seulement d'instruire les hommes de la loi divine (67, parag. III ; cf. aussi *Traité*, p. 105). L'Arche d'Alliance, ou Temple de Moïse, symbolise les esprits du surcéleste (67, parag. III). Les deux Temples suivants, ceux de Salomon et de Zorobabel, condensent l'essentiel de la typologie martinésiste. Ce dernier est le Christ, qui est évidemment un Temple comme l'était Adam.

Pour le Maçon comme pour l'Élu-Cohen, le Temple renvoie à une direction synchronique en ce sens qu'il symbolise divers domaines de la création (17 ; cf. aussi *infra*, à propos du ternaire alchimique), dont le corps de l'homme ; il renvoie aussi à une direction diachronique en ce sens qu'il symbolise certaines étapes de l'histoire du genre humain ; il signifie également la Loge, et même la Maçonnerie dans son ensemble, conçues à la fois diachroniquement et synchroniquement, c'est-à-dire comme ressortissant autant à l'histoire linéaire qu'à l'archétype immuable. Mais le Temple n'est pas une image vide, une entité abstraite. Il est articulé, à l'instar de l'univers qu'il symbolise. Dieu — la Bible le rappelle — a tout fait par nombre, poids et mesure. Il est donc normal qu'en étudiant le Temple on retrouve les nombres. Voyons de plus près les éléments fondamentaux de cette arithmologie.

★

Martines de Pasqually l'avait enseigné : le Temple universel, c'est-à-dire la nature, est divisé en trois parties : terrestre, céleste et surcéleste. De même le Temple de Salomon a trois parties : le Porche, le Temple intérieur et le Sanctuaire ; le corps de l'homme aussi : ventre, poitrine, tête. Dans chaque cas, les trois parties sont indivisibles (*Instr. sec.*, p. 1040). Le rituel du premier grade rappelle clairement ce ternaire : « *Demande :* Combien y a-t-il de parties dans le Temple ? *Réponse :* Trois, savoir le Porche, le Temple et le Sanctuaire[1]. » Le Sanctuaire du Temple de Salomon renferme le saint des saints ; de même, les univers terrestre et céleste sont séparés de l'immensité divine par le surcéleste (cf. schéma) ; et l'intelligence de l'homme réside dans la tête, « comme dans le Sanctuaire de son Temple particulier » ; c'est pourquoi l'homme doit être bien purifié pour entrer dans son vrai sanctuaire, où il doit rendre hommage à la divinité. Tête, cœur, ventre ; sanctuaire, temple intérieur, porche ; surcéleste, céleste, terrestre. Tout cela « correspond » (21).

Des agents opèrent dans chaque partie. Le Porche correspond à la terre, ou encore à la mer d'airain pour les préparations corporelles matérielles, ou encore au ventre en raison des fonctions matérielles de végétation et de reproduction. Le Temple intérieur correspond au céleste ; on y trouve l'autel des parfums, les douze pains de proposition, le chandelier à sept branches ; c'est aussi la poitrine ou cœur, siège de la vie animale, autel sur lequel l'homme doit offrir des parfums journaliers à la divinité. Le Sanctuaire « figure » donc bien au surcéleste et à la tête de l'homme (*Instr. sec.*, p. 1041). De même, typologiquement, quand Moïse monta sur le Sinaï, il laissa d'abord le peuple au bas de la montagne, symbole de la terre,

1. Cité par DÉSAGUILIERS, *op. cit.*, n° 9, p. 8.

triste séjour de l'homme. Mais Moïse va plus loin, avec Aaron et les soixante-dix chefs des Tribus, qu'il laisse pourtant à une certaine hauteur, et poursuit un moment sa route avec Josué. Cette étape correspond au céleste. Enfin, il reste seul pour achever son escalade, parvenir au sanctuaire, au saint des saints, qui correspond au surcéleste (*Instr. sec.,* p. 1041 sq.). Le Sinaï correspond aussi à trois cercles du schéma de Martines : « le bas où étoit le camp, cercle sensible, le milieu où s'arrêta Josué, cercle visuel ; et le haut où monta Moyse, cercle rationel, dominé par le Surcéleste » (82). En matière de rituel, les applications de ces principes sont nombreuses. Limitons-nous à un exemple. Le candidat apprenti fait trois voyages, c'est-à-dire trois fois le tour d'un Temple dessiné au milieu de la Loge ; ce Temple a lui-même trois enceintes, qui signifient non seulement la disposition du Temple de Salomon, mais aussi les trois divisions universelles (terrestre, céleste et surcéleste) de ce grand édifice qu'est la nature (*Instr. sec.,* p. 1045).

De même qu'il comporte trois parties, le Temple de Salomon possède quatre murs latéraux grâce auxquels il est vu de tous. L'homme a quatre membres destinés à manifester son action sur les êtres qui l'environnent. Les quatre murs comme les quatre membres peuvent disparaître sans que périsse l'essentiel, le ternaire ; car les fonctions des Lévites et des sacrificateurs s'opèrent dans l'intérieur du Temple, de même que « le foyer de la vie sensible réside essentiellement dans le tronc » (*Instr. sec.,* p. 1040). Il faut rapprocher ce symbole quaternaire de celui du « tabernacle », c'est-à-dire de l'Arche d'Alliance construite par Bethsaléel. Ce tabernacle « est le type réel du monde, parce qu'il contient dans sa petite étendue tout ce que le grand monde contient dans son espace immense » (*Traité,* p. 359). Il possède quatre portes ; la porte d'Orient, par où Moïse entre pour invoquer les habitants du surcéleste, représente le cœur de l'homme, car c'est par le cœur que le Créateur nous envoie ses faveurs directement par les habitants du surcéleste. La porte d'Occident de l'Arche d'Alliance se rapporte à l'œil. La porte du Midi à l'oreille (*Traité,* p. 356). Quant à Bethsaléel et ses deux associés, ils « font une allusion véritable au nombre ternaire qui constitue la faculté puissante des esprits inférieurs producteurs des trois essences spiritueuses d'où sont provenues toutes les formes corporelles » (*Traité,* p. 335). Il y a quatre divisions dans l'univers : terrestre, céleste, surcéleste et immensité divine (cf. schéma), les trois dernières étant du domaine propre de l'homme. Pareillement, l'homme a quatre organes principaux « qui sont le cœur sur lequel se fait la plus forte impression du sensible, les yeux par lesquels il obtient la conviction, les oreilles par lesquelles il acquiert l'interprétation de ce qu'il a vu et senti, et enfin la parole par laquelle il opère et manifeste le résultat ou le produit des trois autres ». Les trois puissances spirituelles en nous dépendent de la première, divine et active, tout comme la parole est l'organe actif qui agit sur les trois autres. De même, dans l'Arche construite par Bethsaléel, la porte d'Orient, représentant la puissance de l'immensité divine, domine les trois autres : celle d'Occident fait allusion à la puissance terrestre, celle du Midi à la puissance céleste, celle du nord à la puissance surcéleste (69). Cette Arche d'Alliance, ainsi que le Temple de Salomon, « était une figure du temple universel ou de la création dont le temple ou corps de l'homme est aussi une répétition ». Moïse ressemble ici au Créateur qui ordonne aux esprits de l'axe central de produire les trois principes alchimiques nécessaires à la construction de l'univers. Bethsaléel joue ici le rôle des « esprits de l'axe central qui opérèrent aisément la puissance qui était innée en eux ». L'incorruptibilité même du bois de sétim désigne la pureté, la stabilité, des trois principes alchimiques « dont l'action se soutiendra pendant toute la durée prescrite par le Créateur » (70).

Continuons cet examen des principes arithmologiques du R.E.R., en nous en tenant ici aux nombres qui se trouvent en rapport direct avec le symbolisme du Temple. Quand on demande à l'Apprenti où il a été reçu, il répond : « Dans une Loge juste et parfaite ; 3 la forment, 5 la composent, 7 la rendent juste et parfaite. » C'est-à-dire, selon Willermoz lui-même dans les *Instructions secrètes* : 1° La Loge où l'Apprenti a été reçu, c'est son corps même, Temple de son intelligence ; ce corps porte le nombre 3 car il est fait des trois principes alchimiques (Sel, Soufre, Mercure). 2° Aujourd'hui, c'est-à-dire depuis la chute, cette Loge porte le nombre néfaste 5 (cf. *infra*, à propos de ce nombre). 3° Mais le nombre 7 vient rendre la Loge parfaite, c'est-à-dire qu'il vient lui restituer sa perfection de jadis. C'est le nombre de l'achèvement, le point au milieu de l'étoile à six branches, le nombre du Maître, l'acte sabbatique de la formation de l'homme ; c'est le jour qui parachève les six premiers jours (*Instr. sec.*, p. 1039). C'est le nombre donné à l'homme quand Dieu vint insuffler la vie en Adam (*Instr. sec.*, p. 1040).

En effet, une Loge, ou un Temple, suppose nécessairement un être supérieur pour l'habiter ; c'est pourquoi l'action divine se reposa le septième jour dans l'Univers créé qui devait constituer le Temple où sa puissance se manifesterait sur tous les êtres temporels. De même, le Temple de Salomon fut construit « en six temps ou années, et le septième il fut dédié solennellement au Seigneur » (*Instr. sec.*, p. 1039). Voyons le rituel au grade d'Apprenti. Un escalier à sept marches est tracé dans la partie du Porche du Temple (rappelons que le Temple est dessiné au milieu de la Loge). Au cours de son initiation, le futur Apprenti monte symboliquement trois marches et redescend. Aux deux grades suivants, cela devient plus intéressant : pour devenir Compagnon, il monte trois marches, puis deux, et redescend, ce qui figure le nombre 5. Pour devenir Maître, il monte sept marches d'un coup (*Instr. sec.*, p. 1045 sq.), accédant ainsi dans « l'intérieur ». Pour comprendre 7, il faut parler encore de 6, qui n'est pas mentionné dans la phrase (« 3 la forment, 5 la composent, 7 la rendent juste et parfaite »), mais qui s'y trouve implicitement omniprésent. 6 donna la vie à la création, mais il s'agit d'une vie passive. Il s'agit du nombre 6, car les trois principes alchimiques ajoutés au ternaire divin qui descend sur ces trois principes pour les « actionner et réactionner » donnent bien 6 et figurent même remarquablement la genèse de l'étoile de Salomon[1] :

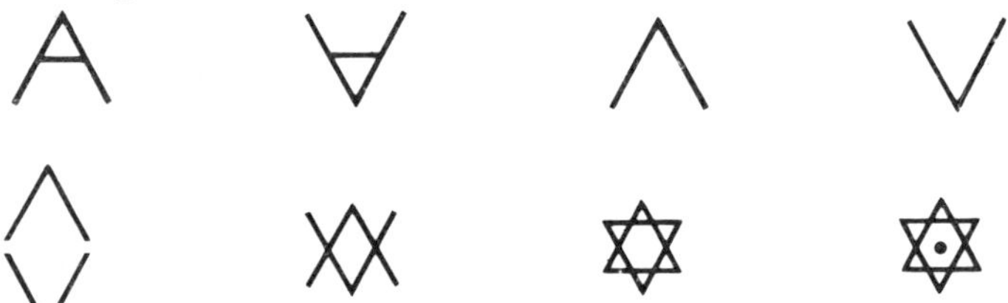

Les animaux ont le nombre 6 ; c'est pourquoi ils ne possèdent, d'une certaine manière, que le nombre 2 (les deux triangles). Ils

1. Rappelons les signes traditionnels des quatre éléments : Λ (feu), V (eau), A (air), ∀ (terre).

sont privés d'esprit, bien qu'ayant un corps et une âme. Mais l'homme est 3, car à la fois corps, âme, esprit, c'est-à-dire 7 (6+1). Le nombre sénaire est donc donné au compagnon « comme représentant le second degré de la marche temporelle ». C'est lui, répétons-le, qui confère la « vie passive », celle qui existe quand la création fut achevée le sixième jour au moment où « la vie animale fut donnée aux animaux de la terre ». Mais vint le septénaire, qui rendit l'homme, et qui rend la loge, justes et parfaits (*Instr. sec.*, p. 1046). Ajoutons que si le Temple proprement dit a quatre portes — et contient « quatre hiéroglyphes » (67) —, le Porche a trois portes (16), d'où le nombre 7 qui correspond aussi aux colonnes, aux sept dons de l'Esprit, au chandelier, etc. (21 ; cf. aussi 27-28, sur les colonnes Jahin et Boaz). De même, les dimensions de l'Arche de Noé revêtent toutes une signification précise.

Ainsi le Rite Écossais Rectifié, tant avec son mythe « métahistorique » qu'avec son histoire événementielle, renvoie à la fois aux deux vecteurs fondamentaux constitutifs de l'être humain dans sa totalité. Les *Conférences de Lyon* expriment cela d'une manière simple et claire : « La Maçonnerie consiste à élever des édifices sur leur baze ; nous sommes donc des maçons spirituels » (17). Et les *Instructions secrètes*, faisant écho à cette constatation, se terminent ainsi : « Ne perdez pas de vue, comme Profès et comme Maçon, que l'erreur de l'homme primitif le précipita du Sanctuaire au Porche, et que le seul but de l'Initiation est de le faire remonter du Porche au Sanctuaire » (*Instr. sec.*, p. 1049).

La reconstruction du Temple doit donc être l'œuvre des hommes, pierres vivantes selon la belle parabole (la IXe) du Pasteur d'Hermas (Ier et IIe siècle) : « Et les pierres, Seigneur, dis-je, sorties de l'abîme et ajustées à la construction, qui sont-elles ? — Les dix premières, dit-il, posées dans les fondations, c'est la première génération d'hommes justes ; les trente-cinq suivantes sont les prophètes de Dieu et ses serviteurs et les quarante sont les apôtres, les docteurs qui ont proclamé la doctrine du Fils de Dieu. » Ajoutons que la pierre à équarrir, c'est la nature mais aussi l'homme même ; on sait que dans le Nouveau

Testament apparaît plusieurs fois l'expression « pierre vivante ».

Car le Rite Écossais Rectifié réactualise le Temple. N'insistant point sur la filiation historique, diachronique, avec un Ordre défunt (celui de Jacques de Molay), il tente de le réactualiser sur le plan vertical de l'archétype comme sur le plan le plus concret, par ses travaux individuels et collectifs. Il s'agit pour le Maçon de reconstruire le Temple primitif, d'avant la chute, pour y faire entrer de nouveau Dieu et pour que les hommes eux-mêmes puissent y retourner comme des enfants prodigues, entraînant la nature entière dans cette assomption. Chaque acte pour y parvenir est à la fois matériel et spirituel. Telle semble être la définition même de tout ésotérisme, dans la mesure où *eisothéo* signifie : « je fais entrer »... Tel est aussi, sans doute, le message du verset de la *Table d'Émeraude* : « *Et vis ejus [i.e. Dei, unitatis] integra est, si conversus fuerit in terram.* » « Et sa force [de Dieu, de l'Unité] sera intégrale, si elle est convertie en terre[1] ».

1. Depuis la publication de cet article (1972) a paru le beau livre de Henry CORBIN, *Temple et contemplation,* Paris, Flammarion, 1980, où l'auteur présente notamment la configuration du Temple de la Ka'ba comme secret de la vie spirituelle, et l'*Imago templi* face aux normes profanes, d'Ézékiel à PHILON, et chez Maître ECKHART, Robert FLUDD. Les chapitres VI-IX sont consacrés à la chevalerie templière (sans oublier les *Fils de la Vallée,* de Zacharias WERNER, ni SWEDENBORG).

Les « Noces chymiques de Christian Rosencreutz » comme pèlerinage de l'Âme

« Les Pèlerins de l'Orient et les Vagabonds de l'Occident »... Ce titre m'a paru provocateur, quand Henry Corbin l'a proposé comme thème de notre quatrième colloque. Mais il a précisé aussitôt que *Orient* et *Occident* seraient compris ici dans un sens non géographique : il s'agit d'un Orient spirituel dans notre monde occidental, et l'on pourrait s'efforcer de dégager la spécificité de cette spiritualité. Nous possédons en effet une Tradition propre, bien qu'étouffée par les modes, les enlisements, les totalitarismes intellectuels qui n'ont guère cessé de prévaloir au cours des derniers siècles. Une Tradition, dont la connaissance peut nous persuader que la mentalité occidentale n'est pas condamnée nécessairement au vagabondage de l'esprit faute d'une Sagesse, ou de sagesses, dont l'Orient aurait seul le monopole ; et que nous n'avons pas à aller chercher bien loin les trésors auxquels aspirent notre cœur et notre âme, puisque sont là, directement accessibles, ces fruits d'un arbre qui se dresse dans notre propre jardin.

De cet arbre j'ai choisi un fruit, le roman d'Andreae. Il a poussé sous les rayons d'un Orient occulté par l'errance d'un Occident désorienté (nos voyages à Katmandou ne sont souvent que des vagabondages). Christian Rose-Croix, personnage mythique qui aurait vécu cent six ans de 1378 à 1484, est le héros de ce livre intitulé *les « Noces chymiques » de Christian Rose-Croix en l'an 1459,* paru en 1616 à Strasbourg. L'auteur, Johann Valentin Andreae, était un jeune luthérien de Tübingen. Christian, nous dit Andreae, a cherché sa voie : « Par hasard, il entendit parler des sages de Damcar en Arabie, des merveilles dont ils étaient capables, et des révélations qui leur avaient été faites sur la nature tout entière. » Il alla donc passer trois ans à Damcar — ville mythique —, puis franchit « le golfe Arabique, fit un bref séjour en Égypte, juste pour perfectionner son observation de la flore et des créatures, traversa ensuite la Méditerranée de long en large, pour arriver à Fez »[1], traditionnellement ville d'alchimistes. Ainsi, Andreae étoffe son roman par le récit traditionnel du voyage en Orient d'où Christian ramène en Allemagne le savoir des Arabes après être passé par l'Espagne. Mais il s'agit d'une connaissance acquise portant sur la pensée islamique, et non pas d'une tentative d'assimiler les religions d'Extrême-Orient. Cette tradition que le héros va découvrir sur place est l'un des trois rameaux de la famille abrahamique. Ce qu'il découvre là-bas ne l'incite nullement à changer de foi : il reste chrétien. Enfin, cet Orient semi-mythique d'où il rapporte sa science n'est « qu'un décor pour faciliter la critique d'une Europe livrée à la diaspora culturelle »[2].

L'Orient mythique, compris non pas au sens d'un endroit géographique paré des enjolivements de l'exotisme, mais saisi comme un lieu spirituel, voilà ce que dans la Tradition chrétienne on appelle *les Indes*. Un disciple, rapporte cette tradition, demanda au Christ où se trouve le « chemin » (Jean, XIV, 5). Le Christ lui répondit qu'il le consacrait missionnaire au pays des Indes[3]. Telle est la voie de l'ésotérisme ; il est avant tout un chemin à parcourir, le chemin vers l'intérieur *(eso-thodos)*, *thodos* signifiant « méthode ». Et Christian Rose-Croix, au long de ce roman initiatique (quatre-vingt-dix pages dans la traduction de Gorceix), entreprend son périple le soir du vendredi saint, pour l'achever le mercredi après Pâques. Le héros commence ainsi son récit, présenté à la première personne et qui s'étale donc sur sept journées :

1. Bernard GORCEIX, *La Bible des Rose-Croix*, Paris, P.U.F., 1970, p. 5. Cet ouvrage comprend, en traduction française (la meilleure dans cette langue) par B. GORCEIX, la *Confessio*, la *Fama* et les *Noces chimiques*, précédés d'une excellente introduction par le traducteur. Depuis la publication du présent article dans les *Cahiers de l'U.S.J.J.* a paru la thèse de Roland EDIGHOFFER, *Rose-Croix et Société idéale selon J. V. Andreae*, Paris, Arma Artis, 1982. Le meilleur ouvrage sur la question, à ce jour (1986).

2. B. GORCEIX, *ibid.*, introduction, p. XXXIII.

3. Cité par Gerhard WEHR, *Esoterisches Christentum*, Stuttgart, Klett Verlag, 1975, p. 273.

C'était la veille du jour de Pâques. J'étais assis à ma table, et je venais, selon mon habitude, d'épuiser dans mon humble prière l'entretien que je menais avec mon créateur, et de méditer sur de nombreux et grands mystères dont le Père de la lumière, dans sa majesté, m'a fait une ample révélation. J'allais aussi apprêter en mon cœur une galette azyme et sans tache, pour sustenter le gracieux agnelet pascal, quand un vent se mit à souffler en rafales si cruelles que je fus assuré que la montagne dans le flanc de laquelle ma maisonnette avait été creusée allait se disloquer sous la violence de leurs assauts[1].

Il voit ensuite lui apparaître une femme d'une merveilleuse beauté, dont la robe toute bleue est constellée d'étoiles d'or. Elle lui remet une invitation à un mariage mystique, présentée sous forme de vers signés : « Le promis, la promise. » Christian fait alors un songe prophétique ; puis, écrit-il :

Je m'équipai pour le voyage, revêtis ma robe de lin blanc, me ceignis les flancs d'un ruban rouge sang, que je croisai au-dessus des épaules. Je piquai quatre roses rouges à mon chapeau, en signe de reconnaissance. Je pris pour provision de route du pain, du sel et de l'eau, sur les conseils d'un initié, ce qui, en son temps, me fut d'un grand secours. Avant de quitter ma cabane, je me mis à genoux, dans mon appareil et habit de noces, en priant Dieu de tout mener à bien, quoi qu'il dût arriver[2].

Alors commence la deuxième journée. Au sortir de sa cellule, à peine entré dans la forêt, il lui semble que les cieux entiers et tous les éléments se sont parés pour des noces. Il décrit son voyage et la première soirée au château ; son hésitation entre quatre voies d'accès ; le franchissement de trois enceintes, le dîner, et un second rêve. La troisième journée, jour du jugement des indignes et de la remise de la toison d'or, est aussi celle de l'exécution du jugement dans le jardin, de la visite du château, de la suspension des poids, et d'un troisième rêve. La préparation des noces fait l'objet de la quatrième journée : c'est

1. J. V. Andreae, *Les Noces chymiques...*, in B. Gorceix, *op. cit.*, p. 35 sq.
2. *Ibid.*, pp. 36-44.

la scène du jardin, la présentation aux personnes royales, ainsi qu'une étonnante représentation théâtrale, puis la mort des personnes royales que l'on décapite, enfin l'embarquement des cercueils, la nuit. La cinquième journée décrit le voyage en mer : deuxième scène du jardin, et faute commise par Christian au cours de sa visite dans la demeure souterraine de Vénus, enterrement fictif des personnes royales, voyage en mer, cérémonie des déesses marines, arrivées à la tour d'Olympe, et une scène nocturne. Nous assistons ensuite, dans la sixième journée, à la résurrection du roi et de la reine qui avaient été décapités ; cette résurrection s'opère en sept étapes dans les sept étages de la tour d'Olympe. Les époux royaux s'embarquent, et Christian s'entretient avec le vieillard, gardien de la tour. Enfin, c'est le retour au cours de la septième journée, avec la remise de l'Ordre de la pierre d'or, l'aveu de la faute et la punition. Un dénouement imprévu termine le livre, qui reste inachevé et se termine sur ces lignes :

> *En cet endroit manquent deux feuilles in-quarto, et il [entendons : l'auteur de ce livre] est retourné dans sa patrie, alors qu'il avait cru qu'il serait le matin gardien de la porte*[1].

Ce seul résumé de « l'action » des *Noces chymiques* nous fait songer aux romans allemands de la Table Ronde, particulièrement au *Parzifal* de Wolfram von Eschenbach, qui date du début du XIIIe siècle. D'autre part, cet ouvrage est écrit au moment où la littérature baroque prend son essor en Allemagne et où le courant maniériste a déjà brillé de mille feux ; il représente un des plus beaux exemples de cette littérature, mais s'inscrit en même temps dans une chaîne romanesque dont les maillons précédents les plus importants, sur le plan ésotérique, sont peut-être le *Songe de Poliphile* de Francesco Colonna (1499), le *Cinquième livre* de François Rabelais (1564), le *Voyage des princes fortunés* de Beroalde de Verville (1610)[2]. Ce début du XVIIe siècle est aussi l'âge d'or de la littérature et de l'iconographie alchimiques ou « hermétistes » en Allemagne ; entre 1600 et 1618 en effet, on édite ou réédite Paracelse, Jacob

1. *Ibid.*, p. 125. Pour le résumé, je m'inspire de B. GORCEIX, *ibid.*, introduction.
2. Cf. *ibid.*, p. IX sq.

Boehme, Johannes Arndt, Valentin Weigel, Heinrich Khunrath. Les auteurs des manifestes rosicruciens et celui des *Noces chymiques* écrivent aussi en fonction de la situation spirituelle de leur époque : ils s'en prennent au dogmatisme des princes et des Églises, au « césaro-papisme luthérien et calviniste », annoncent une Réforme générale, une bouleversante et salutaire restauration qu'ils appellent de tous leurs vœux. Andreae invente la fable rosicrucienne pour opérer une synthèse de l'ésotérisme prébaroque, dans un décor digne des cabinets de curiosités *(Kunstkammern)* de son contemporain Rodolphe de Habsbourg[1].

Mais ces *Noces chymiques* sont surtout des noces alchimiques et mystiques ; sous le voile éclairant du symbole, elles décrivent les processus de la montée de l'âme vers Dieu. On trouve presque à chaque page des références au Grand Œuvre spirituel. Ainsi, lors de la cinquième journée, les six bateaux commencent leur pèlerinage marin, qui rappelle l'Odyssée, ou encore Pantagruel en route pour les îles enchantées. C'est que l'eau, souvent symbole du Mercure, figure la dissolution ; nombreuses, dans les thèmes et les illustrations alchimiques, sont les représentations de bateaux voguant sur une mer agitée, ou d'îles entourées de fossés remplis d'eau qu'il s'agit de traverser comme tentent de le faire les adeptes des *Noces.* Thème qui, à l'époque, s'insère aussi dans une mode, celle des voyages lointains — l'Eldorado ! — et de la mythologie — l'Odyssée, l'expédition des Argonautes...[2]. Mais au-delà des représentations imagées il y a les étapes, les processus, du pèlerinage de l'âme. Pèlerinage en effet, puisque l'adepte, qui sait où il veut aller, cherche à retrouver le lieu où l'âme s'unit à son Dieu. Ainsi, au cours de la sixième journée on présente aux candidats des cordes, des échelles, et de grandes ailes. Une trappe circulaire s'ouvre, au plafond, par laquelle ils aperçoivent une dame qui les invite à monter. Christian, à qui échoit une échelle, se croit désavantagé ; la suite montrera le contraire, car ceux qui utilisent les ailes montent trop vite, et ceux qui grimpent par la corde se font des ampoules aux mains. L'alchimiste a donc le

1. Cf. *ibid.,* pp. xx sq. xxxv sq.
2. B. Gorceix, *op. cit.,* p. 100, n. 1. Et R. J. W. Evans, *Rodolf II and his World. A study in intellectual history,* Oxford, Clarendon Press, 1984 (rééd.).

choix entre trois méthodes : ou bien il peine sans aucune aide extérieure et s'expose dangereusement (la corde) ; ou bien il progresse avec trop de hâte, ce qui nuit à la maturation de l'œuvre (les ailes) ; ou alors il gravit d'échelon en échelon les degrés intermédiaires. Ce symbolisme de l'échelle, fréquent dans l'iconographie alchimique et spirituelle — voir notamment un bas-relief du grand porche de Notre-Dame de Paris —, rappelle évidemment l'échelle de Jacob (Genèse, XXVIII, 12) et semble figurer les étapes de la voie dite « humide » par opposition à la voie « sèche »[1].

L'ouvrage se présente sous la forme d'un septénaire qui figure assez distinctement les opérations traditionnelles du Grand Œuvre. L'action décrit ainsi en sept actes — les « journées » — les sept paliers de la transmutation alchimique. Avant la réalisation finale, une épreuve particulièrement pénible attend l'adepte, qui doit assister à la décapitation des personnes royales. Mais ensuite apparaît le phénix, symbole de la résurrection ; son œuf est découpé par un diamant, son sang ressuscite le couple royal dont les noces conféreront à Christian le titre de « Chevalier de la pierre d'or ». Tel est le but final du périple, l'ensemble des sept paliers représentant le pèlerinage lui-même. En quoi consiste cette pérégrination ?

Dans un récent ouvrage consacré à Andreae, J. W. Montgomery a tenté de dégager le sens processionnel des sept phases tel qu'il peut nous apparaître dans les *Noces chymiques*[2]. Les quatre premiers paliers correspondent à ce que les alchimistes appelent la *Nigredo* (noir) ; les deux suivants à l'*Albedo* (blanc) ; le septième, à la *Rubedo*, c'est-à-dire à l'œuvre au rouge, l'état du Grand Œuvre. Je m'inspirerai ici du tableau proposé par Montgomery en l'interprétant de façon synthétique.

La *distillation* inaugure l'Œuvre. C'est le point de départ, la mise en route. Dans son pèlerinage macrocosmique, Christian voit un corbeau, une colombe et une vierge en habit bleu ciel (1re et 3e journées). Dans son premier rêve il se trouve prison-

1. Sans doute peut-on interpréter l'échelle comme figurant la voie dite « brève », intermédiaire entre les voies sèche et humide. La corde représenterait alors la voie humide.

2. John Warwick MONTGOMERY, *Cross and Crucible. Johann Valentin Andreae (1586-1654), Phoenix of the theologians,* La Haye, Éd. Nijhoff, coll. « Archives Internationales d'Histoire des Idées », n° 55, 2 vol. Cf. t. II, pp. 279-281.

nier au fond d'un puits, parmi d'autres prisonniers, tous essayant de monter les uns sur les autres pour sortir. Ainsi, par ses rapports avec autrui, l'homme connaît mieux les maux dont il souffre. C'est ensuite la *calcination*, puisque traditionnellement toute alchimie commence par la mort : dans les *Noces* nous assistons d'abord à des épreuves physiques et spirituelles symbolisées par des démembrements, des tonsures — la mort à soi-même. De même, les vêtements blancs des six souverains deviendront noirs. La *putréfaction*, troisième stade, correspond aux ténèbres dans lesquelles Christian est enchaîné et qui sont pour lui source d'angoisse (1re et 3e journées) ; c'est aussi l'humanité pendue à la corde qu'on laisse retomber (1re journée). Telle est la mort existentielle, la perte de l'identité personnelle. De même (journées 4, 7), les six souverains sont décapités. Enfin, vient la *solution-dissolution*, dernier palier de la *Nigredo*. Christian est blessé par une pierre coupante et on le pèse avec d'autres personnes sur une balance qui trie le bon grain humain de l'ivraie. C'est aussi la guerre entre les forces du bon roi et celles du Maure, ou le transport des cadavres par bateau, leur purification et leur dissolution (journées 4, 7), ou encore la calcination du corps de l'oiseau dont les cendres sont ensuite purifiées.

Alors commence la montée. À la catabase, dangereuse car beaucoup s'y perdent en chemin, fait suite en effet l'anabase, la remontée. Au début de cette « œuvre au blanc » l'alchimie place le processus dit de *coagulation*. Christian est tiré hors du puits, il passe en jugement avec succès (journées 1, 3). La fiancée est sauvée par le bon Roi ; les corps liquéfiés sont plus lourds que de leur vivant ; des cendres on fait une pâte d'où surgiront un *homunculus* et une *homuncula*. Sur le plan psychologique, cela correspond au réajustement des éléments jusqu'ici fragmentés de la personnalité. Le palier suivant, la *vivification*, est symbolisé ici par le passage où l'on voit Christian, libéré de ses chaînes, autorisé à assister au « mariage chimique » (journées 1, 3), ainsi que par le soleil qui chauffe la solution dans un grand globe d'or (nous assistons à la production d'un œuf blanc comme neige). Les personnages qu'on avait pu croire définitivement morts ressuscitent grâce aux flammes venues du ciel (journées 4, 7). Nous pouvons voir là l'autoréalisation, la réintégration de la personnalité. Enfin, ultime stade du Grand Œuvre et véritable *Rubedo*, voici la *multiplication*, ou *projection*. On charge Christian d'un message, on lui donne de l'or à dépenser et à distribuer en chemin. Il se voit même conférer le privilège de libérer un empereur (journées 1, 3) : les œufs longuement couvés finissent par éclore. La fiancée prête serment de fidélité, reprend possession de son royaume, se fait couronner. Le roi et la reine apparaissent en grande pompe (*« Vivat sponsus, vivit sponsa ! »*), puis s'embarquent sur un navire d'or pour participer au grand banquet (journées 4, 7). Ainsi, la personnalité réintégrée grâce à ce passage au sixième stade se trouve maintenant capable de rayonner à l'extérieur pour le plus grand bien d'autrui et du monde[1].

Tel se présente, dans ses grandes lignes, le pèlerinage de Christian, voyage intérieur dont la description emprunte à l'alchimie traditionnelle sa structure et son symbolisme. Le livre nous invite à descendre en nous-même en nous transformant. *Innenweg*, voie intérieure ou « intime » ; processus d'élaboration interne, de mémorisation : *er-innern*, comme dit joliment l'allemand, c'est-à-dire à la fois « se souvenir », et « creuser en soi » ; faire naître ou plutôt renaître ce qui, en germe au fond de l'âme, n'aspire qu'à éclore malgré notre condition d'homme pécheur. Le pèlerinage vers l'esprit, la *Wanderschaft zum Geist*, reste ainsi la grande affaire ; l'auteur, sous la profusion des décors et des emblèmes, propose ce pèlerinage à l'homme de désir soucieux de dépasser le premier niveau de lecture. Il s'agit moins cependant de « noces mystiques » que de noces alchimiques ; la recherche ne porte pas exclusivement sur l'intériorité, puisque la nature tout entière se trouve assumée, incluse, dans un processus de transmutation par l'esprit. Le pèlerinage de Christian, commencé dans la cellule de méditation, conduit ensuite le héros dans la « forêt » ; nous le voyons se perdre, se retrouver, se perdre de nouveau dans les méandres, la splendeur, la misère, du monde, et finalement réapparaître tout autre qu'au début du récit. Il apprend à connaître le monde car il est tourné vers lui, il possède cette *Weltzugewandtheit*, en même temps qu'il descend en lui-même. Paradoxe créateur, seul constructif, si caractéristique de la grande tradition alchimique comme de cet enseignement dit

1. *Ibid.*, pp. 279-281.

« rosicrucien » déjà prodigué par les deux manifestes de 1614 et 1615, la *Fama* ayant fait de Christian l'élève de Paracelse et le lecteur, ou le co-auteur, du mythique *Liber mundi*[1]. Connaissance et Foi, ou lumière et grâce, lui permettent de s'orienter au long de son périple.

Mais la grâce et la rédemption occupent-elles en alchimie une place essentielle ? L'adepte ne donne-t-il pas plutôt l'impression d'une sorte de démiurge cherchant à escalader par ses propres moyens les degrés conduisant aux portes du ciel ? C'est le sentiment qu'exprime un récent commentateur des *Noces chymiques* à propos de l'hermétisme non luthérien, celui de Paracelse notamment. Montgomery reconnaît bien dans ce roman une tradition hermétiste enseignant la nécessité de lier le macrocosme et le microcosme, ou l'univers et l'homme, par l'affirmation de la position centrale du Christ à l'intersection de ces deux vecteurs, ce qui a pour conséquence de faire pénétrer la vérité de l'Évangile dans la création tout entière[2]. Il note cependant que la notion de rédemption a peu d'importance dans le paracelsisme, pour lequel l'homme, centre absolu de l'univers, doit s'*élever* (idée néo-platonicienne), tandis que la révélation chrétienne met l'accent sur la *descente* de Dieu venu pour nous sauver, incapables que nous serions de nous élever par nous-mêmes jusqu'à lui. En d'autres termes, cet auteur cherche à opposer *Naturphilosophie* et théologie de la Révélation. Certes, il semble qu'Andreae ait voulu faire quelque peu oublier la *Naturphilosophie* paracelsienne explicite dans les deux manifestes et orientée par l'Éros, au profit d'une théologie de la Révélation, en mettant essentiellement l'accent sur la Rédemption[3]. *La Tour de Babel*, titre d'un livre d'Andreae publié en 1620 *(Turris Babel)*, représente pour celui-ci la tentation trop anthropocentrique de prendre d'assaut les remparts du ciel en s'aidant d'une « sagesse occulte », alors que selon

1. Cf. aussi Gerhard WEHR, *op. cit.*, p. 231 ; et Antoine FAIVRE, « Voie interne et pensée ésotérique dans le Romantisme (France et Allemagne) », in A. FAIVRE, *Mystiques, théosophes et illuminés au siècle des Lumières*, Hildesheim, Éd. Olms, 1976, pp. 191-200.

2. Cf. A. FAIVRE, « Rosicruciana », in *Revue de l'Histoire des Religions*, Paris, P.U.F., 1976, p. 158.

3. ANDREAE aurait trouvé les deux manifestes insuffisamment chrétiens dans la mesure où ceux-ci, en prônant l'ascétisme et le célibat, suggéreraient une opposition radicale de la matière et de l'esprit.

l'Évangile seules la descente de Dieu dans l'humanité, Sa mort, Sa résurrection, rendent le salut possible. Sans doute Montgomery va-t-il trop loin en considérant le mouvement inverse, anabastique, comme incompatible avec le christianisme, alors qu'il s'accorde fort bien avec la Foi à condition de ne pas le privilégier exclusivement. Il ne me semble pas qu'Andreae lui-même soit allé aussi loin dans sa propre critique. Le problème est d'importance, car à force d'affirmer qu'on a tout à attendre de Dieu et que nous ne pouvons rien par nous-mêmes, il arrive que Dieu s'éloigne des cœurs et des âmes et que l'on ne prenne même plus l'initiative de se mettre en route pour le pèlerinage vers le lieu où Dieu et l'homme se rencontrent. Au contraire, le meilleur moyen de se rencontrer est peut-être d'aller l'un vers l'autre...

Ce double mouvement rend compte de ce qui pourrait bien être le dénominateur commun de la théosophie chrétienne ou de l'alchimie, tel qu'il s'exprime dans les versets de la *Table d'Émeraude*. Texte bien connu, dont voici non pas le texte toujours cité mais la version poétique, plus rare, de Jacques Nuisement, publiée en 1622[1] :

C'est un point asseuré plein d'admiration
Que le haut et le bas n'est qu'une mesme chose,
Pour faire d'une seule en tout le monde enclose,
Des effets merveilleux par adaptation.

D'un seul en a tout fait la méditation,
Et pour parents, matrice, et nourrice, on luy pose
Phoebus, Diane, l'air, et la terre, ou repose
Cette chose en qui gist toute perfection.

Si on la mue en terre elle a sa force entière :
Séparant par grand art, mais facile manière,
Le subtil de l'espais, et la terre du feu.

De la terre elle monte du Ciel ; et puis en terre,
Du Ciel elle descend. Recevant peu à peu,
Les vertus de tous deux qu'en son ventre elle enserre.

1. Poème cité par Julius RUSKA, *Tabula Smaragdina*, Heidelberg, 1926, p. 215.

Andreae et ses amis de Tübingen précisent et réaffirment, en ce début du XVIIe siècle, la nécessité d'une « pansophie » ou « synthèse ordonnée, harmonique, de toutes les sciences, et de toutes les croyances [...] ; il s'agit de réaliser l'unité de la connaissance, de concilier la totalité du savoir avec la totalité de la foi »[1]. À cette époque précisément, la pensée alchimique tend à s'assimiler de plus en plus des traditions parallèles, comme on le voit avec Jacob Boehme, tendance déjà sensible chez Paracelse. On a pu montrer comment cette rencontre de la mystique traditionnelle et de l'hylozoïsme paracelsien, chez Valentin Weigel (1533-1588), correspond à la naissance de ce qu'on appelle la théosophie germanique[2]. Il s'agit pour l'âme de monter vers Dieu par la connaissance et le déchiffrement des « signatures » éparses dans le monde, de même que la grâce divine, et la descente de Dieu en l'homme, nous permettent de comprendre ce monde et de hâter en même temps sa réintégration. Le pèlerinage est donc à double sens, il invite à deux directions simultanées : partir de la grâce divine en nous, ou de la connaissance de Dieu, pour comprendre la nature, la transformer, et partir de cette nature dont les arcanes nous conduisent, de palier en palier, à la connaissance de Dieu. On comprend dès lors que les *Noces chymiques* soient la première œuvre alchimique citée par C. G. Jung dans son ouvrage au titre évocateur : *Mysterium conjunctionis*[3]. Et sans doute parce qu'il s'agit d'une conjonction, le pèlerinage n'est jamais vraiment achevé mais toujours à reprendre. Le roman d'Andreae se termine *ex abrupto*. Le long poème de Goethe *(Les Mystères)* aussi, écrit avant le voyage en Italie ; on y trouve une remarquable allusion à la rose et à la croix :

La croix est enlacée étroitement de roses
Qui donc a marié des roses à la croix[4] *?*

1. Cf. B. GORCEIX, *op. cit.*, p. XXIII.
2. Cf. *ibid.*, p. LV ; et du même auteur : *Valentin Weigel (1533-1588) et les origines de la théosophie allemande,* Université de Lille III, service de reproduction des thèses, 1972, 500 p.
3. B. GORCEIX, *La Bible des Rose-Croix, op. cit.*, p. XL.
4. Traduction de Roger AYRAULT, in *Goethe : Poésies,* Paris, Éd. Aubier, t. II, p. 221 : « *Es steht das Kreuz mit Rosen dicht umschlungen. / Wer hat dem Kreuze Rosen zugesellt ?* »

Qui voit cette image ? Le jeune Markus. Après un périple long et pénible, il aperçoit un cloître à la tombée du soir, tente de déchiffrer le symbole, et s'entend dire :

> *Tu viens ici par des sentiers miraculeux,*
> *Dit l'affable vieillard, en l'abordant encore.*
> *Que ces emblèmes te convient à demeurer*
> *Tant que te soit connu ce qu'en fait maint héros*[1].

Markus et Christian sont des vagabonds spirituels dans la mesure où ils ne connaissent pas très bien le but de leur périple ; ils sont des pèlerins néanmoins, dans la mesure où ils savent l'existence de ce but. Chacun des deux récits place voyage et réalisation sous le signe de la croix. Toutefois le pèlerinage chrétien, envisagé d'un point de vue théosophique, n'est jamais destiné à se terminer sur un repos définitif ou une satisfaction statique supprimant le mouvement vers l'avant ou annihilant les deux mouvements dirigés l'un vers l'autre. La théosophie fondée sur une Philosophie de la Nature — au sens paracelsien et, plus tard, du Romantisme allemand — introduit ou réinsuffle dans la pensée chrétienne une philosophie de la vie, d'une vie dialectique exclusive de tout statisme. C'est pourquoi on a pu, par exemple, comparer Jacob Boehme à un vagabond spirituel qui n'accède jamais à des noces définitivement achevées mais qui reste prisonnier d'une dialectique. Il est certain que Boehme voit partout dialectique, tension des opposés, et place dans le divin même, donc au niveau ontologique, une contradiction jamais résolue entre un pôle de lumière et un pôle de ténèbres ; pour lui toute vie, toute création, toute réalité substantielle, reposent sur cette polarité. D'autres, au contraire, semblent avoir connu le mariage sans le pèlerinage[2]. On peut, à propos de cet hermétisme chrétien, parler de vagabonds de l'Occident à condition de ne pas entendre par là le moderne vagabondage, stérile, coupé de valeur et de sens[3]. Pour

1. *Ibid.*, p. 235 : « *Du kommst hierher auf wunderbaren Pfaden, / Spricht ihn der Alte wieder freundlich an ; / Lass die Bilder dich zu bleiben laden, / Bis du erfährst, was mancher Held getan.* »

2. Cf. l'ouvrage de J. W. MONTGOMERY, *op. cit.*, et A. FAIVRE, « Rosicruciana », article cité, p. 159.

3. Cf. l'ouvrage de Jean BRUN, *Les Vagabonds de l'Occident*, Paris, 1974.

Boehme et ses frères en théosophie, la mort n'élimine pas l'éternelle tension dialectique, le pèlerinage sans fin puisque cette *Lebensphilosophie* place les processus dynamiques et dialectiques dans le monde divin aussi. L'enseignement même du Christ semble nous inviter à un cheminement jamais définitivement interrompu. Le peuple errant de Dieu parcourt indéfiniment l'histoire des peuples et des cultures, son Dieu est un Dieu historique qui chemine avec lui, alors que les divinités naturelles du paganisme étaient liées à des lieux, à des localités fixes. L'expérience du peuple pèlerin est toujours à prolonger, à reprendre : *er-fahren*, « faire l'expérience de », signifie « aller », et suggère en même temps une élaboration, un processus intérieurs.

L'allégorie alchimique dont Christian est le centre traduit simultanément l'œuvre salvatrice *in nobis* (le pèlerinage de Christian) et *pro nobis* (le mariage du Roi et de la Reine), mais nous assistons moins au mariage subjectif du héros et du Christ qu'à la description de l'histoire du salut et de l'union du Christ avec l'Église. Il ne s'agit donc pas tellement des Noces de Christian lui-même, mais plutôt d'un pèlerinage par lequel le héros récapitule ce que Dieu a fait pour lui à travers la totalité de l'histoire du salut. L'expérience proprement dite — cette *Erfahrung* — serait sans doute incommunicable. Les *Noces chymiques* se présentent donc davantage comme un atlas spirituel que comme le récit d'une expérience intérieure. C'est la « carte du tendre » à l'usage du chrétien hermétiste, non pas le récit romantique d'un vécu ineffable.

On a prétendu qu'Andreae aurait écrit les *Noces* pour christianiser le Christian Rosenkreuz de la *Fama*. Celle-ci racontait le voyage du héros en Orient, si loin des terres chrétiennes ! Il s'agit du même personnage, toujours amateur de pérégrinité, comme Pantagruel[1], mais d'abord pèlerin de l'Orient et de l'Occident, avec la *Fama*, enfin pèlerin du seul Occident chrétien avec les *Noces*, c'est-à-dire de l'Orient intérieur, des Indes mystiques. Du point de vue chrétien — celui du luthérien Andreae —, Christian n'a sans doute pas perdu son temps en visitant Damcar et Fez, mais ces villes devaient n'être qu'un lieu de passage où l'on séjourne une seule fois, tandis que les

1. B. Gorceix, *La Bible des Rose-Croix, op. cit.*, p. xi.

Noces sont placées entièrement sous le signe du Rédempteur. Christian n'a jamais été un vrai vagabond occidental au sens négatif, car son Orient était « orienté » : le jeune adepte cherchait à s'instruire par l'Islam et la Kabbale. Le goût désorienté de l'Orient, chez ceux qui ont perdu leurs racines ou qui les ont coupées, voilà le vrai vagabondage, celui qui livre les âmes errantes aux itinéraires sans issue de Jack Kerouac ou aux mirages de Katmandou.

Sur le chemin d'Emmaüs les disciples vagabondaient, désespérant de voir réapparaître l'étoile qui leur permettrait de retrouver leur chemin. Ils ignoraient que tout près d'eux, à portée de la voix et du regard, se trouvait Celui dont ils n'osaient plus attendre la venue. Tout près de nous, à portée de la main et des yeux, des richesses attendent d'être reprises, consultées, méditées, par chaque homme de désir : ce sont les motifs de nos cathédrales, les liturgies de nos Églises, la symbolique de notre triple tradition abrahamique. Il nous incombe de reprendre ses messages, de les réitérer, en « reconduisant » leur sens. Pèlerinage en effet, que de se mettre en route pour étudier les textes de nos devanciers. Mais ce peut être un vagabondage aussi que d'errer dans une recherche historique purement descriptive qui se prend pour sa propre fin. Armés du seul historicisme — au sens que Henry Corbin donnait à ce mot —, nous nous enfonçons dans des labyrinthes infinis, vagabondons dans le microscopique au lieu de nous saisir nous-mêmes comme microcosme et de nous orienter dans le macrocosme. Il importe de savoir où nous n'allons pas — où nous ne voulons pas aller —, mais marcher vers le *sens* implique une boussole.

L'alchimie spirituelle, au sens où nous l'entendons ici, est une aiguille aimantée. Son symbolisme s'épanouit de façon polysémique en bouquets de sens qui jalonnent l'itinéraire : nous savons alors où nous allons, même si nous trouvons parfois malaisé de comprendre *comment* nous y allons. L'alchimie est un jeu. Un jeu sérieux — *lusus serius*, pour reprendre un titre de Michel Maier. N'y allons pas, toutefois, comme vers un but aussi situé que serait un temple localisé, car il s'agit surtout de trouver, c'est-à-dire de construire, un *lieu* — mais qui n'est pas un point fixe. Notre voyage est infini, car toujours à poursuivre en spirale. Éternel pèlerinage, qui n'a pas pour fin un paradis où rien ne se passerait plus. Recréation permanente, comme s'il s'agissait moins d'aboutir que de marcher toujours, et en sachant pourquoi. Cette forme de pèlerinage ne se fonde pas sur un idéal de *perfection* — comme la sainteté —, mais de *totalité*. On ne nous dit pas que ceux qui rencontrèrent le Christ sur le chemin d'Emmaüs se seraient perdus ensuite dans l'immobilité éternelle d'on ne sait quelle fusion unitive, fût-elle aussi cognitive. Imaginons qu'ils reçurent au contraire, par cette rencontre avec le Ressuscité, l'impulsion définitive vers un mouvement perpétuel en même temps qu'éternellement créateur sur le plan spirituel.

Voyage en spirale, donc. Mais si la boucle n'est jamais bouclée, l'harmonie humano-cosmique se révèle par là même de plus en plus créatrice, féconde, lourde d'engendrements infinis. Les noces chimiques de Christian ne se terminent pas, le roman reste inachevé. Je voudrais que cet exposé lui aussi s'achève, inachevé, sur cette ouverture.

Miles redivivus

Aspects de l'Imaginaire chevaleresque au XVIII*e siècle : Alchimie, Franc-Maçonnerie, littérature*

On trouve, bien installée en plein siècle des Lumières, l'image du chevalier. Que vient-elle faire là, et à quels besoins répond-elle ? Au moment où l'*Encyclopédie* commence à paraître, alors que l'*Aufklärung* célèbre ses premiers grands triomphes, cette image fait contraste avec un rationalisme desséchant, remet en évidence des présences fondatrices, se diversifie en se montrant sous des vêtements nouveaux — d'où le nom de *miles redivivus* que je suggère pour suivre le chevalier, jusque vers 1815, à travers les trois domaines qu'il choisit alors pour se manifester : la littérature alchimique, la Franc-Maçonnerie, et la littérature proprement dite (roman, drame, épopée). En Europe, mais en Allemagne surtout qui, de la Renaissance à nos jours, est restée, mieux que tout autre pays, le conservatoire de la plupart des traditions symboliques et initiatiques. Demandons-nous à quoi servent les Ordres de chevalerie, quand le mythe s'en empare, et tentons de dégager quelques thèmes majeurs.

C'est principalement au Chevalier au Lion, à l'*Amadis de Gaule*, que depuis le XVe siècle l'Europe doit sa vision populaire du Moyen Âge chevaleresque, et cela jusqu'en plein XVIIIe siècle, principalement grâce aux livres de colportage. À quoi il convient d'ajouter l'intérêt périodiquement renouvelé pour certains ouvrages anciens, comme celui de Rixner, *Anfang* [...] *des Thurniers inn Teutscher Nation*, publié en 1530, dont on comprend que la précision technique et surtout les nombreuses planches aient fait fermenter les imaginations. Au XVIIIe siècle, il en ira de même des *Mémoires sur l'Ancienne Chevalerie*, par

J.-B. de la Curne de Sainte-Palaye (1753, 2e éd. 1759), dont la lourde documentation érudite, accompagnée d'une véritable apologie des chevaliers, sera pour les conteurs européens une véritable mine[1]. Ces trop brefs rappels bibliographiques rendent partiellement compte du développement de l'élément chevaleresque en Maçonnerie et en littérature, moins en alchimie. Les auteurs alchimiques, dont le discours est en principe plus intemporel, s'intéressent surtout à des parcours mythiques déjà balisés par les versions mythologiques traditionnelles. Ainsi, en 1758, Dom Pernety, à propos des « allégories qui ont un rapport [...] palpable avec l'Art Hermétique », traite successivement de la conquête de la Toison d'Or, de l'enlèvement des pommes d'or du jardin des Hespérides, de l'histoire d'Atalante, de la biche aux cornes d'or, de Midas, de l'âge d'Or et des pluies d'or[2]. La Toison d'Or est aussi un Ordre de chevalerie, point seulement un chapitre de la mythologie grecque ; à ce titre, cet Ordre intéresse des auteurs hermétiques, jusqu'en plein XVIIIe siècle.

HERMANN FICTULD ET L'ORDRE DE LA TOISON D'OR

À lui seul, le périple de Jason et des Argonautes se prête merveilleusement à des interprétations hermétiques et initiatiques. Par la richesse de ses péripéties, ses images fournissent à la symbolique alchimique un thème inépuisable de méditation. En 1730 a paru en Allemagne *Aureum Vellus, oder Güldenes Vliess*[3], signé Ehrd. de Naxagoras, ouvrage d'alchimie qui

1. Traduit en allemand sous le titre *Das Ritterwesen des Mittelalters nach seiner politischen und militärischen Verfassung* (Nuremberg, 1786-1790).

2. Joseph Antoine DOM PERNETY, *Fables égyptiennes et grecques dévoilées*, Paris, 1758, pp. 433-580.

3. C'est Hermann FICTULD, qui parle d'une édition de 1730 dans son *Aureum Vellus*, p. 165 (il s'agit plutôt de 1731). J'ai pris connaissance de l'édition de 1733 (Staatsbibliothek de Munich, cote *Alch 245*, relié avec d'autres textes sous le titre général : *Opuscula Chymica II*). Début du titre : Ehrd. DE NAXAGORAS, *Aureum Vellus, oder Güldenes Vliess : das ist, ein Tractat, welcher darstellet den Grund und Ursprung des uralten Güldenen Vliesses* [...] Editio secunda, Francfort/Main, 1733, 2 vol., suivie d'un *Supplementum Aurei Velleris* du même auteur, consacré à une sorte d'exégèse du texte de la *Table d'Émeraude* (pp. 1-62). Sur Naxagoras, cf. Hermann KOPP, *Die Alchemie in älterer und neuerer Zeit*, Heidelberg, 1886, t. I et II, index.

raconte l'histoire de Jason. Peu après, on réédite à Leipzig un livre de 1607 portant le même titre[1]. Enfin paraît en 1749 le livre de Hermann Fictuld, peut-être le premier à exposer de façon précise et systématique le contenu et la signification alchimique des décors propres à l'Ordre des chevaliers de la Toison d'Or[2].

Qui était Hermann Fictuld ? On ignore encore l'identité du personnage caché sous ce pseudonyme. Ses ouvrages, tous alchimiques ou théosophiques, ont été conservés[3]. Il a corres-

1. Cf. H. FICTULD, *Aureum Vellus*, p. 164.

2. *Aureum Vellus oder Goldenes Vliess. Was dasselbe sey. Sowohl in seinem Ursprunge, als erhabenen Zustande. Denen Filiis Artis und Liebhabern der Hermetischen Philosophie dargelegt, auch, dass darunter die Prima Materia Lapidis Philosophorum, samt dessen Praxi verborgen, eröfnet von Hermann Fictuld.* Leipzig, bey Michael Blochberger, 1749, paginé 121 à 379. Les pages 1 à 120 sont intitulées : *Azoth et Ignis, das ist, das wahre und elementarische Wasser und Feuer — Oder Mercurius Philosophorum* [...].

3. On ne trouve rien dans les biographies de MEUSEL, ni dans aucune de celles que j'ai pu consulter. Le *Lexicon Pseudonymorum* d'Emil WELLER, Ratisbonne, 1886, indique bien « Hermann Fictuld », malheureusement sans nous renseigner sur son véritable nom ; il cite les titres suivants, de cet auteur : *Contracta, das ist das edle Perlein* [...] *der himmlischen Weisheit,* 1734. *Chymisch Philosophischer Probierstein,* 1740, 1753, 1784. *Cabbala mystica naturae*, 1741. *Hermetischer Triumphbogen*, 1741. *Occulta Occultissima*, 1741. *Azoth et Ignis*, 1749. *Hermetica Victoria*, 1750. *Abhandlung von der Alchymie*, 1754. *Turba Philosophorum*, 1763. J'ai consulté et photocopié à la Staatsbibliothek de Munich : *Abhandlung von der Alchymie und derselben Gewissheit*, Erlangen, 1754 (cote : *Alch 247/5*, et un ex. à la Bibl. de l'Univ., cote 8, Chem. 340). *Azoth et Ignis*, Leipzig, 1749 (cote : *Alch 247/1*, cf. aussi n. 2, p. 210, *supra*). *Der längst gewünschte und versprochene chymisch-philosophische Probierstein*, Francfort et Leipzig, 1740 (cote : *Alch 244/3*), avec une 3ᵉ éd., 1784 *(Alch 101). Chymische Schriften. Ans Licht gestellt durch Friedr. Roth-Scholtzen*, Francfort et Leipzig, 1734 (cote : *Alch 101 m*). *Hermetischer Triumphbogen auf zweyer Säulen der grossen und kleinen Welt bevestiget*, Petersbourg, Copenhague et Leipzig, 1741 (cote : *Alch 102*). *Turba Philosophorum*, s.l., 1763 (cote : *Alch 102 d*). Karl R. H. FRICK, *Die Erleuchteten*, Graz, Akad. Druckund Verlagsanstalt, 1973, p. 313 sq., écrit à propos de cet auteur hermétique : « *Nach einer Version soll sein Wahrer Name Johann Heinrich Schmidt von Sonnenberg gewesen sein. Geboren am 7. März 1700, soll er bereits mit 16 Jahren Gehilfe eines Regiments-Feldscherers zu Temesvar in Ungarn gewesen und von diesem in der Alchemie unterrichtet worden sein. Später wurde er angeblich mit einem Baron Prugg von Pruggenheim aus Innsbruck bekannt, der ihm weitere Unterweisungen ertheilte und sich mit ihm und einigen anderen zu einem Rosenkreuzerzirkel verband. Nach einer anderen Version soller Mummenthaler geheissen haben, in Langenthal geboren worden und 1777 im Alter von 78 Jahren verstorben sein. Im* Hermetischen A.B.C. von 1779 *soll schliesslich Fictulds wahrer Name Mummenthaler oder Weinstof gewesen sein* ». Joachim TELLE (lettre à l'auteur, 14 avril 1984) me signale une traduction, par FICTULD, intitulée *Fürstliche und Monarchische Rosen von Jericho. Das ist : Moses Testament*, in *Neue Sammlung von einigen alten und sehr rar gewordenen Philosophisch und Alchymistischen Schriften*, vol. III, Francfort et Leipzig, 1771. Avant-propos de Fictuld, 1760. Il y aurait également des renseignements biographiques sur Fictuld dans : *Sehr rare* [...] *Kunst-Stücke*, vol. III, Zittau et Leipzig, 1763, préface (nouv. éd.). Enfin, la Landesbibliothek de Darmstadt posséderait un assez grand nombre d'ouvrages de cet auteur.

pondu avec F. C. Œtinger[1], à qui au demeurant on a attribué un de ses livres[2]. La recherche réserve donc peut-être quelques surprises à son sujet. On n'est pas toujours très indulgent pour lui à notre époque, sans doute faute de l'avoir lu comme il le mérite ; un critique actuel, grand savant, ne le traite-t-il pas de « charlatan »[3] ? Pourtant ses livres, que j'ai lus pour la plupart, m'ont intéressé autant pour leur contenu philosophique ou théosophique que pour leur valeur historique. Fictuld, de toute manière, appartient à cette triade théosophique de la première moitié du siècle dont les deux autres noms sont ceux de Sincerus Renatus et de Georg von Welling[4].

On sait que l'Ordre de la Toison d'Or a été fondé à Bruges en 1429 par Philippe III dit le Bon, duc de Bourgogne, père de son successeur Charles le Téméraire dont la mère Isabelle était la fille du roi du Portugal. Il le créa le jour même de ses noces, prétextant qu'il aurait à s'en servir pour entreprendre une croisade contre les Sarasins ; en fait, l'Ordre ne servit jamais à cela, ce qui favorisa les interprétations purement hermétiques de Fictuld et d'autres commentateurs avant lui. Le chancelier de l'Ordre au XVe siècle, Johannes Germanus, évêque de Chalon en Bourgogne, gêné par la trop païenne — ou trop ésotérique — référence à Jason, n'avait-il pas demandé, mais sans succès, qu'on mît plutôt en avant la toison du biblique Gédéon[5] ? Et Charles le Téméraire, ayant fait de grandes dépenses sans qu'on ait très bien su d'où il tirait ses ressources, fut soupçonné d'avoir possédé la pierre philosophale. À sa mort, l'Ordre n'était déjà plus que fort peu représenté, ce qui est encore le cas aujourd'hui[6] ; occultation de nature à susciter, elle aussi, une allégorisation alchimisante, un peu comme la

1. Cf. ŒTINGER à CASTELL, 13 mai 1763, in *Œtingers Leben und Briefe* hg. von K.C.E. EHMANN, Stuttgart, 1859, pp. 655-670. Déjà relevé par R. C. ZIMMERMANN, *Das Weltbild des Jungen Goethe*, Munich, Fink, t. II, 1979, p. 370 sq.

2. *Das Geheimnis von dem Salz*, Stuttgart, 1770, selon R. C. ZIMMERMANN, *op. cit.*, t. I, 1969, pp. 170 et 338, serait de FICTULD.

3. R. C. ZIMMERMANN, in *ibid.*, p. 170 (« *Scharlatan und Pseudo-Rosenkreuzer* »).

4. Œuvre principale de Sincerus RENATUS (*alias* Samuel RICHTER), *Theo-Philosophia Theoretico Practica*, Breslau, 1711. Cf. une étude intéressante de cet ouvrage *in* R. C. ZIMMERMANN, *op. cit.*, t. I et II, index des noms. Georg VON WELLING, *Opus magocabbalisticum et theosophicum*, Homburg von der Höhe, 1735, plusieurs rééditions.

5. FICTULD, *Aureum Vellus*, p. 223, d'après Olivarius MARCANUS.

6. On sait que l'Ordre de la Toison d'Or n'est plus guère représenté aujourd'hui que par une poignée de personnes, essentiellement en Espagne et en Autriche.

totale disparition de l'Ordre du Temple à partir de 1315 contribue au XVIIIe siècle à accréditer la fable selon laquelle les vrais Maçons seraient les successeurs des Templiers[1].

Fictuld propose d'intéressantes remarques historiques, outre l'interprétation alchimique qu'il donne des attributs de ces chevaliers. Il rappelle que dans l'hermétisme ou l'alchimie païenne et chrétienne, le mot « Toison d'Or » n'est pas inconnu[2], et qu'on doit au bienheureux « *saeculum adepticum* » la fondation de cet Ordre. N'est-ce point l'époque de Pic de la Mirandole, Cosme de Médicis, Théodore Gaza, Thomas a Kempis, George Ripley, Isaac le Hollandais, Salomon Trismosin, Basile Valentin, Nicolas Flamel ? N'est-ce point celle de Bernard de Trévise, Thomas de Bologne, Raymond Lulle, Édouard IV d'Angleterre, Arnaud de Villeneuve[3] ? Bien avant la création de Philippe le Bon, Suidas (La Souda) avait proposé de Jason une interprétation alchimique dans son *Lexicon*. Fictuld lui donne raison, ajoutant à maintes reprises que l'Ordre né en 1429, enfant des Hautes Sciences, fut conçu par des Adeptes véritables pour servir l'Art hermétique[4]. Et notre auteur de citer Aloisius Martianus, Aurelius Johannes, l'*Aureum Vellus* paru à Rorschach en 1598, un *Golden-Vliess* de 1607 réimprimé à Leipzig en 1736, l'*Aureum Vellus* de Johann Conrad Creiling, celui de Naxagoras, de E. H. (« *Jungfer* » !) en 1574, de Johann de Monte en 1680, sans oublier le traité de Mennens parue dans le *Theatrum chemicum* de Strasbourg en 1623[5]. À propos des lectures alchimiques du mythe, Fictuld aurait pu nommer aussi Jean d'Antioche, Eustathius, la pseudo Eudocia Augusta, noms que l'on trouve chez du Cange, et citer aussi Pic de la Mirandole et Jacques Gohory[6] ! Il reproduit, bien sûr, un passage

1. Cf. *infra*, seconde partie, consacrée à la Franc-Maçonnerie.

2. *Aureum Vellus*, p. 257.

3. *Ibid.*, p. 286. FICTULD était fort curieux d'histoire en matière d'hermétisme ; le *Probierstein*, cf. *supra*, p. 210, note 3, se présente surtout comme une histoire de l'alchimie.

4. *Aureum Vellus*, pp. 145, 150, 161 sq., 166, 218.

5. *Ibid.*, pp. 164-167, 255. Cf., notamment à propos de l'*Aureum Vellus* de 1598 : Salomon TRISMOSIN, *La Toison d'Or ou la fleur des trésors* (texte de l'éd. française de 1612, traduction inédite du texte allemand de 1598), Paris, Retz, 1975, coll. Bibliotheca Hermetica, commentaire et étude par Bernard HUSSON et René ALLEAU.

6. Cf. au sujet de ces auteurs l'intéressante étude de Sylvain MATTON en préface à la rééd. en fac-similé des *Fables égyptiennes et grecques dévoilées*, éd. de 1786, Paris, La Table d'Émeraude, 1982. Rappelons aussi la présence de la Toison d'Or dans la « troisième journée » des *Noces chymiques de Christian Rosenkreutz*.

d'une lettre de Cornelius Agrippa qui en 1509, de Tollen, écrit à Trithème pour lui dire qu'il attribue à Philippe III et à Charles la possession de secrets divins : « J'ai encore pu voir moi-même à Dijon le laboratoire et les fourneaux du château ducal et on m'y a montré quelques écrits et caractères chymiques sur les murs, qui dit-on sont de la propre écriture des deux ducs[1]. »

L'or philosophique est une substance qui coule des sphères planétaires supérieures, un liquide astral, divin, une substance ignée, l'émanation de la bonté de Dieu au cœur des choses, l'âme, la semence, de la vie et de la croissance. Aussi le mot « *Vliess* » (toison), parent de « *fliessen* » (couler), est-il bien choisi en allemand. Le « *Goldene Vliess* » est de l'or liquide, de sorte qu'en choisissant ce beau symbole Philippe III en a dit plus qu'avec de gros in-folios[2]. Cette évocation qui n'est pas sans rappeler l'Âme du Monde montre assez à quel niveau Fictuld entend situer son interprétation des attributs du chevalier de l'Ordre. Il s'agit du manteau, des devises, de la chaîne, de l'étoile, enfin du double patronage de Marie et d'André.

La fête annuelle était célébrée trois jours durant. Le premier jour, le chevalier se revêtait d'un manteau pourpre ; le second, d'un manteau noir, et le troisième d'un blanc, selon Mennens pour suggérer par ces couleurs les étonnants mystères du Grand Art[3]. Le manteau rouge était prévu pour être porté aussi tous les autres jours de l'année[4]. Il y a de quoi mettre Fictuld dans l'embarras, puisque la chronologie des couleurs du processus alchimique est plutôt noir-blanc-rouge *(Nigredo, Albedo, Rubedo)* ! Mais le théosophe sait tourner la difficulté en proposant une assez plausible interprétation hermétisante. C'est sous

1. *Aureum Vellus*, p. 255 sq. : Agrippa écrit que Philippe le Bon a créé l'Ordre en l'honneur des saints mystères (alchimiques) ; d'autre part, Pic de la Mirandole, Cosme de Médicis, Theodorus Gaza ainsi que d'autres, étaient en rapport étroit avec Philippe en matière de hautes sciences. Agrippa ajoute : « *Nach [Philippus] kam sein Sohn Carolus, der gleichfalls theil an diesen göttlichen Geheimnissen gehabt, und ein sehr kluger Mann soll gewesen seyn. Ich selbsten habe zu Dijon noch das Laboratorium und die Oefen gesehen in der Hertzoglichen Burg, auch hat man mir daselbsten einige chymische Scripturen und Character an deren Wänden gewiesen, die beyder Hertzogen eigene Handschrifften seyn sollen.* » Tel est le témoignage d'AGRIPPA, cité par FICTULD.

2. *Ibid.*, p. 217.

3. *Ibid.*, p. 254 : « *um mit diesen Farben die erstaunlichen Geheimnisse der grossen Kunst anzudeuten* ».

4. *Ibid.*, p. 260.

la couleur pourpre, rappelle-t-il, que la *materia prima* se présente d'abord, ce qu'il ne faut point confondre avec le stade final de la *Rubedo*. Il s'agit de quelque chose qui rappelle le sang coagulé, par quoi il convient d'entendre la marque de la chute originelle, en tout cas un état instable qu'évoquent les *feces terrae* et les feuilles de vigne d'Adam et d'Ève. Grâce au sacrifice du Sauveur l'être humain peut retrouver un état stable, donc se dépouiller de ce rouge-là qui reste pourtant notre signe sur cette terre et la couleur des chevaliers de l'Ordre pendant tous les autres jours de l'année.

On s'en dépouille pour revêtir la robe noire, car les « Philosophes » voient en elle le début de l'Œuvre, la porte d'entrée au Palais du Roi[1]. Elle est bien la *Nigredo* traditionnelle, et voici pourquoi cette seconde couleur apparaît. Quand la lumière rayonnante cachée « dans le centre de la robe » — entendons : au cœur de nous-mêmes et de la matière — ne peut plus s'épancher comme elle le voudrait à cause des impuretés — rouges — qui lui font écran, alors elle se retire en elle-même, en son centre, quittant ces parties impures qui du même coup, et parce qu'elles sont dès lors abandonnées, livrées à elles-mêmes, pourrissent, tombent en putréfaction, deviennent noires[2]. Il faudra faire fondre cette putréfaction avec la chaleur de nos larmes « afin que l'âme, la pure semence, la teinture divine, le noble chevalier, puisse réapparaître dans son pur vêtement d'innocence devant le trône de la grâce divine »[3]. Le troisième jour, les chevaliers revêtaient un manteau blanc de damas parce que, selon les alchimistes, cette couleur représente la transition vers le rouge parfait. Le blanc est lumière, semence, âme, vie. Chaos contenant la *materia prima*. C'est le premier vêtement de l'innocence naturelle. Le feu secret des Philosophes ou feu aqueux — ou encore eau ignée — a fait surgir ce blanc de perfection. Mais le lendemain du troisième jour le chevalier remet son manteau rouge qui, cette fois, symbolise la vraie *Rubedo* ! Le rouge fait donc double emploi, puisqu'au premier jour de la fête de l'année suivante il figure aussi la déchéance de l'homme. Ainsi : Rouge = péché ; noir =

1. *Ibid.*, p. 261 sq.
2. *Ibid.*, p. 263.
3. *Ibid.*, p. 264.

désespoir et irrésolution ; blanc = liberté ; rouge = état de régénération — puis de péché, etc.[1]

Les manteaux étaient assortis d'un large ourlet sur lequel Philippe III avait fait broder son symbole, pierre à briquet et étincelle de feu *(Feuerstein und Feuerfunken)*, avec la devise : « Autre n'auray » *(Non habeo aliud)*. Fictuld interprète cela comme : « Je n'aurai d'autre connaissance plus haute que l'alchimie, je respecte et vénère l'unique Chaos qui m'a été dévoilé par Dieu et quelques amis. » Son fils Charles le Téméraire a changé cette devise en : « Je l'ay empris » *(Illud suscepi)*, ce que notre théosophe interprète : « Je suis prince mais ne suis qu'un homme, je me souviendrai de mes faiblesses, et ce que mon père m'a légué en matière d'alchimie, je le connais pour l'avoir moi-même vu[2]. » Enfin, autour de la toison elle-même, dont le symbole sous forme de bijou pend à la chaîne entourant le cou du chevalier, on lit la devise : « *Pretium non vile laboris* », c'est-à-dire : « Faites silence en vous, contemplez-vous dans ma vérité extérieure et intérieure car je suis de l'or divin et point vulgaire, pierre et acier font jaillir des étincelles qui, rassemblées en faisceaux, sont l'or métallique de la chaîne que vous avez sous les yeux[3]. »

L'attribut le plus remarquable est sans aucun doute le magnifique collier, qui a suscité autant de curiosité que d'admiration. C'est une chaîne, faite de huit éléments en or massif dont chacun est revêtu de deux pierres à briquet en acier. Aussi le collier est-il supposé produire des étincelles, du moins symboliquement. À ces huit éléments s'en ajoutent deux autres, qui pendent au collier et sur lesquels on trouve le signe de l'Ordre, une médaille revêtue de la Toison d'Or en laine d'or avec la mention citée plus haut *(Pretium non vile laboris)*. Fictuld rappelle que les tables de la loi de Zoroastre étaient portées de façon semblable. Cette toison pendant à la chaîne symbolise le livre fait de peaux de bélier, ou selon l'image des Anciens, le

1. *Ibid.*, pp. 265-269. Dans *Histoire des Ordres Militaires ou des Chevaliers*, « nouv. éd. tirée de l'abbé GIUSTINIANI », etc., t. IV, Amsterdam, 1721, on lit p. 37 que les lettres composant le nom de Jason correspondent aux mois où l'on cueille les fruits (juillet, août, septembre, octobre). Cet ouvrage confirme d'autre part, p. 43, ce que FICTULD dit sur les manteaux. On consultera aussi *La Toison d'Or*, de Kervyn de LETTENHOVE, Bruxelles, 1907.

2. *Aureum Vellus*, p. 259 sq.

3. *Ibid.*, p. 278.

rouleau sur lequel on écrit en couleur d'or, parmi d'autres hautes sciences, l'art de la chrysopée[1]. Fictuld ne rappelle pas ici que la chaîne d'or en général est un symbole connu de l'hermétisme, ce dont le Romantisme allemand, à l'autre bout du siècle, saura se souvenir : l'image se retrouve plusieurs fois chez Novalis dans *Heinrich von Ofterdingen*, le plus beau des romans initiatiques de cette école. Ajoutons le dernier attribut, l'étoile portée sur la poitrine. Avec ses six branches, elle représente un symbole alchimique élémentaire — au double sens du terme ! —, puisqu'on y retrouve les quatre éléments et qu'on peut les voir comme le mariage de l'eau (triangle pointe en bas) et du feu (triangle pointe en haut), les deux autres éléments se trouvant indiqués du même coup par la fermeture des triangles. Fictuld n'insiste pas sur cette image trop bien connue de ses lecteurs et qui n'est pas spécifique de la Toison d'Or. Il se contente de rappeler qu'elle représente Azoth + Ignis, ou vraie Toison d'Or, vraie *Signatstern*[2] ou étoile flamboyante.

Pourquoi Philippe le Bon a-t-il choisi le double patronage de Marie et d'André ? Les réflexions du protestant Fictuld au sujet de la Vierge ne manquent ni d'intérêt ésotérique ni de pittoresque. Marie, de par sa généalogie princesse de maison royale, naquit fille pauvre de Joachim. De même, la matière première du Grand Œuvre est cachée aux yeux des ignorants. Marie était de « qualité sublunaire, de complexion froide et humide, terrestre et élémentaire. Mais avec cela il y avait aussi en elle un Feu-Central inné »[3]. Marie était dotée d'un « aimant lunaire » attirant à elle les émanations et exhalaisons des astres et des régions supérieures — ce qui, si l'on comprend Fictuld, lui permit de recevoir l'enfant Jésus. Elle est du même coup l'image de la matrice que viennent remplir les émanations célestes astrales. Symbole d'Ève, elle représente l'eau qui s'échappe comme une source dans Mara, elle est image de la *materia prima*, du Soufre ou semence lunaire, de la fontaine où se baigne le Roi, de l'eau mêlée au feu, de la terre fertile. Elle

1. *Ibid.*, p. 276 sq.
2. *Ibid.*, p. 282.
3. *Ibid.*, p. 349 : « *nach göttlichen Eigenschafften, eine starcke Natur, sie war sublunarischer Complexion, irdischer und elementarischer Humeur, jedoch aber auch mit einem angebornen Central-Feuer verknupfft, das da in denen innersten Theilen ihres Leibes verborgen lag* ».

est encore fontaine contenant feu et sel, d'où la complexion lunaire de ses qualités capables de dissoudre les vertus solaires, de les ennoblir, de les rendre parfaites[1]. Quant à André, il signifie étymologiquement « pierre d'émeraude » et se trouve préfiguré dans l'Ancien Testament par Sébulon, fils du patriarche Jacob. Il possède des qualités solaires et martiennes ascendantes, reçoit les émanations vénusiennes descendantes, et symbolise la matière première s'incorporant à la matière obscure, comme l'indique son activité de missionnaire en Occident (les pays « noirs », puisque situés au couchant). De plus, il a évangélisé là où Jason est allé chercher la Toison d'Or avec les Argonautes (la Colchide, la Scythie, la Géorgie). Qu'il représente la couleur noire est confirmé par le fait que les chevaliers de l'Ordre le fêtent le second jour, donc celui précisément où ils revêtent leur robe noire (Marie est fêtée le troisième jour). Le noir est chargé de sens en théologie, comme Fictuld a eu l'occasion de le rappeler dans d'autres ouvrages[2].

D'autres pages sont plus particulièrement consacrées au mythe des Argonautes. Je ne m'y attarde pas ici, car il n'y parle plus de l'Ordre de chevalerie mais se livre à des interprétations hermétisantes de la mythologie. Ainsi, Phrixus représente le soufre solaire, Hellé le mercure lunaire, ces deux enfants sont nés à Thèbes qui symbolise les éléments supérieurs. Leur mère Néphélé (lunaire) étant incapable de conserver ce qu'Athamas (solaire) lui avait donné, ils quittent leur région supérieure et montés sur le bélier descendent comme une pluie d'or sur la terre de Colchide. La Thessalie d'où part Jason symbolise la « grande chose unique » dont parle la Table d'Émeraude (*The*

1. *Ibid.*, pp. 345, 350, 352.
2. *Ibid.*, pp. 353, 356 sq, Paul Georges SANSONETTI me fait remarquer que Charles le Téméraire a ajouté le X, mais avec deux bâtons de laurier « écotés » (élagués) pour indiquer que leur frottement produit le feu (on pense ici au feu du Saint-Esprit, et à la double flamme des Dioscures !). Le laurier est attribué à Apollon. Il augmente la vitalité (idée de force vitale universelle). Sansonetti remarque aussi que le collier de l'Ordre résume et rassemble des images essentielles de diverses traditions : le frappement de la pierre évoque les temps immémoriaux de la guerre du feu, et du premier outil de l'humanité, mais aussi les *Agni* de la tradition védique, les « étincelles » primordiales (échappées des « vases ») de la Kabbale juive, et le rituel du feu dans l'Iran mazdéen. Lumière qui me rappelle également celle du *Xvarnah*, ou lumière de gloire (cf. Henry CORBIN, *En Islam iranien*, Paris, Gallimard, 1971, t. II, p. 156), l'idée du Xvarnah étant elle-même liée organiquement à celle d'une chevalerie groupée autour de la lignée de ses détenteurs — d'où un rapport presque évident entre « Xvarnah » et « Graal ».

S-Salia, poussière ou Soufre solaire, vie de feu et d'amour), et la Colchide les parties fixes, incombustibles, qui doivent être « séparées » pour libérer le subtil (la Toison)[1]. Un long passage intercalé dans ce développement est consacré au texte de la Table d'Émeraude[2]. D'autres pages sont purement théosophiques, par exemple quand il est question de Lucifer fils de l'Aurore et ci-devant grand prince des chœurs célestes, fait d'une substance ignée qui traverse tout et qui, étant en partie la même que celle de l'Adam originel, a pu contaminer celui-ci[3]. On notera au passage, détail intéressant car nous sommes en 1749, que Fictuld évoque « les Rose-Croix d'Or » à propos de Hermès et des Argonautes[4]. Neuf ans plus tard paraissent en même temps les *Fables égyptiennes et grecques dévoilées* et le *Dictionnaire Mytho-Hermétique,* du Bénédictin Dom Antoine-Joseph Pernety, qui ne parle pas de chevalerie mais donne avec ces deux ouvrages, en trois volumes, une véritable somme de réflexions hermétisantes appliquées aux « fables antiques »[5].

HAUTS GRADES CHEVALERESQUES DANS LA FRANC-MAÇONNERIE

Lorsque le livre de Fictuld paraît, la Franc-Maçonnerie spéculative existe depuis déjà trente-deux ans, et à ce moment elle s'enrichit de « hauts grades ». Ils sont « chevaleresques » pour bon nombre d'entre eux, car sur le continent celle-ci tend alors

1. *Aureum Vellus,* pp. 309-319, 325.
2. *Ibid.,* pp. 320-343.
3. *Ibid.,* p. 318 sq.
4. *Ibid.,* p. 341, allusion à « *die goldenen Rosen-Creutzer* ».
5. Le *Dictionnaire Mytho-Hermétique* a été réédité plusieurs fois (cf. notamment la reproduction de l'édition originale, Milan, Arché, 1969. Rééd., également en fac-similé, des *Fables* d'après l'éd. de 1786, à Paris, La Table d'Émeraude, 1982, précédée d'une introduction par Sylvain MATTON, cf. *supra,* n. 6, p. 212). Sur Dom Pernety, consulter surtout Micheline MEILLASSOUX-SALMON, *Dom Antoine Pernety (1716-1796), Contribution à l'histoire des mouvements religieux en France au siècle des Lumières,* thèse de troisième cycle, Univ. de Paris IV, 1978 (une version plus complète de ce travail se trouve à la Bibliothèque de la Vᵉ Section de l'École Pratique des Hautes Études, à la Sorbonne). Cf. aussi Mandé PERROTEAU, *Dom A.-J. Pernety (1716-1796), itinéraire intellectuel et spirituel,* thèse de troisième cycle, Univ. de Paris IV, 1976.

à se considérer comme un successeur d'Ordres médiévaux de chevalerie. On sait qu'elle repose fondamentalement sur trois grades (Apprenti, Compagnon, Maître), qui constituent ce qu'on appelle la Maçonnerie « bleue », tandis que les grades supérieurs, propres à un certain nombre de Rites, constituent ce qu'il est convenu d'appeler la Maçonnerie « écossaise » ou « l'écossisme ». Évidemment, ce sont au XVIIIe siècle les hauts grades[1], dont le nombre varie selon les Rites, qui permettent l'introduction de titres chevaleresques liés à la symbolique ésotérique de l'illuminisme théosophisant. La rapide évolution de l'écossisme vers cet imaginaire chevaleresque n'a rien de surprenant si l'on observe qu'un Ordre depuis longtemps défunt, chargé d'histoire et de mystère, a déjà fait couler beaucoup d'encre au siècle précédent.

Il s'agit de l'Ordre du Temple. Pourquoi est-ce particulièrement lui qui, très vite, intrigue et préoccupe les Maçons ? Sans doute parce qu'il est davantage possible de se prévaloir d'un Ordre mort depuis longtemps, ou de s'en dire le successeur : les preuves du contraire feront presque toujours défaut. L'ouvrage *Traités concernant l'histoire de France*, de Pierre Dupuy, publié en 1654 et document de base sur l'Ordre du Temple, a été réédité de nombreuses fois, notamment en 1751, signe de son succès avant même que Rosa et Hund n'introduisent dans la Maçonnerie allemande la légende templière[2]. Selon celle-ci,

1. Cf. l'ouvrage resté classique de Gustav Adolph SCHIFFMANN, *Die Entstehung der Rittergrade in Frankreich in der ersten Hälfte des 18, Jahrhunderts*, Leipzig, 1882. Et récemment : James Fairbain SMITH, « The Rise of the écossais degrees », in : *Proceedings of the Chapter of Research of the Grand Chapter of Royal Arch Masons of the State of Ohio,* vol. IX, Ohio, Otterbein, 1965. Adolf HAMBERGER, *Organisationsformen, Rituale, Lehren und magische Thermatik der Frei-Maurerei und freimaurerartigen Bünde im deutschen Sprachraum Mitteleuropas,* 3 vols., + 1 vol. de bibliographie, Eigenverlag, 1971-1973-1974, hektographiert (Hamberger est professeur à l'université de Giessen). Ouvrages déjà cités dans l'excellent ouvrage de Karl R. H. Frick (cf. *supra,* n. 2, p. 210).

2. À ce titre il faut ajouter : GURTLER, *Historia Templariorum observationibus ecclesiasticis aucta* (1691). SCHOONEBECK, *Histoire de tous les Ordres militaires ou de Chevalerie et des Ordres religieux* (1699-1700). Pour d'autres titres — et ils furent nombreux, sur ce sujet de l'Ordre du Temple —, cf. René LE FORESTIER, *La Franc-Maçonnerie templière et occuliste aux XVIIIe et XIXe siècles,* Paris, Aubier-Nauwelaerts, 1969, p. 75 sq. et surtout Georg KLOSS, *Bibliographie der Freimaurerei*, Francfort, 1844, pp. 155-163 ; rééd. en fac-similé, Graz, Akademischer Druck- und Verlagsanstalt, 1970. Consulter aussi les beaux chapitres : *a)* du livre de Jean TOURNIAC, *Vie et perspectives de la Franc-Maçonnerie traditionnelle,* Paris, Dervy, 1978 (nouv. éd.), « La Chevalerie d'Occident », pp. 255-285 ; *b)* du livre d'Henry CORBIN, *Temple et contemplation,* Paris, Flammarion, 1980, chap. VI-IX.

une obédience maçonnique (la Stricte Observance Templière, fondée par le baron Karl von Hund en 1764, mais pratiquement un peu plus ancienne sous sa forme dite du Chapitre de Clermont) serait l'héritière des Chevaliers de l'Ordre du Temple, et seule à en détenir la véritable filiation. Rituels et Instructions de la S.O.T. développent ce thème à l'envi, le propageant aussi à l'extérieur des loges. La version la plus ancienne que nous connaissions de cette légende templière est une Instruction maçonnique datant de 1760. Intitulée *De la Maçonnerie parmi les chrétiens,* elle enseigne que les premiers « Maçons » chrétien furent Boèce, Symnaque, Ausone, suivis par les chanoines du Saint-Sépulcre et naturellement les Templiers[1] ! Au demeurant, même sans référence à l'Ordre du Temple, il est très tôt question de chevalerie à propos de la Maçonnerie. Déjà en 1675, donc quarante-deux ans avant la naissance de la Maçonnerie spéculative, le père Louis Maimbourg, dans son *Histoire des Croisades*, plusieurs fois édité et traduit, parle de la Société des Francs-Maçons, « qu'on croit s'être formée lors de la conquête de la Terre sainte ». D'autre part, un document récemment retrouvé fait état d'un Chapitre de Chevaliers dans une loge maçonnique anglaise en 1710, donc sept ans avant la naissance de la Maçonnerie spéculative ! Cet Ordre créé par des Français est plus libertin que religieux, mais il porte quand même le nom de Chevalerie et possède à sa tête un Grand Maître. Enfin, Ramsay, célèbre par son fameux discours maçonnique de 1738 consacré aux origines de celle-ci, évoque les Ordres de Chevalerie, parle de « nos Ancêtres les Croisés », dont les secrets et signes figuratifs « rappellent le souvenir, ou de quelque partie de notre Science, ou de quelque vertu morale, ou de quelque mystère de la Foi »[2].

1. Cf. un bon résumé in LE FORESTIER, *op. cit.*, p. 68 sq., et SCHIFFMANN, *op. cit.*, qui en a reproduit le texte pp. 178-190.

2. Sur le discours de Ramsay, cf. G. A. SCHIFFMANN, *Andreas Michael Ramsay, eine Studie zur Geschichte der Freimaurerei,* Leipzig, 1878, qui reproduit ce discours en l'accompagnant d'une traduction allemande. Ce texte de SCHIFFMANN a été reproduit en fac-similé, et relié en un même volume, avec le texte du même auteur cité *supra,* n. 1, p. 219, ainsi qu'avec l'étude de Heinrich LACHMANN, *Geschichte und Gebräuche der maurerischen Hochgrade und Hochgrad-Systeme,* Brunswick, 1866 ; le volume comportant ces trois reproductions en fac-similé s'intitule *Hochgrade der Freimaurerei.* Graz, Akademische Druck- und Verlagsanstalt, 1974. Référence au document de 1710 : M. C. JACOB, « An unpublished record of a Masonic Lodge in England », in *Zeitschrift für Religion und Geistesgeschichte,* hg. von Ernst BENZ und H. G. SCHOEPS, t. XXII, 1970. Jacob a trouvé parmi les papiers du « panthéiste »

L'introduction de la légende templière en Maçonnerie s'accompagne d'une seconde légende, dite jacobite, que Hund a tôt fait de lier à la première. La fiction jacobite consiste à faire du souverain Stuart détrôné le représentant actuel de l'Ordre du Temple, donc le « Supérieur Inconnu » de la S.O.T.[1]. Hund trouve un terrain favorable à l'adoption de cette double fiction dans le fait qu'avant la S.O.T. créée par lui-même, il existait de 1758 à 1764 un Rite appelé Chapitre de Clermont (illustré par les noms de Lernay, de Prinzen et de Rosa), dont le quatrième grade est celui de Chevalier de Saint-André-du-Chardon, le cinquième celui de Chevalier de Dieu et de son Temple, tous deux développant une symbolique à double orientation : celle du Temple de Salomon, et celle de l'alchimie traditionnelle[2]. Les Instructions de ce Rite enseignent qu'on a retrouvé dans le Temple de Jérusalem les principes de l'Art Royal (alchimique) ! La Maçonnerie écossaise hermétisante semble avoir pris naissance avec ce Chapitre de Clermont, le premier peut-être à réaliser l'alliage de ces trois thèmes que sont la Chevalerie, le Temple de Salomon, et l'alchimie. Il est aussi la matrice dans laquelle, et à partir de laquelle, Hund peut développer et imposer son propre Rite, la S.O.T.

Le sixième grade de la S.O.T. se partage en trois catégories distinctes de chevaliers[3]. Ceux-ci adoptent en outre un nom de guerre, toujours précédé par « *Eques a...* » (Exemples : *Eques a Victoria, Eques a Pelicano, Eques ab Eremo).* Jean Baptiste Willermoz *(Eques ab Eremo),* avant de créer le Rite Écossais Rec-

John Toland un manuscrit intitulé *Extrait des Registres du Chapitre Général des Chevaliers de la Jubilation* (1710) — cité par Frick, p. 232.

1. Le catholique Charles Ier Stuart avait été exécuté en 1649 sur l'Ordre de Cromwell. En 1660 la maison Stuart revint sur le trône en la personne de Charles II, auquel succéda Jacques II à partir de 1685. La politique francophile de ce roi catholique incita l'empereur à soutenir contre lui les prétentions de Guillaume d'Orange au trône anglais. En 1688, Guillaume chassa Jacques II qui s'installa au château de Saint-Germain-en-Laye. Avec l'appui de Louis XIV, Jacques II put débarquer en 1689 sur la côte irlandaise, mais échoua finalement dans son entreprise ; son fils Jacques III débarqua lui aussi en 1715 sur la côte écossaise et échoua de même. Le fils de celui-ci, Charles Édouard (1720-1788) tenta encore une restauration en Écosse, en 1745, échoua à son tour, et dès lors vécut en France.

2. Cf. René Le Forestier, *op. cit.,* p. 85 sq.

3. Comme pour les C.B.C.S. (cf. *infra,* à propos de la n. 1, p. 223). Les grades de la S.O.T. étaient : 1er degré : Apprenti-Compagnon-Maître. 2e degré : Écossais Vert-Chevalier de l'Aigle Rose-Croix. 3e degré . Écossais Rouge (?) -Écuyer Novice-Chevalier (classes diverses).

tifié, dans le sillage de la S.O.T. et en concurrence avec elle, a connu dans l'Ordre de son Maître Martines de Pasqually, c'est-à-dire chez les Élus-Cohens, un grade de Chevalier d'Orient (dans la troisième classe de ce Système). Par l'intermédiaire de sa loge lyonnaise La Parfaite Amitié, il s'est familiarisé aussi avec un Chapitre de hauts grades comprenant notamment ceux de Chevalier Templier Grand Élu et de Chevalier Rose-Croix, qui ne prétendent nullement se rattacher à l'Ordre du Temple mais expriment seulement la légende maçonnique la plus courante, celle qui est relative au Temple de Salomon. Willermoz a fait partie, enfin, de la Grande Loge des Maîtres Réguliers de Lyon, créée en 1760, Rite comportant huit grades dont les trois plus élevés sont ceux de Grand Architecte, de Chevalier d'Orient, et le huitième de Grand Maître Écossais Chevalier de l'Épée et Rose-Croix. En 1763, il fonde alors avec son frère le Chapitre des Chevaliers de l'Aigle Noir, société très fermée, à la symbolique fortement teintée d'alchimie[1] et influencée par des Frères résidant à Metz. Les frères Willermoz connaissent bien en effet un Système régional messin — le Chapitre Saint-Théodore — qui fonctionne au début des années soixante, avec pour degré suprême celui d'Écossais Rectifié de Saint-Martin (d'après le nom du chevalier romain qui avait partagé son manteau) ou de Chevalier Bienfaisant de la Cité Sainte (c'est-à-dire de Rome)[2]. Ce Chapitre comprend également un grade de Chevalier Grand Inspecteur Grand Élu, à la symbolique elle aussi alchimique — « Chevalier » signifiant pratiquement, dans ce contexte, « alchimiste[3] » ! Reprenant ensuite le mot en créant son propre Rite (le fameux Rite ou Régime Écossais Rectifié) dans les années soixante-dix, Willermoz entend dès lors par « Cité Sainte » Jérusalem, ou la Palestine. Avec ce grand réformateur lyonnais bien plus que grâce au Système messin, le grade de C.B.C.S. (sigle devenu synonyme de Rite Écossais Rectifié) restera célèbre.

On n'a peut-être pas fait suffisamment remarquer que « C.B.C.S. » permet à Willermoz d'évoquer les Templiers sans les citer expressément, au moment où, avant le Convent de Wilhelmsbad (1782), il en est encore à s'interroger sur l'intérêt que

1. *Ibid.*, p. 279.
2. *Ibid.*, p.433.
3. *Ibid.*, p. 325 sq.

la référence à l'Ordre de Jacques de Molay peut présenter pour ce nouveau Rite qu'il est en train de créer. De toute manière il abandonne cette référence, au Convent, et du même coup la fait abandonner par la S.O.T. tout entière. La S.O.T. ne se remettra pas de cette amputation, elle en mourra peu après. Le Système de Lyon, au contraire, en sortira renforcé, toujours bien vivant jusqu'à aujourd'hui. Son idéal et sa symbolique répondent mieux ainsi aux exigences profondes de l'imaginaire chevaleresque, tellement présent dans le mental collectif qu'il a tendu de bonne heure à devenir intemporel : la Cité Sainte du Système de Lyon n'est pas Rome, mais Jérusalem ; son Temple est celui, non pas de Jacques de Molay, mais de Salomon.

Au demeurant, rappelons que la tripartition des chevaliers, commune à la S.O.T. et au R.E.R., ne doit rien à l'Ordre du Temple ; elle consiste simplement à distinguer les *milites* (gentilshommes de naissance ou croix de Saint-Louis), les *clerici* (prêtres catholiques ou pasteurs), et les *equites cives* (magistrats, négociants, bourgeois[1]). Rappelons aussi qu'au-dessus du grade de C.B.C.S. il en existe un autre, très secret, réparti en deux classes, celle des Chevaliers Profès et celle des Chevaliers Grands Profès[2]. L'Ordre Intérieur, c'est-à-dire les grades d'Écuyer Novice et de C.B.C.S., prétend continuer la tradition des « Frères d'Orient » (Constantinople, 1090 !)[3].

S.O.T., R.E.R., et les autres Rites mentionnés plus haut, ne sont pas les seuls à comporter des grades chevaleresques. Limitons-nous à quelques exemples. Le très beau et très chrétien Rite Suédois connaît un Maître Écossais appelé Chevalier d'Orient et du Temple. Un Rite Écossais Philosophique, fondé en 1776 par Boileau et d'inspiration rosicrucienne, comporte un grade de Chevalier de l'Aigle Noir[4]. Il eût été surprenant de voir les Philalèthes, animés par l'infatigable Savalette de Lange, se priver d'une semblable référence : leur Chapitre des Chevaliers des Amis Réunis est constitué par la sixième classe de Chevaliers d'Orient, la septième de Chevaliers Rose-Croix, la huitième de Chevaliers du Temple[5]. Mais les Rose-Croix

1. *Ibid.*, p. 423, et Frick, *op. cit.*, p. 563.
2. En allemand : « *Schule der Ritter des grossen Gelübdes.* »
3. *Ibid.*, p. 561.
4. *Ibid.*, p. 505.
5. *Ibid.*, p. 575.

eux-mêmes, c'est-à-dire les Rose-Croix d'Or, obédience fort répandue en pays germaniques dans les années soixante-dix et quatre-vingt, ne connaissent aucun grade chevaleresque, peut-être parce que l'alchimie et l'hermétisme y sont tellement apparents, et s'y donnent à ce point pour l'essentiel, qu'on n'éprouve pas le besoin de passer par l'intermédiaire d'une référence à un idéal. De toute manière la part du magique et du pratique paraît l'emporter, chez les Rose-Croix d'Or, sur celle de l'idéal ; sans doute par compensation, l'Ordre hermétique qui succède en 1786 à celui des Rose-Croix d'Or, au moment où ceux-ci disparaissent officiellement de la scène[1], se donne des grades chevaleresques. Il s'agit du Système des Chevaliers de la Croix de la Trinité *(Equites a Cruce Trinitatis)*, fondé par Assum, dont le Grand Maître est Karl von Hessen-Darmstadt (1749-1823). Il se transforme très vite en Ordre des Chevaliers et Frères de la Lumière — dits aussi, l'appellation est plus connue : Frères Initiés de l'Asie —, création ou recréation due à Ecker-und-Eckhoffen[2].

En 1805 encore, une loge de hauts grades dite Chevaliers de la Croix, formée surtout de nobles, reçoit sa patente ; elle comporte un Ordre Intérieur appelé Ordre du Temple, et selon l'histoire officielle de cette loge un certain Mathieu Radix de Chevillon aurait recruté dans des hauts grades maçonniques, pendant la Révolution, quelques Frères destinés à faire partie de l'Ordre du Temple — celui de Jacques de Molay ! Nouvel exemple, longtemps après la S.O.T., d'une collusion de l'histoire de la Maçonnerie avec celle de l'Ordre du Temple.

La légende templière du XVIIIe siècle avorte parce que l'absence de références historiques fondées — l'existence d'une « filiation » — trouve d'excellentes compensations dans l'arsenal mythologico-hermétique dont cette époque ne manque pas. Dès lors, la chevalerie maçonnique s'appuie plutôt sur la symbolique du Temple symbolique à reconstruire, ou bien sur une imagerie mythologico-hermétique, ou encore sur l'une et l'autre à la fois. Or, nous avons vu que cette imagerie trouve de bonne heure le scénario dont elle a besoin, sous la forme d'une

1. Ils disparurent quand Frédéric-Guillaume II succéda à Frédéric II, car alors ses dirigeants avaient atteint leur but ; l'Illuminisme étant sur le trône et dans le gouvernement, ils n'avaient plus besoin d'un Ordre destiné à servir leurs ambitieux projets.

2. *Ibid.*, pp. 454, 457, 465, 475, 488.

légende célèbre et depuis longtemps inspiratrice : celle de Jason et des Argonautes. Au siècle des Lumières, le mythe qui remplace avantageusement des fictions au souffle court, comme la templière ou la jacobite, c'est donc plutôt celui de la Toison d'Or, rendu chevaleresque pour la circonstance, ce à quoi au demeurant il se prête aisément. S'il n'apparaît guère explicitement dans les Rites maçonniques proprement dits, il est souvent présent dans cette para-maçonnerie que constituent les Rose-Croix d'Or et autres Ordres semblables. À cet égard, l'un des premiers textes, qui est aussi l'un des plus significatifs, est un manuscrit daté de 1761, conservé dans les archives de Begh en Hongrie. Il traite de l'histoire ancienne de la Franc-Maçonnerie, dont il donne une version rosicrucienne : les Maçons seraient les descendants des Templiers, et eux-mêmes procéderaient de la Société des Argonautes qui avaient été conquérir en Colchide la Toison d'Or[1] ! D'autre part, le Rite institué par Dom Pernety en 1766 a pour quatrième grade un Chevalier de l'Iris, pour cinquième un Chevalier des Argonautes et pour sixième un Chevalier de la Toison d'Or. À partir de ce moment, l'« *Aureum Vellus* » paraît être le symbole général de la Rose-Croix du XVIIIe siècle, et des loges attirées par la tradition ou les modes de pensées hermétiques[2].

On peut se demander pourquoi le mythe de la Toison d'Or est répandu au XVIIIe siècle, comme paradigme de la quête initiatique, et non pas plutôt le Graal. Est-ce parce qu'à cette époque on a tendance à oublier le Moyen Âge, et cela en dépit de la résurgence chevaleresque ? D'autre part, la Bible étant le Livre de l'Occident, il est naturel que le Temple de Salomon, qui tient une si grande place dans l'Ancien Testamant, Temple toujours à reconstruire, soit le symbole fondamental de la Maçonnerie, d'autant que celle-ci s'origine dans l'histoire des guildes de bâtisseurs. L'Ordre prestigieux dont Jacques de Molay fut le dernier Grand Maître, portant le nom même de l'édifice salomonien (le Temple), ne peut guère s'effacer de la mémoire chrétienne. Et si l'on oublie, au siècle des Lumières, le Graal médiéval, c'est que l'intérêt se porte plus généralement

1. *Ibid.*, p. 78, d'après WOLESTIEG, *Bibliographie der Frei-Maurerei* (n° 47, 598).
2. Pour le Rite Suédois, cf. en outre LE FORESTIER, *op. cit.*, p. 293. G. KLOSS, *op. cit.*, cf. *supra*, n. 2, p. 219, signale, p. 157, n° 2195, l'existence d'une *Historia de la insigne Orden del Teyson de Oro*, par Julian DE PIREDO Y SALAZAR, Madrid, 1788, 3 vol.

vers les mythologies, dont la grecque fait volontiers l'objet de lectures hermétisantes et alchimiques.

La littérature d'alors (roman, drame, épopée) profite naturellement de l'engouement pour le « chevaleresque », historique (Ordre du Temple) ou initiatique (Toison d'Or), mais contrairement à ce qui se passe pour la littérature hermétique et pour la Maçonnerie, elle le fait en suivant des voies contradictoires et désordonnées.

ASPECTS DE LA LITTÉRATURE CHEVALERESQUE EN ALLEMAGNE

De façon évidemment plus précise et plus variée que peuvent le faire les grades chevaleresques, nécessairement limités à quelques traits schématiques, la littérature exploite l'image du chevalier et ses décors. Volontiers, les auteurs recourent à des ouvrages spécialisés, comme ceux de Rixner, ou du contemporain La Curne de Sainte-Palaye[1]. Lorsque le besoin se fait sentir, dans le dernier tiers du siècle, de trouver dans le passé national allemand quelques sources d'inspiration permettant de se soustraire à l'influence littéraire de l'étranger, alors la chevalerie se met à briller de mille feux littéraires. Herder réclame qu'on s'inspire de l'époque de Charlemagne, qu'on explore la littérature des ménestrels et des chevaliers *(Von Aehnlichkeit der mittleren englischen und deutschen Dichtkunst,* 1777[2]). Revendication qui correspond à une double renaissance, celles de la ballade populaire avec Gottfried August Bürger (*Lenore,* 1774), et de l'idéal chevaleresque avec R. E. Raspe qui dès 1765 recommande aux Allemands de faire revivre les « romances chevaleresques » car elles apportent un authentique reflet du passé.

1. Bien qu'il ne faille pas exagérer son influence. Sur ce point et sur ce qui suit, consulter l'excellente thèse de doctorat d'État de Gonthier-Louis FINK, *Naissance et apogée du conte merveilleux en Allemagne (1740-1800)* Paris, « Les Belles-Lettres », 1966. Pour l'essentiel, le développement qui suit, jusqu'à la p. 230, est emprunté à ce travail.

2. *Werke*, II, p. 103 (éd. Suphan).

L'appel de Raspe, auquel s'ajoutent ceux de Percy et d'Ossian, suscite la grande et subite renaissance médiévale dont le déferlement littéraire porte dans ses vagues le chevalier aussi bien que le fantôme, devenu gothique ; tous deux, ressuscités, s'installent dans un paysage romantique dont le conte, populaire ou artistique, va s'orner lui aussi. Nous avons vu ce que la Maçonnerie gagne à ces retrouvailles. Tout cela revêt des formes bien diverses, car en littérature trois directions assez divergentes se partagent l'espace imaginaire du chevalier : *a)* L'exaltation du preux et valeureux chevalier guerrier. *b)* Sa banalisation ou son affadissement (rococo). *c)* Le message, ou le parcours, initiatique.

Au premier aspect, celui du *Sturm und Drang*, se rattache l'œuvre de Goethe écrite juste avant *Werther*, c'est-à-dire *Goetz von Berlichingen* (1774), sujet emprunté aux mémoires d'un chevalier franconien du XVIe siècle. Goethe en fait un Bayard allemand, juste, loyal, courageux, qui plaît aussitôt à la jeunesse révoltée et patriote contemporaine de l'auteur. Semblablement, les drames chevaleresques de Joseph August von Törring (*Kaspar der Thorringer*, 1779, et surtout *Agnes Bernauer*, 1780) exaltent le sentiment national en chantant la vaillance et la droiture du chevalier[1]. À l'aspect rococo, si différent du précédent, se rattachent surtout quelques œuvres de Wieland, moins celle qui glorifie l'idéal moral du chevalier (*Geron der Adlige*, 1776), qu'*Oberon* (1780), récit en vers tenant du roman d'aventures et de la féérie shakespearienne. Oberon est le génie tutélaire et justicier dans le livre du même nom, mais ce n'est point le chevalier qui donne son nom au titre. Celui de l'époque de Charlemagne est le jeune Huon, duc de Bordeaux, qui sait délivrer les jeunes filles tenues prisonnières par le géant Argoulaffre, voler au secours d'un Sarrasin attaqué par un lion, et ne devoir ses victoires ni à la féérie ni à la ruse. Mais *Oberon* reste proche surtout de l'opéra baroque, son lyrisme est tout musical. Wieland en effet n'entend pas réhabiliter la chevalerie du Moyen Âge, il ne fait pas preuve de l'admiration que Goethe, Herder ou Raspe exprimaient pour le courage et les prouesses attribuées à

1. Cf. Otto BRAHM, « Das deutsche Ritterdrama des 18. Jahrhunderts », in *Quellen und Forschungen zur Sprach- und Kulturgeschichte der germanischen Völker*, t. XL, Strasbourg, 1880.

cette époque de notre histoire. Non seulement avec *Oberon*, mais aussi avec *Der Neue Amadis*, au titre historiquement évocateur, Wieland parodie les combats, les carnages, les prouesses d'Amadis de Gaule[1].

À l'affadissement rococo correspond le moralisme de nombreuses œuvres, du moins dramatiques ou épiques. Dans le roman proprement dit on rencontre moins souvent l'idéal du preux sans peur et sans reproche, aussi le chevalier n'a-t-il généralement que faire de son armure et de son bouclier. Au désir du lecteur de se trouver plongé dans un monde romanesque de victoires et d'épreuves morales correspond une intériorisation du chevalier, avec lequel dès lors on s'identifie plus facilement. Mais du même coup un décalage s'effectue entre le décor ou le costume, et l'action, car le réalisme des décors médiévaux et chevaleresque ne subsiste plus que comme trompe l'œil, simplement pour rehausser l'intrigue et rendre crédibles les leçons de morale dont le lecteur est friand. Même les légendes de L. L. Wächter, qui signe Veit Weber, paraissent sobres à côté de l'*Amadis* original. Le tournoi, moins cruel et plus sportif que les carnages, occupe dans ces œuvres une place plus importante que jadis ; les faits d'armes cessent souvent d'être l'attribut essentiel de la chevalerie, qu'il s'agisse d'auteurs aussi différents que Christian Heinrich Spiess, C. A. Seidel ou J. A. Gleich. Nous avons surtout affaire à des justiciers, à des redresseurs de torts ; Ch. H. Spiess, Ch. A. Vulpius, condamnent même leurs chevaliers à errer après leur mort pour avoir trop fait usage de leurs armes ! On rêve moins de batailles que de justice ou de paix, la vertu a détrôné la valeur guerrière[2].

Nous voyons s'embourgeoiser les chevaliers de maints romanciers à succès, mais aussi celui de l'historien J. Möser (*Osnabrückische Geschichte*, 1768 ; *Patriotische Phantasien*, 1774-1778) qui évoque la vie de la petite province allemande sous le signe du triptyque : valeureux chevalier, laborieux manants, braves bourgeois. La moitié des romans de la célèbre Christiane Benedicte Eugénie Naubert (par exemple, *Amalgunde*, 1787 ; *Hatto*, 1789) sont de chevalerie, et c'est Möser

1. FINK, *op. cit.*, p. 527 sq.
2. *Ibid.*, p. 527 sq.

qui les lui inspire[1]. L. L. Wächter surtout, alias Veit Weber, donne ici le ton, car sur le modèle de Goetz von Berlichingen il brosse le tableau d'un parfait chevalier, intrépide combattant, protecteur de la veuve et de l'orphelin mais aussi bon père, bon époux, incarnation de l'idéal du *pater familias* qui triomphe dans le même temps sur la scène du drame bourgeois. Wächter a laissé des *Sagen der Vorzeit* (1787-1798), ou « Légendes du Temps passé », qui ne manquent pas d'intérêt. Il y a une pointe de rousseauisme chez lui et chez Mme Naubert, qui opposent volontiers le château ou le hameau solitaire du vertueux chevalier au palais princier abritant une morale douteuse. Alors que La Curne de Sainte-Palaye avait reproché aux chevaliers de jadis leur dédain pour la culture, ces romanciers louent plutôt en lui la simplicité et en parlent comme d'un gardien de la tradition opposé aux gens de cour. Dès lors le cliché triomphe, quelle que soit l'époque décrite on retrouve toujours le même stéréotype[2]. La dimension religieuse fait défaut à ce chevalier-là ; aussi bien reflète-t-il davantage le présent que le passé, et bien souvent « patriotisme, xénophobie, anticléricalisme, rousseauisme naïf »[3] le caractérisent.

Plus intéressants sont les romans de chevalerie à caractère initiatique. Il était inévitable qu'il s'en trouvât, car dans l'énorme production littéraire de cette époque l'Illuminisme a laissé en maints endroits son empreinte. Ici, le chevalier a quitté les nids d'aigle, on le trouve davantage au fond d'épaisses forêts, ce qui favorise les intrigues, se prête au roman noir ou gothique mais aussi au parcours initiatique. Fait significatif, l'arme n'ayant plus tellement d'importance, le pèlerin finit par supplanter le chevalier. Celui-ci est pèlerin chez Mme Naubert (*Wallfahrten*, 1793 ; *Genoveva*), on le voit ici et là en route pour le Saint sépulcre ou Saint-Jacques-de-Compostelle, vendu en esclavage, soumis à des épreuves si initiatiques que nous n'espérons même plus le voir briller dans les combats. Pour Ch. H. Spiess et

1. Cf. *ibid.*, index des noms. Mme NAUBERT était assez célèbre pour qu'on traduisît en français certains de ses romans, par exemple celui qu'elle avait écrit sous le pseudonyme de J. N. E. DE BROCK, *Les Chevaliers des Sept Montagnes, ou aventures arrivées dans le XIII*e *siècle*, Metz, 1800. De SPIESS, cité plus haut, parut en français, *Les Chevaliers du Lion*, 1800.
2. FINK, *op. cit.*, pp. 507 sq., 517.
3. *Ibid.*, p. 527.

J. A. Gleich, le Moyen Âge chevaleresque est avant tout une terre d'épreuves. Mais c'est sans doute chez l'Autrichien J. B. von Alxinger et le Lituanien F. Andreae, auteurs d'aventures chevaleresques sous forme de ballades et de contes en vers, qu'on trouve les éléments les plus intéressants en ce domaine.

Dans *Rino und Jeannette* (1793-1794), d'Andreae, le chevalier Rino nous conduit chez les esprits élémentaires et nous fait passer dans des labyrinthes grouillant de forces impénétrables. Les aventures du chevalier créé par Alxinger, c'est-à-dire Doolin, dans *Doolin von Maynz. Ein Rittergedicht* (1787), et *Bliomberie. Ein Rittergedicht* (1802) — on y voit invoquer Hermès Trismégiste, et on y assiste à une opération alchimique longuement décrite — sont d'une veine aussi riche et passionnante que celles de Rino. Alors que chez Wieland la féérie masquait l'idéal chevaleresque, chez ses deux successeurs elle sert à mettre le chevalier sur un piédestal. En même temps, ces récits veulent servir de modèles à leurs lecteurs. Andreae fait appel aux vertus guerrières des Allemands face à la Révolution française en opposant le Moyen Âge à la décadence actuelle et le chevalier au bourgeois. Chez Alxinger, le cosmopolitisme l'emporte sur le patriotisme, son héros se forme à l'école de l'humanisme maçonnique, les épreuves qu'il subit sont destinées à faire de lui un homme — un « Frère ». Aussi bien Bliomberie appartient-il à une confrérie dont tous les membres poursuivent le même but. L'Huon de Wieland, figure de rêve, n'était guère marqué par son état, mais Doolin et Bliomberie sont réellement et pleinement des chevaliers[1].

Le célèbre drame du romantique Zacharias Werner, *Die Söhne des Thales* (*Les Fils de la Vallée,* 1804), est peut-être la plus intéressante histoire de fiction jamais écrite, pendant cette période, sur l'Ordre du Temple. Elle n'est sans doute pas aussi initiatique que certains de ses lecteurs ont voulu le croire, mais renferme des allusions assez précises à certains hauts grades maçonniques du XVIIIe siècle, notamment à ceux du Rite Suédois. La carrière maçonnique de Werner lui-même a fait l'objet de plusieurs travaux. Rappelons enfin que la France a vu

1. *Ibid.*, pp. 243-250.

paraître plusieurs éditions de la tragédie de François-Just-Marie Raynouard, *Les Templiers* (1805)[1].

La parodie n'est pas en reste. Theodor Gottlieb von Hippel est connu surtout pour son curieux livre de fiction intitulé *Kreuz- und Querzüge des Ritters von A bis Z* (1795), publié en deux volumes et inspiré à la fois de *Don Quichotte* et de *Tristam Shandy*. Roman d'éducation, non pas roman initiatique, mais surtout œuvre parodique contenant maintes savoureuses allusions à l'Illuminisme de l'époque... La toute première page annonce cette couleur : « Le nom de mon héros est tout bonnement A.B.C. jusqu'à X.Y.Z., du Saint Empire romain, baron de, dans, sur, d'après, par et à, Rosenthal, Chevalier de nombreux Ordres de la triste et joyeuse figure[2]. » Nous assistons à la description détaillée d'initiations au sein d'un Ordre de chevalerie[3] ; nous voyons aussi un sieur Rosenthal faire revivre la splendeur du Moyen Âge non seulement en portant les vêtements d'un Ordre de chevalerie mais aussi en faisant construire sur sa propriété une petite Jérusalem dans laquelle il fait venir des pèlerins et célèbre les fêtes de son Ordre ! Le modèle que le romancier peut avoir eu sous les yeux est un certain Weiher, de Neustadt près de Danzig, qui rentré de Terre Sainte s'est

1. Cf. notamment, sur Z. WERNER, la thèse de Louis GUINET, *Zacharias Werner et l'ésotérisme maçonnique*, La Haye, Mouton et Cie, 1962. Sur les nombreuses publications concernant les Templiers, au tournant du siècle : KLOSS, *op. cit., supra*, n. 2, p. 219, pp. 161-163 (sur les pièces de théâtre, cf. surtout, pp. 300-302). Exactement contemporaines de la pièce de WERNER et de celle de RAYNOUARD sont deux publications de l'année 1805, qui prolongent la veine satirique dont il est question *infra*, à propos de HIPPEL ; il me paraît intéressant de les citer ici, car dans chacun de ces deux titres apparaît le terme de « Chevalier de la Cité sainte » ou « de Jérusalem ». C'est d'une part le roman anonyme : *Emmanuel, oder der schwarze Bund der Kreuzfrommen*, paru aussi sous le titre *Zenamide, oder die Ritter der heiligen Stadt*, Altenburg, 1805, 2 vol. (cf. KLOSS, p. 298, n° 3986 b). Et d'autre part l'anonyme récit parodique, qui malgré son titre n'a rien à voir avec le vrai Louis-Claude DE SAINT-MARTIN, *Leiden und Schicksale des unbekannten-Philosophen Saint-Martin, Ritter des Ordens der wohlthätigen Ritter vom neuen Jerusalem*, Erfurt, 1805.

2. HIPPEL, I, 1 : « *Der Nahme meines Helden ist kurz und gut : A.B.C. bis X.Y.Z., des heiligen Römischen Reiches Freiherr von, in, auf, nach, durch und zu Rosenthal, Ritter vieler Orden trauriger und fröhlicher Gestalt.* » La « donquichottade » chevaleresque ou maçonnique apparaît avant même le roman de HIPPEL : cf. le roman parodique de E. A. A. VON GÖCHHAUSEN, *Freimaurerische Wanderungen des weisen Junkers Don Quixotte von Mancha und des grossen Schildknappen, Herrn Sancho Pansa, eine Jahrmarktsposse*, Leipzig, 1787, « *ohne Erlaubnis der Obern* » (cité *in* KLOSS, *op. cit.*, p. 296, n° 3959).

3. HIPPEL, *op. cit.*, II, 150 sq.

construit une Jérusalem artificielle[1]. Rosenthal part en voyage, son écuyer Michael ressemble évidemment à Sancho Pança et tous deux jouent bien leur rôle, le chevalier aspirant aux idéaux les plus élevés et aux plus profonds mystères de l'Ordre, l'écuyer se montrant davantage intéressé par le succès pratique de leurs entreprises.

★

À travers les résurgences chevaleresques du siècle s'exprime un besoin de créer, ou de retrouver, une sodalité[2]. Déçus par ce que la philosophie et les Églises leur proposent, certains vont chercher dans des Ordres de type maçonnique les moyens de réaliser cette sodalité. On croit pouvoir y parvenir grâce à des hommes comme Charles Stuart, en qui les tenants de la légende jacobite ont mis leur espoir ; mais un personnage comme celui-ci ne pouvait, ni ne voulait, jouer le rôle qu'on attendait de lui, et d'autre part les « Supérieurs Inconnus » se révèlent inexistants ou inefficaces, quand ils ne sont pas simplement des charlatans. Ces nouvelles déceptions conduisent l'idée de chevalerie à s'intérioriser de plus en plus, à se faire symbolique et spirituelle, en se concentrant sur l'image biblique du Temple à reconstruire, et sur celle, mytho-hermétique, de Jason et des Argonautes. Au XIVe siècle, Rulman Merswin, chef spirituel d'une communauté à caractère chevaleresque, parlait déjà de « chevaliers en quête de chevalerie », expression qui s'applique mieux encore aux hommes de désir du siècle des Lumières.

C'est donc après le déclin des Ordres de chevalerie, que leurs mythes et leurs images se complexifient et se diversifient en suivant des voies hermétisantes (alchimie), ou associatives (Franc-Maçonnerie), ou encore en prenant des formes littéraires. Cette évolution se cristallise autour de deux modes d'expression. Il y a, d'une part, une herméneutique permanente, qui s'appuie sur une symbolique déjà donnée par une tradition. Ainsi, Fictuld se fait l'herméneute des attributs de l'Ordre fondé par Philippe le Bon, et nous savons que ce genre d'exégèse est assez répandu

1. Selon Theodor HÖNES, *Hippel, die Persönlichkeit und die Werke*, 1910, p. 72.
2. Du latin « *sodalitas* », ou « *sodalicium* », c'est-à-dire association, confrérie, corporation ; « *sodalis* » signifie compagnon, ou membre d'une corporation.

alors ; il en va de même des commentaires mytho-hermétiques de Dom Pernety sur la geste de la Toison d'Or, qui procèdent d'une inspiration semblable à la précédente et relancent indirectement le mythe chevaleresque lui-même. Il y a, d'autre part, réactivation de celui-ci par le rituel, c'est-à-dire par le geste et la parole ; c'est, tout au long du siècle et même après, l'histoire des hauts grades maçonniques. La littérature, quand elle ne se contente pas de développer des thèmes moraux et sentimentaux, ou de mettre au goût du jour certains décors médiévaux, n'est que la caisse de résonance de cette dimension initiatique.

La chevalerie n'a peut-être jamais été aussi efficace qu'une fois marginalisée, c'est-à-dire quand ses Ordres proprement dits ont cessé d'avoir beaucoup d'importance en tant qu'institutions officielles. Son rôle politique, économique et militaire une fois relégué dans le passé, elle trouve ou retrouve une spiritualité, devient un grenier de symboles, un répertoire d'images fondatrices. Elle se présente alors, en plein désert spirituel de l'Europe des Lumières, comme un creux que l'*Imago templi* et la vivifiante Queste viennent emplir en insufflant du sens à une tradition historique, en remythisant les vestiges d'époques révolues. C'est bien de mythique qu'il s'agit, la chevalerie n'ayant jamais été vraiment une idéologie, et cela encore moins à l'époque considérée qu'au Moyen Âge. Or, comme le rappelait récemment Gilbert Durand, « le mythe unifie, là où l'idéologie sépare ».

Processus évolutif et intériorisation active, typifiés par la transformation du chevalier harnaché, avec la lance et le cheval, en des attributs d'Ordres chevaleresques (manteaux, colliers), et en des grades symboliques (maçonnerie dite écossaise), qui eux-mêmes se dégagent peu à peu de leurs références historiques plus ou moins précises. En même temps, on reste fidèle à ce que la chevalerie médiévale peut avoir de commun avec Jason, c'est-à-dire avec la Queste, terrestre ou maritime. Jason est le prototype du chevalier, comme le bélier est celui du Graal. Jason est lancé dans la recherche d'une Toison, donc d'une autre forme vide, de même que les chevaliers du Graal partent à la découverte d'un tombeau vide. C'est, dans les deux cas, la création, ou la recréation, d'un hiéro-espace où le déploiement imaginal est possible.

Lorsqu'au milieu de notre quête du sens nous nous trouvons plongés dans une forêt de symboles, Hermès est notre guide. C'est lui qui a fait d'or la toison du merveilleux bélier parlant, fils de Poséidon. C'est lui aussi qu'on représente parfois comme « *krioforos* » — « porteur du bélier », ou tenant le bélier sur ses épaules. Chevauché par Phrixos et Hellé, qui vont descendre en pluie d'or sur la terre de Colchide, cet animal est donc lui-même soutenu par Hermès. L'image de Phrixos, chevalier aérien et fugitif, complète celle de Jason, chevalier marin et conquérant. À chacun de nous, de découvrir sa terre de Colchide, quel Pélias l'y envoie, et de décider avec qui s'y rendre ; de choisir sa nef Argo, son cheval, ou son bélier, et de savoir qui porte cette monture.

Amour et androgynie chez Franz von Baader

Que Baader soit le plus grand théosophe allemand — et même européen — du XIXe siècle, on ne saurait guère le nier malgré plusieurs tentatives de le présenter, depuis quelques années, sous des aspects correspondant assez peu à ce qui fait la spécificité de sa pensée et de la tradition qu'il représente[1]. Ce « nouveau Boehme » — *Boehmius redivivus*, comme l'ont appelé certains philosophes et non des moindres — n'a jamais manqué, heureusement, d'exégètes capables et soucieux de lui rendre justice dans le domaine qui est le sien[2]. Des études d'ensemble de sa pensée ont été plusieurs fois tentées[3]. Je me suis limité à des approches de celle-ci à travers certains grands thèmes me paraissant autant de clefs de l'édifice entier : Foi et Connaissance, Lumière et Feu,

1. Typique, à cet égard, me paraît l'ouvrage de Heinz-Jürgen GÖRTZ, *Franz bon Baaders anthropologischer Standpunkt*, Fribourg-Munich, K. Alber, Coll. « Symposion », n° 56, 1977. Travail excellent, mais qui jette un voile pudique sur l'aspect essentiellement théosophique de la pensée baaderienne. Il en va de même du livre de Klaus HEMMERLE, malgré ses qualités, *Fr. von Baaders philosophischer Gedanke der Schöpfung*, paru dans la même coll. n° 13, 1963.

2. Mentionnons seulement : David BAUMGARDT, *Fr. von Baader und die philosophische Romantik*, Halle-Saale, Niemeyer, 1927. Eugène SUSINI, *Franz von Baader et le romantisme mystique*, Paris, J. Vrin, 1942, 2 vol. Et l'excellente étude de Lidia Processi XELLA, *La Dogmatica speculativa de Fr. von Baader*, Turin, « Filosofia », série « Domenica Borello » (2), 1975, et *Filosofia erotica*, introduction, traduction et notes de L. P. XELLA, Milan, Rusconi, 1982.

3. Outre les références de la note précédente, consulter le répertoire indispensable et complet, par L. P. XELLA, de tout ce qui a paru sur lui jusqu'à 1977 : *Baader, Rassegna storica degli studi, 1786-1977,* Bologne, Il Mulino, 1977.

Sophiologie[1]. Comme c'est à bon droit qu'on rattache Baader au Romantisme allemand, et que ce Romantisme a fait de l'amour un de ses thèmes de prédilection, il me paraît intéressant d'aborder de nouveau l'œuvre baaderienne en utilisant cette autre voie d'accès, clef qui, j'espère le montrer, nous révèle elle aussi l'œuvre entière. De plus, parler de l'androgyne chez Baader oblige du même coup à exposer ses conceptions de l'amour. D'où des relectures et un travail fort gratifiants pour celui qui s'y livre.

Déjà Giese, en 1919, avait traité de la place de l'androgyne dans le « premier Romantisme », consacrant à Baader un exposé synthétique et substantiel construit à partir de quelques exemples significatifs[2]. En 1955, Grassl publiait un choix de textes du théosophe, sous le titre *De l'amour, du mariage et de l'art*, assorti de commentaires[3]. Deux ans plus tard paraissait la remarquable anthologie de Benz, *Adam, le mythe de l'homme originel*[4], vite devenue le livre classique par excellence sur le thème de l'androgyne dans la tradition théosophique occidentale, accompagné de notes introductives et explicatives[5]. Baader y est présenté avec Léon L'Hébreu, J. Boehme, les boehméens anglais, J. G. Gichtel, G. Arnold, la Bible de Berlebourg, Swedenborg, F. C. Œtinger, M. Hahn, J. J. Wirz, C. G. Carus, V. Soloviev et N. Berdiaev. Enfin, tout récemment, Lidia Processi Xella donnait en bonne traduction italienne les textes majeurs de Baader sur l'androgyne[6], précédés

1. « Foi et connaissance chez Fr. von Baader et dans la gnose moderne », cf. dans le présent ouvrage, pp. 136-159 ; « Ténèbre, éclair et lumière chez Fr. von Baader », pp. 226-306, in *Lumière et Cosmos*, Paris, Albin Michel, Coll. « Cahiers de l'Hermétisme », 1981 ; « Âme du Monde et Sophia chez Fr. von Baader », pp. 243-288, in *Sophia et l'Âme du Monde*, même coll., 1983 ; cf. aussi, accessoirement, « L'imagination créatrice », pp. 355-390, in *Revue d'Allemagne*, Strasbourg, avril 1981 (trad. ital. in *Conoscenza religiosa*, Florence, La Nuova Italia, avril 1981) ; et « Points de vue théosophiques sur la peine de mort », pp. 17-24, in *Actes du colloque sur la peine de mort*, Paris, Association des amis d'Ivan Tourgueniev, 1980.

2. F. GIESE, *Der romantische Charakter*, Bd. I, *Die Entwickelung des Androgynenproblems in der Frühromantik*, Langensalza, Wendt und Klauwell, 1919. Cf. surtout pp. 281-393. Sur Baader, pp. 359-393.

3. Hans GRASSL, *Fr. von Baader : Ueber Liebe, Ehe und Kunst. Aus den Schriften, Briefen und Tagebüchern*, Munich, Kösel, 1953.

4. Ernst BENZ, *Adam, der Mythus vom Urmenschen*, Munich, O. W. Barth, 1955.

5. Entre-temps avait paru, malheureusement sous forme de résumé, la thèse de W. SCHULZE, consacrée surtout à ce thème chez Œtinger, *Das androgyne Ideal und der christliche Glaube* (Diss. Heidelberg), Lahr-Dinglingen, St. Johannis Druckerei, 1940.

6. Cf. *supra*, page précédente, note 2 : *Filosofia erotica*.

d'une longue et intelligente étude écrite par elle-même, certainement et de loin la meilleure étude parue sur la question[1]. J'indique chaque fois qu'il convient, au cours du présent travail, ce que celui-ci doit au sien.

Le plan s'organise autour de cinq grands axes. L'androgynie ontologique, c'est-à-dire fondée sur les principes divin, naturel, humain. Le mythe de l'Adam primitif et de son androgynie manquée. Les conséquences de la Chute, sur l'amour humain : dialectiques et oppositions d'une part, vie du couple et philosophies d'autre part. Enfin, la sotériologie et l'eschatologie, étudiées à partir des notions baaderiennes de connaissance et de réintégration.

ANDROGYNIE ONTOLOGIQUE

Principes généraux

Aux trois plans, divin, naturel et humain, la théorie baaderienne de l'Éros repose sur les mêmes principes, dynamisés, par leur insertion dans le scénario du drame mythique. Avant de considérer les trois plans dans leur contexte dramatique, tentons d'en abstraire ces principes qui les sous-tendent.

La notion d'amour est inséparable de celle de triade, par quoi il faut entendre la distinction qui unifie et l'unification qui distingue ; le ternaire apparaît aussi avec la haine, puisqu'elle rassemble l'inégal et réunit l'égal. Sans inégalité originelle, pas d'amour ; sans égalité originelle, pas de haine[2]. Mais ce n'est

1. Étude de L. P. XELLA, pp. 7-79. Sa traduction de textes de Baader se rapportant à l'androgyne, pp. 80-669 ; pp. 671-682, index. Mentionnons encore deux travaux intéressants se rapportant à notre sujet : A. RIEBER, « Sexualität und Liebe in ihrem Zusammenhang mit Schöpfung, Sündenfall und Erlösung bei Franz von Baader », in *Salzburger Jahrbuch für Philosophie*, XIV, 1970, pp. 67-84. Et P. KLUCKHOHN, *Die Auffassung der Liebe in der Literatur des 18. Jahrhunderts und in der deutschen Romantik*, Tubingen, Niemeyer, 1963[3]. On notera enfin plusieurs passages intéressants, dans : Willi Lambert, *Franz von Baaders Philosophie des Gebets (ein Grundriss seines Denkens)*, Innsbruck-Vienne-Munich, Tyrolia Verlag, 1978 (cf. notamment p. 190-203).

2. *Fermenta Cognitionis V*, 1822-1824), II, 360 sq., trad. franç. par E. Susini, Paris, Albin Michel, 1985. Dans cette note et les suivantes, je me réfère à l'édition des *Sämtliche Werke* de Baader procurée par Franz Hoffmann (tomes en chiffres romains, pagination en chiffres arabes).

point là l'essentiel, car Baader ne s'arrête pas au ternaire. Sa théosophie, construite selon un modèle essentiellement quaternaire, retrouve cette structure dans son érotique, aux trois plans, et c'est la clef de ce qui va suivre. Il faut savoir qu'il existe à tous niveaux deux forces, l'une masculine active, l'autre féminine passive, chacune possédant toutefois un aspect de l'autre, d'où une quadripolarité. L'androgynie est ainsi ontologiquement posée. Lorsque règne l'harmonie, la teinture[1] féminine passive, douce, humide (cet adjectif devant bien sûr être compris métaphoriquement) s'ouvre spontanément à l'action de la force expansive pour la saisir et être saisie par elle, tandis que la teinture masculine active se manifeste comme une sortie de soi-même qui recherche une intériorité où se placer. Leur rapport s'instaure dans une montée et une descente réciproque, que Baader appelle *ascensus-descensus* et qu'il faut comprendre comme mouvement dans le repos et repos dans le mouvement. La teinture féminine tempère la masculine, en reçoit de la chaleur, la masculine est soutenue par la féminine. Il y a quatre puissances génératrices dans ce système érotico-androgyne, puisque chacune des deux teintures contient potentiellement quelque chose de la nature de l'autre ; la douce teinture féminine cherche dans l'âpre teinture masculine la douceur qui lui correspond, pour l'exciter, la faire sortir de sa latence, pour qu'en se conjuguant avec le féminin dans le masculin elle en amolisse la dureté et empêche celui-ci de se faire feu destructeur. De même et inversement, l'âpre teinture masculine recherche dans la douceur féminine l'âpreté qui lui correspond, pour la contraindre à sortir de sa passivité, donner forme à ce qui n'en a pas encore, empêcher cette « eau » de rester stagnante, de pourrir. On peut dire alors que le féminin s'unit au féminin

1. « *Tingieren* » (teindre) n'a pas chez J. Boehme (cf. BAADER, XIII, 82) le sens plat qu'il a en français, c'est-à-dire le fait de donner une couleur superficielle, ou une apparence, mais chez lui ce mot signifie une mise à puissance *(Potenzieren)* spirituelle, un ensemencement, et se situe entre l'esprit et le corps *(Leib)*. « *Tingieren* » (*ibid.*, 82, n.), c'est l'introduction d'une forme vitale *(Lebensgestalt)* d'un être dans une autre manière d'exister, en ouvrant la *Tinctur* qui est cachée dans cet être. La *Tinctur* est donc l'image spirituelle vivante entre l'être seulement idéal et l'être réel ; elle peut être céleste, terrestre ou infernale. Dans le contexte du présent article nous verrons qu'elle correspond aux aspects masculin et féminin présents en chaque être humain (« teinture » évite de dire « sexe », qui est seulement la transposition physiologique de la « teinture » après la chute).

dans le masculin, et que le masculin s'unit au masculin dans le féminin[1].

L'imaginaire baaderien, très spatial — mais sa géométrie ne se comprend qu'organiquement — est peuplé de figures venant compléter cette structure quaternaire et qui se ramènent à quelques notions clefs, comme celles de subordination, de centre et de périphérie. L'amour n'existe que dans la liberté ; elle-même pour s'exercer a besoin de subordination et de coordination, quoiqu'en pensent ceux pour qui servir n'est point une action libératrice[2]. Toute union se fait par une sujétion, il importe aux deux termes d'être différents, comme c'est le cas pour un accord musical. Aussi y a-t-il une différence entre se tenir l'un en face de l'autre, ou l'un au-dessous de l'autre[3]. Et si, étant moi-même au-dessous, je veux m'élever, il me faut passer par la médiation de mon libre auto-abaissement et reconnaître l'autre comme mon supérieur[4]. Baader emploie souvent le mot « centre » pour qualifier l'élément supérieur, surtout quand il s'agit des relations de la créature avec Dieu — c'est-à-dire de la périphérie avec le centre. Quand la périphérie est remplie par le centre cela ne signifie pas que celui-ci soit « vidé », car la création, qui ne doit pas être confondue avec une auto-évolution de Dieu, n'est pas un processus d'épuisement du Créateur. Au plan humain ou animal le corps (périphérie) est plérôme de la tête (centre). En 1837 Baader cite à ce propos Nieuwentijdt pour qui le corps peut être considéré comme un déroulement de la tête ; elle n'est pour autant créatrice du corps puisque tous deux se développent en même temps dans l'embryon. De même, il serait erroné d'imaginer un élément actif, masculin et immobile, situé exclusivement dans le centre, et un élément réactif, féminin et mobile, exclusivement dans la périphérie ; en effet — et ce point est capital pour comprendre la pensée du théosophe —, l'expansion de la périphérie se fait en même temps que l'ouverture du centre, si

1. L. P. XELLA, *Filosofia erotica, op. cit.*, p. 21 sq. On pourrait rapprocher cette vue de celles de C. G. Jung (théorie de l'*animus* et de l'*anima*, par exemple) ; L. P. XELLA (*ibid.*, p. 22, n. 19 a.b.c.) la rapproche de celles de R. Laing (*Intervista sul folle e il saggio*, a cura di V. Caretti, Laterza, Bari, 1979, particulièrement pp. 144-154).
2. L. P. XELLA, *op. cit.*, p. 21.
3. *Ueber erotische Philosophie* 1828, IV, 165 sq.
4. *Ueber den biblischen Begriff von Geist und Wasser*, 1829, X, 3.

bien qu'en état normal c'est-à-dire d'harmonie créatrice, il y a androgynie[1].

On voit le rapport avec les deux forces évoquées plus haut, dès lors que le « centrage », la concentration, est inséparable de la « sortie » ou du fait de créer une périphérie (centrer, dit Baader, s'accompagne d'ex-centrer). Telle est au plan du monde divin l'identité du *logos endetos* et du *logos ekdetos*, ou si l'on préfère du Fils et de la Sophia (elle est Vierge, miroir, œil), bon exemple de cette identité de l'actif et du réactif dans tous les processus de vie. Les « anciens théologiens et mystiques », écrit-il en 1831 dans un texte consacré à la notion de temps, assimilent à bon droit le réactif au féminin (le prophète dit que la femme entourera l'homme), car le féminin représente ce qui n'a pas par soi-même de valeur, ce qui n'est encore personne lorsqu'il est livré à lui-même, mais comme un miroir il conduit en soi l'image. Toute formation d'idée en nous peut convaincre de la justesse de cette loi de l'identité, ou de la simultanéité, d'une entrée et d'une sortie : la pensée commence par un regard *(Anschauen)*, se termine par une contemplation *(Anschaulichkeit)* ou Idea, celle-ci rappelant la femme ou la Vierge qui entoure l'homme dont elle est l'image ou la gloire[2].

Plusieurs textes, parmi lesquels un cours de dogmatique spéculative (1838), insistent sur le troisième terme inséparable de ce couplage. Entre la concentration intérieure et l'ex-centration extérieure, qui sont « cachées », par exemple entre les « profondeurs » microphysique et astrophysique, il existe une « vraie hauteur » ou « milieu » (intermédiaire) dont le rôle est de les ouvrir toutes deux pour les mettre à la lumière. On peut donc, dit Baader, parler d'androgyne comme union des deux demi-causalités en un fond ou « milieu » positif qui les unit, les ouvre et les révèle. Et le théosophe rappelle ici l'importance des « deux premières formes naturelles » *(Naturgestalten)* chez Jacob Boehme. Il s'agit de la forme concentrante, englobante, âcre *(herb)*, et de la forme ouvrante, amère *(bitter)* ; la première

1. *Ueber den paulinischen Begriff des Versehenseins des Menschen im Namen Jesu*, 1837, IV, 353. Bernard Nieuwentijdt (1654-1718), mathématicien hollandais, cartésien adversaire de Leibniz au sujet du calcul infinitésinal, auteur de : *Het Regt Gebruik der Wereld Beschouwingen*, Amsterdam, 1717 ; *L'Existence de Dieu démontrée par les merveilles de la Nature*, Paris, 1725.

2. *Elementarbegriffe über die Zeit*, 1831-1832, XIV, 141 sq.

descend, l'autre monte. D'abord elles manquent de milieu, de fondement *(Grund)* positif, car dans la cosmogonie boehméenne elles ont surgi l'une et l'autre du sein d'un milieu négatif, le « centre d'angoisse »[1], si bien qu'au lieu de s'affirmer et de se poser en harmonie elles se nient réciproquement, s'épuisant dans une incessante montée-descente dépourvue de loi intérieure, de mesure, comme on le constate aujourd'hui encore chez les créatures intelligentes ou non intelligentes. De même qu'une pierre posée sur le sol n'a que l'apparence du repos, car la pesanteur ne crée pas l'union, de même notre cœur est lourd, mesquin, porté au désespoir, quand il ne trouve pas de quoi s'élever, et orgueilleux *(hochfahrend)* quand dans son exaltation il ne trouve pas de limite qui le centre.

Baader évoque à ce propos le Feu et l'Eau ; si le Feu représente celui qui s'élève, il ne subsiste pas sans aliment, c'est-à-dire sans « esprit aqueux descendant » qui se lie à lui pour permettre à tous deux de trouver leur appui, leur corps, leur lieu (il rapproche ici de façon suggestive les mots *Bestand*, *Leib*, *beleiben*, *bleiben*). La nourriture n'a pas moins besoin de la faim pour se réaliser, que la faim a besoin de la nourriture. De la même façon la femme a besoin de l'homme. Toutefois, la première réunion des deux principes, négative, doit-être suivie par une seconde ou vraie fondation *(Gründung)*, positive. À cet égard les théologiens feraient bien, selon Baader, de distinguer plus clairement entre la simple nature créée, immédiate, de la créature (par exemple, la nature qu'a cette créature en venant au monde), et la parenté divine qu'elle acquiert par une seconde naissance permettant de devenir enfant de Dieu. La créature n'est pas immédiatement bonne et parfaite, ces deux qualités attendent d'être « fixées », consolidées[2]. Le symbole qui fait le mieux comprendre cette fixation ou consolidation positives est présenté dans *Fermenta Cognitionis* comme celui du Mercure car il rend compte de « la nature androgyne de l'Esprit » ; il traduit l'identité du « contenu » et de la « forme », ou plutôt l'identité du principe qui se manifeste en eux. Par « contenu » il faut entendre ici le facteur féminin, ce qui fournit l'enveloppe,

1. Cf. mon article « Feu, éclair et lumière chez Franz von Baader », in *Lumière et cosmos*, coll. « Cahiers de l'Hermétisme », Paris, Albin Michel, 1981.

2. *Vorlesungen über spekulative Dogmatik*, 1838, IX, 213-219.

l'élément intensif, la tendance à être rempli ; par « forme », le facteur masculin, ce qui fournit l'âme, l'élément extensif, la tendance à emplir. Le premier facteur est traditionnellement représenté par ∪ et le second par ○ ; leur union (l'idée d'union représentée par une croix) donne la clef du signe alchimique du Mercure : ☿ . L'Esprit, comme l'a vu Hegel, est bien vie, centre, milieu[1].

Au plan divin

Mais ces schémas, ces structures, sont inséparables d'une histoire — et d'abord d'une métahistoire. Tout commence évidemment avec l'*Ungrund* dont Jacob Boehme a révélé le mystère. Au commencement était le désir passif de la divinité, comprise comme potentialité androgyne d'être remplie, fécondée. Ce qui caractérise la causalité divine comme Père n'est pas tant le fait d'être sans cause que celui d'être non-fondé, c'est-à-dire encore privé du fondement dans lequel épancher son activité propre pour se réjouir ensuite du repos sabbatique dont parle le premier livre de la Genèse. Il y a donc à l'origine un *Ungrund* ; comme toute situation initiale, il représente la potentialité et la labilité de la figure même qu'il s'agit de déterminer dans ses contours nets, de faire passer de la puissance à l'acte[2]. Jaçob Boehme ne parle jamais d'androgynie de l'*Ungrund* ; mais Baader, lui, évoque les deux aspects complémentaires de miroir et de volonté, tous deux sans commencement au sein de cet *Ungrund*, de même que Thomas d'Aquin distingue dans le Père la *Sapientia ingenita* (comme *genitrix*) et la *Sapientia genita* (le fils vierge, *Jungfrauensohn*). Le Père éternel, dans l'union de sa puissance *(Potenz)* ignée éternelle et sévère avec sa puissance lumineuse douce (Sophia), engendre son Fils[3]. Père, Mère et Fils sont les puissances dans lesquelles s'opère la *Verselbständigung*, la vraie individuation ou conquête de l'authentique *Selbstheit* — l'identité du Soi à tous les niveaux.

1. *Fermenta Cognitionis II*, 1822-1824, II, 325 sq. On peut dire ainsi que le fait de sentir, d'éprouver *(empfinden)*, qui ressortit à l'intention, au contenu, s'oppose polairement à la contemplation *(Schauen)*, qui ressortit à l'extension, à la forme.
2. Cf. L. P. Xella, *op. cit.*, p. 34.
3. *Vorlesungen über spekulative Dogmatik*, 1838, IX, 213-219.

Celui qu'on appelle l'Être-Père, la Première Personne, est déjà le résultat d'une distinction, ou de la volonté de se générer dans le Fils. Le Fils était potentiel, le générer revient à faire jouer ensemble la potentialité de la teinture féminine et la puissance de la nature masculine ; c'est donner nourriture à l'appétit, soutien à la nourriture, sens et consistance au désir ; c'est obliger l'instable dualité à prendre racine et figure dans un ternaire[1]. Nous retrouvons à ce plan divin le *descensus*, ou premier moment dialectique de l'entrée, au cours duquel se remplit la matrice, et l'*ascensus*, moment de la sortie du Fils. Processus qui, on le sait, s'effectue sans cesse. Ce que Boehme et les théosophes qui le suivent voient dans l'*Ungrund* est donc surtout la source d'un divin féminin passif et d'un appétit masculin actif qui se suscitent l'un l'autre de même que, on l'a vu, la nourriture (la femme) suscite la faim (l'homme), et que la faim recherche la nourriture. Cette dialectique du désir met l'*Ungrund* dans un état de continuelle inflammabilité, évoqué dans la Bible sous forme de l'*ignis divinus* ; encore faut-il distinguer entre l'inflammation active, exemplifiée dans la colère, le Feu du Père, et l'inflammation passive qui signifie que la matrice comme racine de l'être se consume, aspirant à se remplir. Aujourd'hui encore nous pouvons voir comment la Nature, malgré sa profonde dégradation, a pris son origine dans le Feu, ainsi que le montrent les phénomènes électriques et magnétiques[2].

L'autogénération divine, qui tend à la *Verselbständigung*, est appelée aussi par Baader « centre de Nature », et c'est un moment passif représenté comme un triangle — figure du principe féminin de la racine — inscrit dans une circonférence[3]. Toute naissance s'accompagnant d'un danger de ne pas traverser indemne le feu du Centre de Nature (danger qualifié souvent par Baader de *periculum vitae*), la naissance du Fils s'accompagne d'une potentialisation de l'inflammabilité de la nature féminine ; cet apaisement ne témoigne pas de l'extinction du désir-appétit initial mais de sa transformation en

1. L. P. XELLA, *op. cit.*, p. 33 sq. Rappelons cependant que pour Boehme, l'Être-Père n'est pas l'*Ungrund* mais le Néant.

2. *Ibid.*, p. 35 sq.

3. *Ibid.*, p. 34 sq. et, particulièrement, les *Vorlesungen über spekulative Dogmatik* citées plus haut.

remplissement et joie ; la matrice trouve sa plénitude tandis que le Père, voyant une forme donnée à son expansion, jouit de la paix sabbatique. Le Fils, ou actualité du fondement, représente le juste rapport du Père et de la Mère, des forces productrices[1].

On peut placer ici une image représentée souvent dans les textes de Baader, celle de trois cercles concentriques généralement évoquée par les mots : *pater in filio, filius in matre*. Il n'y a pas d'être, dit-il, après Saint-Martin, qui n'ait pour tâche d'engendrer son propre père. Lidia P. Xella éclaire cette proposition en semblant s'inspirer du quaternaire selon C. G. Jung ; cette commentatrice de Baader fait ressortir implicitement une différence remarquable entre Baader et Boehme, car on sait que pour celui-ci la Sophia n'est pas un quatrième terme. Il s'agit de la structure quaternaire androgyne et ontologique évoquée plus haut ; en effet, par la sortie du Fils s'actualise la teinture masculine latente dans la passivité féminine (on peut dire aussi que le Fils est formé dans et par la matrice excitée à l'activité) ; il produit bien le Père, mais de celui-ci c'est l'aspect passif qui s'actualise ici. Le Fils est teinture féminine passive par rapport au Père, mais teinture masculine active par rapport à la Mère, si bien que son double aspect est médiation, possibilité de réaliser la quaternité du Soi, la *Verselbständigung*. Le Fils empêche la Mère d'être une matrice passive par rapport au Père, et le Père de se condamner, par refus d'abaissement, à ne pouvoir apaiser son feu, à s'auto-consumer. En tant que telle, la matrice est indistinction, sans être-pour-soi, sans personnalité propre, apte seulement à s'offrir, alors que le Père est actif-passif et le Fils passif-actif, qui au-dessus de l'*Ungrund* se déterminent, entrent et sortent sans cesse l'un dans l'autre dans un mouvement dynamique ; cette détermination est l'Esprit, son mouvement est contenu par la Mère qui, de potentialité matricielle, s'est faite lieu du processus de génération, quatrième terme (ni créateur ni créé), c'est-à-dire Sophia[2]. Saint Bernard, rappelle Baader, nomme le Saint-Esprit « le baiser du Père et du Fils », car ceux qui s'embrassent respirent ensemble, et l'union de ces deux respirations crée quelque chose qui à son tour agit sur

1. L. P. Xella, *op. cit.*, p. 36.
2. *Ibid.*, p. 37.

elles[1]. Saint Bernard appelle aussi l'haleine le baiser de celui qui respire. Le baiser est une sorte d'Esprit sanctifiant qui reconstitue la triade primitive[2]. Le Père et le Fils sont actifs en respirant l'Esprit, et passifs en subissant son action. De même le feu embrasse l'eau, l'eau embrasse le feu, leur union est Mercure, c'est-à-dire l'androgyne qui les éveille à nouveau tous deux[3]. Remarquons toutefois que chez Boehme, ce concours entre les valeurs masculines et les valeurs féminines se conçoit seulement au niveau de la manifestation divine, et non à celui de l'*Ungrund* ; il n'y a pas la moindre dualité dans l'Absolu qu'est l'*Ungrund* boehméen — ce que Baader, à ma connaissance, ne souligne jamais.

Pater in filio, filius in matre ajoute donc un élément supplémentaire d'androgynie à cet aspect déjà androgyne suggéré par le double mouvement ; cette expression clef signifie que le producteur est autant dans son produit que celui-ci est dans le producteur, qui lui-même se centralise en produisant, s'étend en même temps qu'il se saisit, et cela en vertu du principe rappelé plus haut (centrer s'accompagne d'ex-centrer)[4]. L'amour créateur et engendrant est toujours à la fois paternel et maternel ; par son aspect paternel il emplit, confère ou réalise une intériorité, anime, corporifie *(beleiben)* ; par son aspect maternel il donne forme ou vêtement, révèle, épanche. Dire « *pater in filio* » est reconnaître que Dieu se manifeste par son genitus, comme les parents par l'enfant. Père, Dieu veut posséder son genitus ; Mère, il veut être possédé par lui, ce qu'exprime la double activité : donner plénitude *(Fülle)* et donner forme ou vêtement *(Hülle)*. L'image du feu, par exemple celui d'une lampe d'éclairage, donne à comprendre cela concrètement : le feu, activité animante, offre sa base, son élément obscur, à une activité édificatrice et organisatrice, la lumière, qui va occulter le feu. Il faut que ce feu (la chaleur ou le Père) s'occulte pour que la manifestation (la lumière, le Fils) ait lieu. Mais ce

1. *Ueber das zweite Capitel der Genesis*, 1829, VII, 237. Cf. aussi SAINT-MARTIN, *Esprit des Choses*, t. I, p. 205.
2. *Speculative Dogmatik*, zweites Heft, 1830, VIII, 293, n. 7 et 237, n. Cf. aussi E. SUSINI, t. III, p. 572 sq.
3. *Ueber das zweite Capitel der Genesis*, 1829, VII, 237.
4. *Vorrede zum zweiten Band der philosophischen Schriften und Aufsätze*, 1832, I, 410 sq.

processus est rendu possible par la présence d'un médiateur, dans notre nature élémentaire le soleil qui centralise lumière et chaleur, de même que fait le Christ sur un autre plan ; ce troisième terme empêche la séparation anormale (par exemple le fait de séparer, dans notre vie, notre cerveau — lumière qui donne la forme — de notre cœur — chaleur qui emplit)[1]. Le père unit donc sa puissance ignée et sévère avec sa puissance lumineuse douce (Sophia, Idea) pour engendrer son Fils, le « fixer » *(fassen)*, le doter de la puissance sévère du Père tout en l'entourant de la puissance douce appelée par saint Paul la « Mère éternelle en haut » (mais chez Boehme ce n'est pas le Père qui « fixe » le Fils, c'est le Père qui se « fixe » dans le Fils...). Cette production du genitus n'est pas émanente, créaturelle, liée au temps, mais immanente. Si l'on a compris la notion d'androgyne, écrit Baader, on ne verra pas seulement dans le Père la puissance *(Potenz)* fructifiante, engendrante, qui serait comme coupée de la puissance réceptrice — celle qui met au monde ; on ne verra pas en lui un mâle comparable à celui qui a résulté de la séparation des sexes, et l'on n'hésitera pas à parler de genitrix à propos de Dieu, sans pour autant contredire au dogme[2].

Pater in filio, filius in matre exprime aussi « la loi générale de toute manifestation d'un supérieur dans et par un inférieur », parce que toute manifestation n'est possible que « grâce à une *occultation* libre ou contrainte de l'inférieur par rapport au supérieur »[3]. De plus, « toute coordination est une subjection réciproque », « toute subjection est une occultation », ou encore : « toute manifestation est conditionnée par une occultation, toute extériorisation par une intériorisation »[4] — de même que « toute lumière est conditionnée par une ombre, toute révélation par un secret, toute activité libre par un arrêt et une subordination d'une activité »[5]. C'est dire aussi que tout être ne peut parvenir à l'existence que grâce à l'anéantissement d'un autre être, comme le dit Maître Eckhart parlant du Père qui se

1. *Religionsphilosophische Aphorismen*, X, 328-332. Notons que pour Boehme c'est le féminin qui donne les corps ou corporifie, alors que le masculin communique l'esprit, c'est-à-dire le feu de l'âme, feu obscur qui devient lumière. Les corps se forment à partir de l'eau, par concrétion.

2. *Ueber den biblischen Begriff von Geist und Wasser*, 1830, X, 7.

3 *Sozialphilosophische Aphorismen*, V, 271 (cf. aussi E. Susini, t. III, p. 537).

4. VIII, 76 sq. (cf. E. Susini, t. III, p. 538).

5. V, 286 sq. (cf. E. Susini, t. III, p. 538).

consume dans le Fils, ou du producteur dans le produit. Tout producteur s'enflamme, et consumant les ténèbres engendre la lumière. Créer, c'est d'abord faire effort en vue de provoquer en soi une résistance, puis de réduire celle-ci afin de se poser. Le feu se dresse dans les ténèbres et s'abaisse dans la lumière, il est « père » en tant qu'il consume les ténèbres et « mère » en tant qu'il s'abaisse sous forme de lumière. Le fils se manifeste dans la mère, et le père dans le fils. Et de même il n'est point de domination sans une servitude ou obéissance, point de langage sans ouïe, point de science sans croyance[1]. Enfin, *pater in filio, filius in matre*, rappelle aussi que le producteur se trouve à l'intérieur du produit, si bien qu'en voyant celui-ci on voit du même coup celui-là (qui voit le Fils voit le Père) ; le produit est aussi dans le producteur, car qui voit le Fils le voit dans la Mère[2].

La Sophia est une force contenante qui confère à l'unité des Personnes divines dans leur distinction, notamment au rapport érotique androgyne et dynamique entre Père et Fils, un élément de joie, de repos sabbatique, de conquête de Soi *(Verselbständigung)*. Le passage de l'*Ungrund* à la *Begründung*, à la fondation, ou si l'on préfère au Fils comme *Grund*, advient quand se forme l'image de la *Maja*, teinture féminine, miroir originel en lequel les images ne sont encore que potentielles. Dans ce miroir comme matrice le Père cherche sa propre image, et son désir *(a visu cupido...)* lui revient reflété comme admiration de la part de la matrice elle-même, qui en tant que divine teinture féminine admire la puissance imaginatrice supérieure de la divine teinture masculine. La *Maja* était miroir passif comme repos potentiel dans le Ternaire saint, la Sophia est miroir passif comme repos actuel et actif du Ternaire saint. *Spiegel, speculum*, miroir, *mirare, ad-miratio, miraculum* — et *Wunder* (miracle), *bewundern* (admirer)... Là où il y a admiration il y a toujours un rapport hiérarchique entre supérieur et inférieur, qui garantit l'unité et la distinction entre ce qui est ainsi associé. L'inférieur, admirant le supérieur, sort de sa propre infériorité, se « soulève » en quelque sorte ; le supérieur, se mirant et se contemplant dans l'inférieur, le soulève jusqu'à soi

1. IV, 227 sq. ; V, 271 (cf. E. Susini, t. III, p. 538).
2. *Ueber den biblischen Begriff von Geist und Wasser*, 1830, X, 10 sq.

sans pour autant s'abaisser à son niveau. « Le supérieur, écrit de façon si juste L. P. Xella, est un miracle pour l'inférieur et l'inférieur est un miroir pour le supérieur : ainsi ils se rencontrent sans se confondre[1]. »

Mais nous savons que ce rapport est quaternaire en ce sens que le masculin s'unit au masculin dans le féminin, et le féminin au féminin dans le masculin. « La puissance masculine expansive trouve son propre repos, son propre contour, en remuant, en ouvrant, la teinture féminine et en se faisant circonscrire. C'est pourquoi la plus profonde signification des rapports entre mouvement et repos peut être obtenue seulement dans la quaternité divine » — le quatrième terme, passif, n'ajoute rien à la Trinité car il ne crée ni ne génère, il reflète seulement la génération, renvoie aux puissances génératrices leur image dans laquelle ils peuvent se saisir en leur unité et leur distinction[2]. La divinité androgyne n'est donc pas simplement Père et Mère, mais Père-Fils-Esprit, et le processus de fondation ne peut-être que quaternaire car seulement la quaternité exprime la *Verselbständigung*, c'est-à-dire l'accès au Soi et à la personnalité de Dieu dans les trois Personnes égales et distinctes.

On peut voir l'essentiel de ce qui précède, particulièrement en ce qui concerne l'androgynie, comme un principe et un fait de *langage*, dont les langues actuelles ne font toujours que porter témoignage à qui sait voir et entendre. Baader parle volontiers à ce propos des rapports existant entre les voyelles et les consonnes. L. P. Xella a proposé de ces idées du théosophe une interprétation qui paraît fort marquée par la pensée de C. G. Jung ; résumons en quelques mots sa synthèse. Il s'agit d'abord pour nous d'interpréter le repos dans la matrice comme un silence qui aspire à la sonorité, un creux qui attend d'être habité *(Inwohnung)*. La satisfaction de ce désir s'effectue par la médiation du langage. À propos de la parole aussi on peut parler de quaternité androgyne, parce qu'elle peut résonner dans la mesure où elle est écoutée, et elle est écoutée dans la mesure où elle résonne. Elle suppose une sonorité à la fois active et passive dans laquelle elle s'épand et qui la contient, la

1. L. P. Xella, *op. cit.*, p. 38 sq.
2. *Ibid.*, p. 40.

définit (l'écho est un phénomène typique dans lequel se manifeste la constitution originelle de la Nature). À l'origine du langage il y a la surabondance du désir et du même coup son ambiguïté : le silence est teinture féminine (il serait donc féminin !) qui, comme omnipotentialité de tous les sons, désire être rempli, défini, et pour cela excite la sonorité, teinture masculine, qui de son côté représente l'appétit cherchant le milieu dans lequel s'exprimer. L'un a besoin de l'autre pour éviter soit le mutisme absolu, soit les sons inarticulés.

Dans la parole, qui est donc *genitus*, est reproduit le rapport androgyne des deux teintures par le concours de la voyelle et de la consonne. La voyelle, teinture masculine, a besoin de la consonne pour s'exprimer, s'articuler complètement ; la consonne, teinture féminine, a besoin de la voyelle pour être exprimée. Il est évident que Dieu sera dès lors la voyelle par excellence, qui dans la surabondance de Sa sonorité, déterminée au sein de l'intime échange entre les Trois Personnes permet par sa matrice naturelle éternelle de donner forme et expression à la consonne de la création. La Sophia, ni créée ni créatrice, représente cet équilibre, cet unisson, entre la voyelle divine et la consonne créaturelle. Le Verbe introduit en elle l'aspect masculin-androgyne, la parole formatrice, séminale, et un aspect féminin androgyne qui l'excite à reproduire dans la nature unie à la parole séminale une sonorité donatrice de forme. La sonorité signifiante du Verbe divin se coule donc dans la matrice pour se faire signifié distinct et du même coup donne à celle-ci l'essence, la fait passer du silence à la vie, selon le principe de la *Table d'Émeraude* si souvent rappelé par Baader : « *Vis ejus integra est, si conversus fuerit in terram*[1]. » On considérera alors l'éternité divine comme androgyne, libre *descensus-ascensus*, excitation et apaisement, entrée des deux teintures l'une dans l'autre et sortie l'une de l'autre avec un troisième terme médiateur et une totalité quaternaire.

Au plan naturel

La nature originelle devait reproduire ce schéma ontologique et divin. Elle aussi était androgyne, faite d'une corporéité

1. L. P. Xella, *op. cit.*, pp. 42-45.

spirituelle *(Geistleiblichkeit)* définie par deux forces, l'une expansive et l'autre qui contenait celle-là. La teinture féminine passive, douce, humide (un en-soi, un « intérieur de soi ») s'ouvrait spontanément à l'action de la force expansive pour la saisir et se faire du même coup saisir par elle. Dans cet état paradisiaque la teinture masculine active se manifestait comme un feu aspirant à une sortie de soi-même, une recherche de l'intériorité de l'autre teinture, une élévation, car sortir et se soulever précède et conditionne l'entrée. Ici encore, comme au plan divin, c'est en termes d'imagination magique qu'il nous faut saisir ce processus. On ne comprend la notion d'androgyne, rappelle Baader, que si l'on connaît la signification donnée par Paracelse et Boehme à « imagination » et à « magie » : pour eux l'imagination est la racine de toute production ; l'amour, l'appétit, etc., montrent bien qu'elle est le *primus motor creans*[1]. La matrice indifférenciée, ou principe de nature, est réceptivité passive, « inessentialité magique », mais par là même mère potentielle de toutes les différenciations. La « Magie », potentialité de toutes les images, est rapprochée par Baader de la notion de magnétisme naturel car il voit la matrice susceptible d'infinies scissions, distinctions, divisions, dans le désir qu'elle éprouve de recevoir à l'intérieur de soi le principe de la forme et la réalité de toutes les formes possibles. L'excitation active de l'imagination du genitor — du principe de la forme — engrosse cette matrice pour se faire contenir dans son expansion productrice, c'est-à-dire pour ne pas se disperser, pour se définir, pour revenir ensuite à soi dans le contour de la perfection. En effectuant ce retour sur lui-même il est devenu *genitus, imago*, et du même coup la *magia*, l'inessentielle Maja, a pris figure, est devenue Sophia ou plénitude des images dans leur essentialité ; aussi Sophia, ou la nature idéale, est-elle le lieu dans lequel le *genitor* et le *genitus* se reflètent, se lient indissolublement en gardant leur distinction[2].

Pour comprendre la nature actuelle il faut connaître non

1. À propos de « l'imagination magique », cf. mon article « L'Imagination créatrice, fonction magique et fondement mythique de l'image », pp. 355-390 in *Revue d'Allemagne*, Strasbourg, Société d'Études allemandes, avril-juin 1981, t. XIII, n° 2 : *Hommages à Eugène Susini*. Autre édition, plus complète, pp. 230-261 in *Conoscenza religiosa*, Florence, La Nuova Italia, avril-juin 1981.

2. L. P. Xella, *op. cit.*, p. 19 sq.

seulement ce qu'enseigne le mythe judéo-chrétien de la chute, c'est-à-dire notamment la création de l'univers du fait de la chute de Lucifer (cf. *infra*), mais aussi le mécanisme des rapports qui unissent toute nature à Dieu. Ainsi quand ils étudient le mot « substance » *(Substanz)* les philosophes ont tendance à oublier qu'il faut le prendre dans sons sens étymologique : « tenir sous », « *Unter-halt* », c'est-à-dire « fonder » ou « fondement » ; l'idée est qu'un producteur ne s'équilibre avec son produit, ne s'unit à lui (sans se confondre avec lui) qu'en entrant, en tant que mère, profondément dans son produit, tout en restant au-dessus de lui en tant que père[1]. Cela vaut pour la créature et pour la Nature. On a fait beaucoup de cas de Spinoza, remarque Baader dans un essai de 1834 consacré au rapport solidaire des sciences religieuses et des sciences naturelles, mais on a interprété à sa suite la notion de substance en perdant de vue l'essentiel, à savoir la fonction de substantiation ; il faut savoir que l'agent qui me maintient et m'entretient, se sacrifie dans son mouvement vers moi ; dans sa sortie hors de lui-même *(Entäusserung)* il se met, par amour, *au-dessous* de moi, descente matérialisante qui me donne un support et me permet de m'élever, d'exister. Il faut distinguer « *amor cadit* » et « *amor descendit* », et pour éviter cette erreur compléter la correcte notion hégélienne de « *Aufhebung der Natur durch die Uebernatur* » au moyen de la notion de *Erhebung* de cette nature ; de même, si l'artiste dompte sa matière première c'est pour la transfigurer[2].

Un peu plus tard, dans un cours de dogmatique spéculative, Baader donne un aperçu précis de la manière dont il conçoit les rapports entre la Nature et l'Esprit. Leur « intégration », ou leur « désintégration » — entendons : leur séparation — sont successives et réciproques. Toute descente, libre ou non, est désintégration, toute ascension intégration, comme on le voit avec la descente permanente de l'élément un, invisible et incréé, dans la nature, descente par laquelle il se décompose en quatre éléments puis en remontant se réintègre ; la terre est le dernier palier de cette descente désintégrante pour lui, en

1. *Vierzig Sätze aus einer religiösen Erotik*, 1831, IV, 183 sq.

2. *Ueber den solidären Vertand der Religionswissenschaft mit der Naturwissenschaft*, 1834, III, 345.

même temps que le premier palier de la remontée. La descente est à vrai dire une excentration, la montée une concentration. Il y a une union de l'une et de l'autre quand elles parviennent à se « poser » *(sich ponieren)* grâce à un milieu, un médiateur, positif ; c'est pourquoi un être tombé dans la « désintégration » ne peut devoir sa restauration qu'à un être « intègre » qui, pour descendre vers lui, se lier à lui, suspend la forme de son intégrité et se sacrifie à lui[1]. C'est donc sous le signe de l'androgynie qu'il faut placer la dualitude Nature-Esprit ; ce qu'en 1838, dans le cours de dogmatique spéculative, Baader exprime en une formule au style sans doute volontairement inspiré de Schelling, mais comme pour corriger la philosophie de l'identité :

> *Puisque la notion d'Esprit exprime celle de liberté de la Nature et par là-même signifie le contraire de l'absence de Nature* (Naturlosigkeit), *dès lors l'Esprit absolu doit-être en même temps la Nature absolue. Cette notion d'identité absolue de l'Esprit et de la Nature en Dieu coïncide avec celle de l'identité de la liberté et de la nécessité*[2].

Mais Baader ne fait point remarquer que chez Boehme, l'Esprit absolu *(Ungrund)* n'est pas la Nature, même absolue ; cette notion d'identité est étrangère au philosophe teutonique.

L'ADAM PRIMITIF ET L'ANDROGYNE MANQUÉ

Avant la chute

L'image d'un androgyne primitif doit nourrir nos méditations car « sans un éclaircissement de cette région obscure de

1. *Vorlesungen über speculative Dogmatik*, 1838, IX, 208.

2. *Ibid.*, p. 218 : « *Da der Begriff des Geistes jenen der Naturfreiheit, somit das Gegentheil der Naturlosigkeit aussagt, so muss der absolute Geist zugleich die absolute Natur sein. Dieser Begriff der absoluten Identität des Geistes und der Natur in Gott fällt mit jenem der Identität den Freiheit und Nothwendigkeit zusammen.* » Dans la suite, Baader fait allusion à Edmond Burke, l'auteur des *Réflexions sur la Révolution en France.* Sur la nature androgyne de l'Esprit, cf. aussi *Vierzig Sätze* (IV), 194 sq.

notre nature les mystères de la religion resteraient impénétrables »[1]. La condition actuelle de l'homme est elle-même capable de jeter là-dessus quelque lueur puisqu'en chacun de nous, mâle ou femelle, se trouvent les deux puissances sexuelles, l'ignée et l'aqueuse, l'une des deux l'emportant toujours sur l'autre chez un même individu, ce que viennent confirmer plusieurs phénomènes de la nature animale et végétale[2]. On comprend mal au demeurant que les théologiens soient restés si étrangers à l'idée d'une androgynie primitive, puisque Marie engendra sans l'aide d'un homme et qu'Adam fit de même sans femme[3]. Si la femme a été créée à l'image de l'homme, celui-ci fut conçu pour être androgyne — ce qui n'était pas le cas des animaux. Mais le premier homme n'a pas été créé vraiment androgyne, il avait plutôt reçu la mission de le devenir en fixant l'harmonie de ses deux teintures, la masculine et la féminine[4]. Il faut comprendre la notion d'androgynie humaine en fonction des principes énoncés plus haut, c'est-à-dire de l'union complète de la cause et du fondement *(Ursache* et *Grund)*, du *genitor* et du *genitus*, leur séparation apparaissant au plan humain comme celle de l'homme et de la femme, ou comme une actualisation du temps (Maître Eckhart dit que toute temporalité naît et subsiste par séparation du Père et du Fils)[5]. Avant le « sommeil » de Genèse, II, 21, donc avant la séparation des sexes, l'androgynie adamique consistait en l'identité du principe ou organe engendrant et de celui qui donne forme[6]. La question de l'androgynie ou de la non-androgynie d'Adam est de savoir si la répartition de la double puissance sexuelle — non pas seulement tincturielle — en deux individus, en deux corps différents, est primitive ou bien si la distinction présentée dans la Genèse est déjà secondaire, c'est-à-dire précédée d'une union préalable en un seul corps. Pour Baader la réponse ne fait pas de doute : le texte mosaïque parle en faveur de la seconde solution.

Quand saint Paul dit qu'en Christ nous ne sommes plus homme et femme et qu'en lui nous retrouvons notre image

1. *Fermenta Cognitionis IV*, 1822-1824, II, 382.
2. *Vorlesungen über speculative Dogmatik*, 1838, IX, 211.
3. *Ibid.*, 212.
4. X, 247, n. (cf. E. Susini, t. III, p. 366).
5. *Vorlesungen über speculative Dogmatik*, 1838, IX, 213.
6. XII, 409 (à propos du *Ministère de l'Homme-Esprit*, de Saint-Martin).

divine perdue, cela signifie qu'Adam n'avait pas été d'abord conçu séparé. C'est seulement plus tard que le premier homme, comme dit saint Augustin, fut créé avec le *posse mori*, ce que Baader préfère appeler le *posse mas et fœmina fieri*, qui s'actualisera avec le « faux désir » d'Adam et avec l'aspect nocturne qu'il revêtira[1]. Il y avait néanmoins en Adam la distinction des deux teintures — non point leur séparation sexuelle en mâle et femelle, qui ne serait pas devenue extérieure si la chute d'Adam ne s'était pas produite[2]. La méconnaissance de cette nature originellement androgyne de l'homme est si grande qu'on va jusqu'à confondre généralement la sortie d'Ève à partir d'Adam avec la division sexuelle consécutive à la première chute de celui-ci ; c'est pourquoi on s'est représenté l'androgyne comme impuissant à se reproduire[3].

Contrairement à d'autres théosophes comme Johann Georg Gichtel ou Antoinette Bourignon, qui n'étaient point avares de détails dans leurs descriptions concrètes de l'androgyne (forme extérieure, nature cristalline, impénétrabilité, etc.), Baader fait ici preuve de prudence. À ma connaissance, seul un passage des *Aphorismes de philosophie religieuse*, intitulé précisément *De l'Androgyne*, contient une évocation concrète. Dans ce texte il rappelle d'abord qu'Ève a pris un corps distinct par suite d'une séparation radicale *(Scheidung)*, en deux parties, de l'essence ou nature adamique, et non pas par suite d'un acte de reproduction dont Adam aurait été capable du fait de sa nature androgyne ; sinon Ève aurait été androgyne elle aussi. C'est à ce propos que Baader fournit une précision concrète sur le mode de reproduction de l'androgyne primitif. Elle s'effectuait évidemment sans l'aide d'organes sexuels ; on peut la comparer à la manière dont il s'alimentait, c'est-à-dire sans organes de digestion, ce dont le spectacle de la nature végétale et parfois la nature animale nous fournit un aperçu. Quand la Genèse rapporte que l'homme vit qu'il était nu, cela signifie qu'il eut honte de se voir dorénavant doté d'organes de reproduction et d'alimentation séparés. Saint Paul dit que Dieu jugera le ventre avec la nourriture terrestre ; il distingue ventre *(Bauch)* et corps

1. *Ueber den morgendländischen und den abendländischen Katholicismus*, 1840, X, 247.
2. *Vorlesungen über speculative Dogmatik*, 1838, IX, 221.
3. *Vierzig Sätze aus einer religiösen Erotik*, 1831, IV, 194 sq.

(Leib) au sens noble. L'androgyne digérait dans la bouche, engendrait dans le cœur. Au moment de la chute l'estomac tomba vers le bas et les organes de reproduction se déplacèrent du cœur au ventre. « La femme — la terre — est descendue », dit Saint-Martin, et Boehme enseigne que la terre est tombée du *puncto solis*[1]. Rappelons que pour Boehme, le corps primitif d'Adam ne comportait pas d'organes sexuels ; lorsqu'il découvre le sexe, c'est d'un autre corps qu'il s'agit. La vision des organes sexuels réunis dans un seul corps, telle que l'évoque Antoinette Bourignon, est le fait d'un « boehmisme » très éloigné de Boehme. Celui-ci en eût frémi d'horreur !

C'est donc en tant qu'image de Dieu qu'Adam aurait dû procréer. Baader cite évidemment le passage qui a fait couler beaucoup d'encre, celui de Genèse, I, 26-27 : « *Et Élohim dit : Faisons l'homme à notre image et à notre ressemblance et donnons-lui le pouvoir [...] Et Élohim créa l'homme à son image, à l'image d'Élohim il le créa mâle et femelle et les bénit.* » On sait que le même changement se trouve dans Genèse, V, 1-2 « *Le jour où Dieu créa Adam il le fit à la ressemblance de Dieu. Homme et femme il les créa.* » Le fait qu'au deuxième chapitre il soit question de la séparation, parce qu'il n'était « pas bon » que celle-ci n'ait point lieu, montre assez que l'Adam du tout début ne pouvait être un mâle ; sinon comment aurait-il, sans féminité, pu être image de Dieu ou même subsister ? « Inutile de dire que le texte est interpolé ». Quant au mot « Élohim » pour désigner le créateur au pluriel, Baader précise qu'il ne renvoie pas à une dualité sexuelle en Dieu[2].

Contrairement aux animaux, Adam a été créé par Dieu — et non pas sur son ordre, comme c'est le cas des animaux, qui furent créés directement de la terre et des autres éléments et apparurent tout de suite comme mâles et femelles, chaque sexe actualisé dans un corps différent. L'Écriture nous montre l'homme s'élevant de la terre vers Dieu, et non pas, comme le veut Luther, formé comme par un potier à partir d'une motte de terre[3]. Adam n'avait pas été créé pour être une créature

1. *Ueber die Androgyne*, X, 295. Sur la sexualité de l'Adam primitif selon Antoinette Bourignon, cf. Serge HUTIN, *Les Disciples anglais de Jacob Boehme*, Paris, Denoël, 1960, p. 27 sq.
2. *Bemerkungen über das zweite Capitel der Genesis*, 1829, VII, 225.
3. *Vorlesungen über speculative Dogmatik*, 1838, IX, 210.

terrestre mais il est tombé dans cet état. Les Kabbalistes, rappelle l'auteur, vont jusqu'à admettre deux Adam, un premier et un second. Le premier est appelé par *La Philosophie divine* « un être divin et Élohim », un esprit sans corps terrestre[1]. Il a été perdu. Le second était un corps terrestre animé par une âme divine insufflée en lui et qui ne lui venait pas des éléments ; elle devait servir d'instrument à l'homme-esprit pour exécuter l'œuvre de création sur la terre qu'avait gâtée *(verdorben)* la chute de Lucifer et pour transformer cette terre en un paradis. C'est pourquoi cet Adam céleste fut transporté de la terre céleste sur la terre obscure et uni à l'Adam terrestre pour ne faire avec lui qu'une seule personne. Dès lors Adam fut esprit-corps-âme[2]. Jacob Boehme lui aussi a noté que pour pouvoir dominer et restaurer la nature terrestre déjà « gâtée », Adam devait posséder en lui-même cette terre, ce *limus terrae*, comme élément constitutif de son être, et qu'il lui incombait de déraciner *(tilgen)* d'abord en soi l'infection de ce *limus* d'où émanait une envie *(Lust)* ou élément tentateur d'Adam[3]. Boehme avait dit aussi que l'âme du corps terrestre est à l'image de celui-ci, à l'image du *spiritus mundi*. Mais le corps spirituel s'identifie à la Sagesse : quand Adam a perdu ce corps, celle-ci l'a quitté. Chez Boehme, cette distinction des plans est fort claire.

Adam procréait donc, mais en restant vierge. Toute véritable autonomisation ou autofondation se réalise seulement par la fusion des oppositions, c'est pourquoi les deux teintures adamiques n'avaient point pour finalité d'actualiser leur opposition ; autrement dit, chacune d'elles se devait de ne pas devenir autonome, c'est-à-dire qu'elle devait rester *selbstlos*, afin que la fusion *(Zusammenschliessen)* des deux se confirmât. La non-autonomisation *(Selbstlosigkeit)* d'une teinture coïncide avec l'asexualisation. Idée que Boehme et Platon ont en commun. Pourquoi en effet, se demande Baader dans *Fermenta cogni-*

1. *Bemerkungen über das zweite Buch der Genesis*, 1829, VII, 226. Seul le titre de l'ouvrage de DUTOIT-MEMBRINI est cité par Baader. Il s'agit évidemment de *La Philosophie divine, appliquée aux lumières naturelle, magique, astrale, surnaturelle, céleste et divine, ou aux immuables vérités*, par Keleph Ben Nathan (pseudonyme de Dutoit-Membrini), s.l., 1793, 3 vol. (le titre du t. III est légèrement différent).

2. *Bemerkungen über das zweite Capitel der Genesis*, 1838, IV, 216. Baader cite à ce propos *Einleitung in die Bibel*, Strasbourg, 1820, p. 82, et KLEIN, *Schöpfung der Welten*, 1823.

3. *Bemerkungen über das zweite Capitel der Genesis*, 1838, IV, 226 sq.

tionis, l'enfant nous attire-t-il tant, pourquoi éveille-t-il en nous le souvenir ou le désir de l'état paradisiaque de la nature extérieure ? Parce que celle-ci se trouve encore, vis-à-vis de la nature supérieure divine ou spirituelle, ce qu'elle doit être, un outil sans volonté de la manifestation ou une volonté non encore devenue esprit propre, autonomisé ; nous percevons dans l'innocence de l'enfant la *Selbstlosigkeit* comme asexualisation. La nostalgie du véritable amour entre homme et femme, chez les natures les plus nobles, est-elle autre chose que la plainte exprimant le regret de ce paradis perdu, ou que la douleur de cette rupture, de cette inflammation qui s'empara de la nature extérieure ? Ce qui exprime si bien la fiancée dans Le Cantique des cantiques : « Oh ! Si tu étais mon frère ! ». Le sentiment de honte qui s'emparera d'Adam après son sommeil s'explique d'abord par la prise de conscience de l'actualisation d'une autonomisation de la nature extérieure. Car l'animal et l'esprit n'ont honte que de leur impuissance, pas de leur puissance ; parce que la puissance animale apparaîtra au détriment de la puissance de l'esprit, l'homme-esprit aura honte. Le développement de la différence sexuelle, de l'inflammation extérieure de la nature, coïncidera avec celui du poison et de la mort[1].

Adam avait pour mission de maintenir en soi cet état d'androgynie afin de se « fixer » lui-même comme une image de Dieu par elle-même ni mâle ni femelle. Il lui fallait nécessairement subir la tentation de ne pas effectuer cette « fixation », car Dieu voulait l'éprouver (*bewähren* — il devait « faire ses preuves »). Il s'agissait d'anéantir *(tilgen)* en soi radicalement le *posse mas et fœmina fieri* (ou le *posse animal fieri*) pour surmonter du même coup l'Esprit du Monde *(Weltgeist)* en lui-même et en dehors de lui-même, seule manière de se le soumettre, si bien que la destination véritable d'Adam était de devenir au terme de cette épreuve Seigneur, Roi tout-puissant, du monde extérieur, puisque aussi bien on ne donne la couronne qu'au vainqueur. Pour que fût anéanti le *posse* — cette potentialité —, il fallait que celui-ci fût excité comme tel ; là réside la clef de compréhension d'une nécessaire tentation envoyée par Dieu à la créature pour l'éprouver. C'est par le Mal qu'Adam fut soumis à

1. *Fermenta Cognitionis III, IV*, 1822-1824, II, 271 sq., 314 sq.

cette tentation ; mais celle à laquelle Lucifer et ses cohortes avaient été soumis précédemment ne venait pas du Mal puisque celui-ci n'existait pas encore et résulte seulement de l'insuccès de Lucifer à subir son épreuve. On voit donc, affirme Baader, que sans la notion d'androgyne le concept central de la religion, c'est-à-dire celui d'image de Dieu, reste incompris[1].

Lorsque Dieu créa Adam il ne le créa pas seul mais lui donna l'aide céleste Idea (Sophia), androgyne elle-même (ce que, notons-le en passant, elle n'est pas chez Boehme pour qui elle transcende parfaitement les sexes), avec laquelle il devait, d'abord *intérieurement*, se comporter comme organe ou image de Dieu ; s'il avait exécuté convenablement ce programme, les deux puissances tincturelles (masculine et féminine) se seraient *extérieurement* liées l'une à l'autre pour constituer l'androgyne, et le *posse mas et fœmina fieri* aurait été anéanti en Adam[2]. Médiateur entre Dieu et la Nature, l'homme devait projeter son imagination dans la Sophia, dans la divine matrice, afin de se soumettre la Nature et de se soumettre à Dieu. Actif-masculin vis-à-vis de la Nature, il était féminin-passif vis-à-vis de Dieu. Le « principe » est en effet masculin, l'« organe » est féminin, si bien que si la Nature est organe par rapport à l'homme, celui-ci est organe par rapport à Dieu ; car le mystère du rapport entre principe et organe en Dieu est celui de la vraie constitution du « Soi divin », comme le fait remarquer à ce propos L. P. Xella. C'est donc en tant que teinture féminine que l'homme devait « imaginer » passivement « dans » la Sophia, en excitant à l'intérieur de celle-ci l'activité masculine qu'elle renferme et qui eût aidé Adam à se faire emplir de la semence divine. Cela aurait permis ensuite à l'homme de projeter dans la nature son imagination active, mais nous allons voir qu'au lieu de réaliser ce programme il a au contraire dérangé les rapports[3]. Il aurait, selon l'interprétation de L. P. Xella, dû rester la docile consonne, l'instrument, permettant à la voyelle divine de s'exprimer dans la création. Vis-à-vis de la Nature, son rôle était de servir de voyelle qui, prononcée par le truchement de la consonne naturelle, aurait réinstauré celle-ci — la Nature —

1. *Bemerkungen...*, 303 sq.
2. *Vorlesungen über speculative Dogmatik*, 1838, IX, 211 sq., n.
3. Cf. L. P. Xella, *op. cit.*, p. 27.

dans sa structure normale et dans sa connivence avec Dieu, brisées par le péché de Lucifer[1]. Voyelle et consonne servent à Baader d'image paradigmatique : une créature ne peut naître que dans une nature, dit-il, et une lumière ne se manifester qu'à partir d'un feu ; la lumière prend le feu en elle, comme la créature assume la Nature, ou comme la voyelle prend la consonne et la révèle. On comprend dès lors, explique Baader dans un passage de *Fermenta Cognitionis*, le supplice tantalique de ce qui ne peut se manifester faute de pouvoir s'évader du feu[2]. Ajoutons que pour Boehme cependant, à l'intérieur de la relation entre l'homme et la Sophia c'est lui qui est le feu de l'âme, et c'est elle qui est l'épouse, ainsi que l'a rappelé Pierre Deghaye.

Les chutes de l'homme

Le rapport entre voyelle et consonne fournit du même coup la clef qui ouvre le mystère de la chute adamique. L. P. Xella a tenté de le montrer, malgré le nombre relativement faible des passages que Baader consacre à cette image. On peut dire à cet égard que le péché d'Adam, la première scission des deux teintures, fut en premier lieu consommé dans la parole. La Bible raconte comment la Nature fut présentée à Adam afin qu'il donnât un nom aux animaux ; or, l'animalité représentait, comme la bisexualité — et les animaux étaient déjà pour la plupart bisexuels —, la scission de la voyelle et de la consonne, qu'Adam avait précisément pour tâche de réunir, de recomposer dans la Nom. Il voulut au contraire se faire donner le Nom par la Nature, ou si l'on préfère, s'exprimer, se générer, dans la bisexualité. En *voyant* la bisexualité dans la nature, Adam aurait dû, à partir de ce « *mirare* », éprouver le désir de recomposer l'androgynie de cette nature scindée du fait du péché luciférien ; il aurait dû, et pu, reconduire grâce à sa Parole, c'est-à-dire par la bonne imposition du Nom, de la région du ventre à celle de la poitrine, les facteurs de production. Mais parce qu'il aspira à maintenir ceux-ci dans la région

1. *Ibid.*, p. 45.
2. *Fermenta Cognitionis III*, 1822-1824, II, 254 sq.

inférieure du ventre, de la bisexualité, il se condamna au mutisme, le langage humain perdit son pouvoir reproducteur, et il fut nécessaire d'attendre que Dieu prononçât une parole encore plus sonore — le Christ Jésus — pour que vie fût rendue à toute la création[1].

Parler de l'imposition du Nom (Genèse, II, 19)[2] revient à citer très directement le texte mosaïque, ce que Baader fait à plusieurs reprises pour l'ensemble des deux premiers chapitres, et nous avons vu que l'un de ses essais s'intitule même *Remarques sur le second chapitre de la* Genèse, *particulièrement pour ce qui concerne le rapport de sexes instauré par la chute de l'homme* (1829)[3]. À la lumière de ces pages principalement, mais accessoirement aussi d'autres passages de son œuvre[4], il convient maintenant d'étudier l'interprétation baaderienne du récit mosaïque de la chute[5]. Rappelons d'abord avec le théosophe que la chute d'Adam et même sa création furent précédées par celles de Lucifer[6]. Le péché du prince des anges nous aide à comprendre celui de notre premier ancêtre. Lucifer a commis la faute de s'opposer à la libre « évolution » *(Évolution)* de la lumière, il a voulu la capter en quelque sorte, la transformant du même coup en éclair[7]. Cet événement se comprend si l'on se souvient du principe suivant, fondamental selon Baader : A) Un élément supérieur pose devant lui (hors de lui) un auxiliaire afin d'engendrer, en conjonction — en « fixation » *(Fassung)* — avec celui-ci un produit ; B) Un élément inférieur saisit un élément supérieur dans le même but d'engendrement. Or, Lucifer et Adam se sont trompés dans le choix de l'auxiliaire de production. Saint-Martin dit que l'homme a « transposé son amour »,

1. Cf. L. P. Xella, *op. cit.*, p. 45 sq.
2. « [Car] le Seigneur Dieu modela du sol toute bête des champs et tout oiseau du ciel qu'il amena à l'homme pour voir comment il le désignerait. »
3. Titre complet : *Bemerkungen über das zweite Capitel der Genesis, besonders in bezug auf das durch den Fall des Menschen eingetretene Geschlechts-Verhältniss, aus einem Sendschreiben an die Frau Gräfin von Wielhorski, geborene Fürstin Birron con Curland,* Theissing, Münster, 1833, IV, 209-220.
4. Ces passages sont épars. Rappelons que Baader n'a jamais écrit que des articles, des essais ou des cours.
5. J'ai rassemblé ici, de même que pour les autres thèmes et mythèmes, tous les passages y relatifs que j'ai trouvés dans son œuvre.
6. Selon le schéma classique, propre à pratiquement tous les théosophes occidentaux.
7. *Vorlesungen über speculative Dogmatik*, 1838, IX, 223.

qu'il a eu envie d'une base « basse »...[1] L'imagination de Lucifer s'éloigna du milieu *(Mitte)*, ou de l'image de lumière ; celle d'Adam également, mais dans le cas de l'ange elle se fixa directement dans la matière obscure, dans le *centrum naturae* (la *Selbheit* d'Adam se fixa dans le terrestre, l'astral, ou extérieur). Lucifer s'est révolté, Adam n'a fait que se détourner de Dieu par « bassesse ». L'ange et son armée, créés tout d'un coup, n'avaient pas besoin de se reproduire, aussi leur péché ne fut-il pas de faire mauvais usage de la volonté de reproduction — contrairement à la faute adamique. Dieu créa la « terre » pour arrêter ou circonscrire l'inflammation suscitée par la révolte angélique ; ici Baader rapproche de façon suggestive les termes « *arrez* » (terre, en hébreu) et « arrêt »... Cette terre commença par l'eau, donc par un premier déluge destiné à éteindre l'incendie correspondant à, ou suscité par, l'orgueil *(Hoffart)* de celui qui venait de devenir le démon[2] ; perdant la plus belle de ses formes il revêtit la plus horrible, devint muet[3], fut enfermé par Dieu dans cette « terre » et Adam fut créé pour en être le geôlier.

Les *Remarques sur le second chapitre de la Genèse* posent le problème que semblent soulever les versets II, 18 et 19. Le verset 18 fait dire à Dieu : « Il n'est pas bon que l'homme soit seul ; je lui ferai une aide semblable à lui », et curieusement le verset 19, dans la version de Luther, commence par le mot « car » : « *Denn als Gott der Herr gemacht hatte...* » (« Car le Seigneur ayant formé différents animaux [...] les fit venir vers l'homme... »). Autrement dit, c'est parce que l'homme a été mis en face de la nature animale qu'il a fallu lui donner une compagne. Ici, le texte comporte évidemment une lacune, selon Baader, car ce rapport de cause à effet n'est nullement évident. Le texte suggère donc quelque chose, à savoir qu'Adam s'est fourvoyé dans cette nature animale en y pénétrant par l'imagination, en y plaçant sa propre image *(sich verbilden)*, et à cette fin en se revêtant d'une forme double. La lecture baaderienne du texte enseignerait donc : Dieu dit qu'il n'était pas bon que l'homme restât seul, et voulut lui faire une compagne

1. *Bemerkungen über das zweite Capitel der Genesis*, 1838, VII, 235.
2. *Fermenta Cognitionis IV*, 1822-1824, II, 315 sq.
3. *Bemerkungen über das zweite Capitel der Genesis*, 1838, VII, 238 sq.

semblable à lui, *car* lorsqu'après avoir formé différents animaux et les avoir fait venir vers l'homme, celui-ci s'était laissé séduire par la nature animale, ce qui avait eu pour conséquence de le déséquilibrer — d'où la nécessité de le couper en deux parties, c'est-à-dire de créer la femme[1].

Pour accomplir sa destination (Genèse, I, 28) et exercer sa maîtrise sur la nature et les animaux, Adam ne devait pas se laisser tenter par celle-ci (par le *limus terrae*), mais il existait en lui une possibilité de tentation. Nous avons vu que ce qui a été créé pour être supérieur doit d'abord se « fixer » dans une position de rapport hiérarchique impliquant elle-même une tentation de déroger à cette loi. Toute tentation surmontée fortifie ; la présentation des animaux était une tentation car l'homme devait les nommer, c'est-à-dire faire valoir sa domination sur eux, en prendre possession. Au lieu de cela il a imaginé dans leur nature, a éprouvé l'envie de se multiplier grâce au concours d'une aide extérieure, perdant ainsi le goût de son aide intérieure (« la femme de sa jeunesse », comme dit Salomon) ou Sophia.

Le premier péché d'Adam a donc consisté à faire un usage illégal de sa faculté de reproduction, qui était paradisiaque et non animale. La « femme de sa jeunesse », en tant qu'Idea éternelle de Dieu, ne pouvait demeurer en Adam, être « fixée » par lui, devenir substantiellement créaturelle en lui, avant qu'il ait placé en elle, jusqu'à ne faire avec elle effectivement qu'un seul corps *(Einleibigkeit)* indissoluble, ses deux qualités masculine et féminine constituant son corps adamique. Depuis sa création, celles-ci étaient dans un bon équilibre *(Temperatur)* et n'avaient même pas en elles-même la possibilité (le *posse*) d'une désunion (Adam portait pourtant en lui la potentialité d'une corporisation terrestre). Mais le sidérique ou élémentaire Esprit du Monde *(Weltgeist, Sternen— oder Elementargeist)* lorgnait avec concupiscence *(lüsterte)* du côté de la Vierge céleste en Adam qui commit l'erreur de se laisser infiltrer, contaminer *(inqualieren)*, par lui. L'androgyne aurait dû se reproduire selon les lois du Paradis, par conjonction des deux teintures, mais Adam fut pris de l'envie d'un engendrement paradisiaque dans le

1. *Ibid.*, 226 sq. Et E. Susini, T. III, p. 361 sq. La Vulgate emploie elle aussi, à cet endroit, l'adverbe « *igitur* ».

corps extérieur (dans l'âme extérieure ou dans l'esprit sidérique). Adam fit alors un usage illégitime de sa teinture masculine, qui devint principe producteur au lieu de rester confinée dans son rôle d'organe. Au lieu d'imaginer passivement dans la Sophia pour imaginer activement dans la nature, il dérangea ce rapport. Et Sophia se retira, abandonnant la teinture masculine excitée et condamnée à se consumer dans une inflammation permanente. Cela signifie que la teinture masculine a dégénéré en feu de courroux, et que les deux teintures se sont dissociées l'une de l'autre. Voilà pourquoi Adam est tombé dans la région temporelle, à laquelle est liée la séparation des sexes.

L'éruption ignée aurait pris des proportions encore plus catastrophiques pour Adam si Dieu n'avait pas enrayé, arrêté, ce feu dévorant en détachant d'Adam l'une de ses deux teintures, la féminine, ou Ève. Cette scission marque la précipitation de l'homme dans la région temporelle et fut en même temps son salut ; elle est caractérisée par Baader comme la transformation en « Eau » de la teinture féminine adamique contaminée, qu'en outre Dieu sépara de la teinture masculine ignée, les deux teintures se trouvant désormais placées en opposition. C'est l'Eau qui sert d'arrêt (cf. *supra*, « *arrez* »), de même qu'après le péché de Lucifer ; en rendant l'homme « terre », Dieu prend une mesure semblable à la précédente pour limiter les dégâts une fois de plus[1]. Cette séparation fut effectuée par Dieu au cours de ce que la Genèse appelle le « sommeil » d'Adam ; car plongé dans une extase *(Ekstase)* consécutive au dérangement de ses facultés naturelles, Adam « sort » de lui-même, et cette sortie, ainsi que l'autonomisation de la teinture féminine (ou si l'on préfère la création de la femme), remplissent en même temps les fonctions de contre-mesures salvatrices destinées à empêcher une chute plus profonde au sein de la nature animale. Si au contraire Adam avait surmonté la tentation devant les animaux, il aurait confirmé sa nature androgyne, et de surcroît toute la nature extérieure aurait participé à sa gloire comme à une bénédiction[2], car grâce à lui elle serait sortie de l'état de dislocation de ses deux

1. *Bemerkungen über das zweite Capitel der Genesis,* 1838, VII, 238 sq. et *Fermenta Cognitionis IV,* 1822-1824, II, 315 sq.

2. *Ibid.,* (*Bemerkungen [...]* et *Fermenta [...]*) ; cf. aussi *Ueber den verderblichen Einfluss [...],* 1834, III, 301-308 et *Vorlesungen über speculative Dogmatik*, 1838, IX, 209 sq.

puissances génératrices. On pourrait dire avec L. P. Xella, et selon une lecture junguienne, que ce péché originel, par excellence un péché d'imagination érotique, a consisté pour Adam à succomber à la tentation de réduire à un rapport d'opposition dualiste la quaternité qu'il avait pour mission de rétablir partout[1]. Égaré par sa faute dans la nature animale, ayant du même coup perdu sa compagne intérieure (Sophia), il était devenu intérieurement solitaire, donc avait besoin d'une autre compagne « autour de lui » — comme dit le texte. « Il n'est pas bon que l'homme soit seul », cela vaut aussi pour Dieu, d'où la Sophia... Mais Adam n'est finalement qu'avec lui-même puisque l'homme et la femme sont deux parties d'une même entité scindée, ou deux demi-personnes. Quand le texte dit que Dieu donne une « compagne » à Adam, par ce mot il faut entendre que Dieu lui donne la possibilité de se reproduire physiquement. Cette compagne, c'est la reproduction[2]...

Alors qu'il avait cru pouvoir se générer seul, affirmer sa propre teinture masculine comme unique, Adam (ou plutôt la teinture masculine) fut donc condamné à la dualité, à projeter sa semence, à dépendre de l'extériorité de la teinture féminine pour obtenir sa propre image. Toutefois, la sexualité à ce stade n'a pas encore la rigidité actuelle. La séparation des sexes ne signifie pas encore la perte absolue de l'innocence, mais surtout la possibilité de succomber au processus d'un engendrement et d'une alimentation animales[3]. Or, Adam et Ève y succombèrent, tombant dans la bestialité. De même que l'Eau avait endigué l'esprit d'orgueil de Lucifer, de même la femme, qui joue ici le rôle de l'eau, enraye la chute adamique en ce sens que le Tentateur n'a plus accès directement à l'intérieur adamique, c'est-à-dire à l'âme ignée ; il y a accès indirectement, par l'intermédiaire d'Ève, d'où le rôle ambigu de EVA, qui si elle a pu perdre l'homme devait très nécessairement devenir AVE[4]. Avec l'aide d'Ève, l'homme aurait dû et pu se libérer de l'attrait incestueux du monde *(Weltsucht, Weltlust).* Aussi bien la femme par rapport à l'homme ne joue-t-elle jamais qu'une fonc-

1. L. P. Xella, *op. cit.*, p. 27.
2. *Religionsphilosophische Aphorismen*, X, 294 sq. ; XII, 229, à propos d'un texte de Saint-Martin ; *Fermenta Cognitionis IV*, 1822-1824, II, 315 sq.
3. XII, 409, à propos du *Ministère de l'Homme-Esprit*, de Saint-Martin.
4. *Fermenta Cognitionis IV*, 1822-1824, II, 315 sq.

tion secondaire dans le Mal comme dans le Bien ; c'est de l'homme qu'il dépend qu'elle engendre Dieu — ou le diable. Chaque femme conserve en elle quelque chose de la Sophia (comme aide, auxiliaire intérieure de l'homme), et Baader appelle « semence féminine » ce quelque chose. Il faut voir ici une allusion au *semen mulieris* selon Boehme, ou germe déposé dans le sein d'Ève et qui fructifie dans le sein de Marie. Dans le second stade de la tentation, le tentateur s'en est d'abord pris à Ève comme porteuse de cette semence féminine[1]. Baader a voulu exprimer en vers latins ce parallélisme EVA-AVE :

EVA et AVE produnt inverso Nomine quam sit
Femina grande malum, Femina grande bonum,
EVA parens mortem portendit, AVE que salutem ;
Perdidit EVA homines quos reparavit AVE[2].

Lors de la séparation il y avait encore la possibilité d'une réunification, du fait de l'ambiguïté de la femme elle-même qui, comme extériorité, rappelait à Adam le péché, la perte de l'intériorité. Mais Ève le tenta vers l'extériorité, alors que le retour à l'androgynie était encore possible car il n'y avait pas dislocation définitive des deux teintures. À ce second niveau l'homme pécha par concupiscence, par le voluptueux désir de subir le pouvoir d'une force qui lui était inférieure. Selon l'interprétation de L. P. Xella, la teinture masculine d'Adam ne chercha point en Ève le masculin, c'est-à-dire le divin, le souvenir de Sophia, et en tentant de se conjoindre directement à l'extérieur féminin — à la nature séparée — il nia le féminin en lui-même, se fermant pour toujours son propre triangle, le centre de Nature dans lequel il devait pénétrer, « imaginer », le divin. Niée dans son aspect masculin, donc condamnée à la passivité, Ève se fit inertie qui ferme la matrice, la rend stérile, condamnant le masculin à l'impuissance et se condamnant elle-même à subir la violence[3]. Ce second stade de la tentation est celui de l'arbre ; manger la pomme signifie entrer dans la nature animale de façon plus complète, car lors de la première tentation

1. *Bemerkungen über das zweite Capitel der Genesis*, 1829, VII, 226 sq.
2. *Ibid.*, 231.
3. Je suis ici de près l'exposé de L. P. Xella, *op. cit.*, p. 28 sq.

cette entrée avait été en quelque sorte seulement idéale ou magique. « *Vis ejus integra, si conversus in terram...* » On voit que ce verset de la Table d'Émeraude s'applique dans le mal comme dans le bien ! La reconstitution de l'androgyne aurait été possible si le couple adamique avait obéi au commandement divin « *Eritis Dei imago* », s'était soumis au principe supérieur unifiant de la Sophia en se livrant au processus d'imagination-engrossement de l'image de Dieu à l'intérieur des deux teintures. Le durcissement de celles-ci fut au contraire la conséquence de l'oreille prêtée à l'invité démoniaque « *Eritis sicut Dei* », car en s'imaginant soi-même l'un l'autre dans leur propre abstraction les deux teintures se nièrent réciproquement. Selon la perspective junguienne qui paraît être celle de L. P. Xella, elles se placèrent dans la polarité qui nie le cercle quaternaire en le bouleversant pour le transformer en une vraie roue d'Ixion[1]. Cette roue figure une teinture masculine qui ne trouve pas de repos et une teinture féminine pétrifiée, elle figure aussi par voie de conséquence la roue des jours et des années qui tourne dans une succession indéfinie sans laisser de place au vrai présent du repos sabbatique[2]. Enfin une troisième étape, celle de la honte ressentie par Adam et Ève s'apercevant qu'ils étaient nus, correspond au développement complet de la vie du ventre, partie honteuse de notre nature actuelle[3] ; si l'esprit a honte ce n'est pas de la puissance sexuelle de son corps, mais du fait que la puissance animale apparaisse au détriment de la puissance de l'esprit[4].

La masculinité et la féminité temporelles animales sont donc non seulement le résultat de la dissolution de l'androgyne comme image divine primitive, mais aussi — dit Baader dans un essai consacré à la notion de temps — produits de l'extinction de cette image divine. Le dualisme n'est jamais que le *caput mortuum* d'un ternaire refoulé ; du même coup, l'anormalité de la forme ou sa division permet de conclure à une rup-

1. *Ibid.*, p. 48. À propos des développements du thème de la roue d'Ixion dans le Romantisme allemand, L. P. XELLA cite W. HOF, *Pessimistisch-nihilistische Strömmungen in der deutschen Literatur vom Sturm und Drang bis zum Jungen Deutschland*, Tübingen, Niemeyer, 1970. Cf. aussi, à propos de Baader, mon article « Feu, éclair et lumière chez Franz von Baader » (cité n. 19).
2. L. P. XELLA, *op. cit.*, p. 48.
3. *Bemerkungen über das zweite Capitel der Genesis*, 1829, VII, 231.
4. *Fermenta Cognitionis III*, 1822-1824, II, 271 sq.

ture intérieure du centre, invisible ou préalable, de formation. De même que les parties en lesquelles un tout, un continuum organique, se dissout, n'étaient pas « préformées » dans celui-ci en tant que parties mais naissent seulement quand ce tout, ce continuum, vient à disparaître, de même masculinité et féminité actuelles sont quelque chose de bien différent des teintures constitutives de l'androgyne[1].

L'image de Dieu dans le cosmos aurait dû naître comme *genitus* de l'union androgyne entre l'homme primordial et la Sophia divine. Il y avait eu « location », position active *(Gesetztsein)*, il y eut loi *(Gesetz)*. La créature subit la présence divine comme l'air pèse sur les corps vides car elle est vide de celle-ci ; de même la nature ne peut que subir la violence de l'homme car elle est matrice close. L'impératif kantien n'est que le fruit de l'adultère originel ; il sanctionne l'absolue passivité à laquelle s'est condamné l'homme par rapport à Dieu en se niant comme teinture féminine et en rendant ainsi impuissante la teinture active masculine. Depuis le péché originel, la force génératrice divine est avec l'homme en un rapport de *Durchwohnung* (Dieu *traverse* l'homme) dans lequel, d'organe qu'il devait et pouvait être, il se comporte comme simple instrument de l'imagination divine, qu'il peut seulement subir[2].

À plusieurs reprises, Baader cite les sources patristiques qu'il connaît en matière d'androgynie. C'est Grégoire de Nysse, qui distingue une double création de l'homme : à la première il fut créé pour être image de Dieu, à la seconde pour être image d'homme et de femme, de sorte qu'avant même le sommeil d'Adam s'était produite la première actualisation d'une prévarication — en l'occurrence, la convoitise[3]. Baader cite aussi Maxime le Confesseur[4], et saint Augustin qui confond la figure actuelle de l'homme — muni d'un ventre et d'organes génitaux — avec celle de l'Adam primitif et ne distingue pas assez entre Nature originelle et nature

1. *Elementarbegriffe über die Zeit*, 1831-1832, XIV, 142 sq.

2. L. P. Xella, *op. cit.*, p. 30 sq.

3. *Der morgenländische und abendländische Katholizismus*, 1841, X, 128. Baader fait sans doute allusion au texte de Grégoire de Nysse *De hom. opif.*, xvi sq., *in* Migne, t. ILVI, col. 178 sq.

4. *Ibid.*, X, 128, mais ce nom n'est cité qu'en passant. Dans Migne, le passage le plus significatif est peut-être t. XCI, col. 1308 sq.

déchue[1]. Mais la source préférée de Baader est Jean Scot Érigène. Il le cite avec précision à au moins quatre reprises à propos de l'androgyne, en 1822, 1829, 1831 et 1841, mais plusieurs fois aussi dans d'autres contextes[2]. L'œuvre dont il s'agit est *De divisione naturae*, de ce célèbre penseur irlandais qui au IXe siècle vécut à la cour de Charles le Chauve, et non pas sa traduction des textes de Denys l'Aréopagite. Baader utilise l'édition présentée par Th. Gale en 1681. Jacob Brucker avait bien vu, dans *Historia critica philosophiae*, somme d'histoire des idées parue au début du XVIIIe siècle et qui est restée longtemps l'ouvrage de référence par excellence, que *De divisione naturae* expose « le système alexandrin des nouveaux platoniciens [...], c'est-à-dire l'émanatisme reçu par les Orientaux, les origénistes, Synésius, le Pseudo-Denys et leurs semblables »[3]. Baader a peut-être pu prendre connaissance de l'édition que C. B. Schlüter, professeur à Münster, procura de ce remarquable ouvrage en 1838 et dont la préface contient un vœu bien nettement formulé : « Que l'image de ce grand génie prenne place à côté de celle de Dante, de Bonaventure, de Jacob Boehme[4] ! » Baader cite quatre fois le passage suivant :

> *Homo reatu suae praevaricationis obrutus, naturae suae Divisionem in masculum et fœminam est passus, et quoniam*

1. *Ibid.*, X, 128. Baader oppose à saint Augustin les passages pauliniens : I Corinthiens, XV, 21, 45 et Romains, V, 12 ; si avant sa chute Adam avait vécu dans la source des quatre éléments il aurait déjà été créé pour la mort.

2. Cf. XVI, 441, entrée « Scotus Erigena » (index), et page suivante, note 1. En 1822 il s'agit des *Fermenta Cognitionis*, en 1829 des *Bemerkungen über das zweite Capitel der Genesis*, en 1841 du texte sur le catholicisme (cf. *supra*, n. 3, p. 267). Dans *Fermenta Cognitionis*, Franz Hoffman, le disciple de Baader, a ajouté en note la référence aux passages les plus importants de Jean Scot Érigène sur l'androgyne (ils correspondent à peu près) *in* MIGNE, t. XXII (il s'agit évidemment de l'ouvrage célèbre *De divisione naturae*), aux col. 522-542, 582 sq., 775-782, 799, 807-816, 833-838, 846-848. Hoffmann cite aussi Adolph HELFFERICH, *Die christliche Mystik*, (I, 215, 218, 229, 241 ; II, 73, 102, 108 sq.) et F. STAUDENMAIER, *Philosophie des Christentums*, I, 606, ŒTINGER, *Biblisch-Emblematisches Wörterbuch*, éd. Hamberger, 1849, 16, 70, 334, 498, et Friedrich RÜCKERT, auteur du poème *Tibetanischer Mythus*, in *Gesammelte Gedichte*, 1836, I, 57-59). Il est intéressant de noter que F. Staudenmaier, qui s'intéressa à Jean Scot Érigène, ait également consacré au moins deux écrits à Baader (cités *in* Willi LAMBERT, *op. cit.*, p. 322, et L. P. XELLA, *Baader*, *op. cit.*, index).

3. T. III, pp. 619-622, éd. de 1766.

4. J. GÖRRES avait lui aussi donné son avis dans *Die christliche Mystik*, I, p. 243 sq., Ratisbonne, 1836. Cf. plusieurs références *in* Dom Maïeul CAPPUYNS, *Jean Scot Érigène. Sa vie, son œuvre, sa pensée*, Lauvain-Paris, Desclée De Brouwer, 1933, p. 260 sq., notamment à propos de la vogue qu'il connut dans l'idéalisme allemand.

ille divinum (angelicum) modum multiplicationis suae observare noluit, in pecorinam corruptibilemque ex masculo et fœmina numerositatem Justo Judicio redactus est. Quae divisio in Christo adunationis sumpsit exordium, qui in se ipso humanae naturae restaurationis exemplum (et initium) veraciter ostendit et futurae resurrectionis similitudinem praestitit[1].

Conséquences des chutes adamiques

La chute de l'homme eut des répercussions dans la nature, transformant celle-ci, qui dorénavant se trouve soumise à l'exil et à la vanité (cf. Romains, VIII, 19-22). On a vu que la matière trouve sa racine, son origine, dans une rupture due à la chute de Lucifer ; de même toute mise à puissance de la matière ne peut s'exprimer que de façon séparatrice ; or, l'imagination pervertie d'Adam — son péché — a accéléré ce processus séparateur dont la bisexualité est l'image mais qu'on peut constater partout[2]. Une grande erreur commise par tant de philosophes consiste à confondre l'autonomisation de la nature extérieure avec celle de l'homme-esprit[3]. Si aujourd'hui les méfaits et les crimes de l'homme ne semblent guère affecter la forme humaine et celle de la nature, il ne s'ensuit pas qu'il en était de même à l'origine, alors qu'il était « au-dessus » d'elle et qu'elle

1. VII, 235 ; II, 318 ; XIV, 143 ; X, 128. Ce passage de *De divisione naturae* correspond à la col. 532 de la *Patrologie latine* de MIGNE, t. CXXII. Traduction : « Opprimé par la faute de sa désobéissance, l'homme souffrit la division de sa nature en mâle et femelle, et comme il ne voulut pas conserver le mode divin d'automultiplication qui était le sien, il fut par un juste décret réduit à proliférer de façon animale et corruptible à partir du mâle et de la femelle. Cette division a commencé à se transformer en union en Jésus-Christ, qui en vérité a montré en Lui-même un exemple et un début de restauration de la nature humaine et nous a fourni une analogie de la résurrection à venir. » Consulter le travail de Francis BERTIN, in : *L'Androgyne,* coll. « Cahiers de l'Hermétisme », Paris, Albin Michel, 1986. La double création de l'homme (1) image de Dieu, 2) image de l'homme et de la femme) selon Grégoire de Nysse et Maxime s'accorde parfaitement avec Boehme. On trouvera d'utiles indications sur ce thème chez Jean Scot Érigène, *in* : *Jean Scot Érigène et l'histoire de la philosophie* (ouvrage collectif), n° 561 des Colloques internationaux du C.N.R.S. ; cf. particulièrement pp. 307-314, « Les origines de l'homme chez Jean Scot », par Pierre BERTIN. Cf. aussi les travaux de René ROQUES, dont on trouve la synthèse annuelle dans l'*Annuaire* de l'École pratique des hautes études (Ve Section, Sorbonne) depuis 1975, t. LXXXIII.

2. *Fermenta Cognitionis V*, 1822-1824, II, 360 sq.

3. *Ibid.,* (III), II, 271 sq.

lui était plus « ouverte »[1]. L. P. Xella interprète Baader en notant que la physique même de l'univers entier présente le spectacle de cette dégradation originelle ; l'attraction et la répulsion se comprennent ontologiquement si l'on sait que le principe de désir passif-féminin d'être engrossé, rempli, s'accompagne de façon ambiguë dans la nature actuelle par le désir opposé et négatif de vouloir se remplir soi-même. Les forces d'attraction et de répulsion, de même que la gravitation newtonienne, n'ont pas pour finalité de produire mais de se neutraliser réciproquement, d'aboutir à l'inertie ; elles sont l'effet et le témoin d'un ancien drame cosmique au cours duquel l'univers perdit la parfaite compénétration, l'union intime et féconde de ses puissances génératrices. Il n'y a plus guère de place pour l'ancien rapport érotique entre les forces masculine et féminine, alors que jadis chacune d'elles était elle-même active et passive et que pleines de désir l'une pour l'autre elles généraient un incessant jaillissement de vie[2].

Baader ne précise pas en quelle mesure la chute de l'homme fut à l'origine des désordres actuels sur le plan cosmique, mais il semble que ceux-ci soient dus essentiellement à la chute de Lucifer, l'homme n'ayant fait qu'accélérer ce processus de mort. Alors que le féminin doit s'unir au féminin dans le masculin, et le masculin au masculin dans le féminin, aujourd'hui on assiste surtout au spectacle de parties juxtaposées et non intégrées dans un organisme complet. Mais l'électricité, de même que le magnétisme animal, et dans l'homme le « somnambulisme » — au sens que ce mot revêt à l'époque romantique — ou les états de transe, montrent que cet état forcé n'est pas l'unique mode naturel possible. La nature actuelle est cependant le produit d'une matérialisation qui a eu pour fonction d'*arrêter* la chute du cosmos (*arrez* = terre), car sans cette matérialisation l'univers entier aurait été depuis longtemps et sans doute immédiatement la proie et la victime des forces centripètes et centrifuges. L'ordre cosmique actuel peut donc être comparé à un échafaudage, qu'il n'est pas question de démonter avant d'avoir construit la maison ; il sert de soutien provisoire, d'assise, en attendant mieux... L'inertie et la gravi-

1. *Bemerkungen über das zweite Capitel der Genesis*, 1829, VII, 238 sq.
2. L. P. Xella, *op. cit.*, p. 20 sq.

tation sont seulement des manifestations de la chute, donc du péché, qui fit perdre à la nature son androgynie[1].

Selon le schéma proposé par L. P. Xella, le principe actif masculin est centrifuge en effet quand il se prend pour sa propre fin en s'excitant, en s'élevant de façon absolument autonome, quand il refuse d'entrer dans la réceptivité féminine pour y éveiller son analogue principe masculin ; il est alors force pure qui prétend se donner seule le contour de sa forme, s'étend anarchiquement sans rien qui le contienne ; il s'épuise en calcination, l'expansion illimitée n'est que dispersion, il y a impossibilité pour ce feu de réaliser un *genitus*, un Fils, qui le définisse. À l'inverse, dans la centripétalité anarchique le principe réceptif féminin se fait puissance génératrice autonome, se refuse à s'ouvrir à l'action stimulante du principe actif, empêche celui-ci de se soulever en elle ; la matrice veut se remplir elle-même, se resserre, se concentre toujours plus, se condamnant à l'implosion ou à devenir disponible pour n'importe quelle union dégradante. Centripétalité et centrifugalité en témoignent, le péché qui contamina le cosmos fut de dislocation, de déplacement, des puissances génératrices, ce fut une dégradation de l'organisme originel. La science mécaniste moderne ne fait que dénier ce qui existe maintenant[2]. Ainsi les pôles magnétiques s'attirent, mais restent scindés comme teintures masculine et féminine isolées, pôle négatif et pôle positif — alors qu'en Dieu ils sont passivité active et activité passive, non pas comme polarité mais comme quaternité[3], ce qui est le cas de toute structure androgyne. Ici encore, la lecture proposée par L. P. Xella évoque la pensée de Jung.

Le concept d'éternité comme temps fini, la « mauvaise éternité » d'origine spinozienne, n'est jamais que la « dégradation » de l'éternité androgyne, sa déformation dans un sens centrifuge, l'absolutisation de la teinture masculine temporelle. L'erreur de Spinoza est d'avoir conçu le temps éternel comme mouvement éternel, fuite éternelle et désespérée, alors que l'éternité divine est incessamment production, libre jeu du *descensus-ascensus*, entrée et sortie réciproques des

1. *Ibid.*, p. 23.
2. *Ibid.*, p. 24.
3. *Ibid.*, p. 36.

deux teintures l'une dans l'autre grâce à un troisième terme médiateur et pour que joue sans cesse à plein la dynamique quaternaire ; là il n'y a pas de passé irrécupérable parce qu'il n'y a pas de stases ; il n'y a pas non plus de futur inaccessible parce que le mouvement ne va pas se perdre dans une fuite impuissante à partir du centre. Ce que Spinoza a dit de l'éternité ne vaut donc que pour le temps aux lois duquel est soumis actuellement l'univers, et pour rien de plus ; à ce niveau il est bien vrai que le temps est scission, dualisme, productivité limitée à elle-même, donc stérile et impuissante comme le sont nécessairement les deux teintures séparément absolutisées. L. P. Xella a bien montré comment, chez Baader, ce processus de fausse autonomisation est constitutif de tout désordre et aussi du temps : si le masculin se lie au mouvement sans repos, si le féminin se lie au repos sans mouvement, alors apparaissent le passé et la mort. Néanmoins, dans cet ensemble présent-passé-futur qu'il constitue, le temps est pour l'homme une teinture féminine parce qu'il lui rappelle sans cesse son péché, lui fait éprouver la nostalgie de son androgynie originelle et s'offre à lui comme instrument pour qu'il la recompose. Il est pour Baader, comme l'a noté L. P. Xella, un écran, un signe, une apparence ; de même que toute « teinture féminine extérieure » il n'est par lui-même ni vérité ni non-vérité, car le vrai et le faux n'appartiennent qu'à l'éternité, à Dieu et au démon. Le temps est directement lié à l'espace puisque tous deux sont le fruit et le témoignage de la dislocation des puissances productrices cosmiques[1]. L'espace externe — pour l'homme — est le résultat de notre union adultérine magique avec la bisexualité ; l'espace du couple primordial est le fœtus auquel leur imagination donna naissance ; le temps est l'enracinement de ce fœtus, de cette formation bâtarde qui aurait disparu si Adam s'était repris à temps, avait tenté de reconstituer l'androgyne en se soumettant à la Sophia divine. Naître et mourir, c'est-à-dire vivre, s'accompagne de la tentation d'absolutiser les deux teintures dans leur séparation ou au contraire de

1. *Ibid.*, p. 48 sq. (L. P. Xella, rappelle ici le travail de J. SAUTER, *Baader und Kant*, Iéna, Fischer, 1929). Notons à propos du « temps fini », de la « mauvaise éternité d'origine spinozienne », que le problème n'est pas si simple, car la nature dite éternelle chez Boehme, n'est déjà plus l'éternité absolue, celle de l'*Ungrund* qui n'a ni commencement ni fin.

la tentative de les recomposer ; persévérer dans la première est naturellement l'œuvre de la teinture masculine à laquelle seule, comme nous l'avons vu, appartient une fonction active[1]. Quelle est donc, entre la naissance et la mort, la situation de l'homme et de l'amour enfermés dans ce temps provisoire qui est le signe de notre extralignement ?

SITUATIONS DE L'AMOUR HUMAIN : DIALECTIQUES ET OPPOSITIONS

Centre et périphérie, androgynie et hermaphrodisme

La notion de centre et de périphérie, qui s'applique à la fois à l'espace et au temps, sert aussi à distinguer un « sens central » *(Centralsinn)* — le mot est employé ici dans l'acception des « cinq sens » de l'homme — et un « sens périphérique ». Cela signifie que dans notre vie matérielle nous touchons seulement les périphéries des choses avec les périphéries de nos sens, tandis qu'avec le *centrum* de chacun de ceux-ci nous touchons les *centra* mêmes des choses dans la vie immatérielle[2]. On pense ici au « sens moral » selon Shaftesbury, au « sens intérieur » selon Hutcheson, à la « sympathie » selon Burke, mais chez Baader cette notion de « centre » est véritablement théosophique en ce sens qu'elle s'applique à tous les niveaux des rapports qui unissent Dieu, l'homme et l'univers. L'homme est relié à Dieu comme un point de la périphérie l'est au centre et il doit le rester sous peine de se perdre, de se dissoudre. Entre centre et périphérie le rapport est amoureux et dynamique :

Amor descendit ut elevet
Abscondit ut se manifestat

Tel est en effet le mystère de l'amour divin créateur : en se cachant il descend librement dans son « aliment » pour y entrer, et s'il se cache c'est afin que la créature périphérique ne

1. L. P. Xella, *op. cit.*, p. 50 sq.
2. *Vorlesungen über speculative Dogmatik*, 1838, IX, 220.

connaisse pas le destin de Cybèle qui brûla au contact de Jupiter[1]. Il y a simultanéité de la descente et de la montée de ce au profit de quoi la descente a lieu. Grâce à elle-ci l'esprit subsiste, s'affirme vis-à-vis de lui-même, confirme dans son existence ou sa réalité l'image (*Bild*, ou *Leib*) qui est sous lui ; cette image, figure — ou corps — ne peut se concevoir par elle-même de façon absolument autonome ; en fait elle ne trouve sa propre réalité qu'en se sachant, en se concevant, fondée par cet élément qui est au-dessus d'elle et descend vers elle ; si elle s'autonomise *(Verselbstigung)* elle cesse d'être *Bild*, c'est-à-dire image, ou corps. Ainsi dans une chaîne, chaque chaînon abandonne son « égoïté atomistique » a, b, c, d, etc., pour que chacun occupe la place qui est la sienne par rapport à l'extrémité A de la chaîne (on peut imaginer celle-ci suspendue par A). Si A se plaçait au-dessous des chaînons il n'y aurait plus solidarité et tout tomberait dans le chaos ; c'est ce qui arrive avec la passion, par opposition à l'amour[2]. La vraie liberté à besoin à la fois de subordination et de coordination, et sans cette liberté-là il n'y a point d'amour — alors que les préjugés modernes tendent à nier la notion, si féconde, de « service libérateur »[3]. Le rapport des êtres avec Dieu fondent leur Être ; entre eux les êtres ont des rapports calqués sur celui-là, qui est primitif, originel ; de même le rapport des points de la périphérie entre eux est normalement médiatisé *(vermittelt)* par le rapport de chacun d'eux avec leur centre commun. C'est pourquoi l'amour fraternel ou celui du prochain est, comme dit l'Écriture, fondé dans l'amour de Dieu, de même que la haine du prochain l'est dans la haine de Dieu. Je ne puis m'unir à un autre homme qu'en m'unissant d'abord directement à Dieu[4]. Voilà pourquoi aussi le crime inexpiable est celui qui est commis « en direction du centre », en opposition totale ou directe ; le crime « en biais », périphérique, non total, tombe ou s'épuise aussitôt dans le mouvement temporel, qui est centrifuge, qui tourne en rond — d'où l'identité des notions de temps et de restauration[5].

1. Baader à Stransky, 2 déc. 1838, in *Nouvelles Lettres inédites de F. von Baader*, éditées par E. Susini, Paris, P.U.F., 1967 p. 335 sq.
2. *Elementarbegriffe über die Zeit*, 1831-1832, XIV, 141 sq.
3. *Vorlesungen über speculative Dogmatik*, 1838, IX, 222.
4. À propos du texte de Lamennais, *Essai sur l'indifférence*, V, 230.
5. *Vierzig Sätze aus einer religiösen Erotik*, 1831, IV, 199.

C'est une loi physique, dit encore Baader dans sa préface à *L'Esprit des Choses* de Saint-Martin, que l'amour fait participer la créature à la nature divine ; tout acte d'union ne peut s'effectuer que par un acte de soumission à un élément supérieur ou principe unificateur qui lui-même agit de haut en bas, c'est-à-dire de l'intérieur vers la périphérie et qui, faisant passer les êtres de la périphérie dispersante vers le centre intérieur, les rassemble et les fait s'unir. Ce centre est le « milieu » *(Mitte)* de l'expansion et de l'intension absolues, ou encore de l'« indifférence ». De même que le soleil tire à soi la plante, la faisant sortir de l'obscure région terrestre ou racine pour l'attirer dans la libre région de l'air et de la lumière, de même tout ce qui naît, vit, grandit, est tiré de son propre fond *(Grund)* ou abîme *(Abgrund)*, de son propre *Naturcentrum* obscur. Mais la créature a tendance à retomber en elle-même et ne peut par ses propres forces surmonter la tendance-racine de son être ; il ne s'agit pas de détruire cette racine mais bien de la surmonter car elle est fonction centripète, condition et porteuse de la vie même, comme l'a bien vu Jacob Boehme. C'est que le feu a besoin à la fois d'air et de nourriture ; sans l'un il est privé d'âme, sans l'autre il est privé de corps ; de même notre âme a besoin de « prendre esprit et corps » *(Begeistung, Beleibung)*, c'est-à-dire de deux sages-femmes, l'une qui lui fournit de la nourriture sidérique, l'autre de la nourriture élémentaire. Le ternaire que parcourt toute vie est celui d'âme-esprit-corps[1].

Baader parle encore du troisième terme comme d'un « cœur-centre » grâce auquel, enseigne l'une des *Quarante Propositions pour une érotique religieuse*, les hommes peuvent se substantiser et se restaurer communautairement. De même, quand on mange on est « substantié » par une force invisible, secrète, qui réside dans les aliments et nous fait communier avec les autres forces qui l'ont produite. Elle reste pareille à elle-même, tout comme le soleil qui ne se divise pas en d'innombrables hosties mais reste le même dans le ciel. Dans une force similaire, de nature spirituelle, les humains se rejoignent ; je ne puis ainsi connaître une autre personne, en tant que personne, que si elle descend vers moi en vue d'un bien ou d'une cause impersonnelle. *Materia* vient de *mater*... D'où la nature originellement

1. Préface à l'éd. allemande de *L'Esprit des Choses*, 1811, I, 60 sq.

androgyne de l'esprit, tout esprit ayant sa nature (sa terre) en lui, pas hors de lui. Tel est le grand principe de la substantiation : il n'y a qu'un cœur qui puisse nourrir un cœur et l'homme ne vit que de l'homme, ne mange que de l'homme, parce que nous participons tous du « cœur-centre ». Nous sommes si scrupuleux dans le choix de nos aliments, mais si négligents ou indifférents dans celui de la nourriture de notre cœur ![1]

Voilà pourquoi, ajoute Baader, Saint-Martin peut nous faire comprendre que les amants sont les serviteurs, les prêtres, les agents visibles, d'un Éros supérieur. On pourrait même dire qu'ils s'aiment moins l'un l'autre, qu'un être supérieur ne s'aime lui-même en eux et par eux ! Toute créature qui s'aime ou veut être l'égal de Dieu ne fait que se recroqueviller, empêcher le processus divin d'opérer en elle, réveiller en elle le « vieux serpent » qui la rend créaturelle — serpent qui est bien *en elle*, et qu'il ne faut pas confondre avec Lucifer ni aucune autre créature extérieure et préalablement mauvaise. L'amour entre deux êtres n'est pas simple échange d'identité *(Selbstheit)*, car il existe ce troisième terme supérieur que la réunion des amants a pour finalité d'attirer, tout de même que la puissance magique des figures et des talismans a pour fonction de faire descendre et de fixer dans leurs contours matériels l'esprit qui leur correspond. *Magia, imago, Magnet...*[2] Mais pour l'esprit, il s'agit ici de descendre, afin de remonter ensuite en élevant à soi ce qui par l'amour avait appelé la descente. Ce troisième élément — agent supérieur ou principe supérieur — dans lequel entrent les amants est bien le dieu grec Éros, à condition de laisser à ce nom propre son vrai sens et de ne pas oublier que tout véritable amour est de nature religieuse[3]. Souvent des ascètes se sont trompés en se représentant l'amour de Dieu, du Créateur, en opposition avec l'amour des créatures entre elles, comme s'il fallait considérer Dieu *à côté* de celles-ci. La vraie

1. *Vierzig Sätze aus einer religiösen Erotik*, 1831, IV, 194. À propos de la « ursprünglich androgyne Natur des Geistes », notons que celle-ci n'est pas aussi évidente que Baader le laisse entendre. Ce qui apparaît, c'est que le semblable se nourrit de semblable.

2. Préface à l'éd. allemande de *L'Esprit des Choses*, 1811, I, 60 sq. « Fixer » est ici « *bannen* » (on dit aujourd'hui : « *auf die Platte bannen* », enregistrer sur un disque — et c'est bien dans ce sens figuré qu'il faut entendre l'idée exprimée ici).

3. *Socialphilosophische Aphorismen*, 1828-1840, V, 264.

religion au contraire ordonne expressément d'aimer les créatures *dans* le Créateur, là où, comme dit Maître Eckhart, elles trouvent leur unité et leur achèvement[1].

Mais pour l'humanité dans son état actuel, pas de vraie unité ni de vrai achèvement, car la reconstitution absolue de l'androgynie y est inconcevable. Comme nous l'avons vu, la quaternité originelle a été scindée en une dualité dans laquelle l'actif nie le passif, le masculin nie le féminin, et vice versa. L'être humain est condamné à procréer dans une région inférieure où règne une lutte perpétuelle et l'impuissance des deux amants à sortir complètement de leur dualité. Amor n'est pas Cupido ; Hermaphrodite caricature à la fois Éros et l'androgyne.

Amor, Cupido et Hermaphrodite

La différence entre notre état actuel, temporel, et la vie éternelle, est comparable à ce qui distingue un mécanisme d'un organisme. Ce qui fait dire à Baader, dans un de ses « aphorismes de philosophie religieuse », que le royaume de Dieu est un lieu organique achevé, et que l'amour témoigne du passage de l'organisme naturel — c'est-à-dire plutôt mécanique — à cet organisme divin. Mais il s'agit ici de l'amour débarrassé du désir ! Le vrai *Amor*, poursuit le théosophe, tient sa torche vers le ciel, l'aveugle Cupido abaisse la sienne vers la vase des sens matériels. Quand le Christ dit que l'homme et la femme doivent faire un seul corps, cela signifie la suppression de la corporéité séparatiste et c'est bien ainsi qu'il faut entendre la notion d'androgyne, contrairement à ceux qui y voient la réunion absolue de deux corps en un seul. Séparation, mais pour se retrouver dans le troisième terme, car les amants ne peuvent s'aimer que si Jésus les habite, et ils ne peuvent aimer Dieu s'ils ne s'aiment pas ou s'ils se trompent l'un l'autre[2]. Baader n'a rien contre le fait que la poésie ou l'art en général ajoute des ornements à l'amour sexuel, à l'instinct de reproduction, mais il déplore que les artistes montrent si peu ce

1. *Ibid.*, V, 263. Rappelons au passage que Baader est le véritable redécouvreur de Maître Eckhart.

2. *Religionsphilosophische Aphorismen*, X, 286 sq.

qui dans l'amour a le plus de valeur ; il s'agit bien sûr de ce qu'exprime Le Cantique des cantiques par la phrase : « Ah ! Si tu étais mon frère, ma sœur ! » Il ne faut pas faire comme ceux des *Naturphilosophen* qui prennent le mariage des sexes pour celui des cœurs, ou le *spiritus mundi immundi* pour le Saint-Esprit[1].

Contrairement à ceux des spirituels pour qui la reconstitution de l'androgynie passe nécessairement par le refus du couple et du mariage — c'est le cas de Gichtel, de Wirz et de plusieurs autres —, Baader est vraiment un « professeur d'amour » au sens plein du terme, à ceci près qu'il n'aurait certainement pas apprécié les enseignements, qui prolifèrent aujourd'hui, sur les techniques de plaisir sexuel maximum. Pour lui il n'est pas bon que l'être humain reste seul car le lien d'amour oblige les amants à renoncer à l'auto-achèvement solitaire ; homme et femme réunis doivent entrer dans l'achèvement *(Vollendung)* de façon « solidaire » au point que l'amour fidèle suivra l'aimé jusqu'aux portes mêmes de l'enfer. Que l'amour sexuel soit au départ une bénédiction est prouvé par le fait qu'il puisse être si souvent une malédiction, et surtout que tomber amoureux fasse partie de la nature humaine. L'état amoureux, cette « phantasmagorie naturelle de l'amour des sexes », qui nous incite à trouver l'autre plus beau, plus aimable, meilleur, en un mot plus parfait qu'il n'est en réalité, « a une profonde signification » ; il est, nous le verrons, un don ou une grâce *(Gabe)* devant être interprété comme une tâche à accomplir *(Aufgabe)*, ou encore un appel *(Ruf)* devant déboucher sur une vocation à exercer *(Beruf)*[2]. Mais l'acte charnel demeure ambigu car nous sommes liés — explique Baader dans une lettre à Johann Friedrich von Meyer — à une femme qui n'est pas « la femme de notre jeunesse » (Sophia), et qui se présente d'abord comme un palliatif au courroux de notre masculinité sans être en mesure d'éteindre radicalement celui-ci. Cette remarque vaut évidemment pour les deux sexes. Baader veut dire que l'orgasme de la génération animale est toujours une rébellion, même s'il est nécessaire ; il est la marque du péché originel[3].

1. Baader à un correspondant, 1838 ?, in XV, 601.
2. *Sätze über erotische Philosophie*, 1828, IV, 168 sq.
3. Baader à Johan Friedrich von Meyer (31 mars 1817), in *Lettres inédites* éd. par E. Susini, Paris, J. Vrin, 1941, p. 298. Baader donne comme exemple la parole d'Ève qui vient d'enfanter Caïn : Genèse, IV, 1 *(« Ich habe einen Mann gewonnen »...)*.

« L'ivresse destructrice de la sensualité » est même responsable de notre difficulté à imaginer l'engendrement céleste ou notre état angélique dans le ciel après la mort. On devrait méditer les vers de Faust quand il dit que dans le désir il a soif de jouissance, et que dans la jouissance il éprouve l'amère nostalgie du désir[1]. Et puis, l'instinct sexuel s'accompagne souvent d'une « haine intérieure » ; pour preuve, nous le voyons décroître ou même s'éteindre complètement, quand apparaît le véritable amour ! Car celui-ci libère les hommes les uns des autres sans pour autant les détacher les uns des autres. Il les « lie positivement ». Lier, relier, *religare* : le vrai amour, non pas l'instinct ni la passion, est toujours de nature *religieuse*[2]. Cette idée de lien, de relation, est en même temps conciliation au sens de « mise en équilibre » *(Ausgleichung)*, puisque « *Amor descendendo elevat* ». En effet, remarque le théosophe dans ses réflexions sur le second chapitre de la Genèse, l'animal ne peut pas embrasser, au sens de prendre dans ses bras, mais l'homme le peut, réalisant ainsi cette *Ausgleichung* qui permet l'union d'un élément supérieur et d'un élément inférieur au précédent (n'oublions pas que pour Baader la femme a plus besoin de l'homme que celui-ci n'a besoin d'elle, et qu'en tout cas il est la voie la plus directe pour elle d'aller à Dieu, ce qui est bien aussi dans l'esprit de Boehme). S'il est vrai, comme le prétendent les ostéologues, que les bras sont la prolongation des côtes, alors en embrassant la femme, l'homme tente de la réincorporer à son thorax (poitrine, ou cœur) d'où elle est venue. *Ausgleichung*, donc, ou début d'un retour vers l'androgynie, et geste différent de l'accouplement proprement dit, car la région du ventre est différente de celle du cœur. L'accouplement n'est pas un acte d'union ou d'amour, c'est même le contraire car il manifeste le maximum d'égoïsme ; ne se termine-t-il pas d'ailleurs par « un effondrement réciproque » *(ein Ineinander-zu-Grunde-gehen)*, donc également par ce sommeil qui est le frère de la mort ? L'acte animal n'est vraiment exorcisé que par l'embrassement, c'est-à-dire l'amour. Et Baader de rappeler ici le désir de dévorer et de tuer qui est lié, chez certains animaux comme

1. *Religionsphilosophische Aphorismen*, X, 343-346. Faust dit en effet : « *In der Begierde lechz'ich nach Genuss, /Und in Genuss verschmacht'ich vor Begierde* ».

2. *Ueber das* [...] *Bedürfnis einer* [...] *Verbindung der Religion mit der Politik*, 1815, VI, 15.

chez les hommes, à l'orgasme de l'accouplement en raison du principe qui veut que dans la vie temporelle les extrêmes se touchent, comme volupté et douleur, génie et folie, action héroïque et crime, ciel et enfer[1].

Un passage des *Fermenta cognitionis* dans le prolongement des remarques précédentes nous met en garde contre l'enseignement de Kant, qui parle de l'amour comme un aveugle des couleurs. Suivant la définition spinozienne *(« ideo bonum est, quia appetimus »)*, le philosophe définit en effet l'amour comme l'inclination vers ce qui nous est avantageux. À l'encontre de cette thèse il faut toujours rappeler que l'amour n'est amour que s'il est sans besoin, sans désir, et libre à l'égard de la nature *(naturfrei)*, ce qui ne signifie pas privé de nature *(naturlos)*. Aussi le désir sexuel doit-il être « consacré » *(geweiht)*, au sens de « offert », pour se transformer en vrai amour conjugal. Le désir sexuel, représentant le plus haut degré de « l'égoïsme enflammé », donc le « total manque d'amour », tend idéalement vers la dissolution du « sexe éternel » à travers l'engloutissement *(Untergang)* de l'individu. L'amour humain idéal est au contraire l'assomption du « sexe éternel » à travers l'unicité éternelle de la personne, au point qu'aux yeux de l'amant la personne aimée devienne la partie qui représente le Tout. Car Dieu, ou le Tout, perce de son éclat à travers l'unicité transfigurée de la personne. Quant à l'amour qu'on peut se porter à soi-même, il est évidemment légitime, voire obligatoire, à condition que je m'aime seulement en Dieu, tout de même que c'est en Dieu que j'aime légitimement mon prochain. Le juste amour de soi passe par mon être qui est en Dieu, le faux amour de soi par un « soi » inauthentique, illégitime[2].

Que l'« exorcisme » de l'amour (religieux) soit le seul principe de toute association libre, qu'il élève la passion, c'est-à-dire l'assujettissement *(Gebundenheit)*, au rang de lien *(Bund)* de liberté, ne doit pas nous surprendre si l'on a admis qu'au contraire le rapport sexuel n'actualise nullement un retour à l'androgynie comprise comme intégrité de la nature humaine dans l'homme et dans la femme. Ce qu'actualise ou exprime la

1. *Bemerkungen über das zweite Capitel der Genesis*, 1829, VII, 236.

2. *Fermenta Cognitionis*, 1822-1824, II, 178 sq. Baader écrit aussi : « *Die Geschlechtsneigung wird nur durch freie Resignation des Geschlechtstriebes zur Geschlechtsliebe* » in *Vorlesungen über Böhmes Theologumene und Philosopheme*, III, 403.

sexualité limitée à elle-même, c'est physiquement et psychiquement un effort orgastique qui se consume en un « double brasier hermaphrodite » dans lequel chacun des deux partenaires tente d'arracher à l'autre ce dont il a besoin pour s'auto-consumer. Aussi le mépris et même la haine envers l'autre apparaissent-ils si fréquemment[1], malgré des apparences contraires que l'illusion hermaphrodite a tendance à susciter. Baader revient sur cette illusion ou confusion en plusieurs endroits de son œuvre à propos de la différence entre androgyne et hermaphrodite. Si l'androgynie est la réunion du principe actif et du principe passif, ou du centre ternaire avec la périphérie dans une seule nature individuelle unique, alors l'hermaphrodisme sera la « différence » ou non-unité des attributs sexuels qui se montre dans son « inflammation » extrême, donc dans la difformité[2]. Méconnaître que les deux sexes puissent se neutraliser positivement *(sich aufheben)* dans leur différence conduit à confondre la nature androgyne céleste avec la bisexualité qui apparaît chez certains animaux et qui est seulement la caricature de l'androgyne. De même, l'hermaphrodite de l'art païen n'a rien à voir avec la Madone de l'art chrétien[3], en laquelle la féminité terrestre ne se manifeste pas en tant que telle, alors que la représentation de l'hermaphrodite excite sexuellement et l'homme et la femme[4].

Dans un essai publié en 1834, Baader s'explique longuement à ce sujet. Cet essai s'intitule : *De l'influence pernicieuse que les représentations rationalistes et matérialistes exercent encore sur la physique supérieure ainsi que sur la poésie supérieure et les arts plastiques.* Il remarque d'abord que l'iconographie chrétienne a bien compris la nécessité de faire de la Madone la figure centrale ou le foyer *(Focus)* de toutes les formes religieuses en art, et déplore que les théologiens n'aient pas suivie la même voie et se soient montrés infidèles à cette idée qui correspondait pourtant à ce qu'ils ressentaient. La Madone est pure ; or, la pureté est avant tout unité, et seule l'unité est productrice. Il faut donc que la nature célestement virginale, angélico-androgyne, de la Madone, s'exprime également à travers les représentations du

1. *Ueber den verderblichen Einfluss* [...], 1834, III, 303 sq.
2. *Elementarbegriffe über die Zeit*, 1831-1832, XIV, 141 sq.
3. *Bemerkungen über das zweite Capitel der Genesis*, 1829, VII, 238.
4. *Vorlesungen über Jacob Böhme*, 1829, XIII, 132.

Christ et des anges, de manière qu'en les regardant tout désir sexuel masculin ou féminin se taise en nous, s'éteigne de lui-même et sans contrainte, ce spectacle nous ravissant, ne fût-ce que de façon momentanée, dans la nature angélique[1].

L'art païen sera alors le modèle de ce qu'il convient d'éviter car l'hermaphrodite, autrement dit le foyer des formes païennes, tout à l'opposé de celui qui rassemble les éléments propres à l'androgyne ou à la Madone, rassemble ici les deux puissances *(Potenzen)* sexuelles dans leur « inflammation polaire ». Ce qu'on voit paraître à travers tant d'œuvres païennes, que ce soit ouvertement ou de façon dissimulée, est toujours cet hermaphrodisme ; il ne faut pas s'étonner si dans sa plus antique représentation Vénus était déjà une Vénus barbue[2]. On confond donc davantage, sous cette influence, l'androgyne, qui est l'*union* des puissances sexuelles en un seul corps, avec l'impuissance — l'absence de sexe — et surtout avec l'hermaphrodisme qui est la *coexistence* des deux puissances sexuelles en un seul corps. Il n'y a pas que les Grecs pour faire cette confusion, avec leur Vénus *barbata*, les Indiens la commettent avec leur Lingam. C'est aussi une erreur que de parler d'hermaphrodisme à propos de deux individus jumeaux[3]. C'est pourquoi la notion d'androgyne est vraiment chrétienne ; toutes les doctrines matérialistes du corps primitif de l'homme renferment en elles l'incroyance en la doctrine chrétienne du corps de résurrection[4]. Et pour ce qui concerne l'amour sexuel en art, ce « foyer » de la poésie est généralement traité de façon frivole ou sentimentale, on l'industrialise rationnellement, on le « diabolise ». Mais le vrai poète ne devrait jamais perdre de vue que l'amour est le lien *(Bund)* ou alliance, l'élément « solidaire » dans lequel les deux amants se présentent devant Dieu afin de s'aider mutuellement à restaurer l'image virginale éteinte ou brisée par la chute, mais qui était aussi bien l'image et le corps de Dieu[5].

1. *Ueber den verderblichen Einfluss* [..], 1834, III, 301-308.
2. *Ibid.*, 305 sq. Et *Vorlesungen über speculative Dogmatik*, 1836, IX, 136.
3. *Ibid.*, 221. Il est dommage que Baader ne développe pas cette idée intéressante concernant les jumeaux.
4. *Ibid.*, 221, 210.
5. *Ueber den verderblichen Einfluss* [...], 1834, III, 305 sq.

En supposant qu'un talent poétique entreprît de représenter dramatiquement l'amour sexuel dans sa plus haute signification, c'est-à-dire différemment du *Faust* de Goethe, il faudrait tenir compte de tout cela, et à l'intention de cet artiste hypothétique Baader entreprend de rappeler quelles directions l'auteur d'un tel drame devrait suivre. Il faudrait montrer l'androgyne originel saisi par le désir de goûter le terrestre et l'animal, s'égarant *(sich vergaffend)* dans ceux-ci, épisode correspondant dans la Genèse à la présentation des animaux auxquels Adam devait donner des noms ; il faudrait montrer comment il perdit du même coup son image virginale divine, devint homme et femme, comment à son réveil il se trouva difforme, c'est-à-dire déformé *(verstaltet)*. Il faudrait représenter aussi comment l'image enfuie au moment de la chute, la Sophia, a continué à lui apparaître pour le rappeler à son humanité céleste, comment cette Sagesse, lumière de vie, brille telle un astre, un ange ou un guide jusque dans les ténèbres de la vie terrestre pour nous indiquer (*weisen* = indiquer, *Weisheit* = Sagesse) le chemin de notre pays natal. L'androgyne, dans un tel drame, n'aurait pas sa place seulement au début de l'histoire, car aujourd'hui encore la Sagesse apparaît dans l'âme de l'homme comme dans celle de la femme, se reflétant en chacun d'eux pour y jouer le rôle de suprême « instinct de formation » *(Bildungstrieb)* ou *nisus formativus*[1].

Humilité et bassesse, orgueil et noblesse

Ce processus de restauration, que l'action du Christ et de la Sophia peuvent accélérer ou du moins faciliter, est destiné à réintégrer l'homme dans son état de quaternité originelle. Or, de même que l'androgyne est quaternaire, de même c'est sous le signe d'une double polarité — mais dont un couplage est ici foncièrement négatif — que Baader place une loi dont il retrouve quotidiennement les effets dans notre vie humaine, et à laquelle il consacre plusieurs passages de ses écrits. L'idée

1. *Ibid.*, 307 sq. Et *Religionsphilosophische Aphorismen*, X, 304-306. Sur l'idée de Sophia chez Baader, cf. mon article « Âme du Monde et Sophia chez Baader », in *Lumière et cosmos*, coll. « Cahiers de l'Hermétisme », Paris, Albin Michel, 1983.

d'où découle tout le reste est que dans le rapport normal entre les sexes, l'homme aide la femme à admirer, et que la femme aide l'homme à aimer ; la femme acquiert de la virilité, l'homme de la féminité. Tandis que dans le rapport sans amour elle l'aide à devenir serpent, il l'aide à devenir esprit d'orgueil luciférien. Dans ces deux cas, tendance centrifuge et centripète, donc échappée hors du Centre *(dem Centrum entsinken)*, schéma qui rend compte symboliquement de la forme du serpent[1] ! Ce schéma est ontologiquement fondé ; en effet, l'homme devait être à l'image de Dieu ; or, Dieu est par excellence milieu *(Mitte)*, donc l'homme devait lui aussi être milieu. Mais nous savons que dans chaque sphère coexistent une tendance centripète et une tendance centrifuge, et qu'il ne faut pas imaginer cela exactement comme un cercle avec son centre ; l'idée est plutôt que la tendance centripète correspond à une tendance vers la corporisation *(Leibhaftigkeit)*, et la tendance centrifuge à un besoin de manifestation active *(Lebhaftigkeit)*. Deux notions qui appellent des analogies sur divers plans. Ainsi, en amour l'homme est « noble » ou « grand » *(erhaben)* au départ, dans le sens d'élevé, auguste, mais la femme est « humble ». La caricature de ce schéma est évidemment despotisme d'une part, bassesse — esprit d'esclave, et sensualité — de l'autre. Chacun des partenaires subit les deux tendances à la fois en vertu de la loi quaternaire ; le despote est aussi esclave, l'esclave est aussi despote. Il importe de prendre garde à cela dans tous les domaines de la vie, qu'il s'agisse de l'éducation, du pastorat, etc., pas simplement du rapport entre amants. C'est ainsi que l'*Aufklärung* s'est efforcée de cacher la « noblesse » *(Erhabenheit)* du christianisme pour n'en montrer que le côté doux et aimable — et du même coup n'attribuer la noblesse qu'au paganisme ! Bassesse ou sensualité, et orgueil, nous tentent toujours en même temps bien que l'un l'emporte sur l'autre ; ils sont la caricature ou l'effet inversé, perverti, de l'humilité et de la noblesse, vrais constituants de l'être humain. Le christianisme nous a délivrés de ces deux perversions, pour faire de nous au moins théoriquement des êtres libres[2].

1. *Vierzig Sätze aus einer religiösen Erotik*, 1831, IV, 194 sq. *Elementarbegriffe über die Zeit*, 1831-1832, XIV, 141 sq.
2. *Vorlesungen über speculative Dogmatik*, 1838, VIII, 177 sq., 225.

Ces quatre qualités se manifestent évidemment en amour, selon qu'on laisse prévaloir les unes ou les autres. Le « sens profond » de la doctrine des ascètes et des mystiques concernant le rétablissement de la nature androgyne originelle de l'homme par la religion, écrit Baader en 1826 dans un compte rendu sur l'*Essai sur l'indifférence* de Lamennais, réside dans le fait que l'orgueil *(Hoffart)* et la bassesse *(Niederträchtigkeit)* sont considérés par cette doctrine comme nos ennemis, mais des ennemis incompatibles intérieurement, alors que noblesse et humilité font intérieurement bon ménage[1]. En 1832, il évoque à propos de ces notions la tripartition anthropologique de l'amour, en tête (cerveau), cœur et ventre. La lumière est liée au froid en haut, la chaleur aux ténèbres en bas ; toutes deux doivent s'unir sous peine de nous exposer à la souffrance et à la vanité du temps. Mais de toute façon la réunion des deux résulte d'un combat ; il nous incombe d'assurer cette victoire, de ne pas succomber au divorce qui menace toujours de s'actualiser en nous-mêmes. Orgueil et bassesse sont lumière et chaleur, devenues autonomes. Tenir ensemble celle-ci et celle-là revient à maintenir le bon « milieu » *(Mitte)*, lieu du « cœur », à ne pas s'envoler indûment vers le haut, à ne pas sombrer vers le bas. Ce qui nous pousse à succomber à ces deux tentations n'est pas une polarité énergétique qui serait fondée ontologiquement, mais un état anormal de notre nature.

La séparation en sexes correspond à celle du ciel et de la terre, dont l'Apocalypse de Jean dit que grâce à la médiation du Royaume ou de la Cité de Dieu elle fera place à une liaison durable et harmonieuse. Dans cette création enfin achevée il y aura non pas deux mais trois « localités » ; il n'y en a actuellement que deux parce que la vie du cœur « n'a pas » la vie de la tête et du ventre mais « est possédée » à tour de rôle par l'une et l'autre. De même que l'homme est ici ternaire, de même la création originelle ne doit pas être conçue de façon dualiste — comme ciel et terre — car l'homme devait en être le troisième élément, le médiateur. C'est pourquoi, dans la bonne extase magnétique ou dans d'autres états moins ambigus de la vie humaine tels qu'on les connaît par la tradition religieuse ou ecclésiastique, quand on parle d'une manifestation dominante

1. *Recension der Schrift : Essai sur l'Indifférence*, t. V, p. 126.

de la vie du sentiment il ne faut pas dire que la vie de la tête tombe dans celle du ventre, ni que celle — basique — du ventre s'élève anormalement, mais que l'une et l'autre se conjuguent harmonieusement en leur « milieu » actif. Parler comme on le fait d'une « extase » ne correspond pas à la réalité ; il s'agit plutôt en fait d'une véritable « stase » qui est anticipation de l'intégration, du « centrage », de l'homme, sans lesquels l'intégration de la création elle-même ne saurait s'effectuer[1].

Réaliser d'abord en soi cette jonction ternaire est un gage de réalisation amoureuse. Par l'amour l'homme et la femme se complètent, du moins intérieurement, se rapprochent de l'androgynie. Si, comme on l'a vu, la femme aide l'homme à aimer, et si l'homme aide la femme à admirer, chacun n'est plus entièrement homme ou femme dans la mesure où il cesse d'être une simple moitié. L'être humain en tant qu'esprit vit d'admiration, et en tant que cœur d'adoration. Tout comme l'homme dépasse la femme dans sa faculté d'admirer, elle dépasse l'homme dans celle d'adorer, aussi ont-ils besoin l'un de l'autre pour se compléter. Mais la perversion de ces deux facultés enchaîne les amants comme deux galériens[2] ! En 1816, le théosophe écrit à Christian Daniel von Meyer que si une plante a besoin, pour exister, que le soleil devienne terre et la terre soleil, de même l'union de l'homme et de Dieu se fait par le Christ. En 1832, dans une lettre qu'il écrit à son amie Émilie Linder, l'image a acquis force et consistance, le rôle cosmique de l'homme est bien précisé. Il n'y a pas, explique-t-il, de descente sans un soulèvement qui lui correspond ; ainsi la terre doit monter vers le ciel, la nature vers l'esprit, tandis que le ciel descend vers la terre, l'esprit vers la nature ; en même temps chacun des deux termes doit rester distinct, ne pas se confondre avec l'autre. De même, si c'est la fonction de l'homme (mâle) de tirer le haut, l'esprit, vers le cœur, c'est celle de la femme d'élever le bas, la nature ou terre, vers ce cœur, car celui-ci représente le « milieu » où les deux partenaires se rejoignent et trouvent vraiment leur humanité. L'homme aide donc la femme à élever la partie basse (terrestre), la femme aide

1. *Vorrede zum zweiten Band der Schriften und Aufsätze*, 1832, I, 410 sq. Baader cite ici J. Menge, *Beiträge zur Erkenntnis des göttlichen Werks*, Lübeck, 1822.

2. *Elementarbegriffe über die Zeit*, 1831-1832, XIV, 141 sq. *Socialphilosophische Aphorismen*, V, 349.

l'homme à faire descendre la partie haute. Il faut que l'homme surmonte son orgueil, sa froideur, ou impatience, qui résistent à cette descente — ce sacrifice —, tout de même que la femme doit résister à la pusillanimité, à la pesanteur et à la paresse qui s'opposent à l'élévation de la partie « basse ». Baader ajoute que la prise de conscience de ce mécanisme lui a permis de mieux comprendre la nature de la catastrophe originelle qui entraîna la différence des sexes.

Le « milieu » ou « cœur », il l'appelle aussi « sentiment » *(Gefühl)*, en donnant évidemment à ce mot une connotation précise qu'il n'a pas ordinairement. Il précise encore dans cette lettre à Émilie Linder que « *Hoffart* » (orgueil) doit être compris comme « *Hochfahrt* », c'est-à-dire voyage, ou départ, vers le haut, ici dans le sens péjoratif d'abandon du « milieu ». S'il trouve le « cœur » ainsi compris, le couple devient un Orphée répandant sur toute la nature l'harmonie obtenue pour lui-même. On comprend d'autant mieux cette possibilité d'action cosmique de l'homme si l'on considère Dieu lui-même — dont nous sommes restés l'image — comme milieu ou cœur de l'esprit et de la nature, participant des deux à la fois, se tenant au-dessus de l'un et de l'autre. Malheureusement, la théologie en est encore sur ce point à un niveau comparable à ce qu'on savait de l'électricité quand elle se limitait au fait que l'ambre attire des corps légers ; on sait beaucoup plus de choses maintenant sur l'électricité, de même la théologie devrait tenir compte de certaines données ! Le rôle cosmique de l'homme n'est-il pas indiqué dans le premier chapitre de la Genèse ? On y lit que Dieu acheva la création du ciel et de la terre par celle de l'homme, Son image, où il put demeurer, faisant du même coup de cette création Sa demeure. Le dernier chapitre de l'Apocalypse nous renseigne aussi sur l'union du nouveau ciel et de la nouvelle terre ; le ciel, la terre et l'homme doivent rester éternellement, parce que la manifestation divine a besoin de l'harmonie de tous les trois[1].

La *Hochfahrt*, ce voyage vers le haut indûment entrepris et synonyme de *Hoffart* — orgueil —, est exactement le péché de Lucifer, précise Baader à diverses reprises. C'est le serpent droit d'Isaïe. Le serpent tors, bas, rusé, de la femme, et le précédent,

1. BAADER à Émilie LINDER, 7 mai 1832, XV, 486 sq.

doivent être radicalement dissociés l'un de l'autre pour les empêcher d'entrer en conjonction. Le théosophe rappelle à ce propos que la séparation sexuelle dans la région temporelle a bien joué un rôle d'*arrêt*, de limitation des dégâts au moment de la chute adamique, puisqu'elle *retient* la « mauvaise androgynie » de s'actualiser plus qu'elle ne l'aurait fait si cette séparation n'avait pas eu lieu. Mais celle-ci retient du même coup la bonne androgynie de s'actualiser[1]. De toute manière, si l'amour sexuel reste au niveau purement naturel ou animal il ne peut devenir noblesse et humilité, ni du même coup lier l'une et l'autre ; cela est préjudiciable à la société car l'une et l'autre « puissances », partant de l'individu, puis du couple, s'étendent à la famille et de là à la société, alors que si leur reflet inversé fait de même c'est pour causer finalement malheurs et destructions[2]. Dans un court texte intitulé *Des unions*, Baader distingue les trois cas qui peuvent se présenter. D'abord, si l'orgueil masculin et la ruse reptilienne au fond de la femme s'interpénètrent, ils se complètent pour donner une image démoniaque. Ensuite il peut y avoir, ce qui est souvent le cas, indifférence ou « nullité », c'est-à-dire que « l'homme et la femme dirigent leur affaire tout extérieurement, comme une firme Hans Stein et Cie ». Enfin il reste la possibilité de réaliser l'union des deux qualités par la médiation du « cœur », agent ou principe supérieur à elles, principe reliant — religieux — sans lequel l'union dégénère en banalité ou nullité à moins que ce ne soit en figure démoniaque pure et simple[3].

1. *Vorlesungen über speculative Dogmatik*, 1838, IX, 211 sq.
2. *Sätze über erotische Philosophie*, 1828, IV, 175.
3. *Socialphilosophische Aphorismen*, V, 339 sq.

SITUATIONS DE L'AMOUR HUMAIN : VIE DU COUPLE ET PHILOSOPHIES

Du don de Dieu au don de soi, ou la naissance de l'enfant alchimique

Le troisième mode d'union, l'œuvre à accomplir, n'est pas donné d'emblée, il faut le créer. L'être humain reçoit au cours de certains moments privilégiés la révélation de cette vocation véritable qui est la sienne. Dans un passage des *Fermenta Cognitionis*, Baader cite Joseph de Maistre parlant de « ce degré d'exaltation qui élève l'homme au-dessus de lui-même et le met en état de produire de grandes choses » — ce qui s'applique aussi, ajoute le théosophe de Munich, à la génération physique puisqu'elle n'a lieu qu'à la faveur « d'une sorte d'extase » ; l'amour nous libère de notre impuissance, nous fait participer à notre propre productivité, car lui seul est productif, tandis que le non-amour est impuissance, et la haine destructrice[1].

Mais l'exaltation ou l'extase dans lesquelles nous sommes parfois plongés sans les avoir cherchées doivent être interprétées comme une grâce qui nous est accordée, un don *(Gabe)* qui doit devenir pour nous tâche à accomplir *(Aufgabe)*. Il faut distinguer amour donné, et amour à accomplir *(gegebene und aufgegebene Liebe)*. Il en va de même pour le savoir, précise-t-il dans le texte intitulé *Des unions*. S'être informé sur le mode de fonctionnement d'un mécanisme ou sur les conditions d'une expérience scientifique à effectuer signifie bien qu'on a acquis par là une forme de savoir, mais il faut distinguer ce savoir de celui qu'on obtient par action personnelle en reconstruisant soi-même le mécanisme ou en effectuant personnellement l'expérience. De même l'amour qui nous est en quelque sorte « crédité », donné par la nature ou par un destin favorable, ne devrait pas être reçu par nous comme un simple cadeau offert à notre amusement ou à notre oisiveté, mais comme une tâche à

1. *Fermenta Cognitionis II*, 1822/1824, II, 209.

accomplir, ou un « problème » *(Problem)* à résoudre. Nous sommes aussitôt débiteurs, et devons pour nous acquitter nous mettre au « service de l'amour » *(Minnedienst)*, service qui seul nous autorisera à nous approprier ce don. Imaginons des orangs-outangs venant un soir se chauffer auprès d'un feu allumé par des indigènes dans une clairière, après que ceux-ci se furent retirés dans leurs huttes. Peu à peu le brasier va s'éteindre, faute d'être entretenu, et laissera les singes déconcertés ; ils partiront déçus, sans avoir songé à mettre du bois dans le brasero. Il en va de même de l'amour qui nous vient ; ce cadeau du ciel — des êtres célestes — doit être entretenu par nous et nous devons savoir de quelle façon. Mais la plupart des hommes agissent comme les singes de la parabole.

On ne comprend l'amour qu'en aimant, et la vie qu'en vivant. De même qu'on peut dire : « Fais, fais l'expérience, et tu sauras », de même il faut dire : « Fais, et tu aimeras », d'autant que le « service d'amour » rendu à une autre personne nous fait recevoir à la fois l'amour qu'elle nous donne et celui que nous lui portons, comme on voit avec l'amour maternel[1]. Tout amour venu sans mérite est encore comparable à un nouveau-né fragile qui a grand besoin de tous nos soins ; il n'est encore que le fruit et l'image de ses parents, mais il lui faut devenir image active et autonome *(selbstisch)* de leur esprit et de leur cœur[2]. C'est un enfant alchimique qui doit naître, et qui par définition n'existe vraiment qu'à partir de sa deuxième naissance. Il en va de même de l'amour que nous portons à Dieu ; nous éprouvons d'abord un élan, mais qui doit être suivi par l'*amor generosus*, ou *actuos* — bien réel, actualisé. Les représentations ennuyeuses de l'amour, dans un art qui le conçoit comme jouissance oisive, qu'il s'agisse des œuvres édifiantes de l'ascétisme ou de celle du Romantisme, ne rendent pas compte de ces exigences et de ces possibilités. Ce qu'il s'agirait au contraire de mettre en lumière, ce sont les épreuves qui attendent les amants au cours de leur travail d'édification harmonieuse et créatrice. « *Dii omnia laboribus (doloribus) vendunt*[3]. »

1. *Socialphilosophische Aphorismen*, V, 347. *Vierzig Sätze aus einer religiösen Erotik*, 1831, IV, 196. *Sätze über erotische Philosophie*, 1828, IV, p. 165 sq.
2. *Ibid.*, 196.
3. *Sätze aus einer religiösen Erotik*, 1828, IV, p. 165 sq.

Aussi est-ce tout naturellement que Baader intitule un de ses « aphorismes de philosophie religieuse » : *L'amour est un enfant de ceux qui s'unissent dans l'amour.* De même qu'on parle d'enfants de l'amour — tous les enfants devraient en être —, de même il faudrait toujours savoir que l'amour lui-même à son début n'est qu'un enfant. D'où provient, poursuit le théosophe, cet enfant prodige et mystérieux qui s'appelle l'amour ? De même que les parents gardent leurs enfants en eux pendant quelque temps pour les élever, de même Dieu ne se contente pas de créer des êtres, il les réengendre ensuite en lui-même. Alors que l'enfant de chair quitte ses parents ou que leur vie peut sombrer à cause de lui, cet enfant mystérieux qu'est l'amour ne quitte jamais ses parents si eux ne le quittent pas, leur vie n'est pas menacée de sombrer et ils vivent d'une vie divine. Le mariage est souvent stérile, et il arrive que les parents portent des fruits de moindre qualité, mais l'union des cœurs vrais et sincères est toujours féconde et peut se réjouir sans cesse du merveilleux fruit qu'elle engendre. Une telle union commence à se former lorsque des moments célestes — ces « *eternal moments* » dont parle Shakespeare — rencontrent notre intérieur et que nous les fixons *(fixieren)* au lieu de les sacrifier à la mort temporelle dans laquelle ils disparaîtraient comme des enfants abandonnés ou assassinés. Les gens qui concluent du côté éphémère de l'état amoureux à son caractère illusoire se trompent. Il n'est pas illusoire, dès lors qu'au lieu de nourrir le temps avec de l'éternité, on parvient à parachever, intégrer, transfigurer, le temporel dans l'éternel[1]. Cette belle idée de Baader nous suggère que d'une part l'éternité nourrit le temps, et que d'autre part l'homme, selon la grâce reçue, donne au temps la dimension de l'étant. Un autre aphorisme de philosophie religieuse intitulé *Clefs pour comprendre le mystère de l'amour*, rappelle de quelle manière Sophia ou « humanité céleste » apparaît à l'amant sous forme de l'amante, et vice versa, dans l'état amoureux ; l'homme et la femme ont alors pour tâche de fixer le regard de la vierge céleste qui, pour un instant, perce à travers les nuages (fixer ce *Durchblicken*). Cette apparition de Sophia explique l'extase de l'état amoureux et son

1. *Religionsphilosophische Aphorismen*, X, p. 342 sq. « *Die Liebe selber ist ein Kind der in Liebe sich verbindenden.* »

« éclair d'argent » *(Silberblick)*, — et l'on sait qu'il faut voir le but supérieur de l'amour dans l'incarnation de la Sophia en nous, de cette Sophia privée à cause de nous du corps auquel elle a droit[1].

Plusieurs passages de l'œuvre insistent sur la nécessité de l'épreuve dans ce processus d'élaboration de l'enfant alchimique. Bien que le mot « initiation » ou « initiatique » ne semble pas avoir été employé ici, c'est pourtant bien de cela qu'il s'agit. Certaines des *Quarante Propositions concernant l'érotique religieuse*, le bel opuscule dédié à Émilie Linder, insistent sur ce point de façon catégorique : l'amitié et l'amour ne prennent racine que dans l'adversité et le malheur, sans lesquels il y a seulement camaraderie. Si la plante de l'amour peut d'une certaine manière pousser sans larmes, elle ne prend pas racine sans cette rosée. En amour, n'est fidèle et constant que celui qui a extirpé en soi l'infidélité et la possibilité de reniement (comme *posse mori*, selon le mot de saint Augustin). Dieu avait créé l'homme sans péché, dans un état d'innocence, mais il voulait que la possibilité de la faute fût extirpée par l'action, la coopération et le mérite de l'homme lui-même. Il en est ainsi de tout amour, qui commence dans l'innocence mais doit passer par l'épreuve pour se confirmer, trouver sa position et sa stabilité *(bewährter Stand und Bestand)*. Il n'était pas indispensable que l'homme renie ou trahisse Dieu, mais il fallait qu'il y eût tentation et résistance à la tentation pour que l'homme fît ses preuves, que fût consolidée sa relation à Dieu. Il en va de même de tout amour, celui de l'homme ou celui de la nature, tel est aussi le vrai principe de la culture et des beaux-arts. L'amour de Dieu pour l'homme descend pour élever la nature, puis s'étend à l'horizontale sous forme d'amour humain, enfin descend plus profondément comme amour de la nature pour élever celle-ci à l'homme. Mais afin que s'établît le véritable rapport de dépendance de la nature par rapport à l'homme, il fallait qu'Adam fût soumis à la double tentation : ou bien faire un usage despotique de la nature, ou bien se soumettre à elle en esclave. Dans le premier cas on oublie que c'est Dieu le Seigneur absolu de la

1. *Ibid.*, p. 304 sq. : « *Schlüssel zum Verständnisse des Mysteriums der Liebe.* » Cf. aussi mon article « Sophia et l'Âme du Monde chez Franz von Baader ». Le mot « *Silberblick* » est un terme emprunté au vocabulaire de la mine. P. KLUCKHOHN (*op. cit.*, p. 549, n. 1) remarque que Baader est le premier à employer le mot dans ce sens.

nature, dans le deuxième que c'est Dieu le seul Seigneur direct de l'homme. Lucifer a succombé à la première tentation, l'homme à la deuxième[1].

Un long passage des *Propositions de Philosophie érotique* est consacré à ces vues. Baader distingue d'abord deux stades dans tout amour de la créature pour son créateur ou pour une autre créature. Le premier correspond à un état d'unisson *(unisono)* qui n'a pas subi l'épreuve de la confirmation ; aucune « différence » *(Differenz)* ne se manifeste encore, mais cet état recèle en soi la possibilité de différenciation, la fragilité et la mortalité. Le second stade correspond à l'extirpation de ces trois possibilités, alors naît le véritable accord ou substantiation *(Substanzirung)*[2]. Or, nous savons que le rapport de la créature avec la créature est déterminé par celui qu'elle entretient avec son créateur ; l'homme est avec la nature et avec l'homme comme il est avec Dieu. Cela signifie que pour réaliser tout amour il nous faut la médiation divine, sans laquelle le libre passage du premier au second stade nous est fermé. Même dans nos rapports avec la nature nous avons besoin de cette médiation ; il ne convient donc pas d'avoir peur de la nature, ce qui, comme dit justement Goethe, est une peur « contre » la nature. L'expérience montre que l'amour au deuxième stade exerce une profonde action salutaire de libération, car alors il est « reliant » *(relïirend)* — libération qui a des conséquences sur la nature elle-même (« culte », « cultiver », « culture », signifient la même chose)[3]. L'expérience quotidienne enseigne ce que la réconciliation dans l'amour est capable d'opérer, et cela contre un préjugé répandu selon lequel le meilleur amour ne connaît jamais, même pas au début, de malentendu. Il ne connaîtrait donc point le pardon. Or, l'amour ne consiste pas à réunir des cœurs déjà harmonisés, mais à harmoniser. Dans l'amitié, dans l'amour des parents pour leurs enfants, dans celui du couple, bien souvent c'est la plus profonde déchirure qui permet la plus solide réunion. Le sang versé du cœur est la callosité qui rendra l'union durable[4].

1. *Vierzig Sätze aus einer religiösen Erotik*, 1831, IV, 193, 198.
2. *Sätze über erotische Philosophie*, 1828, IV, p. 165 sq.
3. *Ibid.*, p. 168 sq.
4. *Ibid.*, p 169.

« Dans l'unisono, écrit Baader, on n'entend pas de dissonance, mais elle peut se manifester. Dans l'accord, la dissonance est supprimée, dépassée, et aucune discordance n'est plus à redouter[1]. » Saint-Martin exprimait en 1775 la même idée dans *Des erreurs et de la vérité* : « C'est donc par l'opposition de cet accord dissonant et de tous ceux qui en dérivent, à l'accord parfait, que naissent toutes les productions musicales [...]. Si l'on n'offrait à l'oreille qu'une continuité d'accords parfaits, elle ne serait pas choquée, à la vérité ; mais outre la monotonie ennuyeuse qui en résulterait, nous ne trouverions là aucune expression, aucune idée [...]. Tout résultat et tout produit, en fait de musique, est fondé par deux dissonances, d'où provient toute réaction musicale [...]. Portant ensuite cette observation sur les choses sensibles, nous verrons avec la même évidence, qu'elles n'ont jamais pu, et qu'elles ne peuvent jamais naître que par deux dissonances[2]. »

Le contraire sera le remords, indissociable de la notion d'impératif moral de type kantien. Les démons eux-mêmes croient en Dieu, mais en tremblant ! Quelle erreur, de remplacer la religion par la morale ! De chercher le Sauveur ou le salut dans un impératif et non pas dans un « datif » ! L'insolvabilité n'apparaît qu'avec la réclamation du créancier... L'amour n'est pas seulement l'enfant de l'abondance et de la pauvreté — ce qu'y voyait Platon —, il est aussi bien celui du pardon, et du repentir — qui n'est pas le remords —, c'est-à-dire de la réconciliation, parce que seul le cœur *(Gemüth)* riche pardonne, et que seul le cœur pauvre a besoin de pardon. Lorsque entre les hommes il y a vrai repentir et pardon ce ne sont pas les hommes qui exercent ces actes d'eux-mêmes *(ex propriis)*, c'est une action supérieure et médiatrice qui intervient pour donner à l'un la richesse du pardon, à l'autre la force de l'humilité. Aussi bien un acte de réconciliation est-il religieux dans la mesure où il manifeste cette action supérieure médiatrice plus « haute » ; ainsi entre gouvernés et gouvernants il y a quelque chose de plus haut qu'eux, ce qu'on a tendance, dit Baader, à oublier de nos jours — il veut dire : surtout depuis la Révolution française — en considérant les rapports entre gouvernés et gouvernants

1. Cf. E. Susini, t. III, p. 550 (Baader, VIII, 187 paragr. 41).
2. *Des erreurs et de la vérité*, pp. 51-516 ; déjà cité par E. Susini, t. III, p. 551.

de façon « naturaliste », c'est-à-dire sans cette puissance médiatrice, reliante, réconciliante, équilibrante, reliante (religieuse)[1].

La réconciliation ne fait pas retomber l'homme dans son état d'innocence originel, mais l'élève aussitôt au second stade de l'amour. Si une « réunion organique » est plus solide que l'union précédente, dissoute pour mieux se reconstituer *(aufgehoben)*, c'est que le principe unifiant, sollicité par cette séparation, « se saisit en soi plus profondément en vue d'une nouvelle émanation qu'il va puiser au fond de lui-même ». Dans l'organisme, une cicatrice interdit pour l'avenir une nouvelle rupture. Dieu lui-même a suivi cette loi dans ses trois grandes émanations successives. L'envoi de l'homme dans le monde avait été précédé par une rupture — celle de Lucifer —, d'où la mission de restauration incombant à l'homme, pour l'émanation duquel Dieu s'était donc saisi, ou fixé *(« Gott fasste sich tiefer zur Emanation des Menschen »)*. Après la chute adamique, en vue d'une nouvelle émanation, Dieu se saisit encore plus profondément dans son Être le plus intime ; cette fois seulement fut amorcée l'union indissoluble de la créature et du créateur, de Dieu et du monde, et du même coup la plus haute élévation de la créature. Seul le sang du cœur peut fournir le ciment d'une union éternelle ; le sang du Christ est évidemment ce sang par excellence grâce auquel celui du « cœur » *(Herzblut)* de l'homme ou son « âme principe » est devenu fluide ; de coagulé qu'il était, il a pu se prêter à une éternelle union en devenant accessible au « passage au second stade de l'amour » — amour de l'homme et de la nature. Il faut donc se persuader que la faculté d'aimer est plus grande depuis la venue du Christ, comme l'attestent nos coutumes, nos institutions sociales ; pour ce qui concerne l'amour de l'homme et de la femme, il existe une nette différence entre les peuples chrétiens et les autres[2].

Pourtant, une nuance d'importance est ici fortement marquée par Baader. Il ne faudrait pas croire que la chute de l'homme et son infidélité par rapport à Dieu étaient nécessaires. Même sans la chute, l'homme aurait dû traverser l'épreuve de la tentation fortifiante, mais cette chute n'était

1. *Sätze über erotische Philosophie,* 1828, IV, p. 170 sq.
2. *Ibid.,* 174.

point inéluctable. Pas plus que ne le sont le doute ou l'erreur — et cela, comme E. Susini l'a noté, porte contre Descartes. Baader écrit : « La maxime suivant laquelle *toute connaissance doit commencer par le doute* doit [...] elle aussi être rejetée. » La tentation est nécessaire, point le mal ni la chute. Il est en contradiction avec les données de l'Église d'admettre le caractère primitif et nécessaire du Mal. Aussi bien, seule une partie des anges a-t-elle suivi Lucifer. Enfin, « la chute d'une fille n'est pas l'unique condition pour la marier » ![1].

De la femme et du couple

Baader assigne à la femme un rôle fondamental dans la réalisation humaine et spirituelle du couple et de l'humanité entière. En un joli passage d'une lettre de 1839 à son ami Stransky il évoque le grand mystère de l'amour, donc de la vie, comme une « musique céleste résonnant de façon plus perceptible dans le cœur des femmes que dans celui des hommes — ceux-ci devraient s'efforcer de n'en donner aux femmes que le texte »[2]. Dans son court essai consacré aux « enseignements secrets » de Martines de Pasqually, il rappelle que si la mauvaise action n'a pu pénétrer qu'à partir de l'élément passif (la femme = l'eau) dans l'élément actif (l'homme = le feu), de même la bonne action réconciliatrice devra suivre le même chemin. La femme en effet (entendons : la teinture féminine dans l'Adam androgyne, et maintenant la femme en tant que distincte de l'homme) sert de « conducteur » inconscient à la bonne comme à la mauvaise action. Elle est une « base », de même que le corps. Il se livre ici à un de ces rapprochements dont il est si friand : *Weib* et *Leib* (« femme » et « corps ») doivent être respectés, ne doivent pas être « gâtés », salis, car ils renferment une bénédiction *(Segen)*, il faut agir prudemment à leur égard *(scheuen)* car ils renferment aussi une malédiction[3] !

1. Cité par E. SUSINI, t. III, p. 554 (BAADER, IV, 198, paragr. 37 ; VIII, 15, n° 1 ; VIII, p. 139 sq. ; I, p. 328 sq.).
2. Baader à Stransky, 3 octobre 1839, XV, 626.
3. *Ueber des Spaniers D.M. de Pasquallys Lehre,* 1823, IV, p. 122 sq. : « *Verderbe es nicht, denn es ist ein Segen darin ; scheue es aber auch, denn es ist ein Fluch an ihm !* »

Un passage des *Fermenta Cognitionis* précise que la femme est au-dessus de l'homme dans la mesure où elle est la porteuse inconsciente de l'envie masculine de créer, ou la porteuse de l'image qui est dans l'homme ; mais elle-même ne parvient à la conscience de cette image que par l'aide de la « force éveillante » de l'homme, ce qui vaut pour la bonne comme pour la mauvaise envie, pour la semence de la femme et celle du serpent, puisque chaque femme est en même temps une EVA et une AVE (Maria), si bien qu'il dépend surtout de l'œuvre de l'homme que ce soit l'une ou l'autre de ces deux formes qui s'actualise[1]. Dans le même recueil, il relève en passant un mot de Voltaire, auteur qu'il trouve souvent « sagace » : « La religion et l'amour des femmes sont fondés sur la même faiblesse » ; il peut y avoir en effet seulement faiblesse dans les deux cas. De toute manière, c'est beaucoup plus souvent la faute de l'homme que de la femme, si celle-ci enfante des démons et non des dieux[2].

La femme est la gardienne de l'amour, dit encore Baader dans le texte de 1828 consacré à la philosophie érotique ; seul le christianisme a su lui reconnaître pleinement ce droit en lui procurant liberté sociale et honneurs, aussi est-il normal qu'elle soit attachée à cette religion, qu'elle en soit la conservatrice. La femme est aussi conservatrice de l'amour, car comme on sait ce n'est pas chez l'homme l'amour, mais le désir sensuel *(Lust)* qui a l'initiative. Dans l'état normal, chez la femme l'envie sexuelle suit l'amour, non pas l'inverse. D'autre part elle est moins capable de séparer, d'« abstraire », désir et amour. Ainsi, ce que l'homme donne consciemment à la femme, c'est la partie la plus mauvaise, le désir sensuel, tandis que la femme donne d'abord à l'homme, et consciemment, la meilleure part. Une vierge est une éveilleuse inconsciente (non coupable) du désir de l'homme, elle répond consciemment à ce désir en donnant de l'amour[3].

Toutefois, Baader ne voue pas à la femme un culte sans réserve, indépendamment même du fait que le mal s'est introduit

1. E. SUSINI, *op. cit.*, t. II, p. 568, n. 2. *Fermenta Cognitionis III,* 1822/1823, II, p. 255 sq.

2. *Ibid.* (IV), II, p. 316 sq. (Baader cite ici Jean SCOT ÉRIGÈNE, *De divisione naturae*, d'après l'éd. de 1681 ; éd. de 1838, II, p. 6-92 sq. ; pour dire qu'il pensait comme J. Boehme sur ce point).

3. *Sätze über erotische Philosophie,* 1828, IV, 175.

dans l'humanité par le canal de la teinture féminine. Si la femme, explique-t-il dans une lettre écrite en 1834, ne peut dispenser l'Esprit ni les sacrements, c'est parce qu'elle ne peut, particulièrement en amour, aller au-delà de la « constellation sidérique » — ou instinct supérieur —, tandis que l'homme y parvient. Le danger est de diviniser cette « constellation sidérique » ; il faut toujours la replacer et la considérer dans la région qui lui est propre[1]. Si l'homme peut aller directement à Dieu, la femme y va mieux en passant par l'homme (on se demande si, pour Baader, cette solution est seulement préférable ou si elle représente la seule possibilité). Toute union véritable suppose une subordination. On a vu que l'amour est différent selon que les deux membres du couple se tiennent l'un sous l'autre ou l'un en face de l'autre[2] ; cela vaut à la fois pour le rapport de l'être humain avec Dieu et pour celui de l'homme et de la femme, mais nous savons dans le second cas la nécessité d'un troisième terme (Dieu lui-même, ou le Christ), car la notion d'amour est aussi celle de Triade. Si saint Paul enseigne (Éphésiens, V) que l'homme doit aimer sa femme — comme la tête le corps, ou le Seigneur la communauté — et que la femme doit vénérer *(verehren)* l'homme, cela veut dire que c'est d'abord à l'homme d'aimer la femme, en « descendant » en quelque sorte vers elle afin que par cette descente elle soit « élevée » (Dieu nous a d'abord aimés en Christ, seule la descente rend possible la remontée ou l'amour rendu). Un homme ne peut aimer une femme qui se refuse à cette élévation, une femme ne peut vénérer un homme qui ne se penche pas sur elle avec amour. Paul présente l'un et l'autre comme soumis à la même unité, donc comme un ternaire. « La femme ne se saisit que dans et par l'homme, l'homme ne peut *se développer* que dans la femme[3]. » Et puis les mœurs changent, confie-t-il à son ami Stransky avec quelque amertume, en 1840 ; on assiste au « déclin du cœur, au développement monstrueux de l'intelligence », de sorte que les femmes perdent de plus en plus leur pouvoir légitime sur les hommes — par la faute de ceux-ci, d'ailleurs. Il ne reste aux femmes qu'à se servir de la mauvaise

1. Baader à F. Hoffmann, 15 septembre 1834, XV, 505.
2. *Sätze über erotische Philosophie,* 1828, IV, p. 165 sq.
3. *Fermenta Cognitionis V,* 1822/1824, II, p. 360 sq.

arme d'une sensualité sans cœur, ou bien, parce qu'elles sont femmes et non point hommes, à ressembler à des fantômes d'êtres hybrides dépourvus de féminité...[1].

La tentative d'union véritable repose évidemment sur d'autres bases. Dans *Quarante Propositions pour une érotique religieuse*, Baader est prodigue en conseils destinés au couple. Il rappelle que si j'aime, c'est moi-même que je donne avec le cadeau que j'apporte ; si ma femme m'aime, c'est moi qu'elle reçoit avec ce cadeau. Si je reçois, ce doit être avec autant de joie de me laisser lier, que la joie de me lier éprouvée par celui ou celle qui me donne. Celui qui sait donner sans orgueil peut aussi prendre sans abaissement — sans « pression » —, celui qui prend en s'abaissant ne peut donner qu'avec orgueil[2]. À cela fait écho un passage de cours sur Jacob Boehme : quand j'aime quelqu'un, je me nie et je « pose » l'autre ; quand quelqu'un m'aime, il se nie et me pose... L'amour est ainsi un processus permanent et alternatif de « donner » et de « recevoir ». Si je nie l'autre, je me trouve nié — aussi la haine est-elle improductive. D'où la vérité de la formule : « Un pour tous et tous pour un. » Telle est la dialectique de la différence et de l'unité. La créature est une consonne séparée de la voyelle divine, mais possédant le pouvoir de s'exprimer en prononçant cette voyelle. Maître Eckhart dit que l'homme est un adverbe *(Beiwort)*[3]. Nous avons vu que cette complémentarité de la voyelle et de la consonne s'applique évidemment aussi à l'amour de l'homme et de la femme.

Seul l'amour rend vraiment libéral, car seul celui qui sait aimer ne sépare pas le droit du devoir, le fait de régner du fait de servir, le fait de posséder de celui d'être possédé, etc.[4]. L'amour nous fait comprendre par analogie de grands mystères ; par exemple, si quelqu'un refuse notre amour et qu'on en est malheureux, nous imaginons mieux la souffrance éprouvée par Dieu pour la même raison[5]. Mais comme il est malheureux, l'infortuné qui ne peut s'attacher à la personne qu'il doit estimer, voire craindre, et qui a de l'indignation pour

1. Baader à Stransky, 1er octobre 1840, XV, 37.
2. *Vierzig Sätze aus einer religiösen Erotik*, 1831, IV, p. 189 sq.
3. *Privatvorlesungen über Jacob Böhme*, 1829, XIII, 83.
4. *Vierzig Sätze aus einer religiösen Erotik*, 1831, IV, 186.
5. Baader à un correspondant, 1838 ?, XV, p. 602 sq.

une personne qu'il doit mépriser[1] ! Une autre des « quarante propositions » met en garde contre le « tantalisme de la philautie ». Il est niais de croire à une philautie (un amour de soi) effective ou réussie, car elle ruine la vie du couple. On ne peut pas plus s'aimer soi-même qu'on ne peut s'embrasser soi-même. Celui qui cherche à s'aimer ou à s'admirer ne cherche au fond qu'à réfuter, par les témoignages d'autrui, ses doutes sur sa propre dignité d'être aimé ou admiré ; il n'y parvient pas et se vide de plus en plus. La philautie dénote un vide profond, c'est une puissance tantalique résultant du refus d'admirer et d'aimer ce qui méritait de l'être[2].

Une belle page des *Quarante Propositions* vient préciser au plan quotidien de la vie du couple la nécessité de l'épreuve menant à la réconciliation, loi inscrite dans la création divine et dont nous avons vu l'importance. Quel amoureux, demande-t-il, n'a pas éprouvé qu'en pardonnant et en se réconciliant il entrait plus profondément dans son cœur, fixait plus solidement le rapport avec l'autre personne ? Pardonner, c'est faire usage réellement créateur du désir et de l'imagination en entrant en quelque sorte à l'intérieur de la personne qui regrette, en la renouvelant par le fait que nous entrons ainsi en elle, et ainsi nous nous lions plus profondément à elle. Quel amoureux véritable n'aurait-il pas remarqué que seul le sang du cœur, qui à l'occasion d'une faute se met à couler comme un sang sacrificiel, est capable de fournir le ciment scellant une amitié et un amour durables ? On peut parler ici de consanguinité, au sens le plus profond du terme... Et celui qui a parcouru ce processus de réconciliation n'est pas loin du royaume de Dieu[3]. Baader note encore que seul l'amour est vraiment aimable *(artig)* ou poli, en lui il y a toujours quelque chose de distingué, tandis que le manque d'amour est grossier, même s'il veut se donner l'air de la politesse et de la gentillesse[4]. Terminons sur cette *Réflexion sur une proposition récemment rendue publique contre la surpopulation* (1829). Le Dr. Weinhold venait de proposer des méthodes de contraception, mais Baader lui

1. *Vierzig Sätze aus einer religiösen Erotik,* 1831, IV, 189. *Socialphilosophische Aphorismen,* V, 349.
2. *Vierzig Sätze aus einer religiösen Erotik,* 1831, IV, 188.
3. *Ibid.,* IV, 200.
4. *Ibid.,* IV, 192.

répond que permettre à l'État d'influencer en un tel domaine la population reviendrait à donner à celui-ci des pouvoirs qui ne lui reviennent pas. La proposition du Dr. Weinhold est proche de la morale kantienne, qui voit le mariage comme un contrat de location et non pas comme un sacrement[1].

Androgynie et philosophies modernes

L'originalité de Baader se manifeste aussi dans sa manière d'associer deux domaines apparemment assez éloignés l'un de l'autre, la quaternité androgyne de l'être humain et celle de... la philosophie. L. P. Xella a tenté un rapprochement entre les deux notions, qui pour n'être pas souvent explicite dans les écrits du théosophe, n'en est pas moins tentant. Qu'à l'isolement impuissant de l'une des deux teintures corresponde la stérile fermeture de l'autre, le type le plus élevé de la production humaine, c'est-à-dire la philosophie, en porterait témoignage. Le mot lui-même — *philo-sophia* — devrait pourtant inciter à méditer sur la quaternité divine afin de nous en rapprocher. La philosophie devrait consister à nous représenter l'amour de, et pour, la Sophia, devenir ainsi un chemin reconduisant l'humanité à Dieu. Il lui faudrait pour cela reparcourir l'histoire humaine depuis les origines, comprendre comment le péché originel a entraîné l'écoulement du temps[2]. C'est dire que la vraie philosophie est une théosophie qui devrait nous aider à recomposer la double teinture dans l'image du Fils, à favoriser la naissance de la personne humaine *(Verselbständigung)* à laquelle s'oppose l'affirmation d'un Soi faux et égoïste ou abstraction unilatérale d'une seule teinture. Idée apparemment assez junguienne. Dans les philosophies irréligieuses, la teinture masculine qui, en s'absolutisant, nie le lien quaternaire entre Dieu et l'homme *(eritis sicut Dei)*, nie du même coup la féminité matricielle ou teinture qui doit se laisser féconder ; en refusant cette teinture féminine, la masculine se ferme à l'action divine, reste vide, exproprie l'être extérieur, ou nature,

1. *Socialphilosophische Aphorismen,* V, 281. Franz Hoffmann fait remarquer en note que Schelling, Fichte, Hegel, Krause, ont mieux parlé de l'amour que Weinhold et que Kant.
2. Cf. L. P. Xella, *op. cit.*, p. 51.

dont elle organise le pillage dévastateur. Au rapport industriel que nous avons maintenant avec la nature correspond le nihilisme des spéculations philosophiques ne cherchant à refléter qu'elles-mêmes, à s'auto-fonder dans l'ego, comme celles de Descartes[1].

En citant Platon, mais en s'inspirant tout autant de Saint-Martin, Baader rappelle que le savoir a son origine dans l'admiration. « L'esprit de l'homme, avait dit le Philosophe Inconnu, ne peut vivre que d'admiration, et son cœur ne peut vivre que d'adoration et d'amour. » Admirer, pour Baader, c'est reconnaître, admettre une altérité, si bien que dans l'admiration se pose le juste rapport entre sujet et objet, unité dans la distinction, relation entre inférieur et supérieur médiatisée par le « miroir », le « miracle » ; c'est entre « se mirer » et « admirer » que s'effectue la vraie spéculation — mot qui vient de *speculum.* Il s'agit bien d'un lien érotique androgyne, puisque le supérieur en tant que teinture masculine s'admire dans l'inférieur où il trouve son image, où il se saisit dans sa féminité-passivité, suscitant en ce miroir même, teinture féminine, un aspect masculin, c'est-à-dire sa propre image de supérieur, qui de ce fait est un miracle *(mirare !).* Dans l'admiration, l'inférieur se soumet au supérieur qui est à l'intérieur de lui et n'en est pas anéanti ; le supérieur à son tour élève à l'intérieur de soi l'inférieur qui l'admire, et s'unit à celui-ci sans pour autant se nier. Nous retrouvons notre quaternaire ontologique androgyne, ou jeu quaternaire des deux teintures, puisqu'ici le supérieur s'unit au supérieur dans l'inférieur, et l'inférieur s'unit à l'inférieur dans le supérieur. Ainsi s'éclaire le mot que répète volontiers Baader : *Cogitor a Deo, ergo sum* ; il signifie que moi, objet de savoir, je me reconnais objet du savoir de Dieu[2].

Voilà pourquoi la philosophie post-cartésienne est un produit « bâtard » du temps, une absolutisation typique de la teinture masculine accompagnée d'impuissance, de stérilité, c'est-à-dire

1. *Ibid.,* p. 52. E. BENZ a noté que c'est Baader qui aurait introduit l'usage du terme « nihilisme » en allemand (cf. *ibid.;,* p. 52, note dans laquelle L. P. Xella donne une intéressante bibliographie sur le nihilisme).

2. *Ibid.,* p. 53. Sur la gnoséologie baadérienne, cf. le beau travail de L. P. XELLA, *La Dogmatica speculativa di Franz von Baader.* Turin, « Filosofia », Premi « Domenica Borello », 1977.

de nihilisme. Il lui manque la féminité, aussi se refuse-t-elle à admettre sa propre infériorité et réceptivité par rapport à Dieu[1]. Tendance signalée par C. G. Jung et par L. P. Xella. Philosophie essentiellement érotique que celle de Baader, puisque pour lui ce n'est pas du néant ni de la matière, mais du désir des deux teintures que surgit tout processus de production et de création ! Toute détermination, figure ou corps véritable *(Bild)*, ne peut s'entendre que comme remplissement et contenant à la fois. Spinoza a nié la passivité de la philosophie — aussi le panthéisme est-il en ce sens une caricature hermaphrodite ; la substance spinozienne n'est ni Dieu ni le cosmos, parce qu'elle veut être l'un et l'autre, de même que l'hermaphrodite ne surmonte pas le masculin et le féminin mais en exaspère le dualisme. Ici, point de quatrième terme.

L. P. Xella éclaire du même coup l'hostilité dont Baader a fait preuve à maintes reprises envers la philosophie de Schelling ; celle-ci également peut être qualifiée d'hermaphrodite, dans la mesure où le simple jeu de la double force attraction-répulsion se trouve dénué de valeur érotique, de valence quaternaire, et par là même retombe dans une statique polarité. À la chute adamique dans la matière correspondent les systèmes de Spinoza et de Schelling qui représentent une coupable disponibilité, la propension à se laisser imposer n'importe quel lien avec la nature inférieure, voire de descendre au-dessous de celle-ci. C'est alors à la superbe « spiritualiste » de Lucifer que va correspondre l'autre aspect, le « despotique », qu'on trouvera dans le système de Fichte, surtout dans celui de Hegel. Chez Fichte, le Moi pose son auto-affirmation, nie Dieu qu'il identifie au Soi, nie la nature qu'il identifie au Non-Moi, donc nie la teinture féminine à l'intérieur de soi et hors de soi. Ce Moi ne peut dès lors générer ni vers le haut en se faisant féconder par le Verbe divin, ni vers le bas en fécondant la nature ; bien plus, dans son besoin toujours insatisfait de se remplir et de remplir, il ne cesse de se heurter à une matrice stérile. Poursuivi sans trêve par Dieu qui, comme l'enseigne Tauler, cherche la créature pour y générer son propre fils et la régénérer par l'intermédiaire de sa propre fille, le Moi fichtéen poursuit sans trêve la nature, reste fille du temps, enchaînée à

1. L. P. Xella, *op. cit.*, p. 54.

une roue d'Ixion[1]. L'amour-propre ou l'égoïsme *(Selbstsucht)* apparaît avec la perte de la vraie *Selbstheit*, ou encore c'est quand le principe vraiment constitutif de l'État disparaît qu'on a alors tendance à se « constituer » ; les hommes politiques de l'époque sacrifient, selon Baader, au fichtéanisme dans la mesure où la manière qu'ils ont de « constituer » l'État est une manière fichtéenne de se poser soi-même. Depuis Fichte, le concept de « prendre » a supplanté en philosophie celui de « recevoir », dans la même mesure que l'orgueil y a supplanté l'humilité[2].

La philosophie fichtéenne s'arrête à l'*itio inter partes*, au *bellum internecinum* entre les deux teintures. L'hégélienne va jusqu'à la triade, malheureusement sans dépasser celle-ci. Sa philosophie se caractérise comme une figure de l'union androgyne qui se ferait rigide au moment de la production du Verbe. La dialectique hégélienne admet bien la nécessité d'une teinture féminine comme organe d'affirmation de la teinture masculine — quoiqu'elle n'utilise point cette terminologie — mais elle voit dans cette seconde teinture quelque chose d'étranger, d'extérieur à la masculine, aussi la réduit-elle à un simple rôle d'instrument. L'Idea hégélienne cherche la nature mais seulement pour la nier, comme si Dieu cherchait l'homme, ou l'absolu le fini, non pour se générer et le générer mais pour le tuer. La détermination (le Fils) est trop souvent interprétée par les philosophes comme une négation, et la limite comme un mal en soi. La triade hégélienne est un dualisme masqué dans lequel père et fils, masculin et féminin, se combattent sans trêve. Le Père veut être tel sans passer par les couloirs étroits de la matrice, comme il advient lorsque l'orgueil fait s'absolutiser la teinture masculine ; il s'aliène dans la nature, jette hors de soi l'organe féminin, pour le retrouver ensuite devant lui comme un organe étranger, comme un néant[3].

Aussi n'est-ce pas un paradoxe mais l'effet d'un inéluctable processus, si cette philosophie hégélienne qui proclame l'absolu de l'Esprit, le triomphe de l'orgueil luciférien, ne peut se réaliser effectivement que dans une forme de bas matéria-

1. *Ibid.*, p. 56.
2. *Vorlesungen über religiöse Philosophie*, 1826/1827, I, 161. *Sätze über erotische Philosophie*, 1828, IV, 171.
3. L. P. XELLA, *op. cit.*, p. 57.

lisme. Ne voit-elle pas dans la personne physique du chef de l'État l'incarnation d'un absolu ? C'est dire qu'une fois niée la matrice féminine, cette philosophie se condamne à un produit bâtard, dans lequel l'humanité descend au-dessous de son rôle d'organe de Dieu pour se vouloir l'instrument des plus infâmes unions. Le roi usurpé par l'homme dans le royaume invisible de l'Esprit perd son masque et apparaît comme un corps grossier dans le règne visible de la politique[1]. On sait que des erreurs de ce genre, qui prennent naissance dans la spéculation, finissent par envahir réellement l'Église et l'État. Les deux grandes Églises d'Occident n'échappent pas au diagnostic sévère porté par Baader, car l'Église catholique a tendance à confondre le règne de Dieu avec la simple visibilité matérielle, ce qui est une forme de pétrification, tandis que les protestants le confondent avec l'absolue invisibilité, dispersion d'une intériorité sans fondement. C'est dire que l'une et l'autre participent à l'absolutisation équivoque des deux teintures : l'une se refuse à être mise en mouvement, l'autre à trouver un lieu où se placer ; l'une défend le dogme tel qu'il est, sans en voir la fonction séminale dynamique, l'autre le repousse sans en comprendre la fonction formatrice. Tout de même que nous avons d'un côté les monarchies absolues, fermeture stérile, matrice niée, refus du mouvement ; de l'autre, des révolutions comme celle de France, qui renient le calendrier, prétendent proposer un présent neuf, et se révèlent pur principe destructeur ou mouvement irrépressible qui, niant tout principe formateur, finit par se nier lui-même[2].

Le lien solidaire de la tête et des membres, qui dans la société spirituelle et civile correspond à celui de la monarchie et du fédéralisme ou du républicanisme, n'est pas toujours compris. On sépare radicalement ces deux principes, on oppresse ou anéantit l'un au moyen de l'autre. La nature profonde de ce genre de lien s'éclaire, si l'on saisit la solidarité de la superstition et de l'incroyance, du servilisme et du libéralisme. Ne chassons pas l'un des deux pôles au moyen de l'autre[3] !

1. *Ibid.*, p. 57.
2. *Ibid.*, p. 58.
3. *Ueber den paulinischen Begriff* [...], 1837, IV, 353.

CONNAISSANCE ET RÉINTÉGRATION

Amour et connaissance

Si les erreurs métaphysiques modernes et celles des philosophies politiques sont dues à l'ignorance générale des grands principes rappelés par Baader, il s'ensuit que la tâche du penseur pénétré des profondes vérités consiste à rappeler les hommes à une connaissance, à une gnose, c'est-à-dire à une science sans laquelle on se condamne à errer. Saint-Martin ne rappelait-il pas que « la science n'est pas une occupation oisive, mais un combat » ? Et puisque l'amour est le grand principe, il se doit d'être une science. Baader ne manque pas une occasion de s'en prendre à Rousseau et à Jacobi, qui prétendent que l'homme cesse de sentir quand il se met à penser ou à comprendre. Erreur de nature à entretenir les hommes dans une grande incertitude sur la religion et sur l'amour, qui dès lors se cantonnent dans une région vague, un clair-obscur, de notre conscience ou de notre raison[1]. Croire ne suffit pas, c'est seulement « maintenir la connaissance à son niveau le plus inférieur » — écrit Baader à Jacobi en 1820[2] —, et ailleurs il déclare avoir toujours été contre un « spiritualisme d'eunuque », qui pas plus que le mauvais naturalisme ne peut nous faire comprendre le mystère de l'amour[3]. Pour être libre à l'égard des hommes et de la nature il faut d'abord les aider à être libres, mais cela passe par une connaissance. On l'a vu, la loi éthique peut peser sur nous comme un impératif, comme l'air sur un corps où on a fait le vide. Mais quand elle ne fait que nous traverser sans habiter en nous (*durchwohnen* n'est pas *inwohnen*), c'est faute de cette connaissance grâce à laquelle la

1. Cf. par exemple *Sätze über erotische Philosophie*, 1828, IV, 165 sq. et mon article : « Foi et savoir chez Franz von Baader et dans la gnose moderne », dans le présent ouvrage, ainsi que le travail de L. P. XELLA cité *supra*, n. 2, p. 302.

2. « *Glauben ist Festhalten des Erkennens in seiner untersten Stufe* », Baader à Jacobi, 27 juin 1806, XV, 204.

3. *Vorlesungen über J. Böhme's Theologumena et Philosopheme*, III, p. 402 sq.

loi, en habitant en nous, nous devient personnelle[1]. Connaissance qui est un devoir ; aussi Kant s'est-il trompé, en prétendant que l'amour ne peut être ordonné — ce qui va d'ailleurs à l'encontre de l'enseignement du Décalogue[2].

Puisque la connaissance, cette forme de gnose, est un instrument si merveilleux et si indispensable, on n'est pas surpris de lui voir attribuer par Baader une faculté androgyne. Il s'en explique longuement dans un essai publié en 1807 consacré à l'usage qu'on peut faire de la raison. Notre faculté de connaissance *(Erkenntnisvermögen)*, dit-il, est bisexuée, ou plutôt androgyne. Il la compare à l'union de la lumière et de la chaleur, car toute lumière qui se manifeste s'accompagne d'une modification de température. Quand je connais ou reconnais *(erkennen)* quelque chose qui est au-dessus de moi, il n'y a pas seulement manifestation d'une lumière intérieure, car la connaissance n'est pas indifférente ou dépourvue d'effet, il y a aussi chaleur intérieure. C'est pourquoi l'admiration tend à devenir amour ou vénération, sinon notre cœur *(Gemüt)* est lié, privé de la liberté[3]. Baader rappelle à ce propos l'une de ses idées les plus chères, à savoir qu'il y a analogie entre l'instinct de reproduction ou d'engendrement et l'instinct de connaissance[4]. Un élément supérieur se tend vers un élément inférieur, ou si l'on préfère « imagine » en lui pour être son fondement, tout de même que le soleil « porte » la terre ou l'homme la femme ; il le fixe *(fassen)*, le saisit *(erfassen)* en lui devenant intérieur, il aspire à se glorifier en lui, à s'en revêtir comme d'une parure. De même que selon saint Paul la femme est la gloire de l'homme, Adam est l'image et la gloire de son Dieu. L'élément supérieur imagine activement ; l'on voit correspondre à cette imagination active une passivité de l'élément inférieur qui s'avance vers le premier pour l'aider et le servir, faute de quoi il chute. L'esprit est le modèle de l'élément supérieur, la chair celui de l'inférieur. Partout l'esprit cherche à se faire chair pour se trouver, s'éprouver, s'épanouir dans la joie, se glorifier en prenant corps *(bildend)*. La chair, elle, n'est que nostalgie d'un esprit qui viendra l'animer, la pénétrer, se manifester en elle

1. *Vorlesungen über speculative Dogmatik,* 1838, IX, 222.
2. *Ueber Religions— und religiöse Philosophie* 1831, I, 327.
3. *Ueber die Analogie des Erkenntniss- und des Zeugungstriebes,* 1808, I, 41.
4. *Ibid.,* 44 (cf. aussi E. Susini, t. II, p. 30 sq.).

pour l'élever à soi, en soi. Il existe en allemand un rapport étymologique entre « repas » et « union » *(Mahl* et *Vermählung)*, rapport fondé dans la réalité si l'on songe à ce que représentent aux divers niveaux le fait de manger et celui d'engendrer[1].

L'esprit de toute créature est toujours gros de quelque chose *(schwanger)*, d'un corps dans lequel il se représente, se reflète ; il y a identité entre son bouillonnement *(Wallen)* et son vouloir *(Wollen)*, aussi la volonté agit-elle toujours de façon organique — elle est « instinct formateur ». Tout ce qui vit et vient habiter un corps *(lieben, leben, leiben)* émane de ce désir androgyne *(Androgynenlust)* qui est comme l'atelier ou le lit nuptial secret, impénétrable, magique, de toute vie. Gardez ce lit pur, et vous verrez naître une vie saine ! Toute créature, à quelque degré de la vie que ce soit, est à la fois céleste et terrestre, ou sidérale et élémentaire, le « sacrement de la vie » ne lui est donné que sous cette double forme. Mais il ne convient pas que l'inférieur fasse du supérieur sa femme, d'où le sens de l'injonction : « Tu ne feras pas d'image ou de portrait de moi », ce qui revient à dire : « Tu dois être toi-même mon image et mon symbole *(Gleichnis)* » ! Bien entendu, il ne convient pas non plus que le supérieur se soumette à l'inférieur. Nous ne devons ni servir ce que nous avons pour tâche de dominer, ni faire le contraire — ainsi s'éclaire davantage encore la distinction bassesse-orgueil et noblesse-humilité. On voit aussi que cet enseignement fonde une connaissance de la connaissance, puisque dès lors on ne peut séparer le fait de connaître — lié aux notions de domination, de formation, d'engendrement — et le fait d'être connu — lié à l'idée de servir, d'être formé, de recevoir[2]. Si la connaissance succombe à son objet, c'est-à-dire à la matière à laquelle elle doit donner consistance *(Bestand)* et sens raisonnable *(Verstand)*, alors elle retourne dans les ténèbres, comme fait le cœur de l'homme dont l'amour pour quelqu'un succombe au pauvre désir sexuel égoïste qui rend le cœur étroit[3].

L'inclination libre est celle qui part de la connaissance ; le fait d'être mû de façon non libre, comme c'est le cas dans la pas-

1. *Ibid.*, 44 sq. *Fermenta Cognitionis II,* 1822/1824, II, 178.
2. *Ueber die Analogie des Erkenntniss- und des Zeugungstriebes,* 1807, I, p. 44 sq.
3. *Ueber die Begründung der Ethik durch die Physik,* 1813, V, 17.

sion, part d'un non-pensé, donc d'une ignorance. La vie véritable est liberté ; le fait d'être ballotté ici et là, sans savoir ce que nous voulons et faisons, correspond au « manque de vie » qui accompagne nécessairement un mouvement ne partant pas du plus intérieur de nous-même.

Dans son *Essai sur l'indifférence*, note Baader, Lamennais a rappelé justement que notre amour du Bien ne peut provenir que de la connaissance ou de la reconnaissance de ce Bien. Dans le cas de l'instinct aveugle ou de la passion non libre, point de connaissance, point d'idée. Ce que je connais, je suis libre vis-à-vis de lui. L'amour est libre. La connaissance libère le connaissant du connu. Le niveau animal nous instruit de ce principe, puisque ce sont les sens, instruments d'objectivation, qui libèrent peu à peu l'individu du monde végétal. Jésus a dit : « Vous connaîtrez la vérité et la vérité nous rendra libre » ; Il n'a pas dit : « Vous sentirez seulement la vérité, vous vous la représenterez, etc. » Certes, elle s'accompagne bien de sentiment et de représentation, mais au sens où l'éclairage de l'idée confirme le vrai sentiment, le fortifie, supprime le sentiment non vrai[1]. Connaissance et amour ne font qu'un, finalement, comme le suggère déjà le mot biblique « connaître » pour signifier « s'unir à » *(cognovit eam)*. En se pénétrant de l'idée que Dieu l'aime, l'homme reçoit en même temps la faculté d'aimer Dieu en retour (Anteros), d'aimer les autres hommes, et la nature triple amour, auquel correspond une triple faculté de connaissance. Les systèmes de morale qui nient cette triplicité sont athées[2].

Le Soi, le couple, et la Nature

Connaître les liens qui unissent les êtres les uns aux autres, distinguer les diverses natures de ces liens, incombe au penseur pénétré des idées qui précèdent. On a trop tendance à confondre les liens *(Bande)* extérieurs coercitifs avec ceux, intérieurs et libres, qu'ils ont pour but de protéger *(Bünde)*. Beaucoup de gens se comportent comme les singes de la parabole citée plus

1. V., 236. *Vorlesungen über Religionsphilosophie,* 1827, I, p. 237 sq.
2. *Vorlesungen über speculative Dogmatik,* 1830, VIII, p. 230 sq.

haut. Sachons que notre nature a sans cesse besoin que nous la délivrions d'un élément antinaturel — ou non naturel — qui l'afflige. Procédons sur nous-même comme il faut le faire au niveau de l'État : les gouvernants ne doivent ni réprimer ni éviter les mouvements révolutionnaires, mais grâce à une subtile chimie, c'est-à-dire un art de la distinction *(Scheidung)*, faire servir les éléments « évolutionnaires » qui les accompagnent. Il en va de même de la façon de traiter l'erreur[1].

Séparer n'est donc pas supprimer, mais remettre à sa juste place ; tâche que nous devons effectuer sur nous-même, vis-à-vis de nos semblables et de la nature. Aussi le mot *Verselbständigung*, qui n'est pas très éloigné de l'idée d'individuation junguienne, correspond à un processus d'identification, à une constante recherche du Soi, que L. P. Xella voit s'effectuer à travers la dialectique quaternaire que l'on sait. Il s'agit, par une série de mandalas dont nous venons de dégager les formes essentielles, de prendre conscience de la scission de l'androgynie primitive, de la disparition dramatique du féminin, de la despotique prévarication du masculin qui eut pour conséquence la dévastation de la nature et le nihilisme dans la spéculation. À cela s'ajoute un aspect initiatique, parce que dramatique, qui souligne la nécessité de l'épreuve ou de la « confirmation » ; seul l'amour pardonne, et il le fait volontiers parce que l'humilité et le repentir qui se tournent vers lui l'aident à développer la richesse et la plénitude de sa tendresse[2]. L'amour donné immédiatement est l'amour « naturel », au sens paulinien du premier homme créé dont « l'Homme-Esprit » doit sortir en supprimant cette immédiateté pour la transformer *(Aufhebung)*. Il en résulte un amour libre à l'égard de la nature — ce qui ne signifie pas dépourvu de nature *(naturfrei, naturlos)* —, comme l'est le sacré à l'égard du sacrement ; un amour « rené » dans lequel le rapport des amants est différent de ce qu'il était au premier stade. Dans l'amour divin par exemple, le Créateur ne se révèle vrai père de sa créature qu'au deuxième stade[3].

L'aspect dramatique de tout amour humain est aggravé par la signification ontologique de la femme. On sait qu'Ève est en

1. *Ibid.*, IX, 223.
2. *Vierzig Sätze aus einer religiösen Erotik*, 1831, IV, p. 192 sq.
3. *Sätze über erotische Philosophie*, 1828, IV, 167.

premier lieu l'espace extérieur donné à l'homme pour qu'en trouvant un lieu où se mouvoir il ne se précipite pas dans le néant de la fuite hors du centre. Mais une fois fixée dans son extériorité, Ève représente le temps qui lui est donné pour se régénérer à l'image du Fils de Dieu ; elle est pour ainsi dire le temps de la formation de sa semence auquel il ne peut plus échapper sans se condamner à la déformation définitive, sans se faire la proie du démon. Partie féminine de la séparation, elle représente le lieu même de l'espace-temps, le lien intérieur-extérieur, et partage donc partiellement la condition démoniaque. Il appartient à l'homme d'utiliser cette extériorité en vue de leur salut à tous deux, en la soumettant, ou de se damner en se soumettant à elle[1]. L'amour n'est productif, dans la reproduction temporelle ou en dehors du temps, qu'en produisant des énergies *(Kräfte)* et non des créatures[2]. Par Ève la seconde chute adamique a eu lieu, par Ève peut commencer la réintégration. De même que la défiguration d'Adam en images masculine et féminine se produisit d'abord intérieurement puis s'acheva corporellement, de même la restauration de cette image divine passe par l'anéantissement de cette défiguration, d'abord intérieurement, ensuite extérieurement. C'est dire que l'amour a pour finalité d'aider l'homme et la femme à se compléter pour devenir image humaine totale. L'homme sort avec déplaisir de ce en quoi il est entré avec plaisir. La masculinité et la féminité intérieures abstraites, qui s'opposent égoïstement à l'amour, sont la croix que les amants peuvent s'aider à porter et à supporter dans leur vie. Ce processus de renaissance par l'amour devrait faire l'objet de thèmes dramatiques ; la littérature pourrait s'occuper davantage, pense Baader, de décrire la guerre contre le diable qui est l'ennemi du mariage ou de l'amour parce qu'il est celui de la renaissance — cela serait plus profondément vrai et plus poétique que ce qu'on nous dit généralement dans les romans et les drames[3].

Le sacrement du mariage résulte de la dimension éternelle de l'union, car ce qui est purement temporel n'a pas besoin de sacrement. Pour reconstruire grâce à celle-ci l'androgynie

1. Cf. L. P. Xella, *op. cit.*, p. 49 sq.
2. *Fermenta Cognitionis V*, II, 360 sq. (n° 29).
3. *Religionsphilosophische Aphorismen*, X, p. 304 sq.

perdue, l'homme doit aider la femme à se libérer de sa féminité comme incomplétude, la femme doit aider l'homme dans le même but pour qu'en tous deux renaisse l'image originelle totale de l'humanité, du moins intérieurement, enfin pour qu'ils cessent d'être des demi-êtres humains, des demi-êtres sauvages (*Wildheit*, état sauvage, signifiant l'éloignement — *Entfremdung* — de la vie divine). En un mot, pour qu'ils deviennent des chrétiens, c'est-à-dire des êtres renés, ayant retrouvé l'intégrité de leur nature humaine[1].

Il faut arriver à ce que les deux êtres n'en constituent qu'un seul, c'est-à-dire que chacun soit la moitié de l'autre ; pour cela « chacun d'eux est obligé de se diviser, de sortir de lui et de pénétrer dans l'autre avec une moitié de son être, abandonnant l'autre moitié ». Baader représente encore cette idée de la façon suivante. Chaque amant étant une sphère en deux parties, nous avons : A/B et a/b ; l'amour réalisé sera A/b et a/B, qui indique l'échange et la compénétration. Comme nous savons d'autre part que l'amour ne se réalise pas dans deux unités différentes mais en un troisième terme supérieur, le schéma du véritable amour sera AbaB[2]. L'élévation réciproque aboutissant à ce que Baader accepterait sans doute d'appeler un œuf alchimique « ne peut, telle une extase, se comprendre que grâce à l'élévation commune des deux amants dans un troisième principe supérieur [...] que les Grecs personnifiaient dans l'Éros (le dieu qui représente l'amour) »[3].

Si cette restauration peut passer par l'amour entre les deux sexes, l'ascète qui a fait vœu de chasteté doit se garder de chercher de la mauvaise manière la restitution de l'image divine ; ainsi, des femmes surtout ont cherché un rapport conjugal avec le Christ, leur fiancé ou époux céleste, et non pas l'anéantissement de leur désir féminin. Le troisième terme, dans un tel cas, disparaît, ce troisième terme que peut posséder le couple quand les deux partenaires sont liés dans le même Christ en lequel, comme dit saint Paul (Galates III, 28), il n'y a ni sexe masculin ni sexe féminin[4]. C'est pourquoi on peut concevoir qu'un

1. *Ueber den verderblichen Einfluss [...]*, 1834, III, 306.
2. Cf. E. Susini, t. II, p. 546 ; Baader, I, 231.
3. *Eos, München Blätter für Poesie, Literatur und Kunt*, 1829, p. 248 (cité par Susini, t. III, p. 548 sq.).
4. *Der morgenländische und abendländische Katholizismus*, 1841, X, 247.

homme abandonne sa masculinité pour devenir père, qu'une femme abandonne sa féminité pour devenir mère — *virgo parturiens*, Sarah ; la femme solitaire, elle, a la possibilité d'engendrer plus d'enfants que celle qui a connu l'homme[1].

La vie du couple n'est donc que secondairement faite d'échanges réciproques, elle doit réaliser principalement une « intégration », celle de l'androgynie ; il s'agit de faire en sorte que chacun des deux partenaires se complète avec l'aide de l'autre ainsi que d'un élément supérieur, Sophia ou Idea, qui fera sa demeure chez tous les deux. On s'aidera donc réciproquement à être des anneaux d'une même chaîne. « L'homme comme âme cherche l'image de la femme pour son image de l'homme, la femme comme âme cherche l'image de l'homme pour son image de la femme » — ce qui fait apparaître bien secondaire la seule dimension sexuelle[2]. Lorsque Paul dit que « dans le Seigneur, ni l'homme n'est sans la femme, ni la femme sans l'homme » (I Corinthiens, 11), il nous montre ce Seigneur comme le restaurateur et le fondateur de notre nature androgyne perdue. À la résurrection ce n'est pas un homme et une femme ensemble qui seront collés l'un à l'autre pour faire un être humain complet, car Aristophane, dit Baader, a mal interprété l'androgyne platonicien ; mais de ceux qui auront été hommes mâles le Christ sera la fiancée, non pas en s'unissant à leur masculinité animale mais en la suspendant *(aufheben)*, et des êtres humains qui auront été femmes il sera le fiancé, en suspendant *(aufheben)* leur féminité animale[3].

Nous savons qu'il n'est pas possible d'isoler le couple humain et ses rapports avec le monde divin, d'un vaste ensemble dont la nature fait partie intégrante. Connaissance et réintégration passent aussi par la nature. De l'union adultérine magique de l'homme avec la bisexualité furent conçus dans l'esprit de l'homme l'espace et le temps, du moins ce qui nous apparaît tel, ce par quoi nous devons passer pour appréhender, si peu que ce soit, la nature. Adam eut conscience de l'espace lors de sa première chute, le couple adamique eut conscience du temps lors de la seconde parce qu'elle était une aggravation de la

1. *Fermenta Cognitionis II*, 1822/1824, II, p. 225 sq.
2. *Vorlesungen über speculative Dogmatik*, 1838, IX, 221.
3. *Bemerkungen über das zweite Capitel der Genesis*, 1829, VII, 238. Cf. aussi E. Susini, t. III, p. 574.

première. Cette conscience que nous avons du temps et de l'espace résulte d'une formation bâtarde qui lie les deux teintures en une connexion forcée dont la dissolution nous rend la liberté de l'androgynie et la vraie fécondité, mais s'accompagne de souffrances en vertu du principe alchimique *dolor ex solutione continui*. Toute production humaine dans le temps a le caractère de la naissance et de la mort, elle est *Begründung* et *Entgründung* tout à la fois ; chaque naissance présuppose et implique une mort car c'est dans le temps qu'est né le « fondement négatif » — l'humanité bisexuelle — et aussi la possibilité de le détruire. Le plaisir de l'accouplement, légitime ou adultérin, ne peut que provoquer une naissance douloureuse parce que le *genitus* doit toujours tuer sa possibilité négative : si c'est le Fils il devra tuer le bâtard lui-même, ou produit du démon, il tentera de tuer le Fils ou d'en empêcher la conception[1].

Nous sommes donc plongés dans un univers foncièrement ambigu. Il est au demeurant encore plus « informe », voire « repoussant », dans ses profondeurs cachées à nos yeux. La miséricorde de Dieu dissimule cet aspect à nos regards en le revêtant d'une couverture, la matière, pour qu'on en voie une apparence supportable. Cette apparence, ou « *Maja* », n'est par elle-même ni vérité ni mensonge. Baader joue souvent sur cette idée : *schonen* (« épargner », au sens de « ménager ») est parent de *schön*, « beau ». La beauté est donc voulue par Dieu dans la nature pour ménager nos yeux, pour nous cacher l'abîme de forces chaotiques ou ce « carbone radical » derrière une face de lumière. Sans cette enveloppe nous serions saisis d'épouvante et d'horreur, de même que l'épiderme enveloppant la forme humaine la plus belle empêche celle-ci de se révéler dans sa vérité anatomique : « *Non impune videbis !* » De même que l'amour produit des ruses, de même il produit l'art : et Baader de rapprocher *Lust* et *List* (« désir » et « ruse »), *Kunst* et *Gunst* (« art » et « faveur »)[2]. La nature doit nous servir de marchepied spirituel ; à cet égard nous la servons autant qu'elle peut nous servir, c'est ainsi que l'union d'un homme et d'une femme édifie le corps comme un échafaudage à l'intérieur duquel la personnalité divine androgyne peut grandir. Notre

1. L. P. Xella, *op. cit.*, p. 50.
2. Baader, I, 127, VII, 299 (cité par E. Susini, t. III, pp. 577 sq.-581).

corps est un plan, un tracé, qu'il nous est donné de comprendre et d'interpréter à la double lumière de la sainte Écriture et des données offertes par la physiologie. Par exemple, du fait que les bras ne sont que le prolongement des côtes on peut inférer que l'union androgyne se situe dans la région de la poitrine. La physique naturelle, qui porte en elle l'empreinte de la création, nous fait passer sans solution de continuité à une physique divine, un *corpus spirituale* à l'image de Dieu. Il faut donc connaître la nature et l'aimer. Qui n'aime pas son frère, dit saint Paul, n'aime pas Dieu, et Baader d'ajouter que celui qui n'aime pas la nature, ne s'en occupe pas avec amour, n'aime ni son prochain ni Dieu. *Cultur* est ici rapproché de *cultus*[1]. *Culte, humanité, culture,* ont une même source, comme trois formes d'amour qui apparaissent et disparaissent en même temps ; là où l'une d'elles vient à manquer, l'autre manque également[2]. « La physique elle-même, semblable à un animal muet et innocent, devrait témoigner contre les faux prophètes qui ont fait d'elle un mauvais usage[3]. »

Rien d'étonnant à ce que les rapports de l'homme avec la nature soient dramatiques, puisqu'ils s'inscrivent dans le scénario du mythe théosophique judéo-chrétien. Dans une lettre à Constantin von Löwenstein-Wertheim de 1828, Baader nous apprend qu'un certain von Schenk a été tellement intéressé par ses idées sur l'amour qu'il a voulu les porter à la scène, dans un drame qui aurait surtout traité de la « réconciliation ». Baader ajoute que lui-même voit le motif profond de la culture humaine dans l'amour pour la nature — pour la « terre-mère » — et qu'il attribue à la mobilisation technique *(Mobilisirung)* de la terre la cause de son éloignement *(Entfremdung)* par rapport à nous. En perdant notre union indissoluble avec elle nous avons abandonné notre amour pour elle, et nous nous trouvons avec elle dans le même rapport « rationnel » que celui d'un homme qui se contenterait d'avoir avec sa femme des échanges se ramenant tous à deux colonnes, celle du débit et celle du crédit[4]. Il en va de nos rapports avec la terre comme de nos relations

1. *Bemerkungen über das zweite Capitel der Genesis,* 1829, VII, 239.
2. V, 275 (cité par E. Susini, t. III, p. 561).
3. « *Die Physik selbst, jenem stummen schuldlosen Tiere gleich, musste gegen die schlimmen Propheten zeugen, die sie misbrauchten.* » (V, 6. Cf. aussi X, 127).
4. Baader à C. von Löwenstein-Wertheim, 26 mars 1828, XV, p. 444 sq.

intimes avec un être humain. Si la puissance et la victoire de l'amour sur tous les obstacles, écrit Baader en 1838, ne s'expriment pas en brisant ceux-ci avec violence mais en les pénétrant d'un *spiritus* subtil dans l'attente de temps meilleurs, de même la matière, incompressible dit-on, n'est pas impénétrable à l'action d'une substance supérieure, elle en subit les effets — en attendant sa complète dissolution[1].

Nous avons vu pourquoi l'inertie et la gravitation ne sont en fait rien d'autre qu'un équilibre précaire, une organisation provisoire de l'univers dévasté qui aspire à une transparence retrouvée. Il n'y a pas de solution de continuité entre l'éthique et la physique ; c'est sur cette dévastation qu'il faut agir ; nous devons exterminer le *genitus* bâtard, régénérer dans le Fils nouveau un nouvel espace organique vivant. Pas de réintégration de l'homme si la nature n'y participe pas. Elle n'est pas simplement traversée, soutenue ou désagrégée, par des forces masculines et féminines dissociées, elle est en outre principe féminin par rapport à l'homme, désir consumant de se faire emplir par lui afin de porter en son sein le « bon fils », ou l'image à laquelle elle était destinée, mais qu'elle a perdue dans l'implosion centripète entraînée par l'explosion centrifuge du péché de Lucifer. Comme l'a bien exposé L. P. Xella dans son étude sur la philosophie érotique de Baader, la nature est donc pour l'homme la matrice omnipotentielle où il peut s'épandre pour retourner à soi en se donnant du même coup une forme et en réconciliant la nature avec le principe divin de la forme. Pour cette raison aussi elle est profondément, radicalement, ambiguë[2] ! En nous rappelant le péché qui l'a dévastée, elle réveille en nous la nostalgie et le besoin d'une union sacrée androgyne, mais en même temps elle continue à nous tenter, si bien que nous hésitons entre cette union sacrée et l'adultère. Comme tout principe féminin, la nature n'est pas par elle-même la négativité ou le mal, elle n'est pas non plus comme chez Hegel la chute de l'Idea. C'est l'homme, qui peut choisir de générer par elle le mal et le négatif.

L'industrialisation moderne utilise la nature comme simple instrument matériel, la réduit à une pure passivité, l'oblige du

1. Baader à un correspondant (vers 1838), XV, 601.
2. Cf. L. P. Xella, p. 25.

même coup à nier sa masculinité intérieure, à se fermer hostilement à notre action. Du même coup, l'homme se condamne à l'impuissance, à la procréation de bâtards dans lesquels il ne peut se reconnaître, qui à leur tour ne se reconnaissent pas en lui et se révoltent contre lui. La nature violée est comparable à une matière réfractaire à la création artistique, l'homme à un artiste privé de matériaux ductiles. La faculté génératrice de celui-ci ne trouve plus un contenant pour s'épandre, il finit donc par accepter de se subordonner au principe inférieur qu'il aurait dû élever ; de violeur, le voici condamné à être violé. Mais son rôle était et reste encore de se générer pour devenir l'image de Dieu dans le cosmos, régénérant celui-ci du même coup et mettant fin à la dislocation due au péché de Lucifer[1]. À l'exposé synthétique de L. P. Xella sur cette notion baadérienne de la nature, ajoutons que celle-ci n'est pas seulement un principe féminin ; elle ne l'est uniquement ni chez Boehme ni chez Baader.

L'art fait partie de l'entreprise de régénération de la nature ; idée qui pour Baader va de soi, et que pour cela sans doute il n'a pas développée autant qu'on pourrait le souhaiter. Il aime « la représentation artistique de la transfiguration du corps terrestre », car elle représente un « cesser de peser et d'être ténébreux », d'où l'erreur de Raphaël qui a placé de l'ombre dans son tableau de la transfiguration, rendant inquiétant le personnage suspendu en l'air ; d'où également le rapprochement qui s'impose, entre les mots *Licht* (lumière) et *leicht* (léger). L'art, qui est d'origine céleste, doit faire apparaître la nature éternelle dans la nature temporelle[2].

Dieu, le Christ et Sophia. Le « Sauveur sauvé »

La chute de l'orgueilleux Lucifer n'avait pas atteint Dieu « dans son cœur », mais celle d'Adam séduit par les sens eut cet effet, explique Baader de façon poétique dans *Quarante Propositions*. C'est pourquoi l'amour, qui sauve et qui aide, sortit du

1. *Ibid.*, p. 26.
2. Cité par E. Susini, t. III, p. 585 (VIII, p. 133 sq., X, 102).

cœur de Dieu et entreprit avec l'incarnation — qui commença au moment même de la chute — l'œuvre de réconciliation, ou réunion de Dieu, de l'homme et de la nature ; c'est l'œuvre de l'histoire du monde en grand et de chaque vie humaine en particulier. L'amour, dit Jean, est et était auprès de Dieu quand il créa le monde et l'homme ; mais quand celui-ci tomba, l'amour sortit de Dieu et vint dans le monde comme Verbe sauveur. Au moment de la chute adamique, le cœur de Dieu s'est dirigé vers l'homme pour reformer l'informe ; le rayon de l'amour divin, ou Jésus, passa en Sophia, cette matrice de tous les archétypes, et devint Homme-Esprit dans l'archétype de l'homme. Alors commença l'incarnation naturelle dans le temps[1]. Depuis lors, la grâce divine est toujours à l'œuvre partout. Étymologiquement le mot allemand correspond à un « abaissement » libre de la divinité, car « *Gnade* » est parent de « *gnieden* » ou « *niedern* »[2]. Dieu est avec les amants comme le troisième terme qui s'abaisse vers eux ; ils doivent se laisser absorber par lui, se perdre auprès de lui *(an Ihn)*, mais pour se retrouver unis entièrement en lui, « parce que l'unité parfaite ne se trouve que dans notre jonction individuelle avec Dieu, et que ce n'est qu'après qu'elle est faite, que nous nous trouvons naturellement les frères les uns des autres ». La « cohabitation » *(Beiwohnen)* de deux individus, ou d'un seul avec Dieu, n'appelle pas leur confusion mais leur mutuelle distinction. À ce propos Baader s'en prend, dans *Fermenta Cognitionis*, à la mystique guyonienne de la fusion. Distinguer n'est pas plus séparer qu'unir n'est confondre[3].

Dire que l'amour est un devoir, rappeler qu'il est un commandement divin, signifie qu'il est au pouvoir de chacun

1. *Vierzig Sätze aus einer religiösen Erotik,* 1831, IV, 199. Chez Boehme, Dieu s'incarne déjà dans le saint élément qui est la chair des anges et qui sera la chair lumineuse du Christ.

2. *Ibid.,* 192. « *Die Sonne geht zu Gnaden* », disaient selon Baader les Anciens pour indiquer que le soleil se couche.

3. *Bemerkungen über einige antireligiöse Philosopheme unserer Zeit,* 1824, II, 459 (la citation en français dans le texte, peut-être de Saint-Martin). *Fermenta Cognitionis II,*II, 227, n. : Baader cite un texte de Mme GUYON : « Ainsi qu'un fleuve qui est une eau sortie de la mer et *très distincte* de la mer, se trouvant hors de son origine, tâche par diverses agitations de se rapprocher de la mer jusqu'à ce qu'y étant enfin retombé, il se *perde* et se *mélange* avec elle ainsi qu'il y était perdu et mêlé avant que d'en sortir ; et il ne peut plus en être distingué. » Déjà cité par E. SUSINI, t. III, p. 533.

de s'ouvrir ou de se fermer à ce que Dieu attend quand nous avons contracté un lien avec quelqu'un. « *Pflicht* » (devoir) vient de « *Verflochtensein* » (être unis, tressés, ensemble) ; de même, « devoir » et « amour » suggèrent tous deux l'idée d'un lien. Le premier indique qu'une puissance parcourt *(durchwohnen)* les parties, mais le second, l'amour, parce qu'il est libéré du poids de la loi, attire, emplit, inhabite *(innewohnen)*, comme de l'air qui entre dans un corps où on avait fait le vide libère ce corps de la pression de l'air. C'est pourquoi l'Écriture est l'accomplissement de la Loi ; c'est pourquoi aussi la pesanteur de la Loi ne fait qu'exprimer le manque d'inhabitation *(Inwohnung)*. Est lourd ce qui n'a pas en soi son centre qui le porte, mais renferme seulement une force éprouvée comme « parcourante » *(durchwohnend)*. Dieu n'aspire qu'à habiter en nous, tout couple réussi sert de demeure à Sophia.

L'aphorisme de philosophie religieuse consacré à l'androgyne précise cette notion d'habitation. Voltaire, rappelle Baader, a écrit dans *la Henriade* (chapitre x) au sujet du Ternaire divin : « La puissance, l'amour et l'intelligence/Unis et divisés, composent son Essence. » Baader objecte que les personnes de la Trinité ne sont pas « unies », car elles sont « Un », ce qui n'est pas la même chose. Elles ne sont pas davantage divisées, mais distinctes. Ce que parfois on appelle composition *(Zusammengesetztsein)* d'*une* substance ou d'une nature n'est autre que le dérangement *(Versetztheit)* des membres ou éléments qui la composent. On ne trouve qu'en Dieu la distinction ou l'unité absolues. En revanche, c'est la triple relation de Dieu à l'homme, que ce vers exprime beaucoup mieux : en tant qu'amour, Dieu « *inwohnt* » l'âme de l'homme ; en tant que puissance, il le « *durchwohnt* » (l'homme comme nature et comme créature) ; comme Sagesse (*adjutor*, ce qu'est aussi la femme dans la Genèse), il le « *beiwohnt* ». Cette « *Beiwohnung* », ce « *verbum apud Deum* » *(logos exdetos)*, ou ce « *verbum apud hominem seu creaturam* » (car la Sagesse, dans le Livre de la Sagesse, se nomme compagne de jeu de Dieu et de la créature, et on ne comprend pas le « *apud hominem* » ou la médiation si on n'a pas le « *apud Deum* »), ne sont plus compris par les théologiens devenus muets sur cette Sophia (sur l'unité et la distinction du « *logos endetos* » et du « *logos exdetos* »), parce qu'ils voient en elle une quatrième personne — une hypostase — en Dieu ou, comme Schwenkfeld, une femme de Dieu[1].

Dans *Quarante Propositions*, Baader propose un autre rapprochement étymologique destiné à éclairer le processus de réciprocité, et qui porte sur le mot « *Glauben* » (Foi). Si la bien-aimée se donne à moi je lui suis redevable, et vice versa ; de même, Dieu ne peut se donner à moi si je ne me donne pas à Lui, mais si je m'abandonne à Lui je suis son créancier *(Gläubiger)*[2]. Une autre pensée du même recueil revient de façon différente sur le processus de réciprocité. Si je fais une joie à celui que j'aime, je me débarrasse d'un besoin, d'une douleur, et si je puis lui ôter une peine j'en reçois une joie ; cela veut dire qu'il y a « reconnaissance » (au sens quasiment commercial du mot !) de part et d'autre. Je suis reconnaissant à quelqu'un qui m'aime d'être aimé par lui, mais je ne puis aimer quelqu'un qui ne me le rend pas. Voilà pourquoi Dieu se plaint souvent dans l'Écriture que si peu d'hommes se laissent aimer par Lui. Il souffre de ne pouvoir aimer effectivement que si peu d'entre eux[3]. Baader avait déjà dit en 1828, dans *Propositions pour une philosophie érotique*, que si toute joie non communiquée est pénible à l'amant, toute peine communiquée se change presque en joie, ce qui concerne aussi l'amour de l'homme pour Dieu et explique l'origine de la prière[4].

Dieu cherche incessamment la créature pour trouver en elle la matrice, le vase, où célébrer la paix du sabbat, le repos dans le mouvement et le mouvement dans le repos. Aussi est-il sorti, après le péché d'Adam, du plus profondément de lui-même, de son *aseitas* pour nous donner son Fils. En 1840, dans une lettre à Stransky, Baader évoque ce sacrifice du Père, à travers une belle image alchimique. Du lion igné rouge (la partie rouge, masculine, de la teinture) et de l'agneau blanc (la partie blanche, féminine, de la teinture) est né le lion rose *(rosin)* ou chevalier — le jeune homme au cœur de vierge. Le sang et les nerfs représentent dans la nature animale cette double teinture que Baader voit parfaitement unie dans la figure du Christ. La

1. *Religionsphilosophische Aphorismen,* X, p. 294 sq.
2. *Vierzig Sätze aus einer religiösen Erotik,* 1831, IV, p. 184 sq.
3. *Ibid.,* 185. Expression empruntée à la comptabilité : « *Die Liebe schreibt alles mit doppelter Kreide an.* »
4. *Sätze über erotische Philosophie,* 1828, IV, 176.

christologie baadérienne développe bien sûr les thèmes de réunification, de conjonction des opposés, et d'androgynie. Ce n'est pas le lieu d'exposer en détail cette christologie, aussi me limiterai-je à quelques remarques illustrant le propos. Dans une lettre à C. D. von Meyer, le théosophe rappelle que si la plante unit sans les confondre la terre et le ciel, pour exister le corps de la plante a besoin que le soleil devienne terre et que la terre se fasse soleil ; de même c'est par le Christ, premier né avant toute créature et en même temps premier ressuscité, que s'effectue l'union de Dieu et de l'homme[1]. Notre Sauveur est androgyne pour Baader — mais notons ici qu'il est fort douteux que le Christ ait été androgyne pour Boehme ! Il est, en tout cas, marié à l'humanité céleste, chaque être humain devant prendre part à ce mariage (Éphésiens, V, 32)[2]. De même que le Christ unit Dieu et l'homme, Il rassemble, lit-on dans *Fermenta Cognitionis*, l'Amour et le Courroux divins[3].

Ce n'est pas non plus le lieu de présenter la riche et complexe sophiologie baaderienne, ce que j'ai tenté dans un précédent article[4] ; en outre, les pages qui précèdent contiennent ici et là des rappels essentiels sur le rapport Amour-Sophia. Quelques citations supplémentaires suffiront à mieux illustrer le propos. Dans une lettre à Passavant, le théosophe fait du « remariage » avec Sophia le sacrement par excellence, donc l'accomplissement même de l'amour — aussi ce remariage est-il « le poème originel de l'homme[5] » ! Plusieurs passages de l'œuvre insistent sur le fait que si Sophia est femme pour l'homme, homme pour la femme, elle est de naissance plus haute que nous, donc n'est ni vraiment femme ni vraiment homme, si bien que quand elle habite en nous le désir sexuel s'éteint. Elle habite l'image *(Bildniss)* androgyne ou vraie créature immortelle au fond de nous-mêmes[6]. Comme l'androgyne conditionne cette inhabitation de la Vierge céleste, et celle-ci l'inhabitation de Dieu, en nous, il faut se défier de l'erreur commise par certains mystiques qui conçoivent les rapports de l'être humain

1. Baader à C. D. von Meyer, 2 mars 1816, XV, 305.
2. *Ueber den paulinischen Begriff [...]*, 1837, IV, 353.
3. *Fermenta Cognitionis III*, 1822/1824, II, 254 sq.
4. Cf. *supra*, p. 236, n. 1.
5. 12 août 1816, XV, 313.
6. *Vorlesungen über J. Böhme*, 1833, XIII, 185.

avec Dieu comme ceux de l'homme avec la femme, au sens courant[1].

Un des *Cours de dogmatique spéculative* contient un développement sophiologique bien intéressant, qui n'a peut-être pas été rappelé dans les travaux consacrés à Baader. Après avoir noté que selon Maître Eckhart toute temporalité naît, et ne subsiste, que par séparation du Père et du Fils, il évoque une « teinture solaire » et une « teinture éternelle », séparées l'une de l'autre par une frontière (le mot « teinture » signifiant ici « nature tincturelle », notion courante chez Boehme et Paracelse). Alors que la teinture solaire extérieure, qu'il appelle aussi Vénus extérieure ou Sophia extérieure, est bisexuée (homme et femme, ou feu et eau, donc double teinture), la teinture intérieure ou éternelle ne l'est point, parce qu'elle participe du Père et du Fils, qui sont Un. Mais l'une et l'autre — l'extérieure et l'intérieure — ne sont que les deux aspects d'une même entité. En pénétrant dans la teinture intérieure, la teinture extérieure évidemment double — masculine et féminine — redevient une. Entre la teinture solaire et l'éternelle se tient, tel un chérubin, le principe divin igné qui « coupe de l'être humain l'homme ou la femme », afin que pénétrant en Sophia par le feu l'être humain s'incorpore à celle-ci. La teinture éternelle ne doit pas être exposée, profanée ou divulguée, car ce feu s'enflamme contre celui qui y touche indûment[2].

Un autre passage de l'œuvre, qui semble n'avoir pas été remarqué jusqu'ici, se trouve dans l'un des *Cours de philosophie religieuse* et concerne le thème du Sauveur sauvé. Thème romantique s'il en est, que la *Naturphilosophie* a adopté comme mythe d'ailleurs plus implicite qu'explicite. C'est celui de la lumière captive, capturée, qu'une autre lumière restée libre vient réveiller ; ou celui de l'opposition entre la pesanteur et la lumière, la première étant le terme mort dans lequel les énergies primitives ont été s'engloutir. Baader ne fait pas ce rapprochement avec la lumière et la pesanteur au sens schellingien, mais il présente l'idée de la façon suivante. Il note d'abord que l'enseignant, par un mouvement d'amour, essaie de retirer à

1. *Ueber den verderblichen Einfluss [...]*, 1834, III, 303. Baader fait remarquer que Thomas d'Aquin a maintenu cette vraie notion de virginité de Marie, contre l'opinion des scotistes.

2. *Vorlesungen über speculative Dogmatik*, 1838, IX, p. 213 sq.

l'élève la pesanteur de l'ignorance et de l'erreur pour que la lumière entre en lui. Mais l'enseignant restera lui-même enfermé dans une certaine opacité *(in Trübung)* tant que l'élève ne lui aura pas rendu la lumière obtenue grâce à lui. « De même, le sauveur doit de nouveau sauver son sauveur. » Tel est le grand mystère de la religion : Dieu s'est exposé librement aux souffrances de la créature intelligente en descendant vers elle par amour *(« Amor descendit »)* ; l'homme peut à son tour libérer le cœur de Dieu de cette « *suspension* » librement assumée, en quelque sorte sauver son Sauveur. « Heureux qui comprend ce mystère du christianisme ! » Cette sotériologie s'applique aussi à l'homme dans ses rapports avec la nature et avec d'autres hommes. Si la nature vient au-devant de nous pour nous aider, elle attend en retour que nous l'aidions en assumant les douleurs de sa « non-intégrité » afin de l'en délivrer. C'est seulement par « l'intégrité » de l'homme, qu'il ne peut trouver sans l'aide de la nature, que celle-ci parvient à trouver son propre achèvement[1].

BAADER ET SON TEMPS

Jacob Boehme, théosophe par excellence mais peu *Naturphilosoph* au sens œtingerien ou romantique, n'avait guère cherché à appuyer ses spéculations sur la science. Baader, lui, incorpore à sa *Naturphilosophie* mystique les apports scientifiques d'une époque friande de grandes synthèses. L'engouement pour les doctrines polaires encourage ou suscite ses méditations, et comme Schelling il croit en la nécessité de se faire observateur spéculatif de la Nature. À quoi s'ajoute, chez lui, une sensibilité éthique, et un intérêt pour l'esthétique stimulé généralement chez les contemporains par les travaux de Humboldt qui, après Winckelmann, avait attiré l'attention sur les hermaphrodites de l'art grec[2]. Baader fond cela au creuset de sa théosophie — sans

1. *Vorlesungen über religiöse Philosophie,* 1826/1827, I, p. 161 sq.
2. Sur ce point et sur plusieurs de ceux qui suivent, cf. GIESE (*op. cit., supra,* n. 2, p. 236), pp. 370 sq., 381, 390 sq. Sur Schelling, cf. p. 301 sq.

toutefois rendre pleinement justice à Platon ni donner un concept bien clair de l'hermaphrodite —, d'autant qu'il se trouve fort à l'aise dans l'ésotérisme avant même que le romantisme allemand se fût préoccupé de Boehme. On observe son intérêt pour l'idée d'androgynie dès 1796, dans sa correspondance avec Jacobi à propos de la Kabbale[1]. L'œil, dit-il, est une faculté féminine, puisqu'il a la nostalgie du rayon fécondant ; de même, le rayon recherche cette nostalgie comme le fiancé les bras de sa fiancée qui s'ouvrent à lui. Complémentarité et unité ontologiques, qui annoncent les développements ultérieurs.

Le moment où sa pensée élabore et pose ses fondements correspond aussi à un aspect privilégié de la sensibilité au début du grand courant romantique : Friedrich Schlegel et Schleiermacher exposent l'idée, et présentent l'image, qu'ils se font de la femme. Type supérieur d'humanité, dotée des mêmes droits que l'homme, elle les exerce moins par des réformes sociales hardies qu'en incarnant des points de vue philosophiques inspirés par Schelling, Schleiermacher ou Novalis. Êtres bien réels au demeurant, suscitant toujours notre intérêt, liées au premier romantisme au point d'agir sur lui comme le levain de la pâte. Telles sont, à des titres divers, Caroline, Dorothea, Sophie, Thérèse, Henriette, Rachel. Dans ce contexte, l'originalité de Baader est double. D'abord, la femme comme expérience vécue ne semble pas constituer pour lui un ferment véritable d'inspiration personnelle. Bien qu'il goûte fort le beau sexe, on n'a pas l'impression qu'une inspiratrice vivante trouve écho dans ses théories. Du moins son œuvre n'en porte-t-elle pas la trace ; sauf peut-être à considérer la fin de sa vie, alors que ce premier romantisme est déjà entré dans l'histoire. Une comtesse malheureuse, dont il est question dans sa correspondance, lui arrache bien quelques accents, mais point de thèmes[2]. La seconde originalité, sur laquelle il conviendrait d'insister davantage, porte sur la théorie même de l'androgyne.

Pour l'Éros romantique en effet, l'homme et la femme sont les deux seules parties d'un tout. Baader ajoute un troisième terme à cette dualité : l'Idea, qui réalise une tripolarité. Nous avons vu aussi la large place qu'il accorde à la quadripolarité.

1. Baader à Jacobi, 16 juin 1796, XV, 165 et 19 novembre 1796, XV, 168.
2. XV, 178, 181, 106, 203...

Cela lui permet de montrer que la complémentarité est au moins autant interne qu'externe, tandis que chez les grands auteurs d'alors elle se présente surtout comme quelque chose d'interne[1]. Schelling, que Baader avait d'abord pu croire porté vers une méditation sur l'androgyne et ses mystères polaires par la nature même de ses recherches, n'est jamais allé vraiment là où Baader l'attendait. Mises à part certaines intuitions de théosophes antérieurs comme Eckartshausen[2], ou de la *Naturphilosophie* tardive — par exemple, chez Joseph Görres ou J. F. von Meyer —, plus ou moins inspirée par Baader lui-même, c'est plutôt chez les peintres, poètes ou romanciers, qu'on trouverait davantage de points de comparaison avec lui.

Malgré sa « *reale Psychologie* », Novalis n'a pas posé clairement ce problème que Runge a quelque peu clarifié, que Ritter a fait mieux qu'annoncer, et que Baader a élaboré en refusant de traiter de la sexualité comme d'un problème marginal. Si les *Hymnes à la Nuit* célèbrent une extase liée à la mort individuelle, le roman *Heinrich von Ofterdingen* marque un progrès initiatique par rapport à ceux-là, du fait de la victoire remportée sur le Moi. Victoire qui réalise l'idée supérieure de transformation dans ce monde-ci, encore que par le truchement du rêve. L'idéalisme magique de Novalis trouve son point de chute dans la théosophie en ce sens qu'il en prépare la venue ; mais Baader est peut-être le seul, par son discours spéculatif, à porter sur le plan de la vie un platonisme dynamisé, « organicisé », dont le fiancé de Sophie, le créateur de Mathilde, a eu l'intuition poétiquement et sans même parler de l'androgyne. Conduite à un renoncement de type novalisien, l'œuvre picturale et écrite de Philipp Otto Runge débouche elle aussi sur une idée de la mort et de la Nuit romantiques, montrant la voie vers un perfectionnement ou une forme d'achèvement. Runge a fait l'expérience du pessimisme mystique de la vie des sexes. Si ses quatre *Heures du Jour (Tageszeiten)* renvoient à une quadripolarité androgynique dans la nature, les myosotis inscrits dans l'œuvre (cf. le tableau *le Petit Matin — Der Kleine Morgen* —, achèvement pictural du premier des quatre dessins) paraissent

1. Cf. notamment IX, 209 ; VII, 238. Et GIESE, p. 375.

2. ECKARTSHAUSEN a précédé Baader par sa théorie de l'amour ; cf. par exemple *Aufschlüsse zur Magie*, t. II, Munich, 1790, p. 14 sq., et plus généralement mon travail sur cet auteur, *Eckartshausen et la théosophie chrétienne*, Paris, Klincksieck, 1969.

évoquer surtout la nostalgie platonicienne de l'autre « moitié »[1]. Presque dans le même temps, les *Fragments* de Johann Wilhelm Ritter[2] assurent la transition entre Novalis et Baader. C'est Ritter le premier, en effet, à évoquer vraiment le problème en le détachant de la question des sexes, c'est-à-dire en le portant dans la Nature entière. Ainsi se trouve tissé le contexte engageant Baader toujours plus résolument sur la voie de ce qu'il pense être la vraie Tradition ésotérique de l'Occident — alors que son illustre prédécesseur Saint-Martin n'avait guère été tenté de spéculer sur l'androgynie[3]. En même temps, l'œuvre de Baader féconde la littérature et la spéculation[4], l'écho s'interrompant seulement là où l'art et la philosophie du temps refusent de s'engager trop avant, à sa suite, dans la théosophie.

1. Cf. GIESE, p. 357 sq.
2. *Fragmente aus dem Nachlasse eines jungen Physikers,* Heidelberg, 1810 ; fac-similé, Heidelberg, L. Schneider, 1969. Cf. A. FAIVRE, « Physique et métaphysique du feu chez J. W. Ritter », pp. 25-52, in *Les Études philosophiques,* Paris, P.U.F., 1983, n° 1.
3. Pour SAINT-MARTIN, la différence des sexes ne s'étend pas « au-delà de la forme ou des facultés corporelles ». Cf. *De l'esprit des choses*, t. I, Paris, 1802, p. 54 sq., et *Œuvres posthumes*, t. I, Paris, 18, p. 211 sq.
4. Jusqu'à nos jours ! Il faudrait étudier cette influence que W. LAMBERT retrouve, indirecte, chez certains de nos contemporains, in *op. cit., supra,* n. 10, cf. p. 200, n. 239).

À Basarab Nicolescu

Les métamorphoses d'Hermès

Cosmologies néo-gnostiques et gnose traditionnelle

Le thème choisi pour notre cinquième session annuelle invite à nous interroger sur deux manières de regarder, deux qualités de vision. Par « yeux de chair » j'entendrai ceux de l'homme de science dont le savoir repose sur l'expérimentation, le postulat d'une objectivité possible, la distinction entre le sujet qui observe et l'objet observé. Pour le scientifique en tant que tel, il ne s'agit pas de goûter les saveurs du monde mais de décrire ses composantes. Einstein aurait dit un jour que « la science n'est pas faite pour donner le goût de la soupe » ; de fait, il est possible de voir l'Univers comme un mécanisme aveugle régi seulement par le hasard et la nécessité. Mais Einstein a dit aussi que « Dieu ne joue pas aux dés » : il y aurait alors un ordre qui ne serait pas dû au hasard et légitimerait donc une recherche du sens — du « pourquoi », pas seulement du « comment ». Le scientifique positiviste répondra qu'avant de trouver un sens je dois épuiser toutes les possibilités permises par le regard de chair, par la démarche extérieure, « désintéressée ». Mais comme je fais moi-même partie de ce monde, son sens, si sens il y a, me concerne, et après tout je puis bien m'interroger sur celui-ci sans attendre que se soient écoulés quelques nouveaux siècles riches en découvertes ; ce qui s'appelle faire de la métaphysique.

Science et métaphysique sont allées longtemps de pair. Mais Kant a porté des coups si rudes à l'une et à l'autre que, disait déjà Bergson dans *La Pensée et le mouvant*, « elles ne sont pas encore tout à fait remises de leur étonnement. Volontiers notre esprit se résignerait à voir dans la science une connaissance toute relative, et dans la métaphysique une spéculation vide »[1]. La caractéristique essentielle de la philosophie critique avait été en effet de laisser aux sciences le monopole de l'étude de la Nature. D'où la réaction bergsonienne envers cet aspect du kantisme, qui pourtant n'était pas absolument novatrice puisqu'après Kant tout le mouvement de la *Naturphilosophie* allemande avait été entrepris en vue d'arracher à la science positive ce monopole[2] : Ritter, Baader, Schelling, en France Saint-Martin, possédaient le « regard de feu ». Entendons par là celui qu'une révélation de caractère prophétique allume sur le monde et dans l'homme. Celui d'Héraclite — pas seulement à cause du *feu* dont il parle nommément —, d'Ézéchiel décrivant les quatre vivants, d'Ibn'Arabî ou de Sohravardî, de Jacob Boehme, ou encore celui des auteurs inconnus du *Yi-King* chinois. Il semble qu'à la faveur de révélations fulgurantes ou d'une inspiration progressive, certains êtres reçoivent la connaissance par voie immédiate, non discursive, des principes ultimes de la réalité du monde. Convenons d'appeler cela la gnose, sans référence particulière aux courants dits « gnostiques » qui marquèrent les premiers siècles du christianisme. La gnose, donc, mot par lequel il faut entendre ici une connaissance nécessairement de type religieux puisqu'elle porte sur le pourquoi de l'Univers et sur son sens ; cette connaissance, ce savoir, ne sont pas nécessairement étrangers aux religions constituées : il y a souvent autant de gnose chez certains Pères de l'Église que dans la théosophie chrétienne non confessionnelle.

Il arrive que les savants aux yeux de chair se servent d'images perçues par les yeux de feu. Avant Kant le cas était assez fréquent. Ainsi, Newton ne fut pas seulement le savant que l'on sait ; passionné par la symbolique alchimique[3], il a toujours considéré l'Esprit comme directement accessible à l'expérience, car selon lui il existe un *sensorium Dei* impliquant que Dieu intervient sur la Nature par l'intermédiaire de l'Esprit. C'est

1. Cité par Michel AMBACHER, *Cosmologie et philosophie*. Préface de René Poirier, Paris, Aubier-Montaigne, coll. « Présence et Pensée », 1967, p. 216.

2. Cf. l'ouvrage collectif *Epochen der Naturmystik*. Éd. par Antoine FAIVRE et Rolf Christian ZIMMERMANN, Berlin-Ouest, Erich Schmidt, 1979.

3. Cf. Jean ZAFIROPULO et Catherine MONOD, « *Sensorium Dei* » *dans l'hermétisme et la science*, Paris, « Les Belles Lettres », 1976.

paradoxalement à partir de Newton que physique et métaphysique vont se séparer de plus en plus. Évoquons seulement certains de nos contemporains, choisis uniquement parmi ceux qu'on appelle des scientifiques et à qui — second critère — il arrive d'emprunter à la gnose traditionnelle des images que les yeux de feu avaient perçues. Je ne prétends pas que ces chercheurs, même dans leurs domaines respectifs, soient absolument représentatifs de *toute* la science moderne, et je ne me prononcerai pas sur la valeur scientifique de leurs théories ou de leurs systèmes. Quelques-uns d'entre eux s'appellent eux-mêmes les « nouveaux gnostiques », parlent de « nouvelle gnose » ; cela signifie qu'ils cherchent, dans les traditions, des symboles leur permettant d'élargir leur univers conceptuel ou de le rendre accessible quand le discours de la science « positive » n'y suffit pas. Ce phénomène assez nouveau ne surprendra guère, si l'on songe que la physique actuelle tend de plus en plus à proposer des modèles d'univers, et que les sciences de la vie se voient contraintes de suggérer des hypothèses de sens.

Trois interrogations nous serviront de fil conducteur : 1) Le problème des origines. 2) Celui des rapports entre l'Esprit et la Nature. 3) Les nouvelles logiques du concret.

Le problème des origines — c'est-à-dire : quand, comment, pourquoi, le monde a-t-il commencé à exister ? — ressortit à la science objective et à la métaphysique, mais également à la religion puisque chaque mythe cosmogonique propose un récit sur l'origine de l'univers. La pensée humaine a toujours hésité entre une représentation d'un univers infini et celle d'un univers fini ; d'un espace lui-même infini, ou fini[1]. Depuis que, grâce à Einstein, on croit pouvoir nier l'existence d'un espace vide de matière, un nombre de plus en plus grand de savants représentent l'espace-univers comme une sphère finie hors de laquelle il n'y aurait rien, même pas de l'espace ; celui-ci serait

1. Cf. Alexandre KOYRÉ, *Du monde clos à l'univers infini*, traduit de l'anglais par Raissa Tarr, Paris, Gallimard, coll. « Idées », 1973. Éd. originale : *From the closed world to the infinite universe*, Baltimore, John Hopkins Press, 1957.

donc fini, mais sans limites (de même que notre globe n'a pas de limites de longueur, puisqu'il est sphérique).

On comprend alors que les théories de Georges Lemaître, à la fois astrophysicien et prêtre, n'aient cessé de retenir l'attention des milieux scientifiques. Bien que présentées voilà déjà un demi-siècle, on peut les évoquer ici en raison du succès qu'elles connaissent encore. Lemaître se rattache au finitisme que le Moyen Âge chrétien avait hérité d'Aristote[1]. « Nous pouvons concevoir, dit Lemaître, que l'espace a commencé avec l'atome primitif et que le commencement de l'espace a marqué le commencement du temps[2]. » Plus près de nous, G. Gamov, qui se rattache à l'école de Lemaître, fait précéder l'histoire cosmique d'un instant initial caractérisé par un état singulier de la matière-énergie, et voit l'évolution de l'univers dominée par l'expansion de l'espace[3]. À l'origine l'univers aurait été très dense, donc très chaud, et en raison de cette forte température constitué entièrement de rayonnement. Il semble que cette hypothèse soit admise par la plupart des astrophysiciens actuels. Une donnée serait dès lors assurée : « Quelque chose » se serait produit il y a environ dix milliards d'années, période avant laquelle ni l'univers ni l'espace n'existaient. Cet événement aurait été l'atome primitif de Lemaître, aux dimensions fort réduites sur lesquelles on s'interroge. Pendant la première fraction de seconde de son existence, sa température était si forte que son énergie de rayonnement créa une explosion cosmique, le *big bang* ou *Urknall*, à la suite duquel rayonnement et chaleur diminuèrent, en augmentant par voie de conséquence la densité des premières particules de matière, les neutrons, qui devinrent des protons et des électrons, ceux-ci constituant alors des atomes d'hydrogène. Depuis lors, l'univers n'aurait plus cessé de se dilater[4].

Le rapport entre ce bref rappel, et la « gnose » au sens donné ici, est fourni par des rapprochements que les physiciens eux-

1. Finitisme que résume aussi la *thèse* de la première antinomie de Kant.

2. Cité par Jacques MERLEAU-PONTY, *Cosmologie du XXe siècle. Étude épistémologique et historique des théories de la cosmologie contemporaine*, Paris, Gallimard, 1965, p. 333.

3. G. GAMOV, *La Création de l'univers*, Paris, Dunod, 1956 (ouvrage dans lequel il a résumé l'ensemble de son œuvre). Cf. aussi Stephan WEINBERG, *Les Trois Premières Minutes*, Paris, Éd. du Seuil, 1978.

4. La théorie du *big bang* n'est pas partagée par tous les cosmophysiciens ; cf. notamment les thèses, très différentes, de Hanus ALFVEN et Oscar KLEIN.

mêmes sont tentés d'établir avec le récit de la création du monde dans les premiers chapitres de notre cosmogonie judaïque. Chez un microphysicien et épistémologue français, Jean Charon, ces rapprochements prennent la forme d'une véritable évocation mythique. Il n'hésite pas à rapprocher ce que disent les cosmologistes actuels s'appuyant sur la relativité générale d'Einstein, de ce qu'enseigne la Genèse sur la lumière créée « au commencement » : l'Univers en ce commencement était rempli d'un rayonnement électromagnétique à haute température, c'est-à-dire qu'il était rempli de lumière. Il note que la Genèse et les astrophysiciens s'accordent pour dire que la matière fut créée seulement plus tard, après la lumière ; il décrit ces origines avec des accents dignes des Philosophes de la Nature à l'époque du Romantisme, quand il tente de retracer cette histoire, si courte dans ses premiers instants, d'une matière qui dès la première fraction de seconde de l'expansion commence à se former à partir du rayonnement des photons. Nous voyons d'abord naître les neutrons, et les neutrinos. Puis les électrons positifs et négatifs ; ceux-ci font sortir de son état statique l'Univers, qui avant leur apparition était comme « en attente » et limité à un espace sphérique empli d'un rayonnement électromagnétique « noir » à 60 000 degrés. Il n'y avait donc ni matière particulière, ni « esprit », seule régnait la lumière, avant que l'apparition d'une paire d'électrons (+ et −) ait apporté en fait « l'esprit » dans l'univers ; on pourrait considérer cette apparition comme un acte provenu « de l'extérieur », donc d'origine divine, d'où l'idée de création *ex nihilo*[1].

Qui est ce Dieu créant ainsi l'Univers ? Les néo-gnostiques ont tendance à le considérer à la fois comme un être multiple et une énergie dynamique, conception renouant avec la théosophie allemande de l'époque baroque et que la *Naturphilosophie* romantique elle aussi avait plus tard défendue. Edgar Morin, l'un des principaux épistémologues français actuels, refuserait peut-être la qualification de néo-gnostique, mais il ne se prive pas de puiser dans la symbolique hermétiste. Dans le premier volume de *La Méthode*, intitulé *La Nature de la Nature*[2], il

1. Jean E. Charon, *L'Homme et l'univers*, Paris, Albin Michel, 1974, p. 188 ; *L'Esprit cet inconnu*, Paris, Albin Michel, 1977, pp. 198 sq, 203.
2. Edgar Morin, *La Méthode. I : La Nature de la Nature*, Paris, Éd. du Seuil, 1977, p. 228 sq.

conçoit « Élohim » comme le Dieu-Créateur en le distinguant de « Adonai » — Dieu-Seigneur — et de « JHVH » — Dieu-Législateur. « Le singulier pluriel d'Élohim, écrit-il, rend compte d'une *unitas multiplex* de génies dont l'ensemble tourbillonnant constitue un *générateur*. On peut concevoir ces génies, en termes matérialistes, sous forme d'énergies motrices — c'est-à-dire ayant forme tourbillonnaire, ou en termes à la fois magiques et spiritualistes [...]. Ainsi l'idée d'*Élohim* unit et traduit [...] l'idée de tourbillon génésique, l'idée de puissance créatrice. » De même que le tourbillon protosolaire se transforme en ordre, de même *Élohim* — le Tourbillon, thermodynamique —, sans cesser d'être souverainement *Élohim*, fait place à *JHVH*, Dieu-Ordonnateur qui n'est pas solaire mais cybernétique. Morin ajoute que le *Yi-King* « apporte l'image la plus exemplaire de l'identité du génésique et du générique ».

L'origine n'est pas seulement ce par quoi tout commence, elle est aussi ce par quoi, sans cesse, tout prend existence et forme : Morin retrouve ici une notion alchimique à laquelle il n'hésite pas à donner son nom traditionnel, le « Mercure Philosophique », en évoquant la difficulté, éprouvée par la science actuelle, de préciser ce qu'on pourrait entendre par l'*unité élémentaire* qui maintenant fait problème. Peut-être, dit-il, n'existe-t-il pas d'ultime ou première réalité individualisable ou isolable, mais un *continuum* (théorie du *bootstrap*), voire une racine unitaire hors temps et hors espace. « Peut-être les atomes, s'ils ne sont pas *ouverts* sur un environnement, sont-ils ouverts par “ en dessous ”, sur l'inconçu et l'inconnu de la physis[1] ? »

★

Derrière la nature appréhendée par notre perception immédiate et nos moyens d'investigation scientifique — derrière la « nature naturée » —, n'y a-t-il pas une nature active et vivante — une « nature naturante » — dont la première serait seulement l'effet ou le prolongement ? La nature naturante n'est-elle pas une vie ou un esprit dont la nature naturée ne serait que l'écorce ? À Einstein pour qui « l'espace vide de matière

1. *Ibid.*, pp. 97, 232.

n'existe pas », Charon répond en complétant la formule : « l'espace vide de vivant n'existe pas ». À la question philosophique fondamentale depuis toujours, qui est peut-être celle des rapports de l'Esprit et de la Nature, les gnoses ont essayé de répondre, et quand microphysiciens et astrophysiciens se la posent on les voit reprendre, ou retrouver, dans un langage différent, des hypothèses ou des images qui furent celles de la Tradition.

E. A. Milne, un des grands cosmologistes contemporains, s'est efforcé d'assurer la conciliation entre la « philosophie naturelle » et l'enseignement chrétien, se refusant toujours de séparer la théologie de la physique. Depuis Leibniz, il est le premier philosophe de la Nature à tenter de définir l'Univers comme une communauté idéale de *monades* conscientes, à faire précéder la description objective du monde physique par celle de l'intersubjectivité, à dépasser ainsi l'opposition traditionnelle du sujet et de l'objet. Pour Milne, la signification de la science est de faire « pénétrer notre regard dans l'esprit de Dieu » *(the giving of insight into the mind of God).* Il a donné de l'idéalité de l'espace une notion nouvelle, fort différente de celle que Kant avait posée à partir de la réduction transcendantale de l'espace euclidien et du temps galiléen. Milne renoue avec Leibniz par sa métaphysique de la relation spatiale : l'espace est le mode de coexistence des monades pensantes ; il faut le considérer ainsi, avant même de faire de lui le prédicat immédiatement évident des êtres matériels[1].

Dans un ouvrage qui a fait quelque bruit, Raymond Ruyer nous parle des « gnostiques de Princeton et de Pasadena »[2], c'est-à-dire de savants physiciens universitaires de ces universités. Rassemblés en une sorte de club, et soucieux de conserver leur anonymat, ils développeraient une philosophie inspirée par la recherche scientifique la plus avancée, et par les images des anciennes gnoses. L'orientation de ces penseurs daterait de 1970 environ ; Ruyer aurait eu la chance d'entrer dans ce sérail et d'obtenir l'autorisation de divulguer cette philosophie, à

1. E. A. Milne, *Modern cosmology and the christian idea of God*, Oxford, 1952, cité par Jacques Merleau-Ponty, *op. cit.*, pp. 169, 171, 442. Notons au passage que Milne se prononce contre l'hypothèse d'un Univers fini.

2. Raymond Ruyer, *La Gnose de Princeton. Des savants à la recherche d'une religion*, Paris, Fayard, coll. « Évolutions », 1974.

condition de ne pas révéler de noms. On se demande pourquoi cette clause, alors que les idées dont il s'agit n'ont rien de bien inquiétant pour un gouvernement et la morale publique. En fait, je doute fort de l'existence de cette association qui me paraît une fiction destinée à exposer des idées. Mais il est hors de doute que celles-ci ont souvent cours dans les milieux scientifiques, pas seulement aux États-Unis. En ce sens le livre de Ruyer est tout de même un témoignage.

Selon les « gnostiques de Princeton » — appelons-les donc ainsi, en référence à cet ouvrage —, il faut refuser d'opposer l'esprit à la matière, le subjectif à l'objectif, la conscience à la chose. Ils se déclarent essentiellement antimatérialistes. Pour eux, une réalité physique, matérielle, ne peut précéder la conscience. Bien plus, cette « gnose » se proclame déiste. Au fond, elle renoue avec un des traits permanents de la gnose, qui a toujours considéré l'Esprit comme indissociable des phénomènes physiques ou chimiques. Ruyer prend visiblement plaisir à nous dire que les gnostiques de Princeton s'intéressent tous au livre de Samuel Butler, *God the Known and the Unknown* (1879), où ils lisent que l'ensemble de tous les vivants est un grand vivant dont les organismes de toutes les espèces constituent les cellules. Or, cette notion est courante dans la Philosophie de la Nature. La gnose traditionnelle pose également l'existence d'une réalité vivante, partout présente, et capable de faire apparaître la pensée dans l'espace, pensée qui habite aussi le domaine minéral et qui est à l'œuvre dans le comportement des organismes vivants, même les plus rudimentaires. Ces savants ont adopté le terme de *holon*[1], déjà proposé par Arthur Koestler, pour désigner les « sous-unités » de l'espace porteuses de l'Esprit et appelées *éons* par la gnose antique. Il y aurait en nous des éons sachant créer la vie et dont la connaissance surpasserait de beaucoup la nôtre. Autant que l'*éon*, le holon représenterait l'esprit émané de l'intelligence universelle.

Vers 1930, bien avant Koestler, Eddington avait suggéré que les particules élémentaires pouvaient être de la *matière intelligente* ; en 1964, D. F. Lawden, professeur de mathématiques à l'Université de Canterbury en Nouvelle-Zélande, soutenait que « la continuité de la nature entraîne que la conscience

14. *Ibid.*, p. 63.

ou l'intelligence soit une propriété universelle de la matière : même les particules élémentaires en seraient dotées jusqu'à un certain point ». À peu près en même temps, en 1963, V. A. Firsoff, dont un ouvrage figure en bonne place dans la bibliographie néo-gnostique du livre de Ruyer, exprimait la même idée : « L'intelligence est une entité ou une interaction universelle de même ordre que l'électricité ou la gravitation et il doit exister une *formule de transformation* analogue à la fameuse égalité d'Einstein $E = m c^2$, dans laquelle l'intelligence serait mise en équation avec d'autres entités du monde physique. » Une structure galactique complexe, comme une galaxie, qui ressemble à un organisme et possède une sorte de métabolisme nucléaire et non chimique, possède vraisemblablement — ajoute V. A. Firsoff — une intelligence, peut-être même d'un ordre supérieur. « Si l'intelligence est une propriété universelle de la matière, l'univers représente alors un potentiel mental terrifiant, et il doit exister une *anima mundi*[1]. »

Pour les gnostiques de Princeton, « l'Esprit se fait clavier matériel, avant de jouer, sur lui-même devenu clavier, ses mélodies »[2]. Ainsi, l'Esprit emploie le cerveau, qui est matière ; entre l'un et l'autre — entre la forme comme idée thématique et la forme comme structure dans l'espace — il y a disjonction. Mais il ne faut pas se représenter l'Esprit — ou la forme comme idée thématique — indépendant d'une matière dans laquelle il risquerait de s'enliser ; cela conduirait « aux mythologies et aux divagations de l'ancienne gnose sur le Pneuma et sur l'Esprit, imaginés comme tout à fait indépendants de la Matière »[3]. Nous voyons que les gnostiques de Princeton, et semble-t-il Ruyer lui-même, limitent ce qu'ils appellent « ancienne gnose » à l'une seulement des écoles gnostiques du début du christianisme et dont Irénée s'était inquiété. Il est assez connu que la gnose occidentale, au sens plus large d'hermétisme ou d'ésotérisme chrétien, n'a jamais cessé — sauf peut-être chez un Swedenborg — de placer la notion de *Menschwerdung*, d'incarnation, au centre de ses spéculations, ni d'insister sur l'existence de rapports organiques entre l'Esprit et la Matière —

1. Cf. V. A. FIRSOFF, *Vie, intelligences et galaxies*, Paris, Dunod, 1970, pp. 121, 127.
2. Raymond RUYER, *op. cit.*, p. 173.
3. *Ibid.*, p. 166.

contrairement à cette « ancienne gnose » selon Ruyer, c'est-à-dire à certains gnostiques du début du christianisme, contrairement aussi à l'esprit du catharisme. Le Verset de la Table d'Émeraude : « *Et vis ejus [= Dei, Unitatis] integra est, si conversus fuerit in terram* », si souvent cité dans l'alchimie et l'hermétisme occidentaux, a exprimé cette idée pendant des siècles.

Une des tendances remarquables des gnostiques de Princeton est leur peu de goût pour l'exotisme oriental. Chacun, disent-ils, doit se nourrir de sa propre tradition, ou d'une tradition déjà bien assimilée. Le bouddhisme Zen est un fléau en Occident, car il se veut « au-delà des valeurs et des normes, au-delà des montagnes psychiques, des techniques, des œuvres consistantes » ; d'où les gestes absurdes qu'il suggère et qui prétendent aller au-delà du sens ; d'où également les canulars artistiques et prétentieux de ceux qui chez nous n'ont rien à créer ni à dire[1]. Ce trait marque davantage encore la parenté des prétendus gnostiques de Princeton avec l'hermétisme chrétien, dont il vient d'être rappelé que l'incarnation est la pierre angulaire. Notion sécularisée ici, mais héritière tout de même de la conception gnostique traditionnelle. Ce sont les *montages* qui jouent le rôle de l'Esprit « s'incarnant, se monnayant en plans directeurs, utilisant le déjà incarné et continuant l'incarnation, organisant et construisant [...]. Phénomène [...] qui explique la création de la forme par l'esprit, du *corps grossier* par le *corps subtil* »[2]. On peut considérer les philosophies et les religions non pas seulement comme des recherches et des découvertes de vérités, mais comme des inventions de montages, avec des « sauces spéculatives et mythologiques »[3]. Il y a donc, dans ce courant de pensée décrit par Ruyer, un sens du concret, un goût de la réalisation à la fois intellectuelle et matérielle, enfin une sagesse qui vise à réconcilier le corps et l'esprit ; mais il y a aussi un agnosticisme foncier, puisque seuls comptent les montages, le reste n'étant qu'une « sauce » dont on pourrait se passer.

L'idée que la matière est habitée par l'esprit se trouve au cœur de la réflexion de Jean Charon, qui prétend exposer « les

1. *Ibid.*, p. 198.
2. *Ibid.*, p. 216.
3. *Ibid.*, p. 220.

différents aspects et conséquences » de la physique à laquelle il croit et qu'il qualifie lui-même de « néo-gnostique »[1]. Pour nous présenter cette physique il ne craint pas de soigner la mise en scène, et révèle à nos yeux émerveillés un paysage grandiose dont les couleurs rappellent des évocations de la gnose romantique. Représentons-nous l'Univers comme un grand océan. L'eau, c'est l'espace-temps de la matière. L'air au-dessus de l'océan, c'est l'espace-temps de l'Esprit. Des vagues légères viennent iriser la surface : image qui symbolise l'aspect ondulatoire de l'espace gravitationnel. Voguent ici et là de minuscules bulles d'air enfermées dans de minces pellicules d'eau : les électrons ; certains d'entre eux nagent sur des tourbillons : les atomes. Les électrons, c'est l'Esprit flottant sur la matière. Peu à peu, l'eau s'évapore en buée, et un jour, dans des milliards d'années, il n'y aura plus qu'une multitude de petites bulles irisées, qui s'envoleront toujours plus haut vers les cieux[2]... Pour donner une réalité scientifique à ces images, Charon propose une théorie qu'il a cru pouvoir démontrer en 1975[3], d'où résulte ce qui suit.

Des particules stables, c'est-à-dire à la durée de vie pratiquement infinie, contiennent un espace-temps qui ne peut jamais perdre son contenu informationnel. Elles représentent une bonne partie des particules de notre corps, et subsistent par-delà notre mort corporelle ; ce sont les électrons de tous les atomes dont notre corps est composé. Chacun de ces électrons possède à lui tout seul l'ensemble des informations caractérisant ce que nous nommons notre esprit, notre personne, notre « je ». En vertu du jeu néguentropique de leurs *spins*, nos électrons reçoivent indéfiniment des informations sans jamais en perdre aucune[4]. Porteurs de psychisme, ils communiquent aussi les uns avec les autres, ce qui explique aussi bien la télépathie que l'organisation de la matière élémentaire (« psychisme de la matière élémentaire »). Ce qu'ils ont reçu au point de vue informationnel, c'est-à-dire la « conscience » du monde qu'ils ont accumulée, reste donc acquis à tout jamais[5]. Comme la

1. Jean CHARON, *L'Esprit..., op. cit.*, p. 16.
2. *Ibid.*, p. 94.
3. Jean CHARON, *Théorie de la relativité complexe*, Paris, Albin Michel, 1977.
4. Théorie complexe qu'il ne peut être question d'exposer ici de façon détaillée. Consulter *ibid.*, et *L'Esprit..., op. cit.*
5. *Ibid.*, pp. 42, 46 sq., 90 sq., 104 sq., 139, 141.

pittoresque évocation océanique le suggérait déjà, si un jour l'Univers se remet à se contracter il y aura alors une différence fondamentale entre le nouvel ordre des choses et celui qui précédait le *big bang* : de même qu'avant celui-ci il n'existait point de particules, de même, après la contraction, l'espace de l'Univers sera rempli de couples positon/électron, c'est-à-dire d'électrons positifs et d'électrons négatifs — phase finale qui représentera un état différencié et porteur de toute la mémoire du monde. Les particules lourdes — les neutrons — auront disparu, « jusqu'au jour où, tous nos *Je* éoniques réunis dans une immense structure plus néguentropique que toutes celles du passé, nous serons arrivés là où le temps semble s'arrêter, là où toute cette gigantesque évolution a finalement conduit l'Esprit, dans les verts pâturages où l'Univers retient enfin son souffle »[1].

On avait pu dire[2] que l'Univers est une aventure de gènes composant les chromosomes, l'individu représentant le véhicule de cette aventure. Nous voyons que Charon situe plus bas encore le centre de l'évolution : non plus dans les gènes, mais dans les électrons ; dès lors l'esprit s'étend à toute la matière[3]. Teilhard de Chardin avait cherché lui aussi à donner vie à la matière : « Nous sommes logiquement amenés, écrivait-il dans *Le Phénomène humain*, à conjecturer dans tout corpuscule de matière l'existence rudimentaire (à l'état infiniment petit, c'est-à-dire infiniment diffus) de quelque psyché. » Et Charon de rappeler que Teilhard nommait cette psyché « le Dedans des choses » — un dedans, une nature naturante, qui aurait pu édifier les premières structures vivantes. Theilhard et Charon rejoignent une pensée traditionnelle que le *Noûs* d'Anaxagore exprimait déjà — un esprit associé à chaque grain de matière et participant à son comportement —, et retrouvent ce qu'affirmait Thalès (« toutes les choses sont pleines de dieux ») avant que Schelling ait vu la matière comme « de l'esprit en sommeil ». Mais Charon s'écarte résolument de Teilhard dans la mesure où l'élémentaire, pour le jésuite, n'est rien dans l'évolution, toute l'aventure spirituelle du monde étant portée

1. *Ibid.*, pp. 241, 255.
2. Par exemple, E. O. WILSON, *Sociobiology*, Harvard University Press, 1975. Jean Charon cite cet ouvrage in *L'Esprit...*, *op. cit.*, p. 190 sq.
3. *Ibid.*, p. 190 sq.

uniquement par un nombre infime de structures organisées : les hommes. Pour Charon au contraire, si l'homme fait partie de cette aventure, « il ne peut en constituer l'axe »[1]. De même, tandis que Teilhard voit notre esprit réparti sur l'ensemble des corpuscules élémentaires qui nous forment, Charon pense que cet esprit, notre « je », est tout entier contenu dans chacun des électrons de notre corps et non pas dans les autres particules qui nous composent.

Bien différentes sont les réflexions d'Edgar Morin. Lui aussi déclare, comme tant d'autres, combien il est important de voir de plus en plus disparaître la notion de matière : une particule, par exemple, n'existe pas par elle-même en tant qu'entité, et l'on voit le tout naître de ses parties, si bien que notre monde semble formé et créé à partir d'abstractions. « Nous sommes de fait condamnés, écrit-il, à ne connaître qu'un univers de messages, et, au-delà, rien. Mais nous avons du même coup le privilège de lire l'Univers sous forme de messages [...]. Nous cheminons, nous errons, dans la forêt de symboles *qui nous observent avec des regards familiers*[2]. » La matière n'est pas matérielle, au niveau micro-physique, mais on n'a pas moins expulsé de la science la notion d'esprit. Le départ de l'esprit — ce « vagabond métaphysique » — a laissé une énorme béance que l'*information* a prétendu, et prétend souverainement aujourd'hui, occuper[3]. Il n'en subsiste pas moins un mystère de la relation entre l'information et la forme. Ce mystère dont Morin s'efforce de cerner l'essence n'est sans doute pas autre chose que celui des rapports entre ce qu'on a appelé la Nature et l'Esprit.

On repère d'abord un signe purement arbitraire, localisé chimiquement dans l'ADN nucléique où il se trouve comme un engramme ou une archive ; à partir de là surgit une forme vivante, existentielle. Comment passe-t-on de l'un à l'autre ? Personne n'a encore pu répondre à cette question. De même, comment s'effectue le passage d'un signe arbitraire, localisé dans un neurone cérébral, à la remémoration mentale ? Ni dans le cas de la reproduction génétique, ni dans celui de la

1. *Ibid.*, p. 102 sq.
2. Edgar Morin, *op. cit.*, p. 356.
3. *Ibid.*, p. 360.

mémoire, on ne peut dire que l'être nouveau est déjà préformé et que le souvenir était mis en boîte comme une photographie. Nous ignorons toujours comment les formes ressuscitent et se régénèrent. Pour le savoir il faudrait développer, favoriser, une « thermodynamique des formes », ce que René Thom lui aussi appelle de ses vœux, pour établir une véritable théorie de l'information[1].

Dans un attrayant et suggestif ouvrage[2], Fritjof Capra, professeur à l'Université de Berkeley, se propose « d'explorer les rapports entre les concepts de la physique moderne et les idées de base des traditions philosophiques et religieuses de l'Extrême-Orient ». Un tel programme dénote un goût différent de celui des savants de Princeton pour ce qui concerne l'Orient. Malgré le titre et ce que l'énoncé du propos pourrait faire craindre, le livre est des plus sérieux ; dans sa double spécialité l'auteur sait de quoi il parle. Il s'emploie à montrer que la physique moderne — essentiellement la microphysique — oblige les chercheurs à opérer une véritable conversion épistémologique dans laquelle l'enseignement des *Vedas* de l'hindouisme, le *Yi-King* chinois et les *sûtras* bouddhiques peuvent être d'un grand secours, car dans ces deux domaines la pensée semble s'orienter dans la même direction. Il note aussi au passage, malheureusement de façon trop allusive, qu'un parallélisme semblable existe entre cette direction de pensée et les fragments d'Héraclite, le soufisme d'Ibn'Arabî, ou les enseignements du sorcier yaqui Don Juan[3]. Attendons l'auteur qui dans un travail aussi sérieux et comparable substituera à la tradition orientale celle de l'Occident envisagée sous ses aspects alchimique, théosophique, hermétiste.

Capra montre qu'il ne faut pas chercher en dehors des objets les forces à l'origine du mouvement, comme voulaient le faire les Grecs, car elles sont une propriété intrinsèque de la matière. De même, l'image orientale du divin n'est pas celle d'un Dieu dirigeant le monde à partir d'en haut mais d'un principe contrôlant tout du dedans[4]. L'Univers apparaît au physicien

1. *Ibid.,* p. 363. Cf. René THOM, *Modèles mathématiques de la morphogenèse,* Paris, 1974, p. 179.

2. Fritjof CAPRA, *The Tao of Physics*, Berkeley, Shambhala, 1975. Paru en français sous le titre *Le Tao de la Physique* (Paris : Tchou, 1979).

3. *Ibid.,* pp. 8 et 19.

4. *Ibid.,* p. 24.

Capra comme une « danse cosmique » — titre d'un chapitre de son livre — à l'image des schémas cosmologiques de l'Inde : pas de fermeture, pas de matière morte, partout des rythmes, des nombres musicaux, une chorégraphie cosmique, tant dans l'infiniment grand que dans l'infiniment petit. Il insiste sur la notion de participation, qui au laboratoire même tend à supplanter celle d'observation — idée familière à l'enseignement religieux oriental. Les bouddhistes ont reçu l'objet comme événement, non pas comme substance ou chose. Les choses sont des *samskâra* — des événements, des faits. Tout est temps et mouvement : les microphysiciens sont maintenant obligés de se représenter ainsi le monde. Bouddhistes et taoïstes disent qu'il y a un vide *(sûnyatâ)* qui est la réalité ultime : vide *vivant* qui donne naissance à toutes les formes du monde phénoménal[1].

Terminons sur un autre exemple. Capra résume la théorie dite du *bootstrap*[2] qui semble assez en honneur dans la microphysique actuelle. Contre l'univers newtonien construit sur des entités de base, cette théorie enseigne que le Cosmos est un réseau dynamique d'éléments interreliés. Aucune des propriétés d'une partie de ce réseau n'est fondamentale car chacune suit toutes les propriétés des autres parties ; ce sont leurs interrelations mutuelles qui déterminent la structure du réseau entier. Comme dans la cosmologie orientale, l'Univers se présenterait donc comme un tout interconnecté dans lequel aucune partie n'apparaîtrait plus fondamentale qu'une autre, si bien que les propriétés de n'importe quelle partie seraient déterminées par celles de toutes les autres. « Tout est dans chaque chose et chacune est dans tout. » Comme si chaque particule contenait toutes les autres en restant néanmoins, en même temps, une partie des autres ! Les monades de Leibniz n'avaient pas de fenêtres et se reflétaient seulement les unes dans les autres, mais avec le *bootstrap* l'accent est mis sur l'interrelation, l'interpénétration, de toutes les particules de l'Univers. Retour de l'antique doctrine de l'interdépendance universelle dans une science qui à l'apogée de son triomphalisme avait cru pouvoir l'en chasser définitivement[3].

1. *Ibid.*, pp. 204, 212.
2. C'est la théorie de Geoffrey CHEW ; cf. G. GALE, « Chew's Monadology », in *Journal of the History of Ideas*, vol. XXXV, avril-juin 1974, pp. 339-348.
3. Fritjof CAPRA, *op. cit.*, p. 286.

Si l'interdépendance universelle tend à supplanter l'indifférence mécaniste, les lois de cette interdépendance remettent à l'honneur des schémas dynamiques, polaires, dialectiques, que la Tradition n'avait point oubliés depuis les présocratiques et qui s'organisent selon des lois arithmologiques dans lesquelles on retrouve des nombres pythagoriciens, des modèles géométriques (*Yin-Yang*, spirale, etc.), des principes comme celui de la complémentarité. Il est déjà remarquable que l'on connaisse maintenant les trois ou quatre « interactions » sur lesquelles repose l'Univers et qui constituent ce qu'on appelle la matière. Ce sont respectivement : les interactions fortes, qui lient ensemble protons et neutrons, donnant ainsi au noyau une formidable cohésion ; les interactions gravitationnelles, qui déterminent la formation des étoiles, la concentration des galaxies ; les interactions électromagnétiques, qui lient les électrons aux noyaux, les atomes aux molécules. À cela on ajoute parfois les interactions dites « faibles ».

Jean Charon voit dans l'électron un espace à néguentropie croissante où l'esprit se développe peu à peu en faisant usage de ses propriétés « spirituelles » qui reposent sur quatre interactions « psychiques » : Réflexion, Connaissance, Amour et Acte[1]. Ce qui avec les quatre interactions de la physique porte le nombre à huit, selon l'arithmosophie traditionnelle celui de la perfection du monde réalisé. L'Esprit, pour Charon, se présente de manière stable sous deux formes complémentaires l'une de l'autre, l'électron positif et l'électron négatif, qu'il rapproche du *Yin* et du *Yang*[2]. La *physis* d'aujourd'hui, remarque de son côté Edgar Morin, retrouve la plénitude générique que lui avaient reconnue les présocratiques, d'où la possibilité d'une nouvelle métaphysique, *meta* signifiant ici dépassement et intégration à la fois, plus que « extraphysique ». Il nous fait « retrouver la Nature pour retrouver notre Nature, comme l'avaient senti les Romantiques, authentiques gardiens de la complexité devant le siècle de la grande simplification »[3]. Morin a bien vu que l'Univers, privé de ses esprits, de ses génies, de ses intellects agents, par une science indûment triom-

1. Jean CHARON, *L'Esprit...*, *op. cit.*, p. 217.
2. *Ibid.*, p. 219.
3. Edgar MORIN, *op. cit.*, pp. 368, 371, 373.

phaliste ayant gommé ce qui en elle était génératif, producteur, se trouve aujourd'hui réanimé, repeuplé, car personne ne peut plus sérieusement concevoir l'énergie de façon simplement atomistique, isolante. Il y a, partout dans cet Univers, ce que Morin appelle une « dimension shakespearienne » ; le monde qui s'ouvre « est plus shakespearien que newtonien. Il s'y joue de l'épopée, de la tragédie, de la bouffonnerie »[1]. Les objets font place aux systèmes, les essences et les substances à l'organisation, les unités complexes remplacent les unités simples et élémentaires[2]. Morin voit en Héraclite l'un des premiers à avoir dévoilé la notion d'antagonisme derrière l'apparente harmonie des sphères, et après Héraclite, dit-il en une énumération saisissante, « chacun à sa manière, N. de Cues, Hegel, Lupasco, Thom ». Ainsi se révèle à nous, grâce à la science actuelle même, le mouvement circulaire ou en spirale fait d'oppositions dialectiques : « Les soleils font la roue — les planètes, les cyclones, les remous-cycles du jour, des saisons, de l'oxygène, du carbone[3]. » Hegel, ajoute Morin, n'avait pas vu que le grand temps du Devenir est syncrétique — ce qu'avaient généralement ignoré les grands philosophes du devenir[4].

Tripolaire nous apparaît maintenant l'Univers : désordre, organisation, ordre. Et un quatrième terme vient réactionner ces trois pôles : les interactions (fortes, gravitationnelles, électromagnétiques), que Morin présente comme un point au centre de ce triangle qu'est la tripolarité[5]. C'est pourquoi le monde n'est pas construit sur le modèle de nos machines cybernétiques ; en effet, si leur principe apporte une gerbe de concepts enrichissants, comme la rétroaction par rapport à l'interaction, la boucle par rapport au processus, la régulation par rapport à la stabilisation, et surtout la finalité par rapport à la causalité, il leur manque fondamentalement un principe de complexité permettant d'inclure l'idée de désordre, de concevoir l'antagonisme, le conflit, propre aux êtres-machines naturels[6]. La vocation de la pensée scientifique est maintenant de

1. *Ibid.*, pp. 82, 278 sq.
2. *Ibid.*, p. 123.
3. *Ibid.*, p. 225. De et sur René THOM, consulter *Morphogenèse et imaginaire*, Paris. Les Lettres Modernes, coll. « Circé », n° 8-9, 1978.
4. Edgar MORIN, *op. cit.*, p. 87.
5. *Ibid.*, pp. 51 et 59.
6. *Ibid.*, p. 251 sq.

parvenir à penser ensemble, sans incohérence, deux idées contraires, de trouver le méta-point de vue relativisant la contradiction, d'associer des notions antagonistes en les rendant complémentaires. La liaison et l'unité complexe ont supplanté l'alternative[1].

À cet ensemble ternaire et quaternaire vient s'ajouter une bipolarité peut-être plus fondamentale encore. Car la théorie du *bootstrap*, déjà évoquée, suggère l'existence de deux faces complémentaires de la réalité, dont une seule reste accessible à nos investigations. Et Edgar Morin, comme Jean Charon, voit dans l'image du *Yin* et du *Yang* la représentation à la fois de l'ordre harmonieux et de l'antagonisme tourbillonnaire. Mais, note-t-il, le symbole dégénère quand ce dernier aspect, antagoniste, se perd au profit d'une image statique, parfaite, d'un cercle pur et clos. D'où la référence fréquente aux présocratiques dont les cosmogonies, écrit Morin, « ont conçu, à travers la thématique du feu, de l'air, de l'eau, la turbulence tourbillonnaire comme genèse et *poïesis*. Il faut tout d'abord comprendre que le feu, l'air, l'eau, n'étaient pas, pour les philosophes-mages des îles grecques, des éléments simples ou des principes élémentaires [mais] des *modalités dynamiques premières d'existence et d'organisation de l'univers* ». La chimie moderne ferait donc bien de ne plus voir seulement dans les éléments leur composition et leur état, mais aussi leur modalité d'organisation[2].

Les considérations de l'épistémologue Edgar Morin s'appuient sur les découvertes des physiciens et des biologistes. L'un d'eux, le microphysicien Niels Bohr, a renoué explicitement avec une notion présocratique et traditionnelle. En 1927, il exposait sa théorie du principe de complémentarité selon lequel l'image corpusculaire et l'image ondulatoire se complètent — de même que mille six cents ans avant lui, le néo-platonicien Jamblique avait postulé la coexistence de deux réalités, le discret et le continu. Et en 1947, en recevant un Ordre danois, Bohr choisit pour blason le *Yin* et le *Yang*, avec la légende : « *Contraria sunt complementa*[3]. » Symétrie et dissymétrie,

1. *Ibid.*, p. 251 sq.
2. *Ibid.*
3. Cf. Gerald Holton, « The Roots of complementarity », in *Eranos Jahrbuch 1968*, t. XXXVII, Zurich, Rhein Verlag, 1970, p. 51 sq.

conçues comme résultat et principe d'expérimentation, mais aussi comme référence à une tradition — ici, le platonisme —, voilà ce que nous trouvons aussi chez Werner Heisenberg, le célèbre microphysicien[1] : « Les particules élémentaires peuvent être comparées aux corps réguliers du *Timée* de Platon » ; et encore : « *Au commencement était la symétrie,* cette phrase est certainement plus correcte que la thèse de Démocrite : Au commencement était la particule[2]. » Les « gnostiques de Princeton attachent eux aussi de l'importance au fait que les particules ne peuvent être créées et annihilées que par paires, ce qui implique que leurs « ici » sont conjugués ; partout la biologie moléculaire rencontre le fait surprenant qu'une molécule en « reconnaît » une autre à distance : mystère insoluble pour qui voudrait en rester à une explication « ponctualiste »[3].

Il y aurait beaucoup à dire enfin sur le statut actuel des nombres dans les sciences biologique et microphysique, qui suffirait à montrer à quel point le positivisme se trouve dépassé, et remplacé par des notions rappelant bien davantage celles de l'arithmosophie. On pourrait citer à ce propos de nombreux auteurs, mais qui ne se réfèrent pas pour autant à une gnose. Citons seulement un épistémologue, le polytechnicien Raymond Abellio, qui a proposé une structure sénaire, dite « structure absolue », susceptible de rendre compte de tous les phénomènes. Abellio mériterait évidemment une très large place dans toute rétrospective des courants néo-gnostiques contemporains ; mais comme sa réflexion part à la fois de la Tradition elle-même et de la science, il ne fait pas vraiment partie des chercheurs auxquels je limite ce propos, c'est-à-dire ceux qui ont recours aux images gnostiques comme par raccroc, pour rendre plus accessibles leurs intuitions ou pour se dégager eux-mêmes des ornières du vieux positivisme. Abellio représente cependant un cas particulier en ce sens que s'il adhère à une gnose, celle-ci est surtout le résultat de ses propres méditations et raisonnements ; car s'il s'appuie sur d'assez nombreux aspects des traditions gnostiques

1. Parmi d'autres ouvrages de cet auteur, cf. notamment *La Partie et le tout,* Paris, Albin Michel, 1973.
2. *Ibid.,* déjà cité dans mon exposé « Philosophie de la Nature et Naturalisme scientiste » in *Cahiers de l'U.S.J.J.* ; colloque de 1974, n° 1, Paris, A. Bonne, 1975.
3. Raymond RUYER, *op. cit.,* p. 65.

— je ne dis pas « néo-gnostiques » —, il les considère beaucoup moins comme un corpus d'enseignements définitivement porteurs de vérité que comme un ensemble de messages chiffrés dont l'étude est susceptible d'augmenter notre connaissance de l'Univers. Son ouvrage *La Structure absolue*[1] restera sans doute une des œuvres majeures de la réflexion philosophique de notre temps, mais toutes ses autres publications aussi sont d'un immense intérêt. Pour ne relever que deux exemples concernant ce propos, Abellio a remarqué que le code génétique, véritable « dictionnaire », avec ses soixante-quatre mots ou codons organisés selon une logique de complémentarité, correspond exactement aux soixante-quatre hexagrammes du *Yi-King*, et que les quatre « lettres » constituant la base de ce code se combinent en deux couples d'oppositions binaires, comme les deux *Yin* et *Yang*. Le *Yi-King* apparaît ainsi comme un « modèle complet »[2]. D'autre part, quand les physiciens nucléaires veulent mettre de l'ordre dans la profusion des particules, ils sont amenés à envisager des constructions sénaires ou *quarks* pour lesquels les éléments de symétrie et de dissymétrie se combinent tout à fait comme dans la structure absolue découverte par lui[3].

Si Abellio reconnaît que la Tradition peut nous apprendre beaucoup, il ne semble pas que Stéphane Lupasco ait fait appel à elle ; mais la critique lupascienne de l'aristotélisme formel et de l'hégélianisme rappelle tellement les démarches de la dialectique alchimique et des intuitions des présocratiques, que Lupasco s'est intéressé de plus en plus, au cours de ces dernières années, à ces anciens modèles de pensée qu'il découvre si proches des siens. L'ouverture de sa pensée et la souplesse de l'expression l'éloignent de tout dogmatisme. Comme Abellio, mais en lui donnant un sens différent, Lupasco pose la notion de double contradiction croisée : au couple bipolaire homogénéisation-hétérogénéisation, s'ajoute le couplage antagoniste potentialisation-actualisation. Le bon équilibre des quatre termes engendre l'harmonie créatrice. La pensée de Lupasco récuse le totalitarisme de la logique d'identité, s'efforce de

1. Raymond Abellio, *La Structure absolue. Essai de phénoménologie génétique*, Paris, Gallimard, collection « Bibliothèque des Idées », 1965.
2. Raymond Abellio, *La Fin de l'ésotérisme*, Paris, Flammarion, 1973, p. 127.
3. *Ibid.*, p. 128.

repérer les tendances néguentropiques à l'œuvre dans la nature. Elle est un refus de considérer que la contradictoire, le conflit, constitueraient — sur le plan psychologique notamment — le morbide[1].

★

La psychanalyse, plus précisément la psychologie analytique de type junguien, ou la psychologie génétique d'André Virel[2], pourraient être considérées aussi comme des néo-gnoses, ne serait-ce qu'en raison de leurs références fréquentes et explicites aux gnoses proprement dites. Mais nous avons dû nous limiter au domaine déjà inépuisable de la science physique, ce qui a suffi peut-être à montrer comment des hommes de science se sentent enclins à ramasser quelques bribes d'un enseignement traditionnel indûment occulté. La science moderne n'est donc pas tout entière telle que René Guénon la voyait : un pur quantitativisme[3] ; à sa pointe, elle est recherche de voies inédites et d'une épistémologie nouvelle. La réaction anti-scientiste, caractéristique aussi bien de nombreux savants nullement « néo-gnostiques », représente un des traits marquants de notre XXe siècle et la maxime de Pascal semble actuelle plus que jamais : « Un peu de science éloigne de Dieu, beaucoup y ramène. » De même, Edgar Morin termine son livre en appelant de ses vœux « une science qui apporte des possibilités d'auto-connaissance, qui s'ouvre sur la solidarité cosmique, qui ne désintègre pas le visage des êtres et des existants, qui reconnaît le mystère en toutes choses »[4].

1. Parmi les nombreux autres ouvrages de Lupasco, citons *Du rêve, de la mathématique et de la mort*, Paris, Christian Bourgois, 1971.
2. Dans son livre *Histoire de notre image*, Genève, Éd. du Mont-Blanc, 1965, collection « Action et Pensée », un des plus intéressants que la psychologie contemporaine ait produits, VIREL propose une lecture de la mythologie et de l'alchimie qui complète utilement celle de JUNG. L'adjectif « génétique » aurait pu figurer de quelque manière en sous-titre, comme dans le sous-titre de l'ouvrage d'ABELLIO (cf. note 54), car là aussi c'est bien de génétique qu'il s'agit, quoique dans un sens différent. Les limites restreintes du présent travail me retiennent de préciser en quoi l'accent mis sur la morphogenèse au sens large représente un retour positif à des traditions trop oubliées.
3. Cf. René GUÉNON, *Le Règne de la quantité et les signes des temps*, Paris, Gallimard, coll. « Idées », 1970.
4. Edgar MORIN, *op. cit.*, p. 387.

Toutefois, l'épistémologie ne suffit pas à créer une philosophie, encore moins une gnose, et sans doute faut-il se garder de trois dangers. Celui de chercher chez ces auteurs — exception faite d'Abellio et de Lupasco — autre chose que de bonnes raisons de se méfier d'une science positiviste totalitaire et la redécouverte plus ou moins fortuite d'images traditionnelles. Celui de passer indûment d'une métaphysique issue d'une nouvelle épistémologie, à une « gnose » qui serait le résultat d'expériences effectuées avec les yeux de chair. Car la gnose aux yeux de feu n'est ni une métaphysique, ni une science diffusable. Le savoir n'est pas la connaissance. Les sciences vont vers la multiplicité ; la gnose, elle, ramène toujours à l'unité, même si cette unité se révèle complexe. Évitons de mêler chimie et alchimie, astronomie et astrologie, et de parler d'hyper-chimie, ou même d'astrologie scientifique.

Le troisième écueil me paraît d'autant plus dangereux qu'il se présente sous une fascinante apparence. En lisant le livre de Ruyer on est frappé par l'aspect ludique des « exercices » de la gnose de Princeton : « Il y a un côté expérimental dans la Nouvelle Gnose. [Les néo-gnostiques] sont devant l'existence comme les joueurs de Éleusis, et la règle est de deviner la règle du jeu[1]. » D'où leur goût aussi pour la science-fiction : Fred Hoyle, reconnu comme savant et comme auteur de science-fiction, figure en bonne place dans la bibliographie de l'ouvrage de Ruyer. Hermann Hesse me semble avoir décrit par avance de tels jeux et de tels joueurs, dans son roman *Le Jeu des perles de verre*[2], où le jeu, gratuit et sophistiqué, se réduit à un ensemble d'exercices formels mais représente aux yeux des personnages l'activité intellectuelle et spirituelle la plus élevée qui soit. Si la gnose, elle, n'ignore pas le ludique, son jeu est *lusus serius*, jeu sérieux, comme celui de *Sophia* jouant avec la divinité à l'aube de la création.

Le jeu sophianique : voilà ce que le regard de feu permet d'éclairer. On rencontre un tel regard chez ceux dont la connaissance se fonde sur un savoir que procure une révélation de type religieux exprimée d'abord sous forme d'un récit fondateur. Pont de gnose véritable sans adhésion préalable à un récit

1. Raymond RUYER, *op. cit.*, p. 223.
2. Première édition de *Das Glasperlenspiel*, Zurich, Fretz und Wasmuth, 1943.

des origines déroulé à travers des symboles et qu'une herméneutique spirituelle a pour objet d'approfondir in-terminablement grâce au regard de feu qui « scrute tout, jusqu'aux profondeurs divines »[1]. Or, ces récits, ces hiérogonies, ne ressortissent pas à la démarche scientifique. Le goût du dialogue incite trop de nos jours à évacuer la spécificité de ce qui constitue l'objet de nos croyances. Il serait puéril d'oublier que bon nombre des néo-gnostiques vident les mythes de cette spécificité qui est la leur : « Ce qui est fascinant [!] dans cette gnose [de Princeton], écrit Ruyer, c'est qu'elle ne se perd jamais gratuitement dans le mythe[2]. » Le même auteur écrit encore, dans un passage intitulé significativement *La vision sans yeux et l'aveugle absolu :* « La Nouvelle Gnose n'est pas une mythologie. Les Gnostiques, à la fois accueillent le mythe et le réduisent avec vigueur[3]. » Il n'empêche que les rapports de ces chercheurs avec le symbolisme et avec le rite paraissent des plus ambigus : « Les liens entre gnostiques et Francs-Maçons, difficiles à définir, car les diverses branches de la Franc-Maçonnerie aux U.S.A. sont très buissonnantes, existent certainement. Il y a des emprunts réciproques. Mais les gnostiques sont hostiles au symbolisme[4]. »

Tout mythe complet s'exprime en effet à travers un scénario qui lui-même ne saurait être que symbolique, c'est-à-dire polysémique, non simplement allégorique. Quand Edgar Morin voit ce monde qui s'offre à nous « plus shakespearien que newtonien », et qu'il « s'y joue de la tragédie, de la bouffonnerie »[5], il n'en découvre pas le scénario, simplement parce que seul le récit fondateur en fournit la clef et qu'il n'est pas de regard de feu sans cette gnose — ou de gnose sans ce regard de feu. Dans l'Ancien Testament ce récit est celui de la Genèse, et aussi de la vision d'Ézéchiel. L'œil du gnostique a d'abord besoin, pour éclairer ce monde et l'homme, d'être éclairé par une révélation de cette nature, qui seule lui permet de voir ; alors l'illusion de l'Histoire disparaît, les univers visible et invisible se révèlent dans leur lumière, les corps

1. I Corinthiens, II, 10.
2. Raymond RUYER, *op. cit.*, p. 60.
3. *Ibid.*, p. 75.
4. *Ibid.*, p. 215.
5. Edgar MORIN, *op. cit.*, p. 82.

subtils dévoilent leur transparence et les yeux de chair eux-mêmes sont vus dans l'ordre qui est le leur. Dès lors on comprend pourquoi les tenants de la « nouvelle gnose » — au sens large — se séparent nécessairement et *volens nolens* de la gnose. L'évacuation du mythe hors du champ de leur savoir et de leur discours engendre trois conséquences peut-être inéluctables qui rendent ce savoir incompatible avec la gnose. Il s'agit du panthéisme qu'ils professent généralement, de l'absence de référence à une chute originelle, et de la négation de tout anthropocentrisme.

Le panthéisme, plus précisément le spinozisme, s'affirme sans ambiguïté dans la gnose de Princeton : « Dieu ou l'*Unitas* n'est pas un Être, un Individu, qui regarderait l'univers du dehors. Il est l'Unité domaniale, l'Unité de cette Surface-objet totale. » En effet : « Que l'Univers soit *gnostique* au sens étymologique, c'est-à-dire conscience cherchant la lumière, est une évidence. Les thèses gnostiques ne font que l'expliciter[1]. » Et Raymond Ruyer, à la suite des nouveaux gnostiques, de prendre à partie précisément le Prince de la théosophie chrétienne, Jacob Boehme ; il nous parle ainsi de « l'erreur grossière de Jacob Boehme qui [...] imagine l'*Unitas* comme un œil qui regarde, et qui se voit, et crée la vision. Pour [Boehme] l'Absolu divin veut se connaître [...] Comme il n'y a d'abord rien en dehors de l'Absolu, il faut qu'il se dédouble en Œil et en Miroir, de manière à pouvoir se regarder lui-même [...]. Les philosophes moins naïfs disent à peu près la même chose [...]. Leur " Sujet " [...], c'est toujours l'œil de Jacob Boehme »[2].

L'absence de référence à une catastrophe originelle par laquelle l'univers actuel aurait commencé, ou d'une « chute » responsable de l'état présent de l'homme, était déjà frappante dans l'œuvre de Teilhard de Chardin[3], penseur dit pourtant chrétien. Signe de ce temps... La même absence semble caractériser tous les néo-gnostiques sans exception. Or, on aurait beaucoup de mal à trouver le moindre texte de gnose chrétienne où cet élément originel ne serve pas de référence fondamentale et permanente.

1. Raymond Ruyer, *op. cit.*, p. 293.
2. *Ibid.*, p. 71.
3. On sait que le péché originel est escamoté dans l'œuvre de Teilhard. À des précisions que je lui demandais à ce sujet au cours d'un colloque sur l'illustre jésuite, son commentateur Claude Cuénot a répondu : « Teilhard ne s'intéressait pas beaucoup à cela, mais à des questions plus importantes. »

Enfin on remarque chez eux tous une forte tendance[1] à réduire l'homme au rôle d'élément accessoire, voire absolument négligeable, de l'Univers. « *Alles bezieht sich auf den Menschen* », disait Œtinger en résumant de façon frappante la pensée de ses prédécesseurs, notamment de Jacob Boehme, tandis qu'à la même époque, en ce XVIIIe siècle annonciateur d'une nouvelle Philosophie de la Nature, Saint-Martin rappelait qu'il faut expliquer les choses par l'homme et non pas l'homme par les choses. Certes, pour la gnose de Princeton l'apparition de l'Esprit dans l'Espace et le Temps ne prouve pas que la Matière soit primaire et essentielle mais qu'il y a un Au-delà de l'espace et du temps[2] ; thèse presque spiritualiste, dont elle conclut toutefois : « La Nouvelle Gnose, loin d'être un nouvel humanisme, est plutôt un nouveau théocentrisme[3]. » Et encore : « L'homme doit garder dans le monde sa place modeste de simien qui a momentanément réussi[4]. » De même, pour Jean Charon : « Ma pensée est celle de mes électrons pensants, il y a là plus qu'analogie, il y a identité. Il n'y a pas deux types d'*êtres pensants* dans l'Univers, il y a les éons [entendez : les électrons], et c'est tout[5]. »

La néo-gnose ne fait que ressembler à la gnose en lui empruntant ce qu'elle a de plus extérieur. Si on veut les comparer l'une à l'autre on ne trouve aucun point commun dans ce qui fonde la spécificité de chacune, car la néo-gnose peut décrire seulement des actions tandis que la gnose rend compte des actes. C'est pourquoi je souscris au jugement quelque peu sévère d'Étienne Perrot : « La nouvelle gnose de la fin du XXe siècle ne pourra que rejoindre un jour au musée de la pensée le scientisme victorieux du XIXe siècle, celui-là même qui se vantait d'avoir éteint dans le ciel des étoiles qui ne se rallumeraient jamais[6]. » Un tel jugement vise seulement certains des auteurs cités dans cet exposé, pas du tout certains autres ; il concerne essentiellement Jean Charon et les gnostiques de Princeton.

1. Ici, en revanche, Teilhard ne partage pas cette tendance.
2. *Ibid.*, p. 297.
3. *Ibid.*, p. 297.
4. *Ibid.*, p. 14.
5. Jean CHARON, *L'Esprit...*, *op. cit.*, p. 195.
6. Étienne PERROT, préface à l'ouvrage de Marie-Louise VON FRANZ. *Nombre et Temps. Psychologie des profondeurs et physique moderne*. Préface et traduction d'Étienne Perrot, Paris, La Fontaine de Pierre, 1978 (*Zahl und Zeit*, Stuttgart, E. Klett, 1970).

Une fois reconnue la vanité du projet de marier à tout prix les inconciliables en cherchant un moyen terme artificiel ou un dénominateur commun purement formel et lourd de malentendus, il paraît légitime de regarder le monde décrit par la science expérimentale d'aujourd'hui en le lisant à la lumière d'une tradition révélée : démarche périlleuse mais fructueuse, qu'ont tentée la plupart les « Philosophes de la Nature » au sens qui a été donné ici à ce mot. Pour importante que soit la distance séparant les deux rives, on peut au moins envisager la construction d'un pont permettant d'aller de l'une à l'autre. Les ponts séparent autant qu'ils relient. Une nouvelle *Naturphilosophie* pourrait constituer une passerelle de ce genre, c'est-à-dire tenir le rôle de la cosmologie ontologique qu'on attendit longtemps en vain. Une théologie véritable compléterait cette *Naturphilosophie*, l'une se nourrissant partiellement de l'autre, mais une théologie capable de prendre en charge toute la richesse du monde, de se faire à la fois métaphilosophique et méta-gnostique et dont le régime serait analogue à ce qu'a conçu la théologie chrétienne médiévale du XIIe siècle. La *Naturphilosophie* s'efforcerait de constituer une nouvelle cosmologie, c'est-à-dire une nouvelle façon de considérer l'ordonnancement du monde, placée sous le signe double et complémentaire, de l'anthropologie et de la compréhension du réel[1]. Compréhension d'un réel multiple, qui loin de se limiter au projet d'une rationalité plate et amputée associerait, comme dans ces vers de Péguy, la chair et la flamme :

Et le surnaturel est lui-même charnel
Et l'arbre de la Grâce et l'arbre de Nature
Se sont étreints tous deux comme deux lourdes lianes
Par-dessus les piliers et les temples profanes.
Ils ont articulé leur double ligature.

Ixion, selon un mythe grec, poursuivait Héra, reine du ciel — donc de la nature —, pour l'outrager, la forcer... Mais Héra se dérobait. Alors Zeus, courroucé par l'attitude d'Ixion, le

1. On peut lire à ce sujet l'intéressant article de Dominique DUBARLE, « Épistémologie et cosmologie », in *Idée de Monde et Philosophie de la Nature*, Paris, Desclée, 1966, pp. 124, 126. Dans une perspective différente, cf. aussi Stanislas BRETON, « Monde et Nature », *ibid.*, pp. 71-92.

trompa en substituant à Héra une forme nuageuse — illusoire —, Néphélé, qu'Ixion poursuivit et viola en la prenant pour Héra. Aussitôt il fut cloué à une roue ailée, de feu inextinguible, qui roule sans cesse dans l'espace en dévorant indéfiniment sa victime. En marge et en contraste, évoquons l'harmonie dynamique, l'acte fondateur, sur lequel s'ouvre la Genèse : Joseph Haydn a entendu la *Création* du monde ; sa musique ne jaillit pas du feu de la roue d'Ixion, mais de l'éclat de la lumière primordiale qui a embrasé le monde pour l'embrasser avec amour.

ORIENTATION BIBLIOGRAPHIQUE

Cette bibliographie n'a pas d'autre prétention que d'orienter le lecteur. Elle se limite à un certain nombre des travaux historiques et critiques parmi les plus sérieux, les plus à jour ou les plus représentatifs, effectués à notre époque *sur* l'ésotérisme occidental. Pour ne pas déborder le cadre du présent volume, j'ai dû résister à la tentation de citer les ouvrages des « ésotéristes » eux-mêmes, y compris des plus importants d'entre eux, et me suis limité à de bonnes études récentes consacrées à des courants de pensée. Parmi celles-ci, je n'ai pu retenir que des livres, laissant malheureusement de côté, sauf exception, d'intéressants articles de revues ou d'ouvrages collectifs (on trouvera cependant une rubrique « Revues et Séries »). Des éditions ou rééditions récentes d'œuvres de grands auteurs, quand elles sont assorties de notes et commentaires érudits, de préfaces récentes et éclairantes, m'ont paru devoir figurer (ainsi, les *Épîtres théosophiques* de Jacob Boehme, la *Lehrtafel* de Œtinger, les *Œuvres majeures* de Saint-Martin ou les *Sämtliche Werke* de Baader).

J'ai dû renoncer aussi à présenter une liste par thèmes, qui dans un aussi court panorama eût été décidément trop arbitraire. On ne trouve donc pas de rubrique « Astrologie » — sinon, il eût fallu en prévoir pour les diverses autres formes de mancies. Mais l'Astrologie est évidemment présente ici. Je n'ai procédé à un classement par thèmes qu'à l'intérieur d'une rubrique historique, celle du foisonnant XVIIe siècle, et d'autre part j'ai retenu trois rubriques d'aspect thématique (« Alchimie », « Franc-Maçonnerie ésotérique », et « Autour de la Tradition »), en raison de leurs connotations historiques particulières et spécifiques. Toutefois, je signale, parmi les « Revues et séries », des publications dans lesquelles on trouvera d'excellentes orientations thématiques.

La distinction entre « Ouvrages généraux » et « Autour de la Tradition » pourra paraître artificielle, mais j'ai tenu à accorder une place spécifique au traitement de la notion de « Tradition » à notre époque. Ceux qui en font l'histoire ont presque toujours vis-à-vis d'elle une position « traditionnelle » qui leur est propre, qu'il s'agisse de ce que j'ai appelé la première, la deuxième ou la troisième voie. Mais je les ai cités surtout en tant qu'historiens des idées ésotériques ou de la Tradition, moins en tant que traditionalistes.

C'est souvent de tels auteurs, au demeurant, qui nous aident à comprendre comment l'Orient fait partie maintenant de l'ésotérisme en Occident — à défaut de ressortir à l'ésotérisme occidental.

On ne sera pas trop surpris par le petit nombre de références au gnosticisme et par l'absence du catharisme. Cette présentation restrictive résulte de la définition proposée ici (cf. le chapitre introductif de ce livre) de l'ésotérisme occidental comme forme de pensée non dualiste plus encore que non moniste, et dont la notion de « dualitude » est bien plutôt constitutive. Mais l'ésotérisme comparé doit évidemment prendre en considération ces deux courants que sont le gnosticisme dualiste et le catharisme. Il ne saurait ignorer non plus nombre de travaux de philosophie, d'anthropologie, d'histoire, tels que ceux de Georges Dumézil et de Mircea Éliade. Sans doute aurait-il fallu réserver une place spécifique à ceux de Carl Gustav Jung et de ses disciples, grâce auxquels une partie importante de l'ésotérisme se trouve récupérée de façon intéressante en vue d'une meilleure compréhension anthropologique et d'une « individuation » totalisante. M'étant limité à une bibliographie critique, j'aurais volontiers cité de bonnes études d'ensemble sur le rapport qui existe entre cette branche des sciences humaines et l'ésotérisme. Or, je ne connais pas d'étude de ce genre ; mais on trouvera dans certains livres, revues ou séries, cités ici, la possibilité de se documenter sur cette question.

Question au demeurant inséparable des rapports qui se nouent aujourd'hui entre ésotérisme et science, et ressortissent à une Philosophie de la Nature, plus ou moins à une *Naturphilosophie* au sens que le Romantisme allemand avait donné à ce terme. Il n'existe pas encore, semble-t-il, d'étude historique et critique consacrée à cet aspect de la pensée du XXe siècle ; mais je me propose de présenter, dans un prochain ouvrage, une bibliographie. Compte tenu de ces choix ou de ces lacunes, voici le tableau d'orientation retenu pour le présent propos :

— Ouvrages généraux
— Alchimie
— Franc-Maçonnerie ésotérique
— Du IIe *(Corpus Hermeticum)* au XVe siècle
— Renaissance et XVIIe siècle : A) Varia. B) Réception de l'Hermétisme alexandrin. C) Kabbale chrétienne. D) Paracelsisme et Philosophie de la Nature. E) Rose-Croix. F) Théosophie.
— XVIIIe siècle
— Romantisme et *Naturphilosophie*
— Fin XIXe, début XXe siècle, et « Nouveaux Mouvements religieux »
— Autour de la Tradition
— Ésotérisme et Islam
— Ésotérisme et Art. Recherches sur l'Imaginaire
— Revues et séries
— Bibliothèques

OUVRAGES GÉNÉRAUX

ALLEAU (René), *La Science des symboles. Contribution à l'étude des principes et des méthodes de la symbolique générale,* Paris, Payot, 1976, 292 p.

Analogie, synthème, allégorie, type...

AMADOU (Robert), *L'Occultisme. Esquisse d'un monde vivant,* Paris, Julliard, 1950, 254 p.

Petit ouvrage devenu classique. Le titre porte à confusion : l'auteur entend en réalité par « occultisme » ce que nous entendons par « ésotérisme ».

BENOIST (Luc), *L'Ésotérisme,* Paris, P.U.F., coll. « Que sais-je ? », 1963, 126 p.

BONARDEL (Françoise), *L'Hermétisme,* Paris, P.U.F., coll. « Que sais-je ? », 1985, 127 p.

Remarquable. Il n'existe peut-être pas meilleur petit ouvrage d'initiation à l'ésotérisme occidental.

CHEVALIER (Jean), *Dictionnaire des symboles : Mythes, rêves, coutumes, gestes, formes, figures, couleurs, nombres,* Paris, Seghers, 1973, t. I : XLVII + 371 p. ; t. II : 397 p. ; t. III : 391 p. ; t. IV : 424 p. (1re éd. 1969).

De très bonnes choses, et une excellente orientation bibliographique.

Dictionnaire des Sociétés secrètes en Occident. Publié sous la direction de Pierre MARIEL, Paris, C.A.L., 1971, 479 p. et ill.

Du pire... mais aussi du meilleur. Clair et pratique. Collaboration de R. Amadou, J. d'Arès, J.-P. Bayard, S. Hutin, P. Naudon, J. Phaure *et al.*

ELIADE (Mircea), *Le Sacré et le profane,* Paris, Gallimard, coll. « Idées », 1965, 186 p. (1re éd., *Das Heilige und das Profane,* Hambourg, 1965).

L'espace sacré, le temps sacré et les mythes, la religion cosmique. On pourrait citer bien d'autres ouvrages de M. Eliade, qui intéressent toujours plus ou moins l'ésotérisme par le biais du mythe. Mentionnons encore : *Occultisme, sorcellerie et modes culturelles,* Paris, Gallimard, coll. « Les Essais », 1978, 192 p. (1re éd., *Occultism, Witchcraft and cultural fashions,* Chicago, 1976).

Epochen der Naturmystik : Hermetische Tradition im wissenschaftlichen Fortschritt (Grands Moments de la mystique de la Nature ; Mystical Approaches to Nature), éd. par Antoine FAIVRE et Rolf Christian ZIMMERMANN, Berlin, Erich Schmidt, 1979, 459 p.

De Ficin et Agrippa à Schelling, en passant par Paracelse, J. B. Van Helmont, Swedenborg, Œtinger, Martines de Pasqually, Saint-Martin, Goethe, Blake, Newton, Baader.

FRICK (Karl R. H.), *Licht und Finsternis : Gnostisch-theosophische und freimaurerisch-okkulte Geheimgesellschaften bis an die Wende zum 20. Jahrhundert,* Graz (Autriche), Akad. Druck- und Verlagsanstalt ; t. I : *Ursprünge und Anfänge,* 1973, 354 p. et ill. ; t. II : *Geschichte ihrer Lehren, Rituale und Organisationen,* 1978, 582 p. et ill. Du même, chez le même éditeur : *Die Erleuchteten : Gnostisch-theosophische und alchemistisch-rosenkreuzerische*

Geheimgesellschaften bis zum Ende des 18. Jahrhunderts. Ein Beitrag zur Geistesgeschichte der Neuzeit, 1975, 635 p. et ill.

Synthèses historiques portant sur les Ordres initiatiques, avec une tentative de clarification philosophique et un grand choix de textes et documents. Précieux outil de travail.

LUBAC (Henri de), *La Postérité spirituelle de Joachim de Flore,* Paris, Lethielleux, coll. « Le Sycomore », t. I : *De Joachim à Schelling,* 1979, 414 p. ; t. II : *De Saint-Simon à nos jours,* 1981, 508 p.

Ce livre ne se présente pas comme un ouvrage sur l'ésotérisme, mais de nombreux chapitres concernent directement le sujet. Belle synthèse montrant les relations entre différents courants de pensée.

Microcosme et Macrocosme, Univ. de Tours, *Bull. de la Soc. ligérienne de philosophie,* n° 2, 1975, 108 p.

R. Thom, G. Durand, M. de Gandillac, J.-L. Vieillard Baron, J.-F. Marquet, P. Demange, H. Corbin.

PEUCKERT (Will-Erich), *Gabalia. Ein Versuch zur Geschichte der Magia Naturalis im 16. bis 18. Jahrhundert,* Berlin, E. Schmidt, 1967, 578 p.

Un peu confus, mais d'une grande richesse d'information.

RIFFARD (Pierre), *L'Occultisme. Textes et recherches,* Paris, Librairie Larousse, coll. « Idéologies et Sociétés », 1981, 191 p. et ill.

Intéressant et sans prétention, vulgarisation de bonne tenue.

— *Dictionnaire de l'ésotérisme,* Paris, Payot, 1983, 387 p. et ill.

Par matières seulement. Un effort de classification, et surtout de très nombreuses références.

SERANT (Paul), *Au seuil de l'ésotérisme. Précédé de « L'Esprit moderne de la tradition »,* par Raymond ABELLIO, Paris, Grasset, coll. « Correspondances », 255 p.

Exposé stimulant d'un auteur qui se démarque de Guénon. La préface est un des textes majeurs de R. Abellio.

SLADEK (Mirko), *Fragmente der hermetischen Naturphilosophie in der Naturphilosophie der Neuzeit,* Berne, P. Lang, Publications universitaires européennes, 1984, 208 p.

Philosophie du *Corpus Hermeticum,* et les formes qu'elle a prises chez Giordano Bruno, Henry More, Thomas Vaughan, Goethe.

THORNDIKE (Lynn), *A History of Magic and the experimental Science,* New York, Columbia Univ. Press, 1984. 8 volumes. (1re éd., 1923-1958). T. I : XXXIX-835 p. . t. II : 1036 p. ; t. III : XXVII-827 p. ; t. IV : XVIII-767 p. ; t. V : XXII-695 p. ; t. VI : XVII-766 p. ; t. VII : VI-695 p. ; t. VIII : VIII-808 p.

Couvre toute la période du Ier au XVIIe siècle : magie, astrologie, alchimie, philosophies de la nature, etc. L'accent est mis sur les « sciences occultes » plutôt que sur la théosophie ou la philosophie. Indispensable, considérable par l'ampleur et la qualité des informations.

TOMBERG (Valentin), *Méditations sur les vingt-deux arcanes majeurs du tarot.* Par un auteur qui a voulu conserver l'anonymat. Avant-propos de Hans Urs VON BALTHASAR, préface de Robert SPAEMANN, Paris, Aubier, 1984, 775 p. et ill. (1re éd., 1980).

Il ne s'agit pas d'un livre sur le Tarot. *Les Arcanes majeurs* servent de prétexte à des méditations sur la théosophie occidentale et ses traditions. Un très grand livre. Paru sans nom d'auteur ; sur celui-ci, cf. mon analyse in *La Tourbe des philosophes*, Paris, La Table d'Émeraude, 1981, n° 14, 15-16, 17.

TUVESON (Ernest Lee), *The Avatars of Thrice Great Hermes. An Approach to Romanticism*, Londres et Toronto, Associated University Press, 1982, 264 p.

Philosophie du *Corpus Hermeticum* et formes qu'elle a prises à l'époque romantique dans le domaine anglo-saxon.

WEHR (Gerhard), *Esoterisches Christentum (Aspekte, Impulse, Konsequenzen)*, Stuttgart, E. Klett, « Édition Alpha », 1975, 314 p.

Comme le titre le suggère, ce n'est pas une histoire. L'accent est mis sur la spiritualité. De beaux développements sur le Moyen Âge. La période moderne est à peine effleurée (sauf le XXe siècle).

— *Fermenta Cognitionis*, Freiburg im Breisgau, Aurum, dix petits volumes parus de 1978 à 1980, d'environ cent p. chacun, tous rédigés par G. WEHR.

Précieux petits textes introductifs à l'œuvre de grands auteurs. Ont paru : *Saint-Martin ; Valentin Weigel der Pansoph und esoterische Christ ; Paracelsus ; Meister Eckhart ; Jacob Boehme der Geisteslehrer und Seelenführer ; F. C. Œtinger ; R. Steiner als christlicher Esoteriker ; Der anthroposophische Erkenntnisweg ; Novalis, das Mysterium « Christus und Sophie » ; Christian Rosenkreuz Inspirator neuzeitlicher Esoterik.*

ALCHIMIE

Alchimie, Paris, Albin Michel, coll. « Cahiers de l'Hermétisme », 1978, 221 p. et ill.

Textes d'A. Savoret, B. Husson, K. von Eckartshausen, A. Faivre *et al.* Une bibliographie de la littérature alchimique de langue française depuis 1945, par J.-J. Mathé et A. Faivre.

ALLEAU (René), *Aspects de l'alchimie traditionnelle*, Paris : Éd. de Minuit, 1970, 238 p. (1re éd., 1953).

Principes et Symboles. Suivi de « Textes et Documents ».

BERTHELOT (Marcellin), *Introduction à la chimie des anciens et du Moyen Âge*, Paris, Librairie des Sciences et des Arts, 1938, XII + 330 p. et ill. (1re éd., 1889).

BUNTZ (Herwig), *Deutsche Alchemistische Traktate des XV. und XVI. Jahrhunderts*, Munich UNI-Druck, 1969, 228 p. et ill.

Bonne introduction générale, bibliographie pratique, et deux études : sur Arnauld de Villeneuve, et sur Lamspring.

BURCKHARDT (Titus), *Alchemie : Sinn und Weltbild*, Olten et Freiburg, Walter Verlag, 1960, 228 p. et ill. Version française : *Alchimie. Sa signification et son image du monde*, Bâle, Thoth, Stiftung L. Keimer, 1974, 231 p. et ill.

L'une des plus intéressantes approches philosophiques.

CRISCIANI (Chiara), cf. *infra*, GAGNON (Claude), *Alchimie et Philosophie au Moyen Âge*.

DUVAL (Paulette), cf. *infra*, rubrique « Du IIe au XVe siècle ».

DUVEEN (D. I.), *Bibliotheca alchemica et chemica : a catalogue of printed books on Alchemy, Chemistry and cognate subjects in the Library of Denis I. Duveen,* Londres, E. Weil, 1949, VII + 699 p. et ill.

ELIADE (Mircea), *Forgerons et alchimistes,* Paris, Flammarion, 1977, 188 p. (1re éd., 1956).

Un des premiers ouvrages de vraie réflexion philosophique sur l'alchimie par un universitaire.

EVOLA (Julius), *La Tradition hermétique (Les Symboles et la doctrine — L'Art royal hermétique),* Paris, éd. traditionnelles, 1968. Traduit de l'italien, 244 p.

Un classique. Très lu, très étudié. Mais l'auteur se fait de l'alchimie une conception assez personnelle.

FERGUSON (John), *Bibliotheca Chemica. A Bibliography of books on Alchemy, Chemistry, and Pharmaceutics,* Londres, Academic and Bibl. Publications, 1954, 2 vol. (XXI-487 et 498 p.) ; fac-similé, Londres, Starker Brothers, s.d. (1re éd., 1906).

Outil de travail indispensable.

GAGNON (Claude) et CRISCIANI (Chiara), *Alchimie et philosophie au Moyen Âge : Perspectives et problèmes,* Paris, Montparnasse-Éditions, et Montréal : Éd. Univers. Inc., 1980, 83 p.

Remarquable petit ouvrage. Indispensable.

GAGNON (Claude), *Analyse archéologique du « Livre des figures hiéroglyphiques » attribué à Nicolas Flamel (1330-1418),* s. l., thèse de philosophie, Univ. de Montréal (tapuscrit, 1975), V + 381 p.

— *Description du « Livre des Figures Hiéroglyphiques » attribué à Nicolas Flamel, suivie d'une réimpression de l'édition originale et d'une reproduction des sept talismans du « Livre d'Abraham », auxquels on a joint le « Testament » authentique dudit Flamel,* Montréal, L'Aurore, 1977, 193 p. et ill.

Complète les recherches et les résultats de l'ouvrage précédent. Le meilleur travail sur cette question historique complexe.

GANZENMUELLER (W.), *L'Alchimie au Moyen Âge,* Verviers, Éd. Marabout, 1974, 187 p. (1re éd., *Die Alchemie im Mittelalter,* Paderboorn, 1938.) Révision et notes par R. DELHEZ.

HALLEUX (Robert), *Les Textes alchimiques,* Turnhout (Belgique), Brepols, 1979, coll. « Typologie des sources du Moyen Âge occidental », fasc. 32, 153 p.

Sans doute la meilleure introduction historique, ainsi que la meilleure orientation bibliographique.

HOLMYARD (E.-J.), *L'Alchimie,* Paris, Arthaud, 1979, 399 p. et ill. Éd. originale, *Alchemy,* Harmondsworth, Penguin Books, 1957.

Exposé clair, richement illustré, suivi de plusieurs articles par d'autres auteurs.

HUTIN (Serge), *L'Alchimie,* Paris, P.U.F., coll. « Que sais-je ? », 1971 (4e éd. mise à jour), 128 p.

La plus concise des introductions.

JABIR IBN HAYYAN, cf. LORY (Pierre).

KIBRE (Pearl), *Studies in Medieval Science. Alchemy, Astrology, Mathematics and Medicine,* Ronceverte, West Virginia et Londres, Hambledon Press, 1984, 376 p. et ill. (recueil de vingt articles).

KOPP (Hermann), *Die Alchemie in älterer und neuerer Zeit. Ein Beitrag zur Kulturgeschichte :* t. I : *Die Alchemie bis zum letzten Viertel des 18. Jahrhunderts,* 260 p. ; t. II : *Die Alchimie vom letzten Viertel des 18. Jahrhunderts an,* 425 p. ; Heidelberg, Car Winter, 1886.

Je cite exceptionnellement un ouvrage ancien, car celui-ci est d'une grande richesse. Dépassé évidemment sur quelques points, c'est encore l'exposé historique le plus complet.

LINDSAY (Jack), *The Origins of Alchemy in Graeco-Roman Egypt,* Londres, F. Muller, 1970, 452 p. et ill.

Fondamental. Riche et documenté. Bibliographie abondante.

LORY (Pierre), Jâbir ibn Hayyan : *Dix Traités d'alchimie (Les dix premiers Traités du Livre des Soixante-dix).* Traduits et présentés par Pierre LORY, Paris, Islam Sindbas, 1983, 313 p.

MONOD-HERZEN (G.-F.), *L'Alchimie méditerranéenne. Ses origines et son but. La Table d'Émeraude,* Paris, Adyar, 1963, 220 p.

OBRIST (Barbara), *Les Débuts de l'imagerie alchimique (XIVe-XVe siècles),* Paris, Le Sycomore, 328 p. et ill.

PELVET (Pierre), *L'Alchimie en France dans la première moitié du XXe siècle,* Université de Paris X, Nanterre, thèse de IIIe cycle, décembre 1980, tapuscrit, 380 p. + table analytique.

Sur Jollivet-Castelot, Fulcanelli, Eugène Canseliet, et leur milieu. Travail très intéressant, le seul de ce genre sur la question.

PRITCHARD (Alan), *Alchemy. A Bibliography of English Language writings,* Londres, Routledge and Kegan Paul, 1980, 439 p.

Bibliographie à peu près exhaustive de tous les textes (articles compris !) de langue anglaise. Indispensable.

RABINOVITCH (V. L.), *Alchimia kak phiénomen sriédniéviékoï koultouri,* Moscou, Naouka, 1979, 269 p. et ill.

Intéressant et bien documenté. Une bibliographie russe. Cet auteur a publié divers travaux sur l'alchimie et le symbolisme, depuis 1970.

READ (John), *Prelude to Chemistry. An outline of Alchemy, its literature and relationships,* Londres, G. Bell and Sons Ltd., 1936, XXIV et 328 p. et ill.

Bonne étude, à la fois synthétique et précise, qui, en outre, se lit agréablement.

RUSKA (Julius), *Tabula Smaragdina. Ein Beitrag zur Geschichte der hermetischen Literatur,* Heidelberg, C. Winter, 1926, 248 p.

Un grand classique, sur l'histoire de la *Table d'Émeraude.*

TELLE (Joachim), *Sol und Luna. Literar- und alchemie-geschichtliche Studien zu einem altdeutschen Bildgedicht,* Hürtgenwald (R.F.A.), H. Pressler, 1980, 273 p. et ill.

THORNDIKE (Lynn), cf. *supra,* « Ouvrages Généraux ».

VAN LENNEP (J.), *Art et alchimie : Étude de l'iconographie hermétique et de ses influences,* Bruxelles, Meddeus, 1966. Coll. « Art et Savoir », 292 p. et ill.

Signalons aussi le riche catalogue, réalisé par le même auteur à l'occasion de l'exposition de Bruxelles : Crédit communal, 1985, 448 p.

On dispose aisément d'une très grande partie des textes d'alchimie latine, grâce à l'édition récente, en fac-similé, de collections rassemblées au XVIIe et au début du XVIIIe siècle. Il s'agit essentiellement des trois titres suivants :

Bibliotheca Chemica Curiosa, seu rerum ad alchemiam pertinentium Thesaurus instructissimus, édité par J. Jacob MANGET à Genève en 1702 ; éd. Arnaldo Forni, s.d. (1977). In-folio, t. I : 938 p., t. II : 903 p.
Musaeum Hermeticum Reformatum et Amplificatum, éd. de Francfort, 1678. Graz, Ak. Druck und Verlagsanstalt, 1970. Introduction de Karl R. H. FRICK, 863 p.
Theatrum Chemicum, praecipuos selectorum auctorum tractatus de Chemiae et Lapidis Philosophici, Argentorati, 1659/61. Turin, Bottega d'Erasmo, 1981 : t. I : 794 p. ; t. II : 449 p. ; t. III : 859 p. ; t. IV : 1014 p. ; t. V : 912 p. ; t. VI : 772 p. Chaque tome comporte un index. Fascicule joint : *Introduzione,* par Maurizio BARRACANO, XXXVIII p.

Parmi les recueils de textes en d'autres langues, citons :

Theatrum Chemicum Britannicum. Containing severall Poeticall Pieces of our Famous English Philosophers, who have written the Hermetique Mysteries in their owne Ancient Language. Faithfully Collected into one Volume, with Annotations thereon, by Elias Ashmole, Esq. qui est Mercuriophilus Anglicus, Londres, 1652, 494 p. et ill. Rééd. fac-similé à Hildesheim (R.F.A.), Olms, 1968, avec une préface de C. H. JOSTEN.
Alchimie. Textes alchimiques allemands traduits et présentés par Bernard GORCEIX, Paris, Fayard, coll. « L'Espace intérieur », 238 p. Pp. 11-64, présentation des textes par B. GORCEIX ; la plupart se situent dans la mouvance paracelsienne.

Signalons quatre revues, parmi les plus documentées :

Ambix. The Journal of the Society for the Study of Alchemy and early Chemistry. Depuis 1937. En principe 3 numéros par an, d'une cinquantaine de pages chacun, constituant un volume. 32 volumes parus. Cambridge, Hoffers Printers. C'est la revue la plus documentée.
Cauda Pavonis (The Hermetic Text Society Newsletter), Washington State Univ., Dept. of English. Depuis 1982, 2 numéros par an, de 4 à 6 pages chacun. Contient essentiellement des comptes rendus, recensions et analyses. De très bonne tenue.
The Hermetic Journal. Edited by Adam Mc Lean, Felindenys, Silian, near Lampeter, Dyfeld (G.-B.). Trimestriel. Une quarantaine de pages par numéro ; 29 numéros parus jusqu'à 1985. De valeur inégale, mais beaucoup d'articles excellents, et d'iconographie. A. Mc Lean publie parallèlement des rééd. de textes alchimiques et théosophiques.
La Tourbe des Philosophes. Revue d'Études alchimiques, Paris, La Table d'Émeraude. Paraît depuis 1977. Trimestriel. Une soixantaine de pages par numéro. Inspirée par E. Canseliet et Fulcanelli. Beaucoup d'articles, également, sur l'alchimie pratique.

FRANC-MAÇONNERIE ÉSOTÉRIQUE

BENIMELI (José A. Ferrer), *Masonería, Iglesia e Illustración : Un conflicto ideológico-político-religioso,* Madrid, Fundación Universitaria Espanola (Seminario Cisneros), 1976/1977 : t. I : *Les bases de un conflicto (1700-1739),* 440 p. et ill. ; t. II : *Inquisición : procesos histéricos (1739-1750),* 546 p. et ill. ; t. III : *Institucionalización del conflicto (1751-1800),* 725 p. et ill. ; t. IV : *La otra cara del conflicto. Conclusiones y bibliografía,* 831 p. et ill.

Un outil de travail et de références indispensable.

FRICK (Karl R. H.), cf. *supra, Licht und Finsternis,* etc. (rubrique « Ouvrages généraux »).

LE FORESTIER (René), *La Franc-Maçonnerie templière et occultiste aux XVIIIe et XIXe siècles,* publié par A. FAIVRE avec addenda et notes, préface d'A. FAIVRE, introduction d'Alec MELLOR, Paris, Aubier-Nauwelaerts, 1970, 1116 p. et ill.

Ouvrage indispensable, non seulement pour ce qui concerne la Franc-Maçonnerie de l'époque, mais aussi l'Illuminisme.

NAUDON (Paul), *La Franc-Maçonnerie chrétienne (La Tradition opérative, l'Arche Royale de Jérusalem, le Rite Écossais Rectifié),* Paris, Dervy, coll. « Histoire et Tradition », 1970, 236 p.

— *Les Origines religieuses et corporatives de la Franc-Maçonnerie,* Paris, Dervy, coll. « Histoire et Tradition », 1979, 348 p. (1re éd., 1972).

— *La Franc-Maçonnerie,* Paris, P.U.F., coll. « Que sais-je ? », 128 p. (1re éd. 1963).

La plus pratique et peut-être la meilleure des introductions.

SAUNIER (Jean), *Les Francs-Maçons,* Paris, C.A.L., 1972, 283 p. et ill.

TOURNIAC (Jean), *Symbolisme maçonnique et tradition chrétienne,* Paris, Dervy, coll. « Histoire et Tradition », 1982, 276 p. (1re éd. 1965).

Parmi les revues les plus informées et les plus dignes d'intérêt :

Ars Quatuor Coronatorum : Transactions of Quatuor Coronati Lodge N° 2076. Un volume annuel de 250 à 270 pages, 96 volumes parus jusqu'en 1985.

La plus célèbre des revues maçonniques. D'une très haute tenue.

Eleusis. Organ des Deutschen Obersten Rates der Freimaurer des AASR. Depuis quarante ans. 4 à 5 numéros par an (300 à 350 pages par an) Francfort, Selbstverlag DOR/AASR. Directeur : Herbert KESSLER.

Renaissance traditionnelle. Trimestriel, paraît depuis 1970. 61 numéros parus jusqu'à 1985. 50 à 80 pages par numéro. Fondé par René DESAGULIERS.

Extrêmement sérieuse et documentée. Malheureusement difficile à se procurer, même en bibliothèque.

Travaux de la Loge nationale de Recherches Villard de Honnecourt, Neuilly, G.L.N.F., Semestriel. 10 numéros parus, sous sa forme actuelle (depuis 1980). Chaque numéro, entre 200 et 300 pages.

Le meilleur périodique en langue française. Facilement disponible en librairie.

Zeitschrift, et *Jahrbuch der Forschungsloge Quatuor Coronati,* Bayreuth. Irrégulièrement, paraît sous des formes variées. Une mine pour l'historien. Des

volumes jusqu'à 400 pages. Un numéro (1976, 383 p. et Nachtrag 1984) a publié le catalogue de la Bibliothèque maçonnique de Bayreuth (travail de Herbert SCHNEIDER) — mais c'est seulement un exemple parmi d'autres publications de ce périodique.
Parmi les plus importants dictionnaires maçonniques, signalons :

LENNHOFF (Eugen) et POSNER (Oskar), *Internationales Freimaurer Lexikon,* Graz, Akad. Druck- und Verlagsanstalt, s.d., 1780 col. (*reprint* de l'éd. de 1932).
Le plus pratique de tous.

WOLFSTIEG (August), *Bibliothek der Freimaurerischen Literatur,* Hildesheim, G. Olms, 1964 (Reprint de l'éd. de Burg, 1911) : t. I : 990 p. ; t. II : 1041 p. ; t. III : 536 p. ; t. IV : 598 p.
Une véritable somme, dont l'ampleur n'a jamais été dépassée.

LIGOU (Daniel), *Dictionnaire universel de la Franc-Maçonnerie : Hommes illustres, pays, rites, symboles.* Sous la direction de Daniel LIGOU. Réalisation : Daniel BERESNIAK et Marion PRACHIN, Paris, Navarre-Prisme, 1974, 1398 p. et ill.

Il existe une excellente bibliographie :

BENIMELI (Jose A. Ferrer), *Bibliografía de la Masonería. Introducción historico-crítica,* Univ. de Saragosse, et Univ. Católica Andrés Bello de Caracas, 1974, 387 p.

DU IIe *(corpus hermeticum)* AU XVe SIÈCLE

ALVERNY (Marie-Thérèse D'), « Le Cosmos symbolique du XIIe siècle », pp. 31-81 in *Archives d'histoire doctrinale et littéraire du Moyen Âge,* Paris, J. Vrin, 1953.

ALVERNY (Marie-Thérèse D'), DANNENFELDT (K. H.), SILVERSTEIN (Theodore), « Hermetica Philosophica », et « Oracula Chaldaica », pp. 137-164 in *Catalogus Translationum et Commentariorum : Medieval and Renaissance Latin Translations and Commentaries. Annotated lists and guides ;* éd. Paul Oskar KRISTELLER, vol. I (I-II), Washington D.C., The Catholic University of America Press (Union Acad. Int.), 1960.

BEJOTTES (L.), *Le « Livre Sacré » d'Hermès Trismégiste et ses 36 herbes magiques,* Bruxelles, impr. de Barthélemy, 1911, 201 p.

BERTHELOT (Marcellin), cf. *supra,* rubrique « Alchimie ».

BONARDEL (Françoise), *L'Hermétisme, cf. supra,* « Ouvrages généraux ».

BREHIER (Émile), *La Philosophie au Moyen Âge,* Paris, Albin Michel, coll. « L'Évolution de l'humanité », 1949, 470 p. (1re éd. 1937).

CASARIL (Guy), *Rabbi Siméon Bar Jochai et la Cabbale,* Paris, Éd. du Seuil, coll. « Maîtres Spirituels », 1961, 187 p. et ill.
Pratique petit ouvrage d'introduction.

COUSINS (Ewert H.), *Bonaventure and the Coincidence of Opposites,* Chicago, Franciscan Herald Press, 1978, 316 p.
Remarquable ouvrage de synthèse. Aperçus neufs et féconds.

DANNENFELDT (K. H.), cf. *supra*, ALVERNY *(Catalogus Translationum)*.

DELATTE (Louis), *Textes latins et vieux français relatifs aux Kyranides*, Liège et Paris, Faculté de Philo. de Liège, et Droz, 1942, XI + 364 p.

DAVY (Marie-Magdeleine), *Initiation à la symbolique romane*, Paris, Flammarion, 1977, 312 p. (1re éd., *Essai sur la symbolique romane*, 1955).

— *Initiation médiévale : La Philosophie au XIIe siècle*, Paris, Albin Michel, coll. « Bibliothèque de l'Hermétisme », 1980, 297 p.

DUVAL (Paulette), *La Pensée alchimique et le Conte du Graal : recherches sur les structures (« Gestalten ») de la Pensée alchimique, leurs correspondances dans le conte du Graal de Chrétien de Troyes et l'influence de l'Espagne mozarabe de l'Èbre sur la pensée symbolique de l'Œuvre*, Paris, Champion, et reproduction des thèses de Lille, 1975, 386 p. et ill.

FESTUGIÈRE (André-Jean), *Hermétisme et mystique païenne*, Paris, Aubier-Montaigne, 1967, 333 p. et ill.

— *La Révélation d'Hermès Trismégiste*, 4 vol., Paris, « Les Belles Lettres », 1981, XII + 441 p. ; XVII + 610 p. ; XIV + 314 p. ; XI + 319 p., Ill. (1re éd. : 1949-1954).

L'ouvrage de base sur les *Hermetica*. Aucun autre travail n'est aussi fondamental.

GAGNON (Claude), cf. *supra*, rubrique « Alchimie ».

GALLAIS (Pierre), *Perceval et l'Initiation : Essai sur le dernier roman de Chrétien de Troyes, ses correspondances orientales et sa signification anthropologique*, Paris, Sirac, 1972, 312 p. et ill.

GANDILLAC (Maurice de), cf. *infra* : « Pensée encyclopédique au Moyen Âge » et Pseudo-Denys.

GARIN (Eugenio), *Moyen Âge et Renaissance*, Paris, Gallimard, coll. « Bibliothèque des Idées », 1969, 273 p. (éd. originale : *Medioèvo e Rinascimento*, 1954), traduit par Claude CARME.

Recueil d'articles et d'essais, particulièrement bien documentés et éclairants.

GILSON (Étienne), *La Philosophie au Moyen Âge, des origines patristiques à la fin du XIVe siècle*, Paris, Payot, 1962, 782 p. (1re éd. : 1944).

On préférera, pour notre propos, l'ouvrage d'É. Bréhier, bien que les deux se complètent. É. Gilson ne mentionne nulle part Joachim de Flore...

GOETSCHEL (Roland), *La Kabbale*, Paris, P.U.F., coll. « Que sais-je ? », 1985, 126 p.

Le guide historique le plus sûr, parmi les petits ouvrages consacrés à la Kabbale. Vade-mecum indispensable.

GORCEIX (Bernard), *Le Livre des Œuvres divines* (présenté et traduit par B. GORCEIX), Paris, Albin Michel, coll. « Spiritualités Vivantes », 1982, CI + 217 p.

Excellente introduction par B. GORCEIX, pp. I-CI.

— *Les Amis de Dieu en Allemagne au siècle de Me Eckhart*, Paris, Albin Michel, coll. « Spiritualités Vivantes », 1984, 302 p.

L'ouvrage fondamental sur Rulman Merswin et L'Île Verte.

HALBRONN (Jacques), *Le Monde juif et l'astrologie. Histoire d'un vieux couple ;* suivi d'une étude de Paul FENTON, préface de Juan VERNET. Milan, Arché, 1985, 433 + XIX p. et ill. (1re éd. 1979).

HALLEUX (Robert), cf. *supra*, rubrique « Alchimie ».

HERMÈS TRISMÉGISTE, *Poïmandrès. Traités II-XVII (du « Corpus Hermeticum ») Asclepius. Fragments extraits de Stobée.* Textes établis et traduits par A. D. NOCK et A.-J. FESTUGIÈRE, 4 vol., Paris « Les Belles Lettres », 1954-1960. LIII + 195 p. ; 196-404 p. ; CCXXVIII-93 p., 150 p.

Cet ensemble accompagne évidemment l'œuvre de Festugière, *La Révélation d'Hermès Trismégiste* (cf. *supra*), les deux œuvres constituant un instrument indispensable de travail.

Mais on n'oubliera pas cette autre édition :

Hermetica : The ancient Greek and Latin writings which contain religious or philosophic teachings ascribed to Hermes Trismegistus ; edited with English translation by Walter SCOTT, Oxford, Clarendon Press, 1924/36. Fac-similé 1968 : t. I : Introduction, textes et traduction, 1924, 549 p. ; t. II : Notes on the *Corpus Hermeticum,* 1925, 482 p. ; t. III : Notes on the Latin *Asclepius* and the hermetic extracts of Stobaeus, 1926, 626 p. ; t. IV : Testimonia, with introduction, addenda and indices by A. S. FERGUSON, 1936, 576 p.

Tout ce travail n'est pas dépassé par l'édition d'A.-J. Festugière (cf. *supra*). Le tome IV, particulièrement, reste une étude inégalée en matière de *testimonia.*

HILLGARTH (J. N.), *Ramon Lull and Lullism in 14th century France,* Oxford, Clarendon Press, 1971, 504 p. et ill.

JAMBLIQUE, *Les Mystères d'Égypte.* Texte établi et traduit par Édouard DES PLACES, Paris, « Les Belles-Lettres », 1966, 224 p.

JONAS (Hans), *La Religion gnostique. Le message du Dieu Étranger et les débuts du christianisme,* traduit par Louis ÉVRARD, Paris, Flammarion, 1978, 506 p. (1re éd. : Boston, 1958.) Contient pp. 443-463 l'appendice *Le Syndrome gnostique,* 1re éd. 1974.

Remarquable étude historique et philosophique. Un livre indispensable pour l'étude du gnosticisme.

KAHANE (Henry et Renée), *The Krater and the Grail. Hermetic Sources of the Parzival ;* en collaboration avec Angelina PIETRANGELI, Urbana, Univ. of Illinois Press (Illinois Studies in Language and Literature, vol. LVI), 1965, 218 p. et ill.

LUBAC (Henri de), cf. *supra,* rubrique « Ouvrages généraux » pour le t. I.

MARX (Jean), *La Légende arthurienne et le Graal,* Genève, Slatkine, 1974, 410 p., fac-similé de l'éd. P.U.F., 1952.

MATT (Daniel Chanan), *Zohar, The Book of Enlightenment,* Translation and Introduction by Daniel Chanan MATT, Preface by Arthur GREEN, New York, Paulist Press, « The Classics of Western Spirituality », 1983, XVI et 320 p.

Choix intéressant, introduction et notes fort instructives.

MOPSIK (Charles), *Le Zohar.* Traduction, annotation et avant-propos par Charles MOPSIK. Suivi du *Midrach Ha Néélam,* traduit et annoté par Bernard MARUANI, éd. Verdier, t. I, 1981, 671 p. ; t. II, 1984, 555 p.

Voici enfin une bonne traduction complète du *Zohar,* qui remplace avantageusement celle, très dépassée, de Jean de Pauly. Bonne introduction et appareils critiques.

NAUDON (Paul), cf. *supra,* rubrique « Franc-Maçonnerie ».

(Le) Néo-platonisme, Paris, C.N.R.S., « Colloques internationaux du C.N.R.S. » (Colloque de Royaumont, 1969), 1971, 496 p.

Oracles Chaldaïques. Avec un choix de commentaires anciens. Texte établi et traduit par Édouard DES PLACES, Paris, « Les Belles-Lettres », 1971, 252 p.
(La) Pensée encyclopédique au Moyen Âge, (ouvrage collectif), Neuchatel, La Baconnière, 1966, 125 p.
Articles instructifs sur les « Sommes », notamment : Isidore de Séville, (J. Fontaine), Hugues de St. Victor (J. Châtillon), Vincent de Beauvais (M. Lemoine), Raoul Ardent (J. Gründel), Barthélémy l'Anglais et Alexandre Neckham (P. Michaud-Quantin), et un excellent texte de M. de Gandillac : « Encyclopédies prémédiévales ».
(Des) PLACES, cf. *supra,* JAMBLIQUE et « Oracles Chaldaïques ».
POIRION (Daniel), *Le Merveilleux dans la littérature française du Moyen Âge,* Paris, P.U.F., coll. « Que sais-je ? », 1982, 127 p.
Pseudo-Denys l'ARÉOPAGITE *(Œuvres du -),* traduction, commentaires et notes par Maurice de GANDILLAC, Paris, Aubier-Montaigne, coll. « Bibliothèque Philosophique », 1980, 406 p. (1re éd., 1943).
PUECH (Henri-Charles), *En Quête de la Gnose,* Paris, Gallimard, coll. « Bibliothèque des Sciences Humaines » : t. I : *La Gnose et le Temps, et autres essais,* 1978, 300 p. ; t. II : *Sur l'Évangile selon Thomas. Esquisse d'une interprétation systématique,* 1978, 319 p.
RIBARD (Jacques), *Le Moyen Âge : Littérature et symbolisme,* Paris, Champion, coll. « Essais », 1984, 169 p.
Excellent petit ouvrage consacré à la symbolique : des nombres, couleurs, animaux, plantes, noms, de l'espace, du temps, des objets... On appréciera aussi l'ouvrage suivant, du même auteur :
— *Chrétien de Troyes : Le Chevalier de la Charrette. Essai d'interprétation symbolique,* Paris, Nizet, 1972, 185 p.
C'est un modèle du genre. On lit Chrétien de Troyes sous l'angle d'une herméneutique chrétienne, Lancelot est un Christ arthurien...
ROQUES (René), *L'Univers dionysien : structure hiérarchique du monde selon le Pseudo-Denys,* Paris, Éd. du Cerf, 1983, 382 p. (1re éd. 1954).
RUSKA (Julius), cf. *supra,* rubrique « Alchimie ».
SANSONETTI (Paul-Georges), *Graal et alchimie,* Paris, Berg International, coll. « L'Île Verte », 1982, 214 p. et ill.
SAXL (FRITZ), *Verzeichnis astrologischer und mythologischer illustrierter Handschriften des lateinischen Mittelalters,* Heidelberg, C. Winter, 1915/1927 (et éd. *Studien der Bibliothek Warburg,* Leipzig, 1922/1932).
RITTER (Hellmut), « Picatrix, ein arabisches Handbuch hellenistischer Magie », pp. 94-124 in *Vorträge der Bibliothek Warburg,* Leipzig, Teubner, 1923.
SCHAYA (Leo), *La Création en Dieu à la lumière du judaïsme, du christianisme et de l'islam,* Paris, Dervy, coll. « Mystiques et religions », 564 p.
Quantité d'aperçus pertinents sur l'ésotérisme médiéval abrahamique.
SCHOLEM (Gershom), *Les Grands Courants de la mystique juive* (rééd. de l'éd. de 1960) Paris, Payot, 1983, 432 p. Traduit par M.-M. DAVY, titre original : *Die jüdische Mystik und ihre Hauptströmungen* (éd. anglaise : *Major trends in Jewish Mysticism,* New York, Schocken, 1961).
Incontestablement le meilleur ouvrage d'introduction à la Kabbale. Autres ouvrages importants du même auteur :
— *La Kabbale et sa symbolique,* Paris, Payot, 1966, 230 p.

— *Les Origines de la Kabbale,* Paris, Albin Michel, coll. « Pardès », 1966, 523 p. (1re éd. : *Ursprung und Anfänge der Kabbala,* Berlin, 1962).

— *Kabbalah,* New York, Meridian Books, 1978, 494 p. et ill. (1re éd., Jérusalem, 1974).

— *Le Messianisme juif : essai sur la spiritualité du judaïsme,* traduction, notes et bibliographie par Bernard D. DUPUY, Paris, Calmann-Lévy, 1974, 504 p. (1re éd. : *The Messianic Idea in Judaism and other essays on Jewish Spirituality,* New York, Schocken, 1971).

SCOT ÉRIGÈNE (Jean) *et l'histoire de la Philosophie,* in Colloques internationaux du C.N.R.S., n° 561, 1977, 484 p. (colloque de 1975, contributions de F. Bertin, J. Trouillard, P. Lucentini, J. Chatillon, *et al.*).

SCOTT (Walter), cf. *supra,* HERMES TRISMEGISTUS.

SFAMENI GASPARRO (Giulia), *Gnostica et Hermetica : saggi sullo gnosticismo e sull'ermetismo,* Rome, Ed. dell'Ateneo, 1982, 386 p.

Traite notamment de l'hermétisme et d'Hermès Trismégiste dans la littérature chrétienne primitive.

SILVERSTEIN (Théodore), « The fabulous cosmogony of Bernardus Silvestris », pp. 92-116, in : *Modern Philology* (A Journal devoted to research in Medieval and Modern Literature), Chicago, Univ. of Chicago Press, août 1948, n° 1, vol. XLVI.

— « Liber Hermetis Mercurii Triplicis de VI Rerum Principiis », pp. 217-302, in *Archives d'Histoire doctrinale et littéraire du Moyen Âge,* Paris, J. Vrin, année 1955/1956.

— Cf. aussi *supra,* ALVERNY *(Hermetica Philosophica).*

THORNDIKE (Lynn), cf. *supra,* rubrique « Ouvrages généraux ». Les volumes I-IV de *History of Magic* sont fondamentaux pour le Moyen Âge.

WEHR (Gerhard), cf. *supra,* « Ouvrages généraux ».

RENAISSANCE ET XVIIe SIÈCLE

A) Varia

AGRIPPA AB NETTESHEIM (Henricus Cornelius), *De Occulta philosophia,* présenté par Karl Anton NOWOTNY, Graz, Akad. Druck- und Verlagsanstalt, 1967, in fol., 915 p. et ill. (1re éd. 1533).

Cité ici en raison de l'intérêt des notes et des documents présentés par Nowotny, de la page 387 à la page 915.

CASSIRER (Ernst), *Individu et cosmos dans la philosophie de la Renaissance,* Paris, Éd. de Minuit, 1983, 489 p. et ill., traduit par Pierre QUILLET (1re éd., *Individuum und Kosmos in der Renaissance,* Leipzig, 1927).

EVANS (R. J. W.), *Rudolf II and his World (A Study in Intellectual History) (1576-1612),* Oxford, Clarendon Press, 1984, 323 p. et ill. (1re éd. 1973).

Remarquablement bien documenté. Irremplaçable étude de milieu.

FRENCH (Peter), *John Dee. The World of an Elizabethan Magus,* Londres Routledge and Kegan Paul, 1972, 243 p. et ill.

GODET (Alain), *Nun was ist die Imagination anders als ein Sonn im Menschen*

(Studien zu einem Zentralbegriff des magischen Denkens), thèse univ. de Bâle, Zurich, A.D.A.G. Administration & Druck, 1982, 282 p.

De nombreuses références et citations bien choisies. Travail original qui mériterait d'être plus connu.

PEUCKERT (Will Erich), *Pansophie. Ein Versuch zur Geschichte der weissen und schwarzen Magie*, Berlin, Erich Schmidt, s.d. (1968-?), 533 p. (1re éd. Berlin, 1957).

Un peu confus, mais d'une grande richesse d'information.

SEZNEC (Jean), *La Survivance des dieux antiques*, Paris, Flammarion, 1980, 337 p. et ill.

SHUMAKER (Wayne), *The Occult Sciences in the Renaissance (A Study in Intellectual Patterns)*, Berkeley et Los Angeles, Univ. of California Press, 1979, 282 p. et ill. (1re éd. 1972).

Astrologie, Hermétisme, Magie, Alchimie : un chapitre est consacré à chacune de ces branches.

Umanesimo e esoterismo, ouvrage collectif, Padoue, Cedam, Dott A. Milani, « Archivio di Filosofia », 1960, 448 p. et ill.

Articles sur M. Ficin, S. Champier, Vasari, G. Postel *et al.*

Umanesimo e simbolismo, ouvrage collectif. Même éditeur, même série que *supra*, 1958, 317 p. et ill.

WALKER (D. P.), *Spiritual and Demonic Magic. From Ficino to Campanella*, Londres : Univ. of Notre-Dame Press, 1975, 244 p. (1re éd. Warburg Institute, 1958).

Outre des études sur Ficin et Campanella, des chapitres très documentés sur Plethon, Lazarelli, Trithème, Agrippa, Paracelse, J. Gohory, Pomponazzi, Giorgi, *et al.* En cours d'édition en français, Paris, Albin Michel, « Bibliothèque de l'Hermétisme ».

WIND (Edgar), *Pagan Mysteries in the Renaissance*, Peregrine Books, 1967, 345 p. et ill. (1re éd., Londres, 1958).

Iconologie, emblématique et ésotérisme.

YATES (Frances A.), *L'Art de la mémoire*, Paris, Gallimard, 1966, 434 p. et ill. (1re éd., Londres, Routledge and Kegan Paul, 1966, et reprint Univ. of Chicago, Phenix Books, s.d.).

Déjà un classique. Tout amateur sérieux devrait posséder les œuvres de cet auteur, dont quatre autres sont citées aux pages suivantes. On doit passer par elles toutes pour aborder l'histoire de l'ésotérisme à la Renaissance :

— *The Occult Philosophy in the Elizabethan Age*, Londres, Routledge, 1979, 217 p.

Études sur Lulle, Pic, Reuchlin, Giorgi, Agrippa, Dürer, John Dee, les Rose-Croix, *et al.* D'autres études de F. A. Yates sont rassemblées sous le titre :

— *Collected Essays*, Londres, Routledge and Kegan Paul : vol. I : *Lull and Bruno*, 1982, 279 p. et ill. ; vol. II : *Renaissance and Reform : The Italian Contribution*, 1983, 273 p. et ill. ; vol. III : *Ideas and Ideals in the North European Renaissance*, 1984, 356 p. et ill.

B) Réception de l'Hermétisme alexandrin

COPENHAVER (Brian P.), *Symphorien Champier and the reception of the Occultist Tradition in Renaissance France,* La Haye-Paris-New York, Mouton, 1978, 368 p. et ill.

DANNENFELDT (K. H.), *Hermetica Philosophica..., op. cit., supra,* « Du IIe au XVe siècle », cf. ALVERNY.

MCGUIRE (J. E.), cf. WESTMAN (Robert S.).

SHUMAKER (Wayne), *The Occult Sciences, op. cit. supra,* les pages 211-250.

SLADEK (Mirko), *Fragmente der hermetischen Philosophie... op. cit., supra,* « Ouvrages généraux ».

Testi umanistici su l'Ermetismo (ouvrage collectif), Archivio di Filosofia, Rome, Fratelli Bocca, 1955, 161 p.

Articles sur Lazarelli, Giorgi, Agrippa.

TUVESON (Ernest Lee), *The Avatars of Trice Great Hermes..., op. cit., supra,* « Ouvrages généraux ».

WALKER (D. P.), *The Ancient Theology : Studies in Christian Platonism from the Fifteenth to the Eighteenth Century,* Old Woking (G.B.), The Gresham Press, s.d., 276 p. (1re éd., Londres, Duckworth, 1972).

WESTMAN (Robert S.) et MCGUIRE (J. E.), *Hermeticism and scientific revolution,* Los Angeles, William Andrews, Clark Memorial Library, Univ. of California, 1977, 150 p. et ill.

YATES (Frances A.), *Giordano Bruno and the Hermetic Tradition,* Chicago-Londres, The Univ. of Chicago Press, Midway reprints, 1979, 466 p. (1re éd., Londres, Routledge and Kegan Paul, 1964).

Bien que maintenant discuté sur quelques points de détail, reste un chef-d'œuvre et un indispensable outil de travail. En cours d'édition en français (Paris, Dervy).

C) Kabbale chrétienne

JAVARY (Geneviève), *Recherches sur l'utilisation du thème de la Sekina dans l'apologétique chrétienne,* Univ. de Lille III, reproduction des thèses, diffusion Paris, Champion, 1977, 598 p.

Kabbalistes chrétiens (ouvrage collectif), Paris, Albin Michel, coll. « Cahiers de l'Hermétisme », 1979, 314 p. et ill.

Articles de G. Scholem, G. Javary, E. Benz, H. Greive, C. Wirszubski, *et al.*

SECRET (François), *Les Kabbalistes chrétiens de la Renaissance,* Paris Arma Artis et Milan, Arché, 1985, XXXVII + 395 p. et ill., nouv. éd. mise à jour et augmentée (1re éd., Paris, Dunod, 1964).

Reste encore le travail d'ensemble le plus documenté.

D) Paracelsisme et philosophie de la nature

DEBUS (Allen G.), *Man and Nature in the Renaissance,* Cambridge, Univ. Press, 1978, 159 p. et ill.

— *The Chemical Philosophy : Paracelsian Science and Medicine in the Sixteenth and Seventeenth Centuries,* New York, Science History Publications, 1977 : vol. I, 293 p. et ill. ; vol. II, 606 p. et ill.

Paracelse, Fludd, F. M. Van Helmont, etc. Un ensemble impressionnant, d'une haute tenue. Outil de travail, ouvrage de référence.

KAISER (Ernst), *Paracelsus in Selbstzeugnissen und Dokumenten,* Reinbek bei Hamburg, Rowohlt, 1969, 158 p.

Une des meilleures introductions au paracelsisme.

KOYRÉ (Alexandre), *Mystiques, Spirituels, Alchimistes, du XVIe siècle allemand,* Paris, Arm. Colin, « Cahiers des Annales », n° 10, 1955, 116 p.

Schwenkfeld, Seb. Frank, Weigel, Paracelse.

Kreatur und Kosmos : Internationale Beiträge zur Paracelsusforschung, éd. par Rosemarie DILG-FRANK. Stuttgart-New York, G. Fischer, 1981, 206 p.

Articles de W. Pagel, J. Telle, A. Miller-Guinsburg, L. Braun *et al.*

Occult and Scientific Mentalities in the Renaissance, éd. par Brian VICKERS, Center for Renaissance Studies, E.T.H. Zurich-Londres-New York, Cambridge Univ. Press, 408 p.

Sur Kepler, Bacon, Newton. Un des plus importants ouvrages sur la question. Relevons particulièrement les noms des éminents spécialistes B. Vickers et S. Westman.

PAGEL (Walter), *Paracelse. Introduction à la médecine philosophique de la Renaissance,* Paris, Arthaud, 1963, 405 p. et ill. (1re éd., *Paracelsus : an Introduction to philosophical Medicine in the era of the Renaissance,* Bâle et New York, S. Karger, 1958).

L'exposé synthétique le plus complet en français.

PARACELSE (ouvrage collectif), Paris, Albin Michel, coll. « Cahiers de l'Hermétisme », 1980, 280 p.

Textes de Lucien Braun, K. Goldammer, P. Deghaye, E. W. Kämmerer, B. Gorceix, et bibliographie de R. Dilg-Frank.

E) Rose-Croix

ARNOLD (Paul), *Histoire des Rose-Croix et les origines de la Franc-Maçonnerie,* Paris, Mercure de France, 1955, 343 p.

Le premier travail important en français, à partir de la documentation rassemblée par H. Schick. Reste intéressant surtout pour sa bibliographie.

— *La Rose-Croix et ses rapports avec la Franc-Maçonnerie. Essai de synthèse historique,* Paris, Maisonneuve, 1970, 259 p.

EDIGHOFFER (Roland), *Rose-Croix et société idéale selon Johann Valentin Andreae,* préface d'A. FAIVRE, Paris, Arma Artis, 1982, 461 p. (les notes, la bibliographie, les illustrations, le texte latin de la *Confessio* et les index feront l'objet d'un second volume à paraître).

C'est de loin le travail le plus à jour sur la Rose-Croix du XVIIe siècle. À lire en priorité, après le « Que sais-je ? » :

— *Les Rose-Croix,* Paris, P.U.F., coll. « Que sais-je ? » 1982, 126 p.

Exposé sûr. La meilleure synthèse.

GORCEIX (Bernard), *La Bible des Rose-Croix,* Paris, P.U.F., 1970, LXIV + 125 p.

Après une introduction de 64 pages, une des meilleures initiations au corpus rosicrucien originel, B. Gorceix donne de celui-ci *(Fama, Confessio,* et *Noces Chymiques)* une excellente traduction.

MONTGOMERY (John Warwick), *Cross and Crucible : Johann Valentin Andreae (1586-1654) Phoenix of the Theologians*, La Haye, Nijhoff, « Archives internationales d'histoire des idées », n° 55, 1973 : t. I : *Andreae's Life, World-view, and relations with Rosicrucianism and Alchemy*, XVIII + 255 p. et ill. ; t. II : *The Cymische Hochzeit, with Notes and Commentary*, XII + pp. 257-577, et ill.

PEUCKERT (Will-Erich), *Das Rosenkreutz* (introduit et présenté par Rolf Christian ZIMMERMANN), Berlin, E. Schmidt, 1973, LI + 408 p. (1re édit. : *Die Rosenkreutzer. Zur Geschichte einer Reformation*, Iéna, 1928).

Schick (Hans), *Die Geheime Geschichte der Rosenkreutzer*, Schwarzenburg (Suisse), Ansata, 1980. Introduction de Alain GODET. XXXVI et 338 p. (1re éd. : *Das ältere Rosenkreuzertum. Zur Geschichte einer Reformation*, Iéna, 1928).

Le premier historien à avoir vraiment défriché le terrain.

YATES (Frances A.), *The Rosicrucian Enlightenment*, Londres, Routledge and Kegan Paul, XV + 269 p. et ill.

Un classique, qui ne fait pas double emploi avec les autres bons ouvrages.

F) Théosophie

BOEHME (Jacob), *Mysterium Magnum*, Paris, Aubier-Montaigne, 1945, 2 vol. : t. I : 592 p. ; t. II : 516 p. Traduit par S. JANKELEVITCH.

Cité ici pour les deux études sur J. Boehme, par Nicolas BERDIAEFF, présentées au début du tome I, pages 5 à 45. Essais remarquables qu'il est indispensable de lire, intitulés respectivement : « L'Ungrund et la Liberté », et « La doctrine de la Sophia et de l'Androgyne. Jacob Boehme et les courants sophiologiques russes ».

— LES ÉPÎTRES THÉOSOPHIQUES, Paris, Éd. du Rocher, coll. « Gnose », 1980, 407 p.

Cité ici pour la remarquable introduction critique de Gorceix (les 110 premières pages).

DEGHAYE (Pierre), *La Naissance de Dieu ou la doctrine de Jacob Boehme*, Paris, Albin Michel, coll. « Spiritualités Vivantes », 1985, 302 p.

La meilleure introduction en français à l'œuvre de Boehme.

GORCEIX (Bernard), *La Mystique de Valentin Weigel (1533-1588) et les origines de la théosophie allemande*, Univ. de Lille III, service de reproduction des thèses, 500 p.

— *Flambée et agonie : Mystiques du XVIIe siècle allemand*, Sisteron, Présence, coll. « Le Soleil dans le Cœur », 1977, 358 p. et ill.

Très bonne introduction à D. Czepko, Fr. Spee, Catharina R. von Greiffenberg, Angelus Silesius, Quirinus Kuhlmann, J. G. Gichtel.

— *Johann Georg Gichtel, théosophe d'Amsterdam*, Paris, L'Âge d'Homme, coll. « Delphica », 1974, 174 p. et ill.

Un des meilleurs ouvrages de B. Gorceix. Important pour comprendre la pensée et le milieu théosophiques boehméens au XVIIe et au début du XVIIIe siècles.

HUTIN (Serge), Henry More. Essai sur les doctrines théosophiques chez les platoniciens de Cambridge, Hildesheim, G. Olms, « Studien und Materialien zur Geschichte der Philosophie », 1966, 214 p.

Pratique et bien documenté.

— *Les Disciples anglais de Jacob Boehme*, Paris, Denoël, coll. « La Tour Saint-Jacques », 1960, 332 p.

Ouvrage de référence. Un classique. Serge Hutin a donné là ses deux meilleurs livres.

Jacob Boehme (ouvrage collectif), Paris, Albin Michel, coll. « Cahiers de l'Hermétisme », 1977, 236 p.

Textes de G. Wehr, P. Deghaye... et J. Boehme.

Jacob Boehme ou l'obscure lumière de la connaissance mystique (Hommage à Jacob Boehme dans le cadre du Centre d'études et de recherches interdisciplinaires de Chantilly), Paris, J. Vrin, 1979, 158 p.

Articles de H. Schmitz, P. Deghaye, J.-L. Vieillard-Baron, J.-F. Marquet, M. Vetö, M. de Gandillac, B. Rousset, A. Faivre, P. Trotignon.

KOYRÉ (Alexandre), *La Philosophie de Jacob Boehme*, Paris, J. Vrin, 1980, XVII + 525 p. (fac-similé de la 1re éd., 1929).

L'ouvrage le plus classique sur Boehme en français.

WEHR (Gerhard), *Jakob Boehme in Selbstzeugnissen und Bilddokumenten*, Reinbek bei Hamburg, Rowohlt, 1971, 157 p. et ill.

Repris dans le Cahier de l'Hermétisme cité *supra* où il est présenté en version française.

XVIIIe SIÈCLE

AMADOU (Robert), *Trésor martiniste*, Paris, Villain et Belhomme, 1969, 240 p. et ill.

Plusieurs études sur l'Illuminisme au XVIIIe siècle. Avec une précieuse bibliographie des œuvres de l'auteur jusqu'à cette date.

BENZ (Ernst), *Les Sources mystiques de la philosophie romantique allemande*, Paris, J. Vrin, 1968, 155 p.

Sur Saint-Martin en Allemagne, Mesmer, Baader *et al.* Un classique.

— *Theologie der Elektrizität. Zur Begegnung und Auseinandersetzung von Theologie und Naturwissenschaft im 17. und 18. Jahrhundert*, Mayence, Ak. der Wissenschaft und der Literatur, 1970, 98 p.

Sur Fricker, Divisch, Œtinger. De l'Illuminisme du XVIIIe siècle à la *Naturphilosophie* romantique.

CELLIER (Léon), *Fabre d'Olivet. Contribution à l'étude des aspects religieux du Romantisme*, Paris, Nizet, 1953, 448 p.

Déborde largement la période. Excellentes synthèses.

DEGHAYE (Pierre), *La Doctrine ésotérique de Zinzendorf (1700-1760)*, Paris, Klincksieck, 1969, 735 p. et ill.

FAIVRE (Antoine), *Kirchberger et l'Illuminisme du XVIIIe siècle*, La Haye, Nijhoff, « Archives internationales d'histoire des idées », n° 16, 1965, XXX + 284 p. et ill.

— *Eckartshausen et la théosophie chrétienne*, Paris, Klincksieck, 1969, 788 p. et ill.

— *L'Ésotérisme au XVIIIe siècle en France et en Allemagne*, Paris, Seghers, coll. « La Table d'Émeraude », 1973, 224 p. et ill. (éd. espagnole, Madrid, E.D.A.F., 1976).

— *Mystiques, théosophes et illuminés au siècle des Lumières,* Hildesheim, G. Olms, « Studien und Materialien zur Geschichte der Philosophie », XII + 263 p.

Sur Saint-Martin, Baader, Lavater, Corberon, l'alchimie, etc.

FRICK (Karl R. H.), *Licht und Finsternis* et *Die Erleuchteten..., op. cit., supra,* « Ouvrages généraux ».

GEIGER (Max), *Aufklärung und Erweckung. Beiträge zur Erforschung Johann Heinrich Jung-Stillings und der Erweckungstheologie,* Zurich, EVZ, 1963, 619 p. et ill.

Sur Jung-Stilling, F. R. Salzmann, Karl von Hessen-Kassel, Julie de Krüdener, *et al.*

JOLY (Alice), *Un mystique lyonnais et les secrets de la Franc-Maçonnerie (1730-1824),* Macon, Protat, 1938, 329 p. et ill.

Reste un ouvrage de base pour l'étude de l'Illuminisme lyonnais, bien que dépassé sur quelques points par des études ultérieures.

KELLER (Jules), *Le Théosophe alsacien Friedrich Rudolf Salzmann et les milieux spirituels de son temps. Contribution à l'étude de l'Illuminisme et du Mysticisme à la fin du XVIIIe et au début du XIXe siècle,* Université de Strasbourg, thèse de doctorat d'études germaniques, 1984 (tapuscrit inédit), 1364 p.

Une des meilleures contributions à l'étude de l'Illuminisme.

LE FORESTIER (René), *La Franc-Maçonnerie templière et occultiste, op. cit. supra,* « Franc-Maçonnerie ».

LEVENTHAL (Herbert), *In the Shadow of Enlightenment,* New York, New York University Press, 1976, 330 p.

ŒTINGER (Friedrich Christoph), *Die Lehrtafel der Prinzessin Antonia,* Hrsg. von Reinhard BREYMAYER und Friedrich HÄUSSERMANN Berlin-New York, De Gruyter, « Texte zur Geschichte des Pietismus », Abt. VII, 1977 : t. I : *Text,* 266 p. et ill. ; t. II : *Anmerkungen,* 633 p.

Le tome II est admirable d'érudition. Une mine de renseignements irremplaçable.

SAINT-MARTIN (Louis-Claude DE), *Œuvres Majeures,* Hildesheim, G. Olms, publié par Robert AMADOU depuis 1975. Trois volumes parus *(Des Erreurs et de la Vérité, Tableau Naturel, L'Homme de Désir).*

Cité ici en raison des introductions et notes du présentateur. Celui-ci, au demeurant, n'ayant pas encore écrit sur Saint-Martin l'ouvrage qu'on attendait, et les bons travaux d'ensemble sur le plus grand théosophe français du XVIIIe siècle étant dépassés sur bien des points, la thèse de doctorat de Nicole Jacques-Chaquin marquera bientôt un événement.

SCHUCHARD (Marsha Keith Manatt), *Freemasonry, Secret Societies, and the continuity of the occult Traditions in English Literature,* The University of Texas at Austin, Ph. D., 1975 (Xerox Univ. Microfilms, Ann Arbor, Michigan 48106), 698 p.

W. Blake, swedenborgisme, W. B. Yeats...

SEKRECKA (Mieczyslawa), *Louis-Claude de Saint-Martin, le philosophe inconnu. L'Homme et l'œuvre,* Wroclaw, Acta Universitatis Wratislaviensis, n° 65, 1968, 224 p.

Malgré ses insuffisances, c'est le seul livre à peu près récent dont on dispose. Bonne introduction à Saint-Martin.

TRAUTWEIN (Joachim), *Die Theosophie Michael Hahns und ihre Quellen,* Stuttgart, Calwer, « Quellen und Forschungen zur württ. Kirchengeschichte ». Bd. 2, 1969, 403 p.

VAN RIJNBERK (Gérard), *Un Thaumaturge au XVIIIe siècle : Martinès de Pasqually. (Sa vie, son œuvre, son ordre),* Lyon, L. Raclet, 1938 : t. I : 202 p. ; t. II : 185 p. (fac-similé Plan de la Tour, Éd. d'Aujourd'hui, 1980).

— *Épisodes de la vie ésotérique (1780-1824),* Lyon, P. Derain, 1948, 242 p. (fac-similé Plan de la Tour, Éd. d'Aujourd'hui, 1980).

VIATTE (Auguste), *Les Sources occultes du Romantisme : Illuminisme - Théosophie (1770-1820),* Paris, Champion, 1928 (plusieurs fois reproduit en fac-similé, même éd.) : t. I : *Le Préromantisme,* 331 p. ; t. II : *La Génération de l'Empire,* 332 p.

L'ouvrage fondamental sur la question, celui que tout chercheur ou amateur en Illuminisme du XVIIIe siècle doit commencer par étudier. Il faut savoir que l'approche est plus littéraire que philosophique.

ZIMMERMANN (Rolf Christian), *Das Weltbild des Jungen Goethe,* Munich, W. Fink : t. I : *Elemente und Fundamente,* 1969, 368 p. et ill. ; t. II : *Interpretation und Dokumentation,* 1979, 447 p. et ill.

Bonne étude sur la littérature hermétique en Allemagne au siècle des Lumières. Approche neuve de la genèse de la pensée goethéenne.

ROMANTISME ET « NATURPHILOSOPHIE »

AYRAULT (Roger), *La Genèse du Romantisme allemand,* Paris, Aubier : t. I : 1961, 361 p. ; t. II : 1961, 782 p. ; t. III : 1969, 572 p. ; t. IV : 1976, 573 p.

Chaque volume contient plusieurs développements traitant directement du sujet.

BAADER (Franz von), *Sämtliche Werke,* Aalen, Scientia Verlag, 1963, 16 vol. (reprint de l'éd. de Leipzig, 1851-1860).

Cité ici en raison des nombreuses notes de l'éditeur Franz Hoffmann qui fut l'élève de Baader, et pour les copieuses introductions et présentations de ces volumes par d'autres théosophes (Julius Hamberger, Anton Lutterbeck, E. A. von Schaden, Ch. Schlüter, Fr. von der Osten *et al*).

BESSET (Maurice), *Novalis et la pensée mystique,* Paris, Aubier, 1947, 197 p.

La meilleure approche « ésotérique » de la philosophie de la Nature chez Novalis.

CELLIER (Léon), *Fabre d'Olivet..., op. cit., supra,* « XVIIIe siècle ».

Cf. notamment la VIe partie.

(Les) Études Philosophiques. Deux numéros spéciaux consacrés au Romantisme allemand, Paris, P.U.F., janvier et avril 1983.

Articles sur la médecine romantique, sur J. W. Ritter, F. C. Œtinger, Novalis, etc.

FABRY (Jacques), *Le Bernois Friedrich Herbort et l'ésotérisme chrétien en Suisse à l'époque romantique,* Berne, P. Lang, Publications Universitaires Européennes, série I, vol. 718, 280 p.

Bonne étude de milieu et contribution intéressante à l'histoire de l'alchimie. On attend le grand travail de J. Fabry sur Johann Friedrich von Meyer, dont celui-là représente en quelque sorte une introduction.

GUSDORF (Georges), *Les Sciences humaines et la Pensée occidentale*, Paris, Payot : t. IX : *Fondements du savoir romantique*, 1982, 471 p. ; t. X : *Du néant à Dieu dans le savoir romantique*, 1983, 430 p. ; t. XI : *L'Homme romantique*, 1984, 368 p. En préparation : *Le Savoir romantique de la Nature*.

Ces trois volumes représentent sans doute la meilleure introduction à la *Naturphilosophie* romantique.

JUDEN (Brian), *Traditions orphiques et tendances mystiques dans le Romantisme français (1800-1855)*, Paris, Klincksieck, 1971, 805 p.

Romantik in Deutschland : Ein Interdisziplinäres Symposion, Hrsg. von Richard BRINKMANN. Sonderband der « Deutschen Vierteljahresschrift für Literaturwissenschaft und Geistesgeschichte », Stuttgart, J. B. Metzler, 1978, 722 p. et ill.

Tout est intéressant. Sur la *Naturphilosophie*, cf. surtout pp. 167-340. Signalons particulièrement l'importante bibliographie, par Dietrich von ENGELHARDT.

Romantische Naturphilosophie. (Texte) ausgewählt von Christoph BERNOULLI und Hans KERN, Iéna, E. Diederich, 1926, XIX + 431 p. et ill.

D'illustres et importants noms manquent. On trouve tout de même une bonne présentation, et des choix de textes, de L. Oken, Fr. Hufeland, J. von Kieser, G. H. von Kieser, J. B. Friedreich, W. Butte, G. Malfatti, I. P. V. Troxler, G. R. Treviranus, et C. G. Carus.

SCHUBERT (Gotthilf Heinrich), *La Symbolique du rêve*, Paris, Albin Michel, coll. « Cahiers de l'Hermétisme », 1982, 217 p. (1re éd. *Symbolik des Traums*, 1814).

Cité ici, à titre d'ouvrage critique, pour la précieuse introduction du traducteur présentateur Patrick VALETTE, pp. 12-54.

SLADEK (Mirko), *Fragmente der hermetischen Naturphilosophie...*, *op. cit. supra*, « Ouvrages généraux ».

SUSINI (Eugène), *Franz von Baader et le Romantisme mystique*, Paris, J. Vrin, 1942, 2 vol. (519 et 595 p.) ; *Lettres inédites de Franz von Baader*, Paris, J. Vrin, 1942, 515 p. *(Commentaires aux) Lettres inédites de Franz von Baader*, Vienne, Herder, 1952, 2 vol. (511 et 628 p. et ill.) ; *Lettres inédites de Franz von Baader*, Paris, P.U.F., 1967, 623 p. et ill. ; *(Commentaires aux) Lettres inédites de Franz von Baader*, Francfort, P. Lang, 846 p. en 2 vol., et ill.

La meilleure étude sur la théosophie de Baader. Dans les notes et commentaires aux lettres, une masse considérable d'informations sur les milieux de l'ésotérisme préromantique et romantique.

TUVESON (Ernest Lee), *The Avatars of Thrice Great Hermes...*, *op. cit. supra*, « Ouvrages généraux ».

VIATTE (Auguste), *Victor Hugo et les Illuminés de son temps*, Montréal, éd. de l'Arbre, 1942, 284 p.

Magnétisme, swedenborgisme, É. Lévi, l'abbé Châtel, L. de Tourreil — et V. Hugo.

FIN XIXe, DÉBUT XXe SIÈCLE, ET NOUVEAUX MOUVEMENTS RELIGIEUX

Anonyme, *The Theosophical Movement (1875-1950)*, Los Angeles, The Cunningham Press, 1951, 351 p.

Sans doute le meilleur ouvrage sur la Société Théosophique fondée par Mme Blavatsky.

ELLWOOD (Robert S.), *Alternative Altars : Unconventional and Eastern Spirituality in America,* The University Chicago Press, 1979, 192 p.

Nouveaux Mouvements Religieux, Zen en Occident, et surtout un bon exposé historique des débuts de la Société Théosophique.

CELLIER (Léon), *Fabre d'Olivet..., op. cit. supra,* « XVIIIe siècle », cf. le dernier chapitre : *Les Compagnons de la hiérophanie.*

FRICK (Karl R. H.), *Licht und Finsternis..., op. cit. supra,* « Ouvrages généraux ».

HEMLEBEN (Johannes), *Rudolf Steiner in Selbstzeugnissen und Bild-dokumenten,* Reinbek bei Hamburg, 1963, 175 p. et ill.

Bonne introduction à Steiner et à l'anthroposophie.

JAMES (Marie-France), *Ésotérisme, Occultisme, Franc-Maçonnerie et Christianisme aux XIXe et XXe siècles. Explorations bio-bibliographiques,* Paris, Nouvelles Éd. latines, 1981, 268 p.

De nombreux noms importants manquent. Choix d'entrées fort contestable. Néanmoins, ce qui est traité constitue un intéressant et pratique catalogue.

MERCIER (Alain), *Les Sources ésotériques et occultes de la poésie symboliste (1870-1914),* Paris, Nizet : t. I : *Le Symbolisme français,* 1969, 286 p. ; t. II : *Le Symbolisme européen,* 1974, 253 p.

Cette étude claire et sérieuse couvre toute la période (fin XIXe et début XXe siècle) et dit l'essentiel à travers la littérature. L'approche est donc, comme dans la thèse de Viatte sur le XVIIIe siècle, plus littéraire que philosophique. Il n'existe pas d'ouvrage d'ensemble sur l'ésotérisme proprement dit en Europe pendant cette période.

— *Édouard Schuré et le renouveau idéaliste en Europe,* Université de Lille III, reproduction des thèses, 1980, 748 p.

À travers cette présentation de l'auteur des *Grands Initiés* on comprend mieux les aspects de la pensée occultiste à cette époque.

NEEDLEMAN (Jacob), *The New Religions,* New York, Crossroad, 1984, 245 p. (1re éd. 1970).

L'étude d'ensemble la plus pratique sur le Zen en Occident, Meher Baba, Subud, etc.

(The) New Religious Counsciousness, éd. par Charles Y. GLOCK et Robert N. BELLAH, Berkeley, Univ. of California Press, 1976, 391 p.

Approche surtout sociologique des « Nouveaux Mouvements religieux ».

(The) Occult in America : New Historical Perspectives, éd. par Howard KERR et Charles L.-CROW, Univ. of Illinois Press, 1983, 246 p. et ill.

Occultisme au XIXe siècle, théosophisme, occultisme contemporain.

ROSZAK (Theodore), *Unfinished Animal : The Aquarian Frontier and the Evolution of Counciousness,* New York, Harper and Row, 1977, 271 p. (1re éd. 1975).

Étude intéressante sur les avatars de l'occultisme contemporain.

SAUNIER (Jean), *La Synarchie,* Paris, C.A.L., 1971, 287 p.

Approche intéressante de certaines formes de sociétés ésotériques.

— *Saint-Yves d'Alveydre ou une synarchie sans énigme,* Paris, Dervy, coll. « Histoire et Tradition », 1981, 487 p. et ill.

Saint-Yves et la synarchie sont l'occasion d'évoquer des aspects de l'occultisme de l'époque.
Understanding the New Religions. Ed. by Jacob NEEDLEMAN and George BAKER, New York, Crossroad, 1978, XXI + 314 p.
La question est abordée essentiellement dans le contexte américain.

AUTOUR DE LA « TRADITION »

ABELLIO (Raymond), *La Structure absolue. Essai de phénoménologie génétique,* Paris, Gallimard, « Bibliothèque des Idées », 1965, 527 p.
Ouvrage fondamental d'un philosophe sur l'ésotérisme et la Tradition. Pensée très personnelle et originale. Il faut lire aussi, du même auteur :
— *La Fin de l'ésotérisme,* Paris, Flammarion, 1973, 254 p.
— *Approches de la nouvelle gnose,* Paris, Gallimard, « Les Essais », 1981, 254 p.
BONARDEL (Françoise), *Aspects du Grand Œuvre en Extrême-Occident,* Université de Grenoble, thèse de doctorat de philosophie, 1984 (tapuscrit inédit), 1400 p.
Après avoir défini les notions d'hermétisme et d'alchimie, l'auteur étudie de nombreux philosophes, écrivains et créateurs des XIXe et XXe siècles en s'interrogeant sur leur parcours « alchimique », même lorsque eux-mêmes ne se réfèrent point explicitement à l'ésotérisme. Ouvrage d'un intérêt considérable, dans l'esprit de ce que j'ai appelé ici « troisième voie ».
— *L'Hermétisme, op. cit. supra,* « Ouvrages généraux ».
DURAND (Gilbert), *Science de l'homme et tradition : Le « Nouvel Esprit anthropologique »,* Paris, Berg International, coll. « L'Île Verte », 1980, 243 p. (1re éd., Paris, Sirac « Tête de feuille », 1975).
Dans l'esprit de ce que j'ai appelé « la troisième voie », cet ouvrage et les suivants du même auteur représentent sans doute ce qui a été écrit de plus important. Cf. notamment le chapitre « *Hermetica ratio* » *et Science de l'Homme.*
— *Figures mythiques et visages de l'Œuvre : De la Mythocritique à la mythanalyse,* Paris, Berg International, coll. « L'Île Verte », 1979, 327 p.
— *L'Âme tigrée : Les pluriels de la psyché,* Paris, Denoël-Gonthier, coll. « Méditations », 1980, 210 p.
— *La Foi du cordonnier,* Paris, Denoël, 1984, 231 p.
ELIADE (Mircea), *Histoire des idées et des croyances religieuses,* Paris, Payot : t. I : *De l'âge de la pierre aux mystères d'Éleusis,* 1979, 491 p. ; t. II : *De Gautama Bouddha au triomphe du christianisme,* 1978, 519 p. ; t. III : *De Mahomet à l'âge des réformes,* 1983, 361 p.
La lecture de ce magnifique ensemble sera une aide précieuse pour s'interroger ensuite sur la notion de Tradition. L'ésotérisme, évidemment, n'est pas absent de cette synthèse.
— *Briser le toit de la maison (La créativité des symboles),* Paris, Gallimard, « Les Essais » n° CCXXIX, 1986, 358 p.
Recueil d'articles et d'analyses rassemblés et présentés par Alain Paruit. On consultera particulièrement l'étude « Ananda K. Coomaraswamy et Henry Corbin : à propos de la *Theosophia perennis* » (pp. 281-294).

ISENBERG (Sheldon R.) et THURSBY (Gene R.), « Evolutionary and Devolutionary Orientations in Esoteric Anthropology », pp. 149-150, in *Abstracts : American Academy of Religion. Society of Biblical Literature, Annual Meeting 1984*, Scholars Press, 1984.

Cité ici à titre indicatif, car la question des deux attitudes (dévolutionnaire et évolutionnaire) mentionnées dans le présent ouvrage (cf. mon *Introduction*) à propos de la Tradition, a été posée pour la première fois par ces deux chercheurs.

JAMES (Marie-France), *Ésotérisme et christianisme. Autour de René Guénon*, préface de Jacques-Albert CUTTAT, Paris, Nouvelles Éditions latines, 1981, 480 p.

Une mine d'informations concernant les milieux ésotériques qu'a connus Guénon.

LAURENT (Jean-Pierre), *Le Sens caché dans l'œuvre de René Guénon*, Lausanne, L'Âge d'Homme, 277 p. et ill.

NASR (Seyyed Hossein), *Knowledge and the Sacred*, New York, Crossroad, 1981, 341 p.

Bon ouvrage historique et philosophique, très engagé sur le plan traditionnel.

Raymond Abellio (ouvrage collectif), dirigé par Pierre LOMBARD, Paris, L'Herne, 1979, 428 p. et ill.

Y. Dauge, R. Stauffer, C. Hirsch, M. Beigbeder, *et al.* Nombreux documents et témoignages.

René Guénon (ouvrage collectif), dirigé par Pierre-Marie SIGAUX, Lausanne, L'Âge d'Homme, coll. « Les Dossiers H », 1984, 322 p. et ill.

J. Tourniac, F. Schuon, G. de Sorval, J. Borella, M.-M. Davy, M. Pallis, R. Alleau, F. Tristan *et al.*

René Guénon et l'actualité de la pensée traditionnelle (Actes du colloque international de Cerisy-la-Salle, 1973), Milan, Arché, 1981 (1re éd. 1977).

R. Alleau, J. Tourniac, Ph. Lavastine, R. Amadou, J. Baylt, B. Guillemain, M. de Gandillac, M. Scriabine, R.-M. Burlet, J. Hani, A. Faivre, G. Ferrand.

ROSZAK (Theodore), *Unfinished Animal..., op. cit. supra*, « Fin XIXe, début XXe siècle ».

L'inspiration générale de cet ouvrage correspond à notre « troisième voie ».

ROBIN (Jean), *René Guénon témoin de la Tradition*, Paris, Trédaniel, 1978, 349 p. et ill.

SCHAYA (Léo), cf. *supra*, rubrique « Du IIe au XVe siècle ».

(The) Sword of Gnosis (Metaphysics, Cosmology, Tradition, Symbolism), éd. par Jacob NEEDLEMAN, Baltimore (Maryland), Penguin Metaphysical Library, 1974, 464 p.

Contient des essais de F. Schuon, R. Guénon, M. Pallis, A. Bakr Siraj Ad-Din, M. Lings, T. Burckhardt, S. H. Nasr, L. Schaya, D. M. Deed.

TOMBERG (Valentin), cf. *supra*, rubrique « Ouvrages généraux ».

TOURNIAC (Jean), *Propos sur René Guénon*, Paris, Dervy, 1973, 255 p.

VALLIN (Georges), *La Perspective métaphysique* : avant-propos de Paul MUS, Paris, Dervy, 1977, 253 p. (1re éd. 1958).

— *Voie de Gnose et Voie d'amour : Éléments de mystique comparée*, Sisteron, Présence, 1980, 178 p.

Wehr (Gerhard), *Esoterisches Christentum..., op. cit., supra,* « Ouvrages généraux ».

Wissende, Verschwiegene, Eingeweihte. Hinführung zur Esoterik. éd. par Gerd-Klaus Kaltenbrunner (ouvrage collectif), Munich, Herder, « Initiative 42 », 192 p.

Articles de F. Schuon, H. Küry, Leo Schaya, R. Pietsch, T. Burckhardt, H. J. von Baden.

Wunenburger (Jean-Jacques), *Figures et racines de la complexité,* Université de Dijon, thèse de doctorat de philosophie, 1985 (tapuscrit inédit), 670 p.

Traite longuement de l'aristotélisme, du monisme et du dualisme, dans l'histoire de la pensée occidentale, notamment du « modèle identitaire », et préconise un retour à l'hermésisme, qui fut toujours le conservatoire de la « dualitude ».

ÉSOTÉRISME ET ISLAM

On trouve *supra,* sous la rubrique « Alchimie », des références aux travaux de Pierre Lory, Julius Ruska et Monod-Herzen. Sous la rubrique « Autour de la Tradition », à un ouvrage de Seyyed H. Nasr. Limitons-nous, dans ce vaste domaine qu'est l'ésotérisme arabe, à quelques autres titres récents et marquants.

Corbin (Henry), *En Islam iranien, aspects spirituels et philosophiques,* Paris, Gallimard, coll. « Bibliothèque des Idées », 1971/1972 : t. I : *Le Shî'isme duodécimain,* XXXIX + 332 p. ; t. II : *Sohrawardî et les platoniciens de Perse,* V + 384 p. ; t. III : *Les Fidèles d'Amour. Shî'isme et soufisme,* XIX + 358 p. ; t. IV : *L'École d'Ispahan, l'École Shaykhie, le Douzième Imam,* XX + 567 p.

H. Corbin est en ce domaine le principal auteur de référence. La lecture de ses œuvres, non seulement nous permet de pénétrer dans l'ésotérisme shî'ite, mais nous aide aussi à mieux comprendre l'ésotérisme judéo-chrétien, d'autant que l'auteur lui-même n'a jamais manqué d'établir de judicieux rapprochements. C'est toute son œuvre qu'il faudrait citer. Limitons-nous à quelques autres titres.

— *L'Imagination créatrice dans le soufisme d'Ibn 'Arabi,* Paris, Flammarion, coll. « Idées et Recherches », 1977, 328 p. et ill. (1re éd. 1958).

— *Avicenne et le récit visionnaire,* Paris, Berg International, coll. « L'Île Verte », 1979, 316 p.

— *Temple et contemplation, Essais sur l'Islam iranien,* Paris, Flammarion, coll. « Idées et Recherches », 1980, 447 p.

— *L'Homme et son ange, initiation et chevalerie spirituelle,* Paris, Fayard, 1983, 276 p.

— *Face de Dieu, face de l'homme,* Paris, Flammarion, coll. « Idées et Recherches », 1983, 282 p.

Jambet (Christian), *La Logique des Orientaux, Henry Corbin et la science des formes,* Paris, Éd. du Seuil, 1983, 319 p.

Ullmann (Manfred), *Die Natur- und Geheimwissenschaften in Islam,* Leyde et Cologne, Brill, 1972.

ÉSOTÉRISME ET ART
RECHERCHES SUR L'IMAGINAIRE

Tout document ésotérique relevant de l'art, littéraire ou plastique, on serait tenté de considérer cette rubrique comme inutile. Aussi bien les références qui précèdent renvoient-elles la plupart du temps à de la littérature, à de l'art. Une définition large de l'ésotérisme n'autorise-t-elle pas à voir de l'ésotérique — de l'initiatique, de l'alchimique, du symbolique — dans toute création imaginaire ? Pourtant, des historiens, des critiques, ont entendu aborder de front la nature et la spécificité de ce rapport. Comme il apparaît plus malaisé de dresser une bibliographie succincte de ce sujet que des entrées qui précèdent, les indications que voici limitent davantage encore que celles-là leur propos à une simple *orientation préliminaire*, c'est-à-dire à un choix, nécessairement très arbitraire, d'études excellentes dont la lecture pourrait stimuler l'appétit du lecteur.

Il existe en français quelques travaux généraux :

AMADOU (Robert) et KANTERS (Robert), *Anthologie littéraire de l'occultisme*, Paris, Julliard, 1950, 365 p.

Cahiers d'Hermès, Paris, La Colombe, 1947, n° 1, 225 p. (le *Cahier* numéro 2 a paru la même année, puis cette revue de bonne qualité a disparu).

RICHER (Jean), *Aspects ésotériques de l'œuvre littéraire*, Paris, Dervy, « Collection l'Œuvre secrète », 1980, 308 p.

Certains historiens, auteurs de plusieurs articles, rassemblent ceux-ci en un volume (ainsi, J. Richer, cf. *supra*). James Dauphiné s'apprête à faire de même, ce qui nous promet une riche moisson.

Les études littéraires consacrées à un courant de pensée ésotérique sont souvent les seules dont on dispose sur lui. Ainsi, celle d'Alain Mercier (*Les Sources occultes et ésotériques de la poésie symboliste*, cf. rubrique « Fin XIXe, début XXe siècle ») ; de même, la thèse d'Auguste Viatte (*Les Sources occultes du Romantisme*, cf. rubrique « XVIIIe siècle ») fut longtemps le seul ouvrage de référence sur l'Illuminisme préromantique en général.

Sur les aspects alchimiques de la littérature et de l'art (ou, bien entendu, l'inverse), on trouvera une précieuse bibliographie dans l'excellent livre de Robert HALLEUX *Les Textes alchimiques* (cf. rubrique « Alchimie »), pp. 38-40. On la complétera par celle que donne Van Lennep (cf. même rubrique), à laquelle il faudrait ajouter les travaux de Joscelyn Godwin, et de Jacques Rebotier, sur alchimie et musique. Les spéculations de Fulcanelli et d'Eugène Canseliet sur l'architecture sont aisément disponibles, car rééditées. On ne négligera pas non plus les études d'Albert-Marie SCHMIDT (notamment *La Pensée scientifique au XVIe siècle*, Lausanne, Éd. Rencontres, 1970, 463 p., qui est une réédition).

Bernard Gorceix a étudié les rapports entre théosophie (et alchimie) et littérature baroque allemande (cf. rubrique « XVIIe siècle »). Sur ésotérisme et littérature au XVIIIe siècle, de précieuses contributions ont été fournies par M. K. M. Schuchard (cf. rubrique « XVIIIe siècle »), mais citons aussi :

FINK (Gonthier-Louis), *Naissance et apogée du conte merveilleux en Allemagne*, Paris, « Les Belles Lettres », 1966, 766 p.
TATAR (Maria M.), *Spellbound. Studies on Mesmerism and Literature*, Princeton Univ. Press (New Jersey), 1978, XVI + 293 p.

Sur le Romantisme, on se reportera aux travaux de Roger Ayrault, Georges Gusdorf, Biran Juden, E. L. Tuveson, à celui d'Auguste Viatte sur Victor Hugo et les Illuminés de son temps (pour tous ces noms, cf. *supra*, rubrique « Romantisme »). On y ajoutera :

BEGUIN (Albert), *L'Âme romantique et le rêve*, Paris, José Corti, 1939, 416 p., plusieurs rééd.
ROOS (Jacques). *Aspects littéraires du mysticisme philosophique au début du Romantisme : W. Blake, Novalis, Ballanche*, Strasbourg, P. H. Heitz, 1951, 471 p.

Dante, Rabelais, Shakespeare, William Blake, Goethe, et la plupart des plus grands auteurs, ont fait l'objet de nombreuses approches hermétisantes. Pour nous limiter à trois parmi ceux-ci (le travail de R. C. Zimmermann sur Goethe ayant déjà été cité *supra*, rubrique « XVIIIe siècle »), suggérons d'aborder l'aspect ésotérique de leur œuvre en consultant :

RAINE (Kathleen), *L'Imagination créatrice de William Blake*, Paris, Berg International, coll. « L'Île Verte », 213 p. et ill. (traduit de l'anglais).
ARNOLD (Paul). *Ésotérisme de Shakespeare*, Paris, Mercure de France, 1955, 280 p.
DAUPHINÉ (James), *Les Structures symboliques dans le théâtre de Shakespeare*, Paris, « Les Belles Lettres », 1983. 255 p.
RICHER (Jean), *Prestiges de la lune et damnation par les étoiles dans le théâtre de Shakespeare*, Paris, « Les Belles Lettres », 1982, 119 p. et ill.
Goethe (ouvrage collectif), Paris, Albin Michel, coll. « Cahiers de l'Hermétisme », 1980, 263 p.
CENTENO (Yvette K.), *A alquimia e o Fausto de Goethe*, Lisbonne, Arcadia, coll. « Artes e Letras », 1983, 283 p. et ill.
LEPINTE (Christian), *Goethe et l'occultisme*, Paris « Les Belles Lettres », (publications de la Faculté de Strasbourg, fasc. 134), 1957, 186 p.

Enfin, Virgile vient de faire l'objet d'une très belle étude :

DAUGE (Yves-Albert), *Virgile, maître de sagesse. Essai d'ésotérisme comparé*, Milan, Arché, x et 258 p.

Quelques bons ouvrages pourraient orienter le lecteur dans le domaine de l'art. Limitons-nous, ici encore, à quelques exemples. À l'allusion, faite plus haut, concernant ésotérisme et musique, ajoutons :

CHAILLEY (Jacques), *La Flûte enchantée. Opéra maçonnique. Essai d'explication du livret et de la musique*, Paris, Robert Laffont, coll. « Diapason », 1983, 360 p. et ill. (1re éd. 1968).

Et dans le domaine des arts plastiques, citons parmi les meilleures études :

PANOFSKY (Erwin) et SAXL (Fritz), *Dürers Melencolia I. Eine Quelle- und typengeschichtliche Untersuchung*, Leipzig-Berlin, B. G. Teubner, « Studien der Bibliothek Warburg », éd. par Fritz SAXL, 1923, 160 p. et ill.

CHASTEL (André), *Marsile Ficin et l'art*, Genève, Droz, 1954, 207 p. et ill.

— *Art et humanisme à Florence au temps de Laurent le Magnifique. Études sur la Renaissance et l'humanisme platonicien*, Paris, P.U.F., 1982, 580 p. (1re éd., 1959).

DESWARTE (Sylvie), « *Le « De Aetatibus Mundi Imagines » de Francisco de Holanda*, Paris, P.U.F., 190 p. et ill. (t. LXVI des « Monuments et Mémoires publiés par l'Académie des inscriptions et belles-lettres »).

Moins historique mais non moins remarquable est l'essai :

TRISTAN (Frédérick), *L'Œil d'Hermès*, Paris, Arthaud, 1982, 201 p., table et ill. Une précieuse « initiation », au meilleur sens du terme !

Parmi les ouvrages de références, citons un outil qui est un des modèles du genre, le catalogue des imprimés baroques de 1600 à 1720 :

BIRCHER (Martin), *Deutsche Drucke des Barock 1600-1720 in der Herzog August Bibliothek Wolfenbüttel. Abteilung A. Bibliotheca Augusta. Vol. II : Arithmetica, Astronomica, Bellica, Geographica, Geometrica, Medica, Œconomica, Physica*, KTO Press Nendeln, 1979, 408 p. et ill. (avec la reproduction de la page de titre de chacun des imprimés cités).

Note relative aux travaux français sur l'Imaginaire

Les études sur l'Imaginaire, en pleine expansion dans l'Université française et entreprises depuis le début des années soixante, doivent en partie à Gaston Bachelard leur inspiration initiale. Elles doivent surtout à Gilbert Durand (cf. rubrique « Autour de la Tradition ») et à son équipe du C.R.I. (Centre de Recherches sur l'Imaginaire, à Chambéry et Grenoble) de s'être développées dans plusieurs universités sous forme de recherches individuelles et collectives ainsi que de nombreux colloques. Divers centres, sur le modèle du C.R.I., se sont constitués dans des universités (ainsi, le L.A.P.R.I.L. de l'Université de Bordeaux III, Laboratoire pluridisciplinaire sur l'imagination littéraire, créé par Claude-Gilbert Dubois et moi-même), et toujours selon une structure transdisciplinaire. Il en existe quelques-uns à l'étranger (par exemple, celui de l'Universidade Nova de Lisbonne, créé et dirigé par Yvette K. Centeno).Bien entendu, il ne s'agit nullement d'étudier l'ésotérisme dans sa spécificité, mais pour des raisons évidentes celui-ci a sa place dans les travaux sur l'Imaginaire, une place qu'aucun programme universitaire ne lui avait jusqu'alors permis d'occuper de façon aussi évidente et aussi durable. On peut considérer que les deux travaux importants de Gilbert Durand en ce domaine ont fait école :

— *Les Structures anthropologiques de l'imaginaire,* Paris, Bordas, 1960, 550 p. Plusieurs rééd.
— *Le Décor mythique de « la Chartreuse de Parme », les structures figuratives du roman stendhalien,* Paris, José Corti, 1971, 251 p. (1re éd. 1961).

Ainsi s'est constituée, en marge du structuralisme formaliste, une école, dite de mythanalyse et de mythocritique, dont les recherches visent à découvrir et à étudier les modes d'émergence, implicites ou explicites, du Mythe, non seulement à travers les œuvres littéraires ou philosophiques, mais même dans les champs politique, sociologique, scientifique. Plusieurs des auteurs cités dans les pages qui précèdent se rattachent à ce courant de pensée. Faute de pouvoir rendre ici justice à une production déjà abondante, contentons-nous de signaler, en vue d'une première approche :

VIERNE (Simone), *Rite, roman et initiation,* Presses univ. de Grenoble, 1973, 138 p.

Bibliothèque de l'Imaginaire (ouvrages collectifs) ; directrice : Simone VIERNE, Presses univ. de Grenoble. Citons : *Espaces et imaginaire,* 1979, 106 p. ; *le Retour du mythe,* 1980, 125 p. ; *Science et Imaginaire,* 1985, 145 p. et ill.

Circé (Cahiers du Centre de Recherches sur l'Imaginaire), Paris, « Les Lettres modernes » (Minard), coll. dirigée par Jean BURGOS. Dix volumes parus (sur la méthodologie de l'Imaginaire, le thème du refuge, les monstres, la science-fiction, les *Contes* de Grimm, Proust, etc.).

Eidôlon. Cahiers du L.A.P.R.I.L., Univ. de Bordeaux II, directeur Claude-Gilbert DUBOIS. Revue paraissant depuis 1977. Une trentaine de numéros parus. Bi-annuel, de 80 à 350 pages par numéro. Études sur images, symboles, mythes, fantasmes, à travers les productions esthétiques et littéraires.

À cela il conviendrait d'ajouter un certain nombre de publications locales, de bulletins de liaison, etc. (ainsi, *Le Griffon,* de l'Université de Savoie-Chambéry), mais une énumération exhaustive déborderait le cadre de ce propos. Il suffit de rappeler qu'ici, l'ésotérisme est souvent présent, même sous des formes déguisées, et grâce à une approche compréhensive du Mythe et du mythique. Pour une approche « initiatique » du Septième Art, présentée selon de telles perspectives, citons :

AGEL (Henri), *Cinéma et nouvelle naissance,* Paris, Albin Michel, coll. « Cahiers de l'Hermétisme », 1981, 295 p.

Entre ces recherches sur l'Imaginaire d'une part, la pensée de C. G. Jung et celle de Mircea Eliade d'autre part, il existe certaines affinités. Dans les *Eranos Jahrbücher* et la revue *Spring* (cf. *infra*, « Revues et séries »), on trouvera plusieurs études de James Hillman et David L. Miller (pour ne citer que ces deux noms), publiées ces dernières années, qui sont d'orientation néo-junguienne et fournissent plus que des aperçus intéressants sur les questions évoquées ici.

Enfin, pour clore cette trop courte liste, voici trois revues de qualité dans lesquelles art et ésotérisme ont déjà fait l'objet de contributions intéressantes :

Cahiers Internationaux du Symbolisme, paraît trois à quatre fois par an depuis 1962 ; directeurs, Jean DIERKENS et Claire LEJEUNE, Mons, Centre Interdisciplinaire d'études philosophiques de l'Université de Mons, 200 à 250 p. par n°.

Conoscenza Religiosa, Revue trimestrielle animée par Elemire ZOLLA, Florence, La Nuova Italia, de 400 à 500 pages par an. À signaler, de remarquables numéros spéciaux (par exemple, *La Linguistica e il Sacro*, 1-2, 1972, *Numeri e figure geometriche come base della Simbologia*, 1-2, 1979).

Temenos. A review devoted to the Arts of the Imagination, Cinq n° parus depuis 1980 (à la date de 1985), revue dirigée par Kathleen RAINE, Londres, Temenos, 250 à 300 pages par numéro.

REVUES ET SÉRIES

Non mentionnées *supra* aux rubriques « Alchimie » et « Franc-Maçonnerie ».

A.R.I.E.S. *(Association pour la recherche et l'information sur l'ésotérisme),* Revue semestrielle, Paris, La Table d'Émeraude. Directeurs : Antoine FAIVRE, Pierre DEGHAYE, Roland EDIGHOFFER. Une centaine de pages par numéro ; 4 numéros parus depuis 1983 (à la date de 1985).

Cette revue est un organe d'information présentant des analyses, recensions et comptes rendus scientifiques consacrés aux publications récentes ainsi qu'aux revues, thèses et colloques. Rédigée en français, anglais et allemand.

Atlantis (Archéologie scientifique et traditionnelle), paraît tous les deux mois, Vincennes, Atlantis, rédacteur en chef : Jacques D'ARÈS. Une soixantaine de pages par numéro, 339 numéros parus depuis 1929 (à la date de 1985).

Très caractéristique de ce que j'ai appelé la « seconde voie » de la Tradition.

Bibliotheca Hermetica (Alchimie-Astrologie-Magie), collection dirigée par René ALLEAU. Une quinzaine d'ouvrages parus, de 1971 à 1977, Paris, Denoël et Retz. Environ 300 pages chacun.

Présentation élégante. Tous sont accompagnés d'un appareil critique (par Sylvain Matton, Bernard Husson, Maxime Préaud, *et al.*). Ont été publiées, dans cette série, des œuvres de Nicolas Flamel, Louis Figuier, Alfred

Maury, Marcus Manilius, Limojon de Saint-Didier, Jean d'Espagnet, Dom Pernety, etc. La majorité de ces textes sont alchimiques.

Cahiers de l'Hermétisme, collection, Paris, Albin Michel, dirigée par Antoine FAIVRE et Frédérick TRISTAN. 300 pages en moyenne par volume. Onze volumes parus depuis 1977 (à la date de 1985) : *Faust, L'Ange et l'Homme. Jacob Boehme. Alchimie. Kabbalistes chrétiens. Paracelse. Goethe. Lumière et Cosmos. Sophia et l'Âme du Monde. L'Androgyne. Astrologie.*

Il s'agit évidemment d'ouvrages collectifs, dont chacun comporte un certain nombre d'études originales ou la publication de documents inédits.

Cahiers de l'Université de Saint-Jean de Jérusalem (Centre international de recherche spirituelle comparée), série, Paris, Berg International. Centre et série fondés par Henry CORBIN. Entre 150 et 200 pages par volume. Onze volumes parus depuis 1975 (le n° 1 aux Éd. A. Bonne), à la date de 1985 : *Sciences traditionnelles et Sciences profanes, Jérusalem la Cité spirituelle, La Foi prophétique et le Sacré, Les Pèlerins de l'Orient et les Vagabonds de l'Occident, Les Yeux de chair et les Yeux de feu, Le Combat pour l'Âme du Monde, L'Herméneutique permanente, Le Désert et la Queste, Apocalypse et sens de l'Histoire, La Chevalerie spirituelle, Face de Dieu et théophanies.*

Les contributions présentées dans chacun de ces ouvrages collectifs ont fait l'objet d'exposés au cours de la session annuelle correspondante de cette U.S.J.J. Parmi les collaborateurs les plus réguliers, citons G. Durand, P. Deghaye, A. Abécassis, C. Jambet, J. Brun, J.-L. Vieillard-Baron, A. Faivre.

Cahiers Internationaux du Symbolisme, cf. *supra,* fin de « Ésotérisme et Littérature ».

[Les] Cahiers de Saint-Martin, revue annuelle, Nice, Belisane, dirigée par Annie BECQ, Antoine FAIVRE et Nicole JACQUES-CHAQUIN. 100 à 120 pages par numéro. Six numéros parus depuis 1976 (à la date de 1985).

Revue destinée à contribuer à une meilleure connaissance du « Philosophe inconnu » et de l'Illuminisme du XVIIIe siècle. Rééd. de textes anciens, présentation de documents inédits ; articles originaux, etc.

Connaissance des Religions (métaphysique, cosmologie, anthropologie, symbolisme, science et art traditionnels), Revue trimestrielle, Nancy, Association « Connaissance des Religions ». Directeur : Léo SCHAYA. Une cinquantaine de pages. Trois numéros parus (1984-1985).

Nouvelle revue, de bonne tenue, d'esprit comparable à *Études traditionnelles.*

Conoscenza Religiosa, cf. *supra,* p. 385.

Eranos Jahrbücher, série, éditeur actuel Insel Verlag, Francfort, 500 pages environ par volume. 52 volumes parus depuis 1933 (à la date de 1985).

Cette prestigieuse série est composée de contributions en allemand, français et anglais, qui toutes ont fait l'objet d'exposés au cours de la session annuelle (« Eranos Tagung ») d'Ascona (Suisse). Parmi les participants et conférenciers les plus connus, citons M. Eliade, H. Corbin, G. Scholem, C. G. Jung. Titres des trois derniers volumes : *Corps physiques et corps spirituels, Le Jeu des hommes et le jeu des dieux, Descente et ascension.*

Études traditionnelles, Revue bimestrielle, Paris, Études traditionnelles. Léo SCHAYA en fut le directeur après Michel VALSAN. Une cinquantaine de pages par numéro, 487 numéros parus depuis 1900 (à la date de 1985).

Revue très connue. A publié de nombreux textes qui ont marqué l'histoire de l'ésotérisme au XXe siècle. Elle vogue depuis longtemps dans le sillage de R. Guénon et F. Schuon. Anciennement intitulée *Le Voile d'Isis*.

Hermès (Recherches sur l'expérience spirituelle). Nouvelle Série. Série dirigée par Lilian SILBURN. Paris, Éd. des Deux Océans. Entre 300 et 450 pages l'ouvrage. Ont paru : *Les Voies de la mystique* (1981), *Le Vide* (1981), *Le Maître spirituel* (1983), *Tch'An Zen* (1985).

Hermetika. Zeitschrift für christliche Hermetik, Revue trimestrielle paraissant depuis janvier 1983, Kinsau (Lech, R.F.A.), directeur, Michael FRENSCH. Dix numéros parus à la date de 1985. Entre 30 et 40 pages par numéro.

Hermétisme alexandrin, ésotérisme chrétien, Philosophie de la Nature. Revue plus engagée spirituellement que soucieuse d'érudition.

[L'] Initiation (Cahiers de documentation ésotérique traditionnelle. Organe officiel de l'Ordre Martiniste), Revue trimestrielle, Paris, Ordre martiniste, directeur, Michel LÉGER. Une cinquantaine de pages par numéro. A toujours paru régulièrement jusqu'à ce jour.

Cette revue a pris la suite de celle qu'avait fondée Papus et qui avait paru de 1888 à 1914. Créée et dirigée par Philippe Encausse (fils de Papus) jusqu'à sa mort survenue en 1984. Publication de qualité inégale, elle contient cependant une documentation abondante et des articles parfois remarquables.

Spring. An annual of archetypal psychology and Jungian thought, Revue annuelle paraissant depuis 1941, Spring Publications, Dallas (Texas), directeurs : James HILLMAN et Randolph SEVERSON. Entre 200 et 250 pages par numéro.

Temenos, cf. *supra*, p. 385.

[La] Tour Saint-Jacques, Revue ayant paru irrégulièrement de 1955 à 1958, Paris, Roudil, directeur : Robert AMADOU. 13 numéros parus, de 120 pages ou plus et couvrant quantités de domaines de l'ésotérisme. Elle a été suivie depuis 1958 par une série de neuf volumes consacrés chacun à un auteur ou à un thème, comme : *L'Illuminisme au XVIIIe siècle, Saint-Martin, Huysmans, Parapsychologie.* Tous s.d.

C'est un fort bel ensemble qu'a réalisé R. Amadou. Il faut souhaiter que d'autres volumes s'ajouteront à une série qui avait si bien commencé.

Triades. Revue trimestrielle anthroposophique, Paris, Triades, paraît depuis 1953. Une centaine de pages par numéro.

Bonne revue anthroposophique, dans le sillage de Rudolf Steiner.

Zeitschrift für Ganzheitsforschung, créée par Walter HEINRICH, dirigée par Hans PICHLER, trimestrielle. De 40 à 45 pages par numéro. L'année 1985 est la vingt-neuvième de la « Neue Folge », 115 numéros parus (mais les exemplaires ne sont pas numérotés).

Note relative aux bibliothèques

Pris au sens large, l'ésotérisme est un vaste domaine, évidemment présent dans toutes les grandes bibliothèques, souvent aussi dans les petites. Fort nombreuses sont celles qui mériteraient d'être mentionnées dans un répertoire spécial ayant à peu près défini son objet. On ne saurait le dresser ici : il constituerait à lui seul un volume entier. Mentionnons seulement certaines d'entre elles, à titre indicatif, en nous limitant à quelques pays de l'Europe occidentale et aux États-Unis.

À Paris, la Bibliothèque nationale et la bibliothèque Mazarine, pour leurs imprimés et leurs manuscrits. La bibliothèque de l'Arsenal, pour ses manuscrits. À Strasbourg, la bibliothèque de l'Université, pour son riche fonds d'imprimés allemands. On consulterait avec profit les inventaires généraux imprimés et groupés, aisément accessibles, des bibliothèques françaises. Plusieurs d'entre elles sont particulièrement intéressantes, sans être pour autant spécialisées en ce domaine. Ainsi, celle du Muséum à Paris (fonds alchimique Eugène Chevreul), le Muséum Calvet à Avignon (documents sur les Illuminés d'Avignon), l'Inguibertine à Carpentras (fonds Peresc, Gaffarel, etc.), la bibliothèque Méjanes à Aix-en-Provence (Illuminisme du XVIIIe siècle), les Bibliothèques municipales de Blois, de Montluçon (fonds Desbois), d'Auxerre (fonds Billaudot), de Grenoble (papiers Prunelle de Lière). Certains mouvements ésotériques en possèdent une qui est partiellement ouverte au public, par exemple la Société théosophique à Paris (square Rapp), ou l'A.M.O.R.C. au château de Domonville (Eure).

À Munich, la Bayerische Staatsbibliothek renferme des trésors. Mais le plus beau fonds en Allemagne se trouve à la Herzog August Bibliothek de Wolfenbüttel. Ce pays ayant été longtemps le conservatoire de l'ésotérisme européen, il n'est guère de grande bibliothèque, universitaire ou municipale, qui ne possède au moins un fonds alchimique ou théosophique intéressant (la Universitätsbibliothek de Hambourg a conservé sa belle collection de livres d'alchimie, ses autres fonds, ésotériques ou théosophiques, ayant été détruits pendant la guerre). Celle de Greifswald mérite une mention particulière pour ses documents concernant les déviants religieux. La Universitäts- und Landesbibliothek (Abteilung Frankesche Stiftung) de Halle am Saale conserve un important fonds boehméen. Le fonds Johann Friedrich von Meyer, riche en documents maçonniques et autres, se trouve à Erlangen (Institut für Historische Theologie, Abteilung ältere Kirchengeschichte).

Parmi les bibliothèques maçonniques allemandes, celle du Deutsches Freimaurer Museum de Bayreuth est une des plus riches en documents ésotériques de toutes sortes (cf. le catalogue en deux volumes établi par Herbert Schneider en 1976 et 1984). Le fonds maçonnique et illuministe du prince Christian von Hessen Darmstadt se trouve au Hessisches Staatsarchiv public de Darmstadt. Un autre de même nature, ayant appartenu à l'Allemand Georg Kloss, est conservé à La Haye au Grand Orient des Pays-Bas (cf. le catalogue établi en 1880). Celui de la Grande Loge Nationale de Danemark, à

Copenhague, lui est comparable en importance. On sait que, d'une manière générale, et dans quelque pays que ce soit, les bibliothèques des Obédiences maçonniques ne sont pas ouvertes au public ; toutefois, il n'est pas rare que les chercheurs obtiennent l'autorisation de venir y travailler.

Avec la Biblioteca Philosophica Hermetica, Amsterdam peut s'enorgueillir de posséder un ensemble unique. Privée, elle appartient à Joost R. Ritman qui ne cesse de l'enrichir, et vient de s'ouvrir partiellement au public. Plus de quatre mille ouvrages, de la fin du XVe jusqu'au début du XIXe pour la plupart, sont rangés sous les quatre rubriques suivantes : hermétisme, kabbale, alchimie, rosicrucisme, mystique (au sens de théosophie traditionnelle).

Le riche fonds d'Illuminisme du XVIIIe siècle (manuscrits et imprimés) que détenait la Faculté libre de théologie protestante de Lausanne a été transféré à la Bibliothèque cantonale et universitaire de cette ville. À la Zentralbibliothek de Zurich, l'énorme correspondance de Johann Caspar Lavater attend toujours d'être systématiquement exploitée ; il en va de même du fonds Jacob Sarasin, au Staatsarchiv de Bâle (précieuse mine de renseignements sur les milieux cagliostriens, notamment).

En Italie, outre la Vaticane à Rome, et l'Ambroisienne à Milan, trois bibliothèques de Florence mériteraient plus qu'une simple mention : la Biblioteca Medicea Laurenziana, la Biblioteca Nazionale, et celle du musée des Sciences. Mais là encore, de petites villes réservent de grandes surprises. Ainsi, à Vigerano, près de Pavie, la bibliothèque du chapitre de la cathédrale abrite toutes les archives de Jean Caramuel (nombreux documents stéganographiques et alchimiques du XVIIe siècle).

À Londres, la British Library (anciennement British Museum) est peut-être celle qui offre le plus de richesses dans le Royaume-Uni, tant en imprimés qu'en manuscrits (c'est là que se trouve, parmi d'autres grands ensembles, le fonds Sloane). Dans cette même ville, la bibliothèque du Warburg Institute est spécialisée dans l'ésotérisme et dans des domaines voisins (fonds Warburg, Frances A. Yates, etc.) La Wellcome Library (Institute of the History of Medicine) l'est dans celui de la médecine (écrits paracelsiens notamment), et la Dr. Williams Library, qui appartient à l'Église d'Angleterre, renferme des documents concernant Comenius et son milieu, William Law, Andreas Freher, Jacob Boehme (cf. le catalogue imprimé en cinq volumes). La St. Andrews University Library possède le fonds alchimique John Read. À Oxford, la Bodleian Library, une des plus intéressantes du monde dans notre domaine, conserve parmi d'autres fonds ceux d'Elias Ashmole et de John Dee (cf. le catalogue imprimé du fonds ancien). Mais il y a aussi la National Library of Scotland à Édimbourg, et la University Library de Glasgow avec son fonds James Young répertorié par John Ferguson. La bibliothèque de Ferguson se trouve à la University Library de Strathclyde.

À Washington, outre l'énorme Library of Congress, celle du Folger Institute (bibliothèque shakespearienne) réserve des surprises. À Los Angeles, la Philosophical Research Library, privée, est un don de l'ésotériste érudit Manly P. Hall. À la World University de Tucson (Arizona) se trouve la bibliothèque Howard. La John Hay Library, à la Brown University de Providence (Mss.), conserve les collections Harris et Geiger. Et à San José (Californie) se trouve la principale bibliothèque de l'A.M.O.R.C. La collection Paul et Mary Mellon (cf. le catalogue de 1969 en quatre volumes, deux pour les imprimés et deux pour les manuscrits) appartient maintenant à la Yale University de New Haven (Connecticut). La Memorial Library, à Madison (University of Wisconsin), contient le fonds Denis I. Duveen.

Un inventaire systématique des bibliothèques devrait s'accompagner d'une liste raisonnée des fonds privés, comme de ceux qui, hélas, ont été notoirement détruits par accident, ou par leurs propriétaires volontairement. Trouver, souvent après une longue enquête, un fonds manuscrit ancien chez un particulier, fait partie des plus grandes joies que peut éprouver le chercheur, même si l'exploitation d'une telle découverte s'accompagne souvent de difficultés diverses. Bien des archives privées, mais aussi bien des armoires de bibliothèques officielles, sont comme autant de cavernes des Sept Dormants d'Éphèse !

ADDENDA

Au moment de mettre sous presse, l'Auteur a jugé utile d'ajouter les précisions suivantes.

À la fin de la page 32, après les considérations sur le secret.

Sur le plan individuel, on pourrait établir un rapprochement entre le silence ou le secret, et la fameuse humeur « mélancolique » si présente dans l'hermétisme de Marsile Ficin, Pic de la Mirandole ou Corneille Agrippa, liée aussi à la *nigredo* alchimique, première étape du parcours alchimique présidée par Saturne. Il s'agit d'une introversion, comparable à une sécheresse rétentrice de lumière, à la manière des cristaux, et qui peut rester seulement provisoire. Comment discourir, en effet, pendant qu'on applique laborieusement, voire douloureusement, le précepte de la *Table d'Émeraude* : « Sépare la terre du feu, le subtil de l'épais » ? L'incandescente mélancolie dont parle Aristote ne porte guère à l'échange, alors que la *furor divinus* de Platon inciterait plutôt à la communication. Mais l'une et l'autre ont partie liée ; quand on les subit, mieux vaut les vivre non comme une contradiction, mais comme un paradoxe inscrit dans notre nature car il l'est aussi dans celle des dieux.

Ce paradoxe me paraît illustré, mieux qu'ailleurs, dans une belle gravure. On la doit à Achilles Bocchi, dont les *Symbolicae quaestiones* (1555) présentent un Hermès (symbole LXII). Nu, tenant de la main droite un chandelier à sept branches, il met à ses lèvres l'index de la main droite. Par ce dernier geste, Bocchi a voulu attribuer à ce dieu du verbe, du discours, de l'échange, le geste même d'Harpocrate ! Une tension herméneutique s'établit, entre voilement et dévoilement, silence et parole, occultation et révélation, par le truchement d'une image suggestive qu'aucune explication conceptuelle ne saurait égaler.

Page 43, après les allusions à Mircea Eliade et à Seyyed H. Nasr.

C'est toujours à partir de la notion de *philosophia* — de *theosophia* — *perennis*, que se déploient les exégèses d'Ananda Coomaraswamy, Mircea Eliade, Henry Corbin, Seyyed H. Nasr, et c'est vers elle que leur herméneutique reconduit. Mais aucun d'entre eux ne néglige l'érudition, l'appareil critique, l'outillage historique et philologique, qui constituent un aspect spécifique de la modernité. Avec eux la discipline universitaire devient l'auxiliaire, aujourd'hui indispensable, de la Tradition, qu'ils abordent à la fois en savants et en philosophes.

En bas de la page 89.

En même temps que la critique de l'avicennisme, commence à s'introduire dans la réflexion ce qu'on a pu appeler une « mécanisation » de l'image du monde : l'École de Salerne, dans la mesure où elle met l'accent sur les « *artes mechanicae* » orientés vers une sécularisation de l'espace et du temps, prépare du même coup la dissolution future des « *artes liberales* » alors en plein développement.

En bas de la page 121, après « Geoffroy de Meaux ».

Si, jusqu'au début du XIIe siècle, les clercs ont connu presque essentiellement, en fait d'astrologie, le commentaire de Macrobe sur le *Songe de Scipion*, les écrits de Firmicus Maternus et les commentaires latins du *Timée*, cette science jouit maintenant d'une faveur grandissante, grâce à la traduction en latin de nombreux textes arabes : les XIVe et XVe siècles voient se développer et se répandre un code de signes astrologiques distribués sur le corps humain, ainsi que les représentations des sept dieux planétaires flanqués de leurs « enfants », c'est-à-dire de personnages censés représenter les caractéristiques humaines attribuées à ces figures du Parnasse.

INDEX

N.B. — *Ne sont pas indexés les noms cités dans les parties bibliographiques.*

DES SCIENCES HUMAINES BIBLIOTHÈQUE

Déjà publiés

Raymond Aron,	LES ÉTAPES DE LA PENSÉE SOCIOLOGIQUE
Raymond Aron,	ÉTUDES POLITIQUES
Raymond Aron,	PENSER LA GUERRE, CLAUSEWITZ, I et II
Raymond Aron,	INTRODUCTION À LA PHILOSOPHIE DE L'HISTOIRE (nouvelle édition)
Marc Augé,	GÉNIE DU PAGANISME
Étienne Balázs,	LA BUREAUCRATIE CÉLESTE
Jean Baudrillard,	L'ÉCHANGE SYMBOLIQUE ET LA MORT
Émile Benveniste,	PROBLÈMES DE LINGUISTIQUE GÉNÉRALE, I et II
Augustin Berque,	LE SAUVAGE ET L'ARTIFICE
Jacques Berque,	L'ÉGYPTE : IMPÉRIALISME ET RÉVOLUTION
Jacques Berque,	LANGAGES ARABES DU PRÉSENT
Roger Caillois,	APPROCHES DE L'IMAGINAIRE
Roger Caillois,	APPROCHES DE LA POÉSIE
Roger Caillois et G.-E. von Grunebaum,	LE RÊVE ET LES SOCIÉTÉS HUMAINES
Geneviève Calame-Griaule,	ETHNOLOGIE ET LANGAGE : LA PAROLE CHEZ LES DOGON
Elias Canetti,	MASSE ET PUISSANCE
Michel Chodkiewicz,	LE SCEAU DES SAINTS
Jacqueline Delange,	ARTS ET PEUPLES DE L'AFRIQUE NOIRE
Marcel Detienne,	L'INVENTION DE LA MYTHOLOGIE
Georges Devereux,	ESSAIS D'ETHNOPSYCHIATRIE GÉNÉRALE
Hubert Dreyfus et Paul Rabinow,	MICHEL FOUCAULT. UN PARCOURS PHILOSOPHIQUE
Georges Dumézil,	IDÉES ROMAINES
Georges Dumézil,	MYTHE ET ÉPOPÉE, I, II et III
Georges Dumézil,	FÊTES ROMAINES D'ÉTÉ ET D'AUTOMNE, *suivi de* DIX QUESTIONS ROMAINES
Georges Dumézil,	LES DIEUX SOUVERAINS DES INDO-EUROPÉENS
Georges Dumézil,	APOLLON SONORE ET AUTRES ESSAIS
Georges Dumézil,	LA COURTISANE ET LES SEIGNEURS COLORÉS et autres essais

Georges Dumézil,	L'OUBLI DE L'HOMME ET L'HONNEUR DES DIEUX
Louis Dumont,	HOMO HIERARCHICUS
Louis Dumont,	HOMO AEQUALIS, I
A. P. Elkin,	LES ABORIGÈNES AUSTRALIENS
E. E. Evans-Pritchard,	LES NUER
E. E. Evans-Pritchard,	SORCELLERIE, ORACLES ET MAGIE CHEZ LES AZANDÉ
Jeanne Favret-Saada,	LES MOTS, LA MORT, LES SORTS
Michel Foucault,	LES MOTS ET LES CHOSES
Michel Foucault,	L'ARCHÉOLOGIE DU SAVOIR
Pierre Francastel,	LA FIGURE ET LE LIEU
Northrop Frye,	ANATOMIE DE LA CRITIQUE
J. K. Galbraith,	LE NOUVEL ÉTAT INDUSTRIEL (nouvelle édition)
J. K. Galbraith,	LA SCIENCE ÉCONOMIQUE ET L'INTÉRÊT GÉNÉRAL
Marcel Gauchet,	LE DÉSENCHANTEMENT DU MONDE
Marcel Gauchet et Gladys Swain,	LA PRATIQUE DE L'ESPRIT HUMAIN. L'INSTITUTION ASILAIRE ET LA RÉVOLUTION DÉMOCRATIQUE
Clifford C. Geertz,	BALI. INTERPRÉTATION D'UNE CULTURE
E. H. Gombrich,	L'ART ET L'ILLUSION
Luc de Heusch,	POURQUOI L'ÉPOUSER? et autres essais
Gerald Holton,	L'IMAGINATION SCIENTIFIQUE
Sir Julian Huxley,	LE COMPORTEMENT RITUEL CHEZ L'HOMME ET L'ANIMAL
M. Izard et P. Smith,	LA FONCTION SYMBOLIQUE, essais d'anthropologie
François Jacob,	LA LOGIQUE DU VIVANT
Pierre Jacob,	DE VIENNE À CAMBRIDGE
Abram Kardiner,	L'INDIVIDU DANS SA SOCIÉTÉ
Robert Klein,	LA FORME ET L'INTELLIGIBLE
Paul Lazarsfeld,	PHILOSOPHIE DES SCIENCES SOCIALES
Edmund Leach,	L'UNITÉ DE L'HOMME et autres essais
Claude Lefort,	LES FORMES DE L'HISTOIRE : Essais d'anthropologie politique
Michel Leiris,	L'AFRIQUE FANTÔME
Iouri Lotman,	LA STRUCTURE DU TEXTE ARTISTIQUE
Ernesto de Martino,	LA TERRE DU REMORDS
Henri Mendras et alii,	LA SAGESSE ET LE DÉSORDRE : FRANCE 1980
Alfred Métraux,	RELIGION ET MAGIES INDIENNES D'AMÉRIQUE DU SUD

Alfred Métraux,	LE VAUDOU HAÏTIEN
Wilhelm E. Mülhmann,	MESSIANISMES RÉVOLUTIONNAIRES DU TIERS MONDE
Gunnar Myrdal,	LE DÉFI DU MONDE PAUVRE
Max Nicholson,	LA RÉVOLUTION DE L'ENVIRONNEMENT
Erwin Panofsky,	ESSAIS D'ICONOLOGIE
Erwin Panofsky,	L'ŒUVRE D'ART ET SES SIGNIFICATIONS
Kostas Papaioannou,	DE MARX ET DU MARXISME
Denise Paulme,	LA MÈRE DÉVORANTE
Karl Polanyi,	LA GRANDE TRANSFORMATION
Ilya Prigogine et Isabelle Stengers,	LA NOUVELLE ALLIANCE : MÉTAMORPHOSES DE LA SCIENCE
Vladimir Ja. Propp,	MORPHOLOGIE DU CONTE
Vladimir Ja. Propp,	LES RACINES HISTORIQUES DU CONTE MERVEILLEUX
Henri-Charles Puech,	EN QUÊTE DE LA GNOSE, I et II
Gérard Reichel-Dolmatoff,	DESANA. LE SYMBOLISME UNIVERSEL DES INDIENS TUKANO DU VAUPÉS
Lloyd G. Reynolds,	LES TROIS MONDES DE L'ÉCONOMIE
Pierre Rosanvallon,	LE MOMENT GUIZOT
Gilbert Rouget,	LA MUSIQUE ET LA TRANSE
Marshall Sahlins,	ÂGE DE PIERRE, ÂGE D'ABONDANCE
Marshall Sahlins,	CRITIQUE DE LA SOCIOBIOLOGIE
Marshall Sahlins,	AU CŒUR DES SOCIÉTÉS : RAISON UTILITAIRE ET RAISON CULTURELLE
Meyer Schapiro,	STYLE, ARTISTE ET SOCIÉTÉ
Joseph A. Schumpeter,	HISTOIRE DE L'ANALYSE ÉCONOMIQUE I. L'âge des fondateurs II. L'âge classique III. L'âge de la science
Andrew Shonfield,	LE CAPITALISME D'AUJOURD'HUI
Ota Šik,	LA TROISIÈME VOIE
Gérard Simon,	KEPLER ASTRONOME ASTROLOGUE
Victor W. Turner,	LES TAMBOURS D'AFFLICTION
Thorstein Veblen,	THÉORIE DE LA CLASSE DE LOISIR
Yvonne Verdier,	FAÇONS DE DIRE, FAÇONS DE FAIRE
Paul Yonnet,	JEUX, MODES ET MASSES

Composé par Traitext à Quetigny
Reproduit et achevé d'imprimer
par l'Imprimerie Floch à Mayenne
le 22 septembre 1986.
Dépôt légal : septembre 1986.
Numéro d'imprimeur : 24662.

ISBN 2-07-070643-5 / Imprimé en France

38986